D1061092

Ouvrages d'Henri Bonnard

- **Code du français courant**
  (Classes de 2e, 1re, Terminale)

  Une grammaire pragmatique conforme à la nouvelle linguistique et aux nouveaux programmes :
  — la communication
  — les sons et l'écriture
  — les mots (étude lexicale et grammaticale)
  — la phrase

- **Procédés annexes d'expression**
  (Stylistique, rhétorique, poétique)

  — inventaire des connotations et de leurs marques
  — sons→mots→phrases
  — rhétorique ancienne et moderne
  — poésie classique et vers libre

Exercices de langue française

Henri Bonnard

Agrégé de grammaire
Professeur à l'Université
Paris X-Nanterre

Raymond Arveiller

Agrégé de grammaire
Professeur à l'Université
Paris IV-Sorbonne

AVANT-PROPOS

Ce recueil d'**Exercices de langue française** applique les notions enseignées dans le **Code du français courant** et les **Procédés annexes d'expression**, ouvrages destinés par les éditions Magnard aux classes de 2e, 1re et terminale conformément au programme publié en mars 1981.

Cinq premières « sections » répondent aux quatre premières « parties » du *Code*, la troisième partie *(les Mots)* étant partagée entre la troisième section (étude lexicale) et la quatrième (étude grammaticale). Ce plan conditionne en même temps la répartition des exercices relatifs aux deux premières parties du volume de *Procédés annexes* (généralités et stylistique).

Les sixième et septième sections appliquent respectivement les notions de « rhétorique » et de « poétique » exposées dans les troisième et quatrième parties des *Procédés annexes.*

En marge de chaque exercice figure la référence à l'un ou à l'autre manuel, ou aux deux, désignés par les sigles **CFC** et **PAE.** Une table des matières rappelle le plan d'ensemble, et un index répertorie les exercices selon la notion appliquée.

Ceux-ci sont de type varié : exercices de reconnaissance et d'analyse, exercices de réflexion sur la forme, sur le sens, sur le style, exercices de création. Un fond de couleur distingue les **exercices de transposition** consistant à substituer une forme à une autre sans modifier le sens, série particulièrement utile dans l'enseignement de la langue à des élèves étrangers possédant les éléments de la grammaire ; les transformations demandées ne donnent pas obligatoirement la forme « après » pour meilleure que la forme « avant » : elles visent à assouplir l'expression, à mettre à la disposition de l'élève deux tours entre lesquels il choisira selon les facteurs de la situation ou du contexte que d'autres exercices lui apprennent à évaluer.

Un grand nombre d'éléments de ce recueil sont empruntés à un livre des mêmes auteurs *(Exercices de grammaire 4e-3e)* précédemment publié par les éditions SUDEL. Mais le niveau visé (classes terminales), les notions introduites en fonction des nouveaux programmes (phonétique, orthographe, lexicologie, lexicographie, sémiotique de l'image, rhétorique, chanson), l'évolution de la science linguistique et celle de la littérature contemporaine ont motivé d'importantes additions, un renouvellement des énoncés et surtout des textes cités.

Les phrases proposées à l'analyse sont systématiquement tirées de textes littéraires comme dans le précédent recueil. Ce choix a été critiqué par certains, soit qu'ils jugent inutile de cautionner, par exemple, de l'estampille d'un Jules Renard une phrase banale comme « *Pourvu qu'il fasse beau demain !* », soit qu'au contraire ils rejettent comme non représentative la langue d'une élite d'auteurs. A quoi nous répondons qu'au niveau des classes de lycée une attention particulière est légitimement accordée à la langue littéraire. S'il suffit, au Cours moyen, d'une phrase comme « *Le café est-il chaud ?* » pour illustrer l'inversion interrogative, il n'est pas sans saveur, au niveau des classes terminales, d'évoquer Verlaine et le *Colloque sentimental* en choisissant plutôt :

Ton cœur bat-il toujours à mon seul nom ?

La langue représentée y est la même, mais avec des résonances enchanteresses aussi variées que les auteurs cités sont nombreux. Notoire est la vertu dormitive des exemples fabriqués de toutes pièces par les grammairiens ; laborieux l'humour dont quelques-uns prétendent relever la fadeur de leur « corpus » improvisé. Les théoriciens les plus avisés, autant que les professeurs des « classes littéraires », nous sauront gré d'avoir réuni, au prix de longues et humbles recherches, des milliers d'exemples authentiques, empruntés aux écrits d'une élite de la plume qui couvre tous les registres de Maupassant à Céline, d'André Gide à Cavanna, sans oublier les grands classiques.

Chaque forme linguistique étudiée peut donner lieu à des **exercices de création**, aussi importants que les exercices d'analyse, même s'ils doivent venir chronologiquement après. Pour ne pas trop grossir le volume de ce livre, nous avons limité le nombre d'exercices de ce type, en comptant sur nos collègues pour en prescrire eux-mêmes à l'imitation des textes étudiés : la recherche et le groupement de ces textes nous ont paru plus utiles que la suggestion de sujets à traiter, ceux-ci gagnant à être adaptés à l'âge et aux goûts ou aux intérêts dominants des élèves.

Dans l'opulent jardin de fleurs et de fruits que nous avons composé, nos collègues feront leur choix avec l'esprit de liberté que recommandent l'Inspection générale et la Commission ministérielle de réforme.

Les auteurs

Première section

Communication, Énonciation, Fonctions du langage

(CFC §§ 1-29, PAE §§ 1-14)

SIGNES, CODES

1
CFC § 1

Relevez dans la liste suivante les noms des bruits qui sont des signaux servant à la communication :

> roulement de tambour, roulement d'avalanche, coup de tonnerre, coup de sifflet, son de cloche, explosion de mine, coup de frein, klaxon, son du cor, bruissement d'un ruisseau, sirène de bateau, rafale de mitraillette.

2
CFC § 1

Chacun des trois dessins ci-dessous fait imaginer une action antérieure qu'on ne voit pas ; dites pour chacun (sans vous reporter au *Petit Nicolas* de Sempé et Goscinny) quelle peut être cette action et quels indices vous la font imaginer. Copiez (ou découpez) dans un journal un dessin ou une photographie sans paroles qui soit indice d'une action antérieure (ou ultérieure) :

3
CFC § 1

(a) Le costume d'un gardien de la paix est-il un indice ou un signal ? (b) Même question pour le costume d'un cosmonaute, (c) pour un costume de théâtre, (d) pour un costume de bal masqué. (Justifiez brièvement vos réponses).

4
CFC § 2

Les signifiants suivants, usités dans le Guide Michelin, sont-ils des symboles ou des signes arbitraires (justifiez votre réponse) ?

5
CFC § 2

Les chiffres romains sont-ils motivés ? Dans quelle mesure ? (Consultez éventuellement le § 163 du CFC). Même question sur les chiffres arabes (sous leur forme actuelle).

FC § 2

De quel type (motivé, arbitraire) sont les signes ci-après, placés en tête d'un horaire de la SNCF ? Indiquez-en les traits pertinents, en appréciant éventuellement leur choix.

A	Arrivée			Voiture restaurant	(VR)
D	Départ			Grill-express	(GE)
TEE	Trans Europ Express			Restauration à la place	(RP)
	Couchettes	(CC)		Bar	(B)
	Voiture-Lits	(VL)		Vente ambulante	(VA)

FC § 2

Dessinez et commentez trois symboles et trois signes arbitraires emruntés au code de la signalisation routière.

FC § 2

On a reproduit ci-après des factures présentées dans deux établissements en 1981. Dites pour chacune de quelle sorte d'établissement il s'agit, si les signes explicatifs accompagnant les prix sont motivés ou arbitraires, quels services ont été fournis et pourquoi ces signes ne pouvaient être du même type dans les deux factures :

LE CHENE VERT BOLLENE
HOTEL Tél. (90) 30.53.11
RESTAURANT R. C. 63 A 89

0.240.00
0.018.00
0.025.00
0.095.00
0.095.00
0.044.00
VIII-83 6195 •• 0.517.00 S

	.04	CV
	.05	NUME
A	2 40.00	TERR
A	28.00	ASPE
A	19.00	PISS
A	58.00	BAR
A	52.00	SOLE
A	39.00	PINT
A	55.00	PAVE
A	4.50	EAU
A	19.00	VINS
A	47.00	VINS
A	21.00	GATE
A	19.00	PROF
A	14.00	NEIG
A	15.00	SORB
	4 30.50	ST
	64.60	SE
10	4 95.10	TOTL
8675	20/04/81	

FC § § 2-3

Les signaux manuels représentés ci-dessous composent un code enseigné par Vendredi à Robinson pour communiquer en silence. Sont-ils motivés ou arbitraires ? A quel système de besoins répondent-ils ?

Ainsi ce geste signifiait :

J'ai sommeil.

Cet autre : Celui-ci :

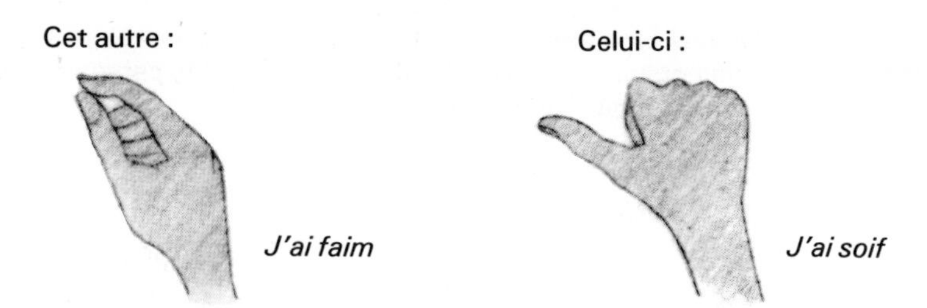

En voici quelques autres grâce auxquels les deux amis se comprenaient en silence :

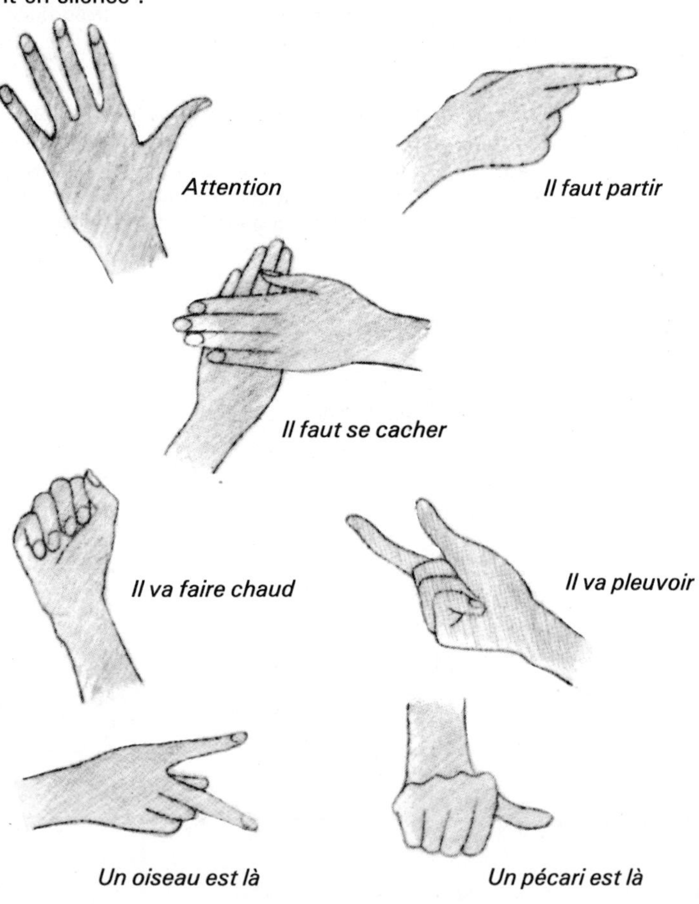

(Extrait de Michel Tournier, *Vendredi ou la vie sauvage,* illustré par G. Lemoine.)

10
CFC §§ 2-3

Le code représenté ci-contre était utilisé dans un article de l'*Express* (juin 1981) pour classer les « charters » littéraires de l'été, c'est-à-dire les romans qu'on emporte pour bien « voyager » en vacances.

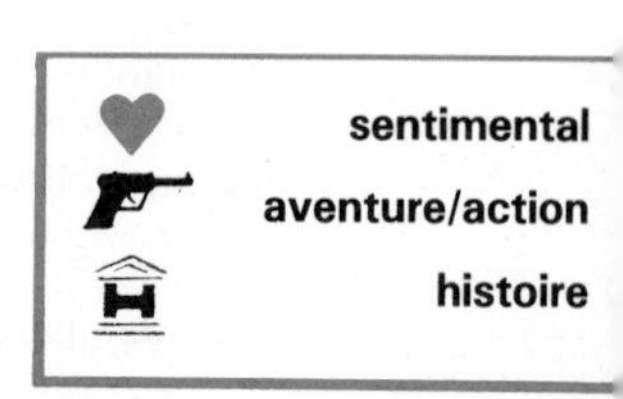

Que pensez-vous de ce « système » ? Ces signes sont-ils des symboles ? Le champ noétique est-il justifié, et suffisant ?

11
CFC § 3

De quels signifiants se compose le système de signalisation nocturne des bateaux défini aux §§ 2, 3, 5 du CFC ? Quel en est le « champ noétique » ?

12
CFC§3

Montrez que le code de signalisation de la circulation automobile comporte plusieurs systèmes restreints (microsystèmes) plus ou moins indépendants les uns des autres.

13
CFC§3

Même exercice à propos du système usité dans une carte géographique (Michelin ou autre), récapitulé en marge dans la partie « Légende ».

14
CFC§3

Un jeu de cartes est un système sémiologique. Quel en est le système des signifiants, celui des signifiés ? Quels traits sont significatifs, lesquels seulement distinctifs ? Lesquels sont symboliques, lesquels arbitraires ?

15
CFC§4

Écrivez en Braille les mots ci-dessous :

bec geai fade fiche

16
CFC§4

Écrivez en Braille les nombres ci-dessous :

84 957 1002

17
CFC§5

Pourquoi Luis Prieto dit-il que le système des feux de carrefour est sans articulation ?

18
CFC§§3-5

La formule chimique du sucre est $C_{12} H_{22} O_{11}$. Cette formule met-elle à contribution plusieurs codes ? Dans l'affirmative, dites pour chacun s'il est distinctif, significatif, articulé.

19
CFC§5

Le tableau suivant définit un code de notation des nombres :

<table>
<tr><td rowspan="5">+
: pair</td><td rowspan="3">+: 0/2/4</td><td rowspan="2">+: 0/2</td><td>+: 0</td></tr>
<tr><td>−: 2</td></tr>
<tr><td>−: 4</td><td></td></tr>
<tr><td rowspan="2">−: 6/8</td><td>+: 6</td><td></td></tr>
<tr><td>−: 8</td><td></td></tr>
<tr><td rowspan="5">−
: impair</td><td rowspan="3">+: 1/3/5</td><td rowspan="2">+: 1/3</td><td>+: 1</td></tr>
<tr><td>−: 3</td></tr>
<tr><td>−: 5</td><td></td></tr>
<tr><td rowspan="2">−: 7/9</td><td>+: 7</td><td></td></tr>
<tr><td>−: 9</td><td></td></tr>
</table>

1° Ce code est-il articulé ?
2° Selon ce code, quel nombre de deux chiffres est représenté par la séquence :

− + − − + + − ?

3° Écrivez selon ce code les nombres 29 et 107.

20
CFC§6

Relevez les noms d'instruments servant éventuellement à transmettre des messages selon un certain code :

guitare, clairon, tambour, orgues, crécelle, piano, carillon, accordéon, xylophone, castagnettes, gong, tam-tam.

21
CFC§6

Par quels canaux peuvent être communiqués :
— l'annonce d'une séance de cirque ?
— le texte d'une chanson ?

22 CFC § 6

Dans la rédaction d'un chèque, certaines indications sont à écrire plusieurs fois. Y a-t-il redondance ? Pour lesquelles ? Dans l'adresse que vous écrivez sur une lettre, y a-t-il redondance ?

23 CFC § 8

Citez cinq types très différents de discours écrit (ex. : *prospectus, ticket de chemin de fer...*).

24 CFC § 8

Citez quatre espèces de discours associant une image à un texte écrit ou oral (ex. : *carte de géographie, actualités télévisées...*).

25 CFC §§ 10-12

Pour chaque sorte de discours mentionnée ci-après, dites
— qui est (ou sont) le(s) locuteur(s),
— qui est (ou sont) le(s) destinataire(s) :

agenda, quoditien sportif, enregistrement de *La cigale et la fourmi*, carte d'anniversaire, signature d'un tableau, ordonnance médicale.

26 CFC §§ 10-12

Même exercice :

bulletin de vote pour l'élection d'un délégué de classe, cours de sciences télévisé, chèque en paiement de 30 l. d'essence, adresse d'une lettre, marque d'abattage sur un arbre, facture pour un séjour à l'hôtel, pétition pour l'installation de feux à un carrefour, acte de vente d'une propriété.

ÉNONCIATION

27 CFC § 13

Relevez dans les textes suivants :
— un passage au discours direct ;
— un passage au discours indirect ;
— un passage au discours indirect libre.
(Vous recopierez entièrement ces trois passages.)

1. **La mauvaise joueuse** : Les enfants de la terrasse supportent en général ses exigences. Si par hasard ils s'y refusent, Pomme a recours au drame (on l'a poussée, fait tomber exprès, elle souffre) avec des accents si déchirants, qu'il faut la bien connaître pour ne pas être touché de ce désespoir de comédie. (G. Chevallier)
2. — Avez-vous un nouveau certificat de votre médecin ? demande le docteur Boissarie.
   Elle en tend un, relatant qu'elle n'a jamais été souffrante depuis son retour dans son pays. (J.-K. Huysmans)

28 CFC § 13

Copiez dans les textes suivants les paroles ou les pensées rapportées au discours direct (DD), au discours indirect (DI) et au discours indirect libre (DIL) en disant à qui ils sont attribués et pourquoi vous les rangez dans la catégorie indiquée :

1. **Désarroi :** Au coin de la rue de la Victoire, je rencontrai un prêtre, et, dans le désordre où j'étais, je voulus me confesser à lui. Il me dit qu'il n'était pas de la paroisse et qu'il allait en soirée chez quelqu'un ; que, si je voulais le consulter le lendemain à Notre-Dame, je n'avais qu'à demander l'abbé Dubois. (Gérard de Nerval, *Aurélia*.)

2. **Dans l'arène :** Le taureau s'élança, de nouveau, sur son ennemi. C'était une question d'agilité. Lucas arriverait-il à la barrière avant le taureau ? Le taureau aurait-il rejoint Lucas avant qu'il eût atteint la barrière ? (A. Dumas)
3. **Scrupules d'un saint :** J'ai souvent cette pensée qui me fait entrer en confusion : « Misérable, as-tu gagné le pain que tu vas manger, ce pain qui vient du travail des pauvres ? » (Vincent de Paul)
4. **L'enfant gâtée :** Une négresse, coiffée d'un foulard, se présenta, en tenant par la main une petite fille, déjà grande. L'enfant, dont les yeux roulaient des larmes, venait de s'éveiller. Elle la prit sur ses genoux : « Mademoiselle n'était pas sage, quoiqu'elle eût sept ans bientôt ; sa mère ne l'aimerait plus ; on lui pardonnait trop ses caprices. » (G. Flaubert).

29
CFC § 13

Allégez ce texte des conjonctions en caractères gras, en remplaçant le discours indirect par le discours indirect libre :

A bout de ressources.
Arrivés à notre dernier schelling, je convins avec mon ami de le garder pour faire semblant de déjeuner. Nous arrangeâmes **que** nous achèterions un pain de deux sous ; **que** nous nous laisserions servir comme de coutume l'eau chaude et la théière ; **que** nous n'y mettrions point de thé ; **que** nous ne mangerions pas le pain, mais **que** nous boirions l'eau chaude avec quelques petites miettes de sucre restées au fond du sucrier. (Chateaubriand, *Mémoires*.)

30
CFC § 13

1° A quels mots commence dans ce texte le discours indirect ? A quels mots le discours indirect libre ?
2° Récrivez le texte en faisant commencer le discours indirect libre une phrase plus tôt :

Messidor.
Dans la grange, Honoré et Juliette battaient le blé au fléau. D'abord le père n'avait pas voulu que sa fille le secondât dans un travail d'homme. Il disait que le grain était bien mûr et qu'une caresse suffirait à le faire tomber de l'épi. Au besoin, comme le temps pressait, car le blé était près de manquer à la maison, il prendrait un ouvrier. (M. Aymé)

31
CFC § 13

Indiquez avec précision ce qui est au discours direct (paroles de Charlemagne exprimant sa pensée) et ce qui est au discours indirect libre (propos des messagers) :

Promesses de Marsile.
« Seigneurs barons, dit l'empereur Charles,
Le roi Marsile m'a envoyé ses messagers.
De ses biens il veut me donner en masse,
Des ours, des lions, des chiens tenus en laisse,
Sept cents chameaux et mille autours mués,
Quatre cents mulets chargés d'or d'Arabie,
Et avec cela plus de cinquante chars.
Mais il m'invite à m'en aller en France :
Il me suivra à Aix, en mon palais,
Alors il recevra notre loi, la plus sainte ;
Il sera chrétien, et de moi tiendra ses terres.
Mais je ne sais quel est le fond de son cœur. »
Les Français disent : « Il faut nous tenir sur nos gardes ! »
(*Chanson de Roland,* v. 180-192 traduits en français moderne.)

32
CFC § 13

Recopiez ce texte en le transposant au discours indirect (libre à partir de la 2e phrase)
1° rapporté au présent *(La Ramée vient avertir Don Juan que...)*,
2° rapporté au passé *(La Ramée vint avertir Don Juan que...)* :

La Ramée (à Don Juan) : — Douze hommes à cheval vous cherchent, qui doivent arriver dans un moment. Je ne sais par quel moyen ils peuvent vous avoir suivi, mais j'ai appris cette nouvelle d'un paysan qu'ils ont interrogé et auquel ils vous ont dépeint. L'affaire presse, et le plus tôt que vous pourrez sortir d'ici sera le meilleur. (Molière, *Don Juan,* II, 5.)

33
CFC § 14

Quelles modalités sont exprimées successivement dans ce texte ? Indiquez les limites précises des phrases considérées :

Une insolation.
Si j'ai jamais eu un moment de désespoir dans ma vie, je crois que ce fut celui où, saisi d'une fièvre violente, je sentis que mes idées se brouillaient et que je tombais dans le délire : mon impatience redoubla mon mal. Me voir tout à coup arrêté dans mon voyage par cet accident ! la fièvre me retenir à Kératia, dans un endroit inconnu, dans la cabane d'un Albanais ! Encore si j'étais resté à Athènes ! si j'étais mort au lit d'honneur en voyant le Parthénon ! Mais quand cette fièvre ne serait rien, pour peu qu'elle dure quelques jours, mon voyage n'est-il pas manqué ? Les pèlerins de Jérusalem seront partis, la saison passée. Que deviendrais-je dans l'Orient ? Aller par terre à Jérusalem ? attendre une autre année ? La France, mes amis, mes projets, mon ouvrage que je laisserais sans être fini, me revenaient tour à tour dans la mémoire.

(Chateaubriand, *Itinéraire de Paris à Jérusalem*.)

34
CFC § 14

Même exercice :

1. Regardez ces deux petits bateaux sur la mer. Qui donc a perdu ses savates sur la mer ? (J. Renard)
2. Oh ! que le tremblement des branches était doux !
   Les cyclopes jouaient de la flûte dans l'ombre. (Hugo)
3. Ciel ! de cette façon voir tous mes plans déçus !
   Écoutez, mes amis ; — il me vient une idée :
   Quelle heure est-il ? (Musset)

35
CFC § 14

Même exercice :

J'accepterais d'être Pierrouni le petit vacher...
On n'est pas toujours à lui dire :
« Laisse tes mains tranquilles, qu'est-ce que tu as donc fait à ta cravate ? — Tiens-toi droit. — Est-ce que tu es bossu ? — Il est bossu ! — Boutonne ton gilet. — Retrousse ton pantalon. — Ah ! cet enfant me fera mourir de chagrin ! » (J. Vallès)

36
CFC § 14

Même exercice :

Essayage de robe : « Dieu ! ma jolie, comme vous allez être belle ! Plus belle que toutes les princesses ! Mais ne remuez pas tout le temps, petite chèvre ! Comment voulez-vous que je pique mes épingles ? » (P. Véry)

Pose de sangsues : « Voyez, docteur, comme je suis tranquille. Est-ce ainsi qu'il faut me tenir ? mon bras ne vous gêne pas ? parlez, vous n'avez qu'à dire, je ferai tout ce qu'il vous plaira. » Et il ajoutait tacitement : « Quand je serai sur pied, tu me le payeras ! »

(V. Cherbuliez)

37
CFC § 14
PAE § 65

Modifiez la rédaction de ce texte en substituant le discours direct au discours indirect ; dites en comparant votre texte à celui de l'énoncé ce que vous avez gagné à tourner ainsi les phrases (quels défauts de style ont été supprimés ? quelles qualités ont été acquises ?) :

Troc.
Labaste et Pernot se rencontrent quinze ans après avoir quitté le lycée. Labaste s'étonne que Pernot soit si maigre et lui demande s'il est devenu jockey. Pernot répond qu'il est artiste-peintre et demande à son camarade de lui acheter un tableau. Labaste accepte et se réjouit de pouvoir venir en aide à son ami, mais le prie d'accepter en paiement le secours de son art. Pernot lui demande quel art il exerce. Labaste lui apprend alors qu'il est chirurgien.

38
CFC § 14
PAE § 65

1° Copier ce texte en soulignant tous les verbes et toutes les conjonctions dont l'emploi serait évité, et tous les pronoms personnels ou adjectifs possessifs de la 3e personne qui passeraient à la 1re ou à la 2e personne si Mme de La Fayette avait rédigé au discours direct les propos de Madame, de Louis XIV et de l'ambassadeur d'Angleterre.
2° En conclusion, quels sont les défauts du discours indirect ? Pourquoi Mme de La Fayette l'a-t-elle cependant employé ?

Madame se meurt. *(Madame de La Fayette raconte les derniers moments d'Henriette d'Angleterre, sœur du roi Charles II, duchesse d'Orléans) :*
Cependant, le roi était auprès de madame. Elle lui dit qu'il perdait la plus véritable servante qu'il aurait jamais ; il lui dit qu'elle n'était pas en si grand péril, mais qu'il était étonné de sa fermeté, et qu'il la trouvait grande. Elle lui répliqua qu'il savait bien qu'elle n'avait jamais craint la mort, mais qu'elle avait craint de perdre ses bonnes grâces... L'ambassadeur d'Angleterre arriva dans ce moment. Sitôt qu'elle le vit, elle lui parla du roi son frère, et de la douleur qu'il aurait de sa mort ; elle le pria de lui mander qu'il perdait la personne du monde qui l'aimait le mieux ; ensuite l'ambassadeur lui demanda si elle était empoisonnée : je ne sais si elle lui dit qu'elle l'était ; mais je sais bien qu'elle lui dit qu'il n'en fallait rien mander au roi son frère, qu'il fallait lui épargner cette douleur, et qu'il fallait surtout qu'il ne songeât point à en tirer vengeance ; que le roi n'en était point coupable, qu'il ne fallait point s'en prendre à lui. (Mme de La Fayette)

39
CFC § 14
PAE § 65

1° Mettez au discours indirect, en conservant scrupuleusement les idées, le dialogue entre Rodrigue et le Comte (*A moi, comte, deux mots..., Le Cid,* acte II, scène II, vers 397-412).
2° Montrez en comparant votre texte à celui de Corneille ce que le dialogue a perdu en force (modalités), en légèreté (répétition de verbes et de conjonctions), en clarté (confusion des pronoms et adjectifs de la 3e personne).

40
CFC § 14
PAE § 65

Même exercice avec les vers 418-438 des *Femmes Savantes* (acte II, scènes V et VI).

(**Modèle :** *Martine se félicite ironiquement de sa chance et constate qu'on a raison de dire que « qui veut noyer son chien l'accuse de la rage » et que le service d'autrui n'est pas un héritage. Chrysale demande ce qu'il y a, ce qu'a Martine..., etc.*)

41
CFC § 14
PAE § 65

Dire quelle modalité est exprimée au discours indirect libre dans les passages en italique :

1. **Départ pour la guerre** (Pierre du Breuil, au début de la guerre de 70, se sépare de son père.) : Les deux hommes affectaient une gaîté mâle, un ton détaché. Pierre promettait d'écrire. *Que sa mère fût raisonnable ; qu'on ne s'inquiétât point... Ils ne se quittaient pas pour longtemps !* (P. et V. Margueritte)

2. Lorsque le facteur eut franchi la porte, Ferdinand se mit à gémir. *Pourquoi Valtier ne l'avait-il pas prévenu ? Qu'est-ce qui se tramait contre lui ?* (M. Aymé)

3. Dans le champ de statues de la cour du Carrousel, Edmond traînassait, lisant et relisant ses questions d'anatomie pour la conférence d'internat. Il avait la cervelle à éclater, des préoccupations absurdes s'y chassaient comme des nuages... *Quelle étrange chose de s'être jeté dans la médecine !... Évidemment, cela n'avait pas été son choix, mais le choix paternel... Comme Sériane était beau, quand il l'avait quitté dans l'automne !* (Aragon)

42
CFC § § 14, 63, 64
PAE § 65

1° Étudiez la manière dont l'auteur présente les paroles ou les pensées de Mme Marouzet, en disant avec précision (limites exactes) ce qui est au discours direct, ce qui est au discours indirect libre, et à quels endroits les deux discours se confondent. Expliquez l'emploi des parenthèses, des guillemets, du tiret.
2° Rédigez en imitant ce texte les propos que tiendrait Mme Marouzet à ses invitées si elle venait d'emménager à Paris.

En prenant le thé.
Madame Marouzet est une femme ni jeune ni vieille, assez plaisante dans son genre ; elle a une voix tranchante et gaie, un chignon bien fait et une robe élégante. Elle reçoit ma mère avec une cordialité étudiée, en se tenant soigneusement sur son quant-à-soi. (« Il ne faut pas que ces dames croient que je vais me jeter à leur tête parce que je n'ai pas de relations. ») Elle parle de « M. Marouzet » que sa situation retient à Paris. Il vient passer les week-ends en famille et loge à l'hôtel le reste du temps. Quelle malédiction de ne pouvoir trouver d'appartement à Paris ! Avec ce gouvernement, bien sûr, rien n'étonne. L'hiver à la campagne n'est pas sans l'effrayer un peu... Elle fera repeindre les chambres, sa fille et elle s'occuperont de lapins et de jardinage. Oui, cette petite maison d'été doit devenir une vraie bonbonnière. Elle s'interrompt.
— Antoinette, venez vider les cendriers.
(Françoise des Ligneris, *Les chroniques du petit monstre,* Stock.)

43
CFC § 15

Relevez le propos :

1. Le tintement de la cloche m'a fait l'effet d'un glas. (F. Dard)
2. Émouvante, la plainte de la femme qu'il fait parler. (A. Decaux)
3. Un vent glacé soufflait. (P. Véry)
4. Les traces de nos crimes restaient partout visibles. (M. Yourcenar)
5. Mon travail : garder les vaches. (Ph. Clay)
6. « Vous venez me consulter à quel propos ? » (J. Laurent)
7. « Qu'est-ce que cela signifie, Isidoor ? » (Ch. Exbrayat)
8. « Mais les faibles, les estropiés, les malades, les vieux, que deviennent-ils ? » (M. Denuzière)

44
CFC § 15

Même exercice :

1. L'homme qui est revenu de Cuba a toujours un manuscrit sous le bras. (F. Sonkin)
2. « Ce qui lui arrive, elle l'a bien cherché ! » (Ch. Exbrayat)
3. Deux brancardiers font une entrée furtive avec une civière pliante. (San-Antonio)
4. Cet amour, elle le chantera bien joliment. (A. Decaux)
5. « On verra quoi ? » (P. Véry)

6. « Qui vous a appris tout cela ? » (F. Dorin)
7. Un phénomène, ce M. Valentin. (San-Antonio)
8. Ses propres motifs d'inquiétude, Yankel les jugeait raisonnables (R. Ikor)

45
CFC § 15

En modifiant seulement l'ordre des termes et/ou la ponctuation, copiez les énoncés suivants de manière à faire des mots imprimés en gras le propos de la phrase :

1. Guillaume a reçu **seulement hier** son passeport.
2. Jeanne est allée voir sa mère, **sans son mari.**
3. **Le lundi 1er août,** après un mois de repos, je retournerai à mon travail.
4. **Dans cette poche,** je ne mets pas mon portefeuille.
5. Je ne mets **aucun objet de valeur** dans cette poche.
6. Va **dans l'atelier** repeindre cette chaise.
7. Jean est revenu, **en excellente forme,** de Saint-Cast.
8. Avez-vous passé **ces trois jours** à Lyon ?

46
CFC § 15

En modifiant l'ordre des mots et/ou la ponctuation, copiez les énoncés suivants de manière à donner la valeur de thème aux mots imprimés en gras :

1. Paul a éprouvé des frissons **sur le quai.**
2. Je n'oublierai jamais **cette attention délicate.**
3. Il ramassa ses lunettes **au pied du bureau.**
4. Le ministre comptait relancer l'économie **par cette dévaluation.**
5. Je suis allé bien souvent **en Bretagne.**
6. Le ministre comptait relancer **l'économie** par cette dévaluation.
7. Il était devenu **insensible** par contagion.
8. Jean parle anglais **depuis le lycée.**

47
CFC § 16

Quels sont dans les phrases suivantes les mots mis en « propos » par la locution *c'est... qui (que)* ? Quelle serait leur fonction si cette locution n'était pas employée ?

1. En somme, c'est pour la cathédrale que j'étais venu. (Alain-Fournier)
2. « Qu'a donc fait votre Brama de si beau ? » Le bramine répondit : « C'est lui qui a appris aux hommes à lire et à écrire, et à qui toute la terre doit le jeu des échecs. » (Voltaire)
3. Mes meilleurs souvenirs de campagne, c'est encore aux colonies de vacances que je les dois. (Arlette Laguiller)
4. Ce n'est pas au pied du mur qu'on connaît le maçon, c'est en haut. (Auguste Detœuf)
5. Ce n'étaient plus des javelles qu'emportaient les enfants de la commune, c'étaient des gerbes. (G. Sand)

48
CFC § 16

Les phrases suivantes ont été modifiées ; restituez-les sous leur forme primitive en mettant en propos les termes imprimés en caractères gras au moyen de la locution *c'est... qui (que)* :

1. Les sauvages doivent faire leur cuisine **ainsi**, j'imagine. (R. Dorgelès)
2. Je faisais ces réflexions **en cherchant ma cravate.** (A. France)
3. Moi, je préfère **Sulphart.** (R. Dorgelès)

4. Mon oncle m'avait logé **dans ce pavillon.** (Balzac)
5. Dans mon jeune temps, j'ai commencé de parcourir le monde **à pied.** (G. Duhamel)
6. **Cet emploi de rien du tout** m'a sauvé. (J. Vallès)
7. On tire **là-dessus** depuis deux heures. (R. Dorgelès)
8. Toute la matinée avait été lourde, mais la tempête se déchaîna seulement **vers quatre heures.** (A. Lafon)

49
CFC § 16

Dans ce texte, la locution *c'est... qui* **répétée, donnant au sujet la valeur d'un attribut, exprime de façon frappante la liberté entière du Cid, lion que le roi Don Sanche aurait voulu « tenir en laisse ».**
Vous exprimerez de même en un court paragraphe, par l'emploi de la locution *c'est... qui* **ou** *c'est... que :*
1° le rôle d'un fonctionnaire de l'administration (maire d'une commune, censeur d'un lycée, etc.) : *C'est lui qui..., c'est à lui que...*
2° l'importance d'un lieu (pays, région, maison...) dans vos souvenirs : *C'est là que... c'est dans ce jardin que...*

Le Cid n'a pas de maître.
Roi, c'est moi qui suis ma cage
Et c'est moi qui suis ma clé.
C'est moi qui ferme mon antre ;
Mes rocs sont mes seuls trésors ;
Et c'est moi qui me dis : rentre !
Et c'est moi qui me dis : sors ! (Victor Hugo)

50
CFC § 16

Même exercice :
Vous exprimerez de même :
1° le rôle qu'une personne (mère, parent, maître...) a pu jouer dans votre vie : *C'est elle qui..., c'est par elle que... ;*
2° l'importance d'un lieu (port, place, local, boutique...) dans la vie d'une région, d'une ville, d'un village : *C'est dans ces murs que..., c'est là que...*

51
CFC § 17

Rédigez deux phrases où le mot *opération* **assumera deux sens différents, éclairés par le contexte ; même exercice pour** *train, libre, prendre* **(huit phrases en tout).**

52
CFC § 17

Même exercice avec les mots :

réduction, ligne, particulier, retenir.

SYNTAXE

53
CFC § 18

Dites si la différence entre les phrases a et b est morphologique (M), syntaxique (S) ou lexicale (L) ; la réponse peut être double comme MS, ou triple (MSL) :

1. a) Regarde comme ton cousin a grandi.
   b) Regarde comme ton cousin a poussé.
2. a) Nous avons débarqué au matin.
   b) Ils ont débarqué au matin.

3. a) Paul a compté trois succès.
   b) Paul en a compté trois, de succès.

4. a) Tu joues les virtuoses.
   b) Elle joue en virtuose.

5. a) J'avais appris la mort de mon père..
   b) J'avais appris que mon oncle était mort.

6. a) Je te laisserai les livres.
   b) Les bouquins, je te les laisse.

54
CFC § 19

Deux des énoncés suivants sont agrammaticaux : lesquels ?

1. L'ourson a cousu trois boutonnières au manteau noir du soleil.
2. Sur l'armoire, les chevals valsent en carrés assoupis.
3. Clignez de l'œil, ordinateurs fragmentés dans la loupe du Far-West.
4. Trop de libellules se lamentent que la foule des planches est impaire.

55
CFC § 19

Imaginez quatre phrases grammaticales mais non intelligibles (ex. : *Le vin a mangé son médecin carré***).**

56
CFC § 19

Les énoncés suivants sont extraits de rédactions d'élèves de 12 à 13 ans ; dites pour chacun s'il est grammatical (G) ; dans le cas contraire, dites si la grammaticalité est enfreinte dans l'orthographe seulement (O) ou jusque dans la forme orale des mots si le texte était prononcé (P) :

1. Nous nous étions souvent amusées de faire semblant de se noyer.
2. La toile de fond représentait un intérieur garni de colonnes, de sellettes et de vases.
3. Nous fûmes effrayer à l'apparition de la gent.
4. L'idée de les appeler ne m'était même pas venue.
5. Plus je marchais, je trouvai un nouvel attrait à ce paysage.
6. Comme les vieilles photos ont une apparence grave ! Ce devaient être une chose importante de se faire photographier.
7. Je me lave les dents en jouant avec le tube de pâte dentifrice, car c'est le moment que je préfère dans ma toilette.
8. Elle avait toujours beaucoup de mal à faire marcher la lumière en même temps de conduire.

57
CFC § 19

Dans l'énoncé suivant :

Adèle a perdu la **clé** *de la cave.*

essayez de remplacer le mot *clé* **par chacun des mots ci-dessous, et dites si le résultat est grammatical (G) ou non (NG), intelligible (I) ou non (NI) :**

lampe, moteur, loi, haie, pelle, cadenas, soustraction, précise, crainte, direction, kilomètre, religieuse.

58
CFC § 19

Même exercice que le précédent avec l'énoncé :

L'encre n'a pas touché **la page** *du livre.*

en essayant de remplacer les mots *la page* **par chacune des suites de deux mots ci-dessous :**

un tome, un dos, le pied, sa couverture, la porte, la couleur, du titre, la tranche.

59
CFC § 21

Dans le texte suivant :

Automne : *L'air eut un goût âpre ; sans un souffle, sans pluie, les feuilles tombèrent et ce fut une autre saison, comme plus fixée, plus* *sombre, mais non pas dépouillée et au contraire tout enveloppée de brumes qui vous enferment dans des gris délicats, des tons de métal patiné où le vol des mouettes revenues sur le fleuve fait des éraflures blanches.* (Jacques Chardonne)

on a relevé ci-dessous des couples de mots ou de groupes de mots ; pour chaque mot ou groupe de mots vous direz si la suppression de l'autre le priverait de fonction dans l'énoncé, et vous direz si le couple est un groupe solidaire (SOL), ou de complémentation (COM) ou de coordination (COO) (Modèle : 1. *un goût :* non ; *âpre :* oui ; COM.) :

1. un goût, âpre
2. sans un souffle, sans pluie
3. les feuilles, tombèrent
4. une autre saison, comme plus fixée
5. plus fixée, plus sombre
6. plus sombre, dépouillée
7. enferment, dans des gris
8. dans des gris, délicats
9. des gris délicats, des tons de métal patiné.

60
CFC § 21

A propos des énoncés suivants :

1. *Maintenant, écoute-moi, Toone.* (Ch. Exbrayat)
2. *Et on avait fait des cataplasmes à la moutarde.* (Cl. Michelet)
3. *Où vont ces bateaux ?* (M. Déon)
4. *Râles, ramiers, tourterelles pullulent.* (H. Bazin)
5. *Beaucoup d'intérieurs lyonnais dignes du Louvre se cachent à l'abri de façades lépreuses.* (P. Daninos)
6. *Gaspard Cornusse travaille toujours à ses photographies et à ses cartes postales.* (P. Véry)

procédez comme il est dit à l'exercice précédent pour les mots ou groupes de mots ci-dessous :

1. écoute, moi
2. des cataplasmes, à la moutarde
3. vont, ces bateaux
4. râles, ramiers, tourterelles
5. dignes, du Louvre
6. à ses photographies, à ses cartes postales.

61
CFC § § 18, 21

1° **Réduisez la phrase suivante à ses termes indispensables :**
La tête de mon camarade émergea du massif d'hortensias.
2° **Remplacez le groupe sujet par un autre mot ou groupe de mots sujet dont le sens convienne à celui du verbe.**
3° **Remplacez le verbe par un autre verbe ou groupe verbal dont le sens convienne à celui du nouveau sujet.**
— **Pratiquez alternativement de semblables substitutions deux autres fois ; le sens du dernier groupe verbal imaginé convient-il au groupe sujet de la phrase de départ ?**

62
CFC § 21

Dans ces deux phrases :

1. *Les gens dansèrent.*
2. *Une troupe évoluait.*

augmentez le groupe du sujet et le groupe du verbe de manière qu'ils contiennent chacun plus de 5 mots.

63
CFC § 21

Montrez que dans l'une de ces phrases le groupe *les foins coupés* **est « monarchique », dans l'autre « solidaire » :**

a) Les foins coupés, nous attendions la moisson.

b) Les lourds chariots rentraient les foins coupés.

64
CFC § 21

Même exercice avec le groupe *sa colère passée* **:**

a) Il se rappelle sa colère passée.

b) Je l'ai revu sa colère passée.

65
CFC § § 22, 57, 61

Dans le texte suivant, comptez les phrases et dites pour chacune combien elle contient de propositions :

Rendez-vous d'affaire.
Un type dont je ne comprends pas le nom et qui me téléphone, dit-il, de la part d'un de mes excellents amis — il serait en peine de préciser — me donne rendez-vous, d'urgence, à mon magasin. Pour un projet qui m'intéressera.
Le type arrive exactement à l'heure. Il ne parle plus de l'excellent ami. Quarante ans, poupin, cheveux en brosse. Une pointe d'accent berrichon. Sapé de première. Léger parfum... (Henri Queffélec)

66
CFC § § 22, 57, 61

Même exercice avec le texte suivant :

Mal aux dents.
Beaumont changea le miroir de main, et, à l'aide d'un crayon à bille, il se mit à cogner toutes les molaires du côté gauche, afin de déceler la source exacte de son mal. En vain. Sous le choc, toutes les dents se révélaient également sensibles, mais sans plus. Il ne pouvait donc pas s'agir d'une carie à proprement parler. Utilisant le même crayon à bille, Beaumont se mit à frotter les gencives, autour de la molaire et de la dent de sagesse. En vain également. Certes, la sensibilité était plus grande autour de ces deux dents, mais on n'aurait pu qualifier cette sensibilité de douleur. C'était plutôt la réponse normale d'une dentition travaillée par la pyorrhée alvéolaire, par la gingivite et les névralgies de tout genre. En tout cas, rien d'un abcès. Beaumont reposa le miroir, à demi rassuré. (J.M.G. Le Clézio)

67
CFC § § 23, 57, 61

Relevez les termes coordonnés, en les copiant s'il s'agit de mots ou de groupes de mots et en indiquant leurs limites s'il s'agit de propositions :

Orage et pluie.
Vers le milieu de la nuit, une épouvantable déflagration le tira brutalement du sommeil ; il crut sur le choc du réveil que tout avait sauté et qu'il allait être enseveli sous les décombres de la mine ; cœur battant à tout rompre, il se précipita dehors et fut accueilli par une immense lueur aveuglante qui déchira l'obscurité pour y laisser retomber dedans le décor qu'elle lui avait arraché l'espace d'un instant ; la clarté foudroyante fut suivie de l'énorme retentissement de ces cavernes nuageuses qui étaient venues se former au-dessus du plateau pendant qu'il dormait.
(...) Il faisait jour lorsqu'il se réveilla : un jour gris, bas, et arrosé d'une petite pluie fine et fraîche. Dehors, il aspira un bon coup d'air humide, qui sentait le terreau, l'escargot et le bois mouillé. (Jean Carrière)

68
CFC § 23

Remplacez les propositions subordonnées en *italique* par une épithète de même sens (adjectif ou participe éventuellement suivi ou précédé de compléments) :

1. Dans un passé *qui n'est pas éloigné*, la tuberculose était comptée au nombre des maladies *dont la guérison est difficile.*
2. Un chef *qui oublie sa dignité* a souvent des hommes *qui n'obéissent pas.*
3. Le champ *qui touche au nôtre* a un terrain *où rien ne pousse.*
4. Une personne *que je ne connais pas* m'a adressé des propos *que je n'ai pu comprendre.*

69
CFC § 23

Même exercice :

1. Ce chef, *qui pardonne aisément à ses hommes,* s'est montré pour son fils d'une sévérité *que rien n'a pu fléchir.*
2. Tous les nobles *dont on se méfiait* étaient traduits devant un tribunal *qui ne tardait pas à les condamner.*
3. Les touristes *qui s'intéressent aux beaux points de vue* gagnent le col par un chemin *où les voitures ne peuvent passer.*
4. Cet échec *auquel il pense toujours* a fait de lui un homme *qui s'offense d'un rien.*

70
CFC § 23

Remplacez les propositions subordonnées en *italique* par un nom ou un groupe nominal de même sens dont vous indiquerez la fonction entre parenthèses :

1. Demande au marchand *combien coûte ce ballon.*
2. *Depuis qu'il est fondé,* le syndicat demande *que les ouvriers participent aux bénéfices.*
3. *Pendant que nous étions dans l'île,* nous avons pu constater *qu'il y avait des moustiques.*
4. *Bien qu'il soit très érudit,* il n'a pu m'indiquer *d'où vient cette locution.*
5. Le ministre a su entretenir l'espoir *que les prix baisseraient.*

71
CFC § 23

Même exercice :

1. *Avant qu'il m'eût répondu quoi que ce soit,* je lui révélai *que j'étais journaliste.*
2. N'ignorant pas *ce que pouvait faire son fils,* elle déplorait *qu'il ne travaillât pas assez.*
3. *Bien que le chef ne fût pas populaire,* le bruit *qu'il était mort* consterna les troupes.
4. *Quand tu rencontreras Kid Johnson,* tu verras bien *où s'arrêtent tes forces.*

72
CFC § 23

Remplacez les propositions subordonnées en *italique* par un verbe au gérondif ou à l'infinitif précédé ou non de préposition, dont vous indiquerez la fonction entre parenthèses (exemple : Il arrive *que le patron se mette en colère.* — Il arrive au patron *de se mettre en colère* (sujet de : *Il arrive*).)

1. Il s'imagine *qu'il sortira dans un bon rang.*
2. Elle demande *qu'on la place au premier rang.*
3. Ne parle pas *quand tu manges.*
4. Il ne fait jamais ses problèmes *sans que son père l'aide.*
5. Il est impossible *que j'abandonne ces recherches.*

6. Le maître nous apprend *comment on raccourcit les phrases.*
7. Sors du garage *pour que j'aie la place de reculer.*
8. *Si vous arrivez tôt,* vous aurez de la place.

73
CFC § 25

Sur quels mots (recopiez-les) porte particulièrement la négation *ne... pas* **dans les énoncés suivants ?**

1. Je **ne** vous le vendrai **pas** cher, parce que c'est vous. (Th. Gautier)
2. « Mais moi, monsieur Cauwin, je **ne** suis **pas** un banquier et je **ne** vous connais **pas**. » (Mac Orlan)
3. « Avec vous, je **n**'ai **pas** de doute et vous **n**'êtes **pas** une femme à vous tromper. » (Mac Orlan)
4. « Ah ! non, je **ne** peux **pas** te voir faire ma vaisselle. » (H. Bazin)
5. Une chèvre, un mouton, avec un cochon gras,
Montés sur même char, s'en allaient à la foire.
Leur divertissement **ne** les y portait **pas** ;
On s'en allait les vendre, à ce que dit l'histoire.
(La Fontaine)
6. On **ne** désire **pas** toujours ce qu'on **n**'a **pas**. (H. Bazin)
7. Je **ne** te vois **pas**, je **ne** t'imagine **pas**, je t'aime. (Paul Drouot)
8. Nous ne devons rien savoir, parce que nous pourrions trahir ; mais on **ne** peut **pas** tout nous cacher, puisqu'il faut nous préparer. (R. Pingaud)

74
CFC § 25

Même exercice :

1. Il **n**'est **pas** entré au lycée à cause du calcul.
2. On **n**'entre **pas** au lycée comme dans un moulin.
3. Vous **ne** semblez **pas** aimer le crabe.
4. Vous **ne** savez **pas** manger un crabe.
5. La fête **n**'aura **pas** lieu à cause de la tempête.
6. La fête **n**'aura **pas** lieu dans le parc.
7. Marie **n**'avait **pas** de vêtements pour le froid.
8. Tous **n**'avaient **pas** des vêtements pour le froid.
9. Je **ne** vous ai **pas** vu applaudir.
10. Je **n**'ai **pas** vu dix personnes applaudir.

75
CFC § 25

Quelle maladresse est commise dans les phrases suivantes quant à l'emploi de la négation ? Refaites les phrases correctement :

1. **Écriteau** : Tout campeur sale n'est pas digne d'être reçu ici.
2. Tout chargement ne doit pas dépasser l'avant et ne pas traîner à l'arrière. (Édition commentée du Code de la route.)
3. **Autobus contre platane** : ... En dépit de la violence du choc, quelques voyageurs n'ont été que légèrement blessés. (Journal du 7-6-1951.)
4. Les médecins tentent maintenant de souligner que même si M. Reagan avait récupéré « remarquablement vite », toute personne ayant eu le poumon percé d'une balle ne peut se mettre à courir une semaine plus tard. (Journal du 9-4-1981.)
5. Tout rayon lumineux passant par le centre optique n'est pas dévié. (Manuel de physique, 1re.)
6. Vous n'êtes pas sans ignorer l'importance du port de Rouen. (Interview à la Radio)

76
CFC § 25

Modifiez les phrases suivantes en changeant le verbe de manière à supprimer la négation (ex. : *Le procureur* **n'accepta pas** *ce témoignage. — Le procureur* **récusa** *ce témoignage.***) :**

1. L'employé n'accepta pas le pourboire.
2. Ce client distrait n'avait pas pensé à payer.
3. Tu ne dois pas céder à ses caprices.
4. Le député ne perdit pas son calme.
5. Ce professeur ne défendait pas aux élèves de rire.
6. Jacques n'aimait pas du tout les pâtes.
7. Cet enfant n'avait pas assez de courage.
8. Le commissionnaire ne voulait pas prendre cette rue.
9. Il dut ne pas prendre de café.
10. Il lui demanda de ne pas révéler son secret.

77
CFC § 25

Remplacez l'expression négative par un verbe suivi d'attribut (ex. : *Il ne pouvait plus bouger. — Il était paralysé.***) :**

1. Il n'entend pas les reproches.
2. Il ne savait à quoi se décider.
3. Son rôle n'a aucune importance dans la pièce.
4. Ce traitement n'a pas eu d'effet.
5. Ses propos ne se suivent pas logiquement.
6. Cette citadelle ne pouvait être prise par la force des armes.
7. Son rire ne pouvait s'arrêter.
8. Sa réponse n'avait pas été pesée par lui avec soin.
9. Cet embarras était tel qu'on ne pouvait s'en tirer.
10. Ce mot n'est pas employé.

78
CFC § 25

Remplacez l'expression négative soit par un verbe simple, soit par une locution verbale, soit par un verbe suivi d'attribut :

1. Il n'arriva pas au but.
2. Le général ne se décidait pas.
3. Les bénéfices de ce charcutier ne restent pas dans de justes limites.
4. Pendant trois jours Pierre ne mangea rien.
5. L'élève Piéchot ne fait pas de progrès.
6. Cet accusé ne conserve aucune dignité.
7. L'auteur n'a pas révélé son nom.
8. Les spectateurs ne manifestaient pas d'émotion.
9. Le candidat ne répondait rien.
10. L'aventurier n'avait presque plus d'argent.

79
CFC § 26

Dans cette lettre d'André Gide à Joseph Delteil (29-10-1923), deux procédés ont été employés pour faire l'économie de toute une proposition ; lesquels ?

« Mon cher Delteil,
Je ne supporterai pas de rester beaucoup plus longtemps sans vous voir. Certains m'affirment (qui vous connaissent ou disent qu'ils) que vous me déplairez beaucoup. Je ne puis le croire. J'aime trop *Choléra*. »

80
CFC§26

Recopiez les phrases suivantes en ajoutant entre parenthèses les mots que supprime l'ellipse de discours :

1. Athanase fut promptement oublié par la société, qui veut et doit promptement oublier ses morts. (Balzac)
2. La courbure du toit avait quelque chose de chinois, le patio quelque chose d'espagnol et le tout quelque chose d'insolite et de majestueux. (F. Dard)
3. « Je vous croyais une personne sage, eh bien ! vous êtes une comme les autres. » (M. Druon)
4. « Vous voulez que je vous dise où ils sont ? Chez le prêteur chinois de la rue Rivière. » (J. Hougron)
5. Le roi exige que l'on casse le mariage. Et vite. (A. Decaux)
6. L'important n'était pas là, mais qu'il existât. (P. Véry)
7. Richard leur dit gentiment de venir manger d'abord à la maison. Ils dirent qu'ils avaient apporté de quoi. (J. Giono)
8. **L'inflation et la France :** Elle la mettrait tout simplement à la merci de l'Etranger, qui serait sans. (P. Daninos)
9. Je n'avance guère. Le temps beaucoup. (E. Delacroix)
10. Nous nous étions installés sur nos rancunes, comme les fakirs sur leurs lits de clous. (H. Bazin)

81
CFC§26

En gardant toutes les indications contenues dans le texte ci-dessous, abrégez-le sur le modèle de la « petite annonce » citée au § 26, de manière qu'il n'occupe plus que 5 lignes de moins de 30 lettres (ou signes) chacune :

Un particulier vend une voiture Renault 12 TL de 1972, de couleur gris clair métallisé, en excellent état. Elle n'a roulé que 38 000 kilomètres, et est disponible le 20 juillet. On demande le prix de 17 500 francs. Écrire au journal ou téléphoner au numéro 444.40.13 après 20 heures.

82
CFC§26, 2e

Chacune de ces phrases contient une ellipse de langue ; ajoutez entre parenthèses les noms qui n'ont pas été exprimés :

1. Au café, il a commandé un crème.
2. Célibataire, elle se contente d'un deux-pièces-cuisine.
3. Un vapeur les conduisit de Boulogne à Douvres.
4. Ce Rubens n'est peut-être pas authentique.
5. A la charrette a succédé l'automobile.
6. Mimi Pinson était une blonde.
7. Pierre était abonné à un hebdomadaire.
8. Avec le rôti on boit plutôt du rouge.
9. Sa deux-chevaux n'est jamais en panne.
10. Allez les verts !

83
CFC§§27, 63

Copiez en rétablissant la ponctuation supprimée et en écrivant I sous les interjections, O sous les onomatopées, A sous les mots en apostrophe :

1. On leur tire des pommes vertes emmanchées au bout d'une baguette flexible ouizz ça a une force terrible, ça fait un mal de chien. (Cavanna)
2. « Ah je dois hélas vous abandonner. » (M. Druon)
3. **Le progrès :** Charbon de terre, butagaz, électricité et allez donc ce sont les femmes qui sont contentes ! (P.-J. Hélias)

4. Vingt-cinq siècles peuh qu'est-ce que c'est ? (M. Genevoix)
5. « Toi je ne te demande rien mon garçon ! » (H. Bazin)
6. « Bah on est plus tranquille n'est-ce pas monsieur » (F. Mallet-Joris)
7. « M'mum grogna le marquis, mais ce malaise Virginie ? » (M. Denuzière)
8. Ma galopade fait un bruit sinistre dans le conduit fangeux glaouf glaouf ! (San-Antonio)
9. « Coucou je viens vous dire un petit bonjour. » (F. Dorin)

84
CFC§27

Relevez les interjections en disant quelle modalité elles contribuent à exprimer :

1. **L'âne :** Ah ! là, là, s'il n'y avait pas cette clôture ! (Marcel Aymé)
2. « Allons, qu'on me hisse cet homme. » (P. Mérimée)
3. Je ne plaisante pas, monsieur. Plaisanter un homme qui a déjeuné d'une chaise, ah fi !... (Courteline)
4. — Comment faire, Seigneur ! comment faire ? (L. Pergaud)
5. — C'est tout naturel, parbleu ! (Courteline)
6. — Allons, oust ! Enl'vez l'bœuf ! (Courteline)
7. — Ah ! par exemple, quel toupet ! (L. Pergaud)
8. — Trouvez d'abord les ronds, hein, repartit le général ! (L. Pergaud)
9. — Zut ! j'ai cassé la sonnette. (Courteline)
10. Ah ! permettez, de grâce,
Que pour l'amour du grec, Monsieur, on vous embrasse.
(Molière)

85
CFC§27

Quelle peut être l'origine de l'« interjection » commentée par André Gide dans le texte ci-après ? avez-vous observé des cas approchants ou analogues ?

Polysémie exclamative.
— Et Maurice Démarest, il n'est toujours pas marié ?
— Si ma mère ; celui qui n'est pas marié, c'est Albert ; Maurice est père de trois enfants ; trois filles.
— **Eh ! dites-moi,** Juliette !...
Cette interjection n'avait rien d'interrogatif ; simple exclamation à tout usage, par laquelle ma grand-mère exprimait l'étonnement, l'approbation, l'admiration, de sorte qu'on l'obtenait en réflexe de quoi que ce fût qu'on lui dît ; et quelque temps après l'avoir jetée, grand-mère restait encore le chef branlant, agité d'un mouvement méditatif de haut en bas. (A. Gide)

86
CFC§§27, 112

Commentez les interjections et les mots en apostrophe contenus dans ce dialogue du point de vue de la fonction grammaticale, de la fonction phrastique (thème ? propos ?) et de l'effet stylistique :

Aménités.
Trissotin : Allez, petit grimaud, barbouilleur de papier.
Vadius : Allez, rimeur de balle, opprobre du métier.
Trissotin : Allez, fripier d'écrits, impudent plagiaire.
Vadius : Allez, cuistre...
(Molière, *Les femmes savantes,* III, 3.)

87
CFC§27

Retrouvez les phrases originales en remplaçant *pouf* par une des onomatopées suivantes :

baoum, clac, clop, crôô, hop, hou, rrrouoouou, whoupp.

1. — Pouf, répondit Volpatte, qui ronflait. (H. Barbusse)

2. A dix heures, nous avons entendu le canon. Pouf ! Pouf ! Ça résonnait là (il se frappa la poitrine). (P. et V. Margueritte)
3. Il arrache le paquet à la fillette, et pouf ! fuit à toutes jambes. (Luc Durtain)
4. **Départ de la locomotive** : Les pouf ! pouf ! géants se poursuivaient, à la chasse les uns des autres. (J.-R. Bloch)
5. Puis ce fut un long hurlement dans la montagne : « Pouf ! pouf ! ». (A. Daudet)
6. D'instant en instant, pouf ! toujours le coup de fouet des pelotes, leur bruit sec contre le gant qui les lance ou contre le mur qui les reçoit. (P. Loti)
7. La semelle du soulier gauche s'est à moitié déclouée. Cela fait pouf quand il pose doucement le pied sur la marche... (Luc Durtain)
8. De temps en temps, une note triste passe et roule dans le ciel comme un ronflement de conque marine. C'est le butor qui plonge au fond de l'eau son bec immense d'oiseau-pêcheur et souffle... pouf ! (A. Daudet)

88
CFC § 27

Quelle différence observe-t-on entre les onomatopées de ces deux textes du point de vue de la dénotation et du point de vue de la connotation :

Bombardement : Les bombes commencent à grêler dru ; on les reconnaît au son — les grosses de cinq cents kilos, qui tombent en faisant frrroooouuuuuu... et les moyennes de deux cents et cent kilos, qui descendent en sifflant : phoui-phoui-phouiiiiiiiii... Bang ! (Pierre Clostermann)

Son Excellence : Talleyrand, à la fin des repas, faisait disposer devant lui une bavette de toile cirée, puis s'administrait par le nez un grand verre d'eau dans chaque narine, et recrachait le tout en public et par la bouche, dans un fracas infernal de « atchums », de « glouglous », et de « rototos ». (Pascal Jardin)

89
CFC § 27
PAE § 3

Dans le texte ci-après, vous relèverez :
1° deux interjections, dont vous direz la fonction dans la phrase ;
2° les mots ou groupes de mots en apostrophe, dont vous essaierez d'expliquer l'emploi (destinataire réel ? personnifié ? connotation).
Puis, en employant l'apostrophe à la manière de l'auteur, vous évoquerez des souvenirs personnels (par exemple : le cabinet du dentiste, la cour de votre première école, les balançoires d'un jardin public, etc.).

L'espoir du jeudi matin.
Petit cabinet du médecin avec des fauteuils, des tables et des livres, je vous revois. Vous me sembliez plein de luxe parce que vous étiez plein de tapis, vous étiez silencieux pour accueillir les malades, et à cause de vos livres vous aviez l'air savant comme votre maître. Nous entrons ici pour connaître notre destin. Maman, un peu pâle, me tient par la main.
« Assieds-toi. » Il me tâtait en demandant : « Est-ce que je te fais mal, mon petit bonhomme ? » Il me regardait dans la bouche et c'était drôle parce qu'il disait : « Allons, ouvre le bec. » A la fin, il y avait tel ou tel remède à prendre, qui faisait battre notre cœur.
Nous remontions chez nous. Un enfant et sa mère ont descendu cette rue en ne sachant pas, voici qu'ils la remontent en souriant. Jeudi matin, avec cette clarté, vous embellissiez la semaine. Jeudi matin, je vous aime, et maintenant, vous êtes encore pour moi un matin d'espérance.
Mais hélas ! espérances décevantes, je vous ai vues partir l'une après l'autre, comme les fleurs d'un jardin qui n'ont pas laissé de fruit. (Ch.-Louis Philippe, *La mère et l'enfant*.)

CONNOTATION

90
CFC § 29
PAE § § 1-3

La langue de chacun des textes suivants s'écarte du français courant. Pour chacun, vous direz :
1° Quelle est la dénotation des mots imprimés (ici) en italique ?
2° Quelle est leur connotation ? :

1. — Eh ! dis donc, *toué* là-bas ! *Pourquoué* donc tu files si fort ? Je t'*ons ben* vu, va !... Attends un peu que je t'affûte le nez avec ma *sarpe*... (A. Daudet)

2. **Dans les aérogares :** C'est l'armée des cadres *dynam. de val.* dont l'uniforme est dans le geste, le comportement, le langage — et cet insigne du club, porté non à la boutonnière mais à la main : le porte-documents. (P. Daninos)

3.
De par le roi des animaux,
Qui dans son antre était malade,
Fut fait savoir à ses vassaux
Que chaque espèce en ambassade
Envoyât gens le visiter. (La Fontaine)

4. Je remontais la rue Sainte-Anne, le cabas bourré de gros bouquins me tirait de côté vers le bas. Les mères *ritales* me regardaient passer, les yeux écarquillés par l'admiration et un vague effroi : *« Ma touté quouesté lives, tou vas les lire, Françva ? O pétêt' tou régardes solement i gimazes ? »* (Fr. Cavanna)

5. Si l'art des grands patrons est de faire croire à leurs collaborateurs qu'ils sont intelligents sans même leur laisser la parole, il y a chez les grands *tragédiens* de la *scène* politique un génie de la formule creuse qui, lancée au bon moment, *enchâssée* dans une prose sans faille ni artifice, frappe le peuple comme s'il l'avait prononcée lui-même. (P. Daninos)

91
CFC § 29
PAE § § 3-6

Dire pour chaque énoncé s'il est du registre populaire, argotique, familier, parlé tenu, écrit, littéraire :

1. — Vous avez vendu votre maison, Bob ? Vous êtes chic. Vous y teniez à cette maison ? (Georges Blond)

2. Un coup de schnick après un kil de picton, y a pas de quoi être rétamé, qu'y bonit. (Alphonse Boudard)

3. « Nous mangeons dans une demi-heure. Si vous aimez la soupe aux choux, et le lard maigre... » (Yves Sandre)

4. Il lui sembla que, s'il n'eût été maître de sa mort, il eût rencontré là l'épouvante. (A. Malraux)

5.
L'matin, ça m'prend dès que j'me lève,
J'te vois... j'te caus'... tout haut... souvent,
Comm'si qu'tu s'rais encor'vivant ! (Jehan Rictus)

6. Vivy s'assit à son tour sur un pouf sans chercher aucune harmonie et la trouvant naturellement. (R. Sabatier)

92
CFC § 29
PAE § § 3-6

Même exercice :

1. Car y disait à ses Apôtres :
« Aimez-vous ben les uns les autres,
Faut tous ét' copains su' la Terre. » (J. Rictus)

2. « Voyons, ce n'est pas le moment de se laisser aller. Si tu as fait une bêtise, ce n'est pas moi qui t'en ferai des reproches. » (Marcel Aymé)

3. Tu me portes du cœur cette goutte contrainte,
Cette distraction de mon suc précieux
Qui vient sacrifier mes ombres sur mes yeux.
Tendre libation de l'arrière-pensée ! (Paul Valéry)

4. Je frime un mec qui rallonge, la vraie cloche, sapé loquedu. (A. Boudard)

5. — T'es tombé du lit ? dit le père.
— 'jour. Fait pas chaud, dit Pom. (Alain Reinberg)

6. Un bruit de pas dans le jardin interrompit ce discours. (P. Mac Orlan)

93
CFC § 29
PAE § § 1-6

1° Transposez le texte ci-après en langue parlée tenue.
2° Dites quels traits de prononciation, de lexique, de grammaire vous paraissent avoir en commun la connotation « populaire » dans les propos de Barque.
3° Dans quelles limites Henri Barbusse admet-il l'emploi de la langue populaire en littérature (l'auteur en use-t-il en son propre nom ?) et en vertu de quel principe (accorde-t-il une préférence absolue à la langue populaire ?).

Le poilu tel qu'on le parle. *(Henri Barbusse, au front, travaille au manuscrit de son livre, « Le Feu », quand son camarade Barque l'aborde et lui tient ces propos) :*
— Dis donc, sans t'commander... Y a quéqu'chose que j'voudrais te d'mander. Voilà la chose : si tu fais parler les troufions dans ton livre, est-ce que tu les f'ras parler comme ils parlent, ou bien est-ce que tu arrangerais ça, en lousdoc (1) ? C'est rapport aux gros mots qu'on dit. Car enfin, pas, on a beau être très camarades et sans qu'on s'engueule pour ça, tu n'entendras jamais deux poilus l'ouvrir pendant une minute sans qu'i'disent et qu'i'répètent des choses que les imprimeurs n'aiment pas besef (2) imprimer. Alors, quoi ? Si tu ne le dis pas, ton portrait ne sera pas r'ssemblant : c'est comme qui dirait que tu voudrais les peindre et que tu n'mettes pas une des couleurs les plus voyantes partout où elle est. Mais pourtant ça s'fait pas.
— Je mettrai les gros mots à leur place, mon petit père, parce que c'est la vérité. (Henri Barbusse, *Le Feu*.)

(1) *En lousdoc :* en douce (déformation argotique).
(2) *Besef :* beaucoup (mot arabe).

94
PAE § § 1-6

L'auteur de la lettre suivante marque par plusieurs maladresses de langue un défaut d'instruction ; relevez et commentez ces traits :

Fonderie d'Indret (Loire-Inférieure).

Mon cher frère, selon que je t'avais marqué dans ma dernière, j'ai parlé au directeur pour le jeune homme de ton ami, et malgré que ce jeune homme soit encore bien jeune et pas dans les conditions qu'il faudrait pour être apprenti, le directeur m'a permis que je le prenne comme apprenti. Il aura son logement et sa nourriture chez nous, et je te promets de faire en sorte qu'il soit dans quatre ans un bon ouvrier. Tout le monde d'ici va bien. Ma femme et Zénaïde te disent bien des choses, et le Nantais aussi, et moi aussi.

Roudic,
Chef d'atelier aux halles de montage.
(Alphonse Daudet, *Jack*.)

95
CFC § 29
PAE § § 1-6

Quels traits de ce texte vous paraissent avoir en commun la connotation « littéraire » ?

Passé retrouvé.
Mais au moment où, me remettant d'aplomb, je posai mon pied sur un pavé qui était un peu moins élevé que le précédent, tout mon découragement s'évanouit devant la même félicité qu'à diverses époques de ma vie m'avaient donnée la vue d'arbres que j'avais cru reconnaître dans une promenade en voiture autour de Balbec, la vue des clochers de Martinville, la saveur d'une madeleine trempée dans une infusion, tant d'autres sensations dont j'ai parlé et que les dernières œuvres de Vinteuil m'avaient paru synthétiser. (Marcel Proust, *Le temps retrouvé*.)

96
CFC § 29
PAE § § 1-6

1° Transposez le texte suivant en langue parlée tenue.
2° Quels traits de langue vous paraissent avoir en commun la connotation « régionale » (Normandie 1840) ?

Une malade qui revient cher.
Cinquante-cinq sous, qui me l'ont fé payer, eune méchante bouteille ed deux sous... Comptais : la pauv' malheureuse all' aviont évu eune douzaine ed' quintes, la nuit passée, eune douzaine... pour le moins, qu'a toussiont à vous faire frémi ! J'y avons baillé eune huitaine ed' fois sa potion... Comptais, à vuit sous la quinte, c' que ça faisiont. (Henri Monnier)

97
CFC § 29
PAE § § 1-6

Relevez dans le texte les traits de langue (ponctuation, lexique, grammaire) ayant en commun la connotation « langue administrative », en montrant que ce style, s'il manque d'élégance, est bien adapté à son usage :

Arrêté préfectoral.
« République française. Le préfet des Hautes-Pyrénées, chevalier de la Légion d'honneur.
« Vu l'ordonnance n° 45-1484 du 30 juin 1945 relative à la constatation, la poursuite et la répression des infractions à la législation économique et les textes subséquents.
« Vu la circulaire de M. le Secrétaire d'État aux Affaires économiques, n° 625 du 27 octobre 1952.
« Vu les instructions contenues dans la dépêche de M. le Secrétaire d'État aux Affaires économiques n° 18.362 JP SN du 11 décembre 1952.
« Vu la circulaire de M. le Ministre des Affaires économiques n° 634 du 23 janvier 1953.
« Vu l'avis du Comité départemental des prix.
« Arrête :
Article premier. — Les dispositions de l'article premier de l'arrêté préfectoral du 5 novembre 1952, portant fixation des prix plafond de vente aux consommateurs de certaines espèces de poissons dans le département des Hautes-Pyrénées, modifiées et complémentées par l'arrêté préfectoral du 18 décembre 1952, sont modifiées ainsi qu'il suit :
« Harengs : hors taxation. »

98
CFC § 29
PAE § § 1-6

1° Relevez dans ce texte les traits de langue administrative.
2° Dans quelle intention Daudet reproduit-il cet acte en tête de son livre ? Cette reproduction vous semble-t-elle absolument textuelle ? Le talent propre de l'auteur n'apparaît-il pas avec malice dans plusieurs passages (dites lesquels) ?

Acte de vente.
« Par-devant maître Honorat Grapazi, notaire à la résidence de Pampérigouste,
« A comparu :
« Le sieur Gaspard Mitifio, époux de Vivette Cornille, ménager au lieudit des Cigalières et y demeurant :

« Lequel par ces présentes a vendu et transporté sous les garanties de droit et de fait, et en franchise de toutes dettes, privilèges et hypothèques,
« Au sieur Alphonse Daudet, poète, demeurant à Paris, à ce présent et ce acceptant,
« Un moulin à vent et à farine, sis dans la vallée du Rhône, au plein cœur de Provence, sur une côte boisée de pins et de chênes verts ; étant ledit moulin abandonné depuis plus de vingt années et hors d'état de moudre, comme il appert des vignes sauvages, mousses, romarins et autres verdures parasites qui lui grimpent jusqu'au bout des ailes ;
« Ce nonobstant, tel qu'il est et se comporte avec sa grande roue cassée, sa plate-forme où l'herbe pousse dans ses briques, déclare le sieur Daudet trouver ledit moulin à sa convenance et pouvant servir à ses travaux de poésie, l'accepte à ses risques et périls... »

(A. Daudet, *Lettres de mon moulin.*)

99
CFC § 29
PAE § § 1-6

Dans ce passage d'un article sur les « bienfaits des fruits », deux styles très différents se succèdent ; vous essaierez de les caractériser en les opposant par plusieurs traits.

Éloge du citron.
Rien de plus beau que les champs de citronniers, mais combien cette beauté devient plus troublante encore lorsque ces arbres sont couverts de neige ! A Fès, j'ai eu le privilège d'assister à ce phénomène exceptionnel et d'admirer orangers et citronniers « poudrés à blanc »... « recouverts d'une poussière de nacre », leurs fruits faisant penser « à de l'or voilé de claires étoffes blanches ».

Que dire ici de la biologie du citron !
Le citron n'est guère un aliment énergétique ; sa teneur en protides et en lipides est presque négligeable ; seuls les glucides s'y trouvent en proportions notables sous forme de glucose et de fructose. Mais, d'une façon indiscutable, il est un agréable aliment et un puissant médicament. Il est une *source de vitamine C*, vitamine antiscorbutique ou vitamine de Szent-Györgyi. Il en contient de 40 à 50 milligrammes pour 100 grammes. (Léon Binet)

100
CFC § 29
PAE § § 1-6

En comparant les deux textes ci-dessous, vous direz par quelles marques le second connote l'émotion qu'éprouve le personnage, et que l'auteur veut communiquer au lecteur :

Daniel et Jacques.
(Daniel Eyssette, après un an de brimades et de privations, s'est réfugié auprès de son frère aîné Jacques, qui fête son arrivée.)

1. On était très bien cette nuit-là dans la chambre de Jacques. La cheminée envoyait des reflets clairs et joyeux sur notre nappe. Le vin vieux cacheté sentait les violettes. Le pâté avait une belle croûte pareille à de l'or bruni. Aujourd'hui, je pense tristement qu'on ne fait plus de pâtés comme celui-là, et que je ne boirai plus jamais d'aussi bon vin.

2. Dieu ! qu'on était bien cette nuit-là dans la chambre de Jacques ! Quels joyeux reflets clairs la cheminée envoyait sur notre nappe ! Et ce vieux vin cacheté, comme il sentait les violettes ! Et ce pâté, quelle belle croûte en or bruni il vous avait ! Ah ! de ces pâtés-là, on n'en fait plus maintenant ; tu n'en boiras plus jamais de ces vins-là, mon pauvre Eyssette ! (Alphonse Daudet, *Le petit Chose.*)

101
PAE § § 1-6

1° Transposez ce texte comme il est fait dans l'énoncé de l'exercice précédent, c'est-à-dire en supprimant les marques grammaticales d'émotion et les mots à résonance sentimentale non indispensables à la dénotation (cette partie de l'exercice peut être faite oralement).
2° Faites l'inventaire des traits grammaticaux et lexicaux à connotation affective dans le texte de Daudet :

La salle d'attente.
Quand Jack entra au bras de Bélisaire, tous les regards se tournèrent vers lui, hargneux et inquiets.
« Allons, bon !... encore un !... » semblaient-ils dire. En effet, l'encombrement est si grand dans les établissements hospitaliers, chaque lit de souffrance tellement envié, brigué, disputé ! L'administration a beau faire des efforts considérables, la charité a beau se multiplier, il y a toujours plus de malades que de places pour les recevoir. C'est qu'il s'y entend à forger toutes sortes de maux, ce féroce Paris, à en inventer d'étranges, d'imprévus, de compliqués, avec l'aide du vice, de la misère et de toutes les combinaisons qu'amènent entre eux ces deux éléments de souffrance ! De nombreux spécimens de son savoir-faire s'étalaient là, piteusement, sur les bancs sordides, dans cette salle du parvis. A mesure qu'ils entraient, on les séparait en deux catégories : d'un côté, les blessés, ceux que les roues des usines, les engrenages des machines à vapeur, les acides des teintureries estropient, aveuglent, défigurent ; de l'autre, les fiévreux, les anémiques, les phtisiques, des membres grelottants, des yeux bandés, des toux diverses, creuses, aiguës, qui semblaient s'attendre et partir ensemble comme les instruments d'un déchirant orchestre. Et quels haillons, quels souliers, quels chapeaux, quels cabas ! (Alphonse Daudet, *Jack.*)

SÉMIOTIQUES NON LINGUISTIQUES

102
PAE§13

1° **Expliquez les symboles utilisés par l'auteur.**
2° **Définissez et appréciez la fonction de ce type d'images.**
3° **Qu'imagineriez-vous s'il vous fallait créer pour vous-même un code analogue en rapport avec votre mode de vie ?**

Images parlantes. *(L'agenda du narrateur n'a pas de secrets pour Mariette, sa femme) :*
Je ne peux rien lui cacher. Elle connaît mes manies, mes abréviatifs : le petit gonfalon ⊢ qui signifie *rue des Lices*(1), la tour ♜ *(la rue du Temple*(2), *à cause de la tour du 5, qui appartint aux Templiers),* la balance ⚖ *(Palais)* qui peut devenir ⚖ quand je ne suis pas content d'un jugement, le cèdre 🌲 *(la Rousselle*(3), *signalée de loin par cet arbre)*, l'abréviatif M* *(avec étoile : Mariette aimable)* ou M• *(avec point noir : Mariette maussade).* Elle en discute :
— Ce n'est pas vrai ! Ce jour-là, c'est toi qui n'étais pas à prendre avec des pincettes.
Elle résout sans difficulté — et tolère — cette charade simple :
13 🐫 *(c'est-à-dire : déjeuner avec la tante Meauzet*(4)*)*.

(Hervé Bazin)

(1) Adresse des beaux-parents du narrateur. (2) Adresse du narrateur. (3) Propriété des parents du narrateur. (4) Marraine de sa femme.

103
PAE§13

Quelles sont les fonctions des images dans ces placards publicitaires (répondre séparément pour A, B, C, D, E) ?

Etiquette oblige ! Chez Blédina les règles sont strictes et scrupuleusement observées. Le petit pot que bébé aime tant a été contrôlé plus de 50 fois au cours de sa fabrication. Pour Blédina, la puériculture commence d'abord dans les champs... Nous sélectionnons de beaux fruits bien mûrs et des légumes tout frais sur lesquels nous pratiquons de nombreux examens. Tout au long de leur fabrication (A)

Courez. Sautez. Vous sentirez renaître votre vitalité.
Je te le dis Fontaine, j'en reboirai.

Pour éliminer radicalement poux et lentes sans trace ni odeur : shampooing antiparasite Hégor.

104
PAE§13

Quelles sont les fonctions de l'image dans ces placards publicitaires vantant les vertus d'un pansement, d'un emprunt et d'une série de porte-mines ?

LES PORTE-MINES PENTEL FONT ECOLE

105
PAE§13

Les dessins ci-dessous illustrent dans un quotidien une information (Salon des Arts ménagers, Salon de la Voyance) ou un article sur un sujet actuel (Chauffage par la chaleur souterraine, Développement des gîtes ruraux de vacances). Définissez les rapports entre le dessin et le texte : le premier apporte-t-il une connotation au second ?

JEUDI 12 MARS 1981

SAM. 29 NOVEMBRE - DIM. 30 NOVEMBRE 1980

Gîtes ruraux

LUNDI 6 OCTOBRE 1981

Salon de la voyance

VENDREDI 3 AVRIL 1981

Géothermie Pari gagné

106
PAE§13

Ces placards publicitaires vantent un produit pour frictionner les muscles et une marque de « chaîne Haute-fidélité » ; un joueur de tennis est dessiné sur l'une, un autre, célèbre (Bjorn Borg), est photographié sur la seconde. Ces images ont-elles la même fonction (justifiez votre réponse) ?

107
PAE§§13-14

Ces deux images sont extraites d'un roman-photos publié en août 1981 dans le périodique *Modes de Paris.* Appréciez les rapports du texte et de la photographie dans ce genre de discours (Sont-ils étroitement liés ? Lequel est bénéficiaire de l'autre ? Comparez au cinéma, à la bande dessinée).

Deuxième section

Les sons et l'écriture

(CFC §§ 30-67, PAE §§ 15-25)

PHONÉTIQUE

108
CFC§§30-31

Relevez les mots où la lettre *a* représente le phonème [ɑ] de *pas, vase,* et non le phonème [a] de *papa, pars :*

plat	araignée	tas	sofa
ah !	cheval	sapin	fable
théâtre	Versailles	râper	miracle
villa	sabre	signature	original

109
CFC§§30-31

Même exercice :

pâte	liasse	base	boa
patte	grâce	ras	haïr
donna	face	cornac	relâche
cas	écaille	oracle	éclat

110
CFC§§30-31

Relevez les mots qui présentent le phonème [e] de *thé, boucher :*

legs	pleine	papier	nez
cahier	maire	trompette	lirai
fidèle	porter	ballet	biais
allée	bête	brouté	clé

111
CFC§§30-31

Même exercice :

assez !	veine	balai	côté
planter	bonté	gué	mangerais
gêne	butée	geai	pied
acier	aspect	coquette	buvez

112
CFC§§30-31

Relevez les mots qui présentent le phonème [œ] de *peur, œuf* ; soulignez les lettres qui, dans ces mots, notent ce phonème :

œil	jeûne	eux	meute
menteuse	jeune	fleur	veuille
veuf	nœud	cercueil	vœu

113
CFC§§30-31

Même exercice :

gueuse	Maubeuge	œuvre	neuve
orgueil	meurs	feutre	pieuse
sœur	peu	fâcheux	feuille

114
CFC§§30-32

Dites si les lettres en gras représentent le phonème [ɑ̃], [ɛ̃], [œ̃], ou [ɔ̃ (répondez en groupant les mots en quatre colonnes) :

est**am**pe	f**ein**t	f**aim**	l**yn**x
ess**aim**	parf**um**	comm**un**	r**ein**
f**aon**	**bon**bonne	t**om**beau	H**un**
h**on**te	différ**ent**	chal**an**d	m**on**de
Rh**in**	Ca**en**	m**em**bre	exam**en**

115 CFC§§30-32

Même exercice :

pain	Reims	tympan	dividende
plant	humble	Melun	embonpoint
défunt	exempt	comte	Jean de Meung
Laon	jambe	Agen	nymphe
bronze	divin	taon	

116 CFC§32

Vers 1960, la société Pathé Marconi organisait chaque semaine par voie de presse un concours publicitaire dont le prix était une « Dauphine Renault ». Voici une des questions qui furent posées : Que dit Gilbert Bécaud dans les photos qui suivent ? Il fallait choisir entre cinq titres : *Tom Pillibi, La Madelon, La Corrida, Revoir Paris, J'ai deux amours.* **Jouez le jeu en justifiant votre réponse.**

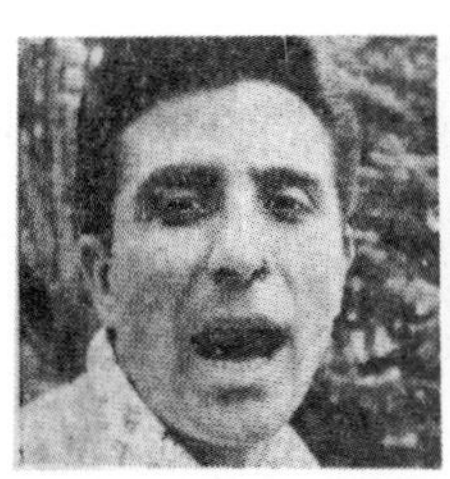

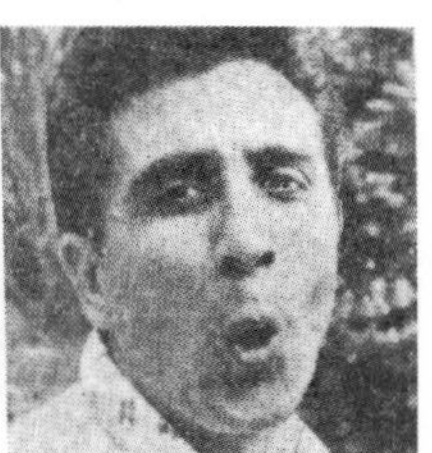

Si vous avez trouvé, vous êtes bien placé pour gagner la Dauphine de la semaine car cette devinette constitue la première des trois questions auxquelles vous devez répondre.

Demandez le règlement avec toutes les questions du concours et les bulletins-réponse chez votre distributeur radio-télévision Pathé Marconi ; ils vous seront remis gratuitement.

CHAQUE SEMAINE UNE *Dauphine* A GAGNER

117 CFC§§30-32

Prononcez les phrases suivantes en marquant nettement la différence entre les phonèmes [ɛ̃] et [œ̃] (comme dans *daim* **et** *un***) :**

1. A chacun son destin ; l'un est plus malin qu'un singe, mais vain : il est souvent opportun ; un autre, moins fin, mais plus humble, saura mieux faire son chemin.
2. Ce brun tribun d'Agen, plein d'entrain, aimait à parler à jeun, le matin.
3. Auguste Machin mourut à Dun-les-Lapins le 15 juin ; le parfum des vertus dont le défunt était plein se respirait chez chacun de ses concitoyens, emprunt opportun fait par des gens sains, mais trop souvent mesquins et communs.

118 CFC§§30-32

Dans cet énoncé :

A mesure que je marchais, mes jambes se raffermissaient.

combien y a-t-il de consonnes 1° écrites ? 2° prononcées ?

119 CFC§§30-32

Même exercice sur l'énoncé suivant :

« Vivre, c'est agir... », répéta-t-il, en promenant son regard distrait sur la rue déserte, les façades mortes.

120 CFC§§30-32

Prononcez correctement les mots suivants (exercice oral) :

Aisne	Auxerre	but	cric
alors	bourg	chenil	Curaçao
appendice	brut	cheptel	Doubs
Asnières	Bruxelles	courtil	Duguesclin
asthme	burnous	cresson	Enghien

121
CFC §§30-32

Même exercice :

encens	féerie	(un) haras	Laon
exécrer	fournil	incognito	legs
exempter	gageure	ignition	linceul
faisan	gars	isthme	lumbago
fat	geôlier	jungle	Machiavel

122
CFC §§30-32

Même exercice :

magnanime	Montréal	psychiatre	succinct
magnat	Œdipe	punch	tandis que
meeting	paon	reliquat	Wagram
Metz	pentagone	scholiaste	western
mœurs	prompt	stagnant	yacht

123
PAE §15

Montrer que les phrases suivantes sont cacophoniques, en soulignant les lettres dont la répétition ou le rapprochement sont désagréables :

Écarte ton carton. — Je lis un livre sur Surcouf. — ... comme me l'a demandé Maman. — L'autre était très triste. — C'est mon petit frère Jacky qui crie après Max. — Si ses soucis sont nombreux, il est du moins son seul maître. — A un mariage, les verres n'étant qu'en quantité insuffisante, on servit du vin dans des tasses. (Devoirs d'élèves)

124
PAE §15

Même exercice :

1. Les coussins sont profonds, et profond le plafond. (J. Moréas)
2. Une vache était là ; l'on l'appelle, elle vient. (La Fontaine)
3. Quelle que soit sa mère et de qui qu'il soit fils... (Corneille)
4. Le corps hallucinant d'un gigantesque squale. (Matila C. Ghyka)
5. Seul je puis faire grâce et la fais à Zamore. (Voltaire)
6. Et que tous croiront voir revivre à votre entrée. (V. Hugo)
7. Du reste, Ernest IV avait un regard pénétrant et dominateur. (Stendhal)
8. **La truie :** Elle s'en va, rose sous ses soies clairsemées. (Colette)
9. Crois-tu de ce forfait Manco-Capac capable ? (Leblanc de Guillet)
10. Pourquoi ce roi du monde, et si libre, et si sage
    Subit-il si souvent un si dur esclavage ? (Voltaire)

125
PAE §16

Reconnaître, dans les passages suivants, le langage d'un Normand, celui d'un Auvergnat, et ceux de gens qui cherchent à imiter l'accent picard, l'accent gascon et l'accent marseillais ; caractérisez chacun de ces langages du point de vue des sons, en les comparant au français commun :

1. Eh bien, voichine, comment que cha va là-haute ?... chavez-vous che que vautte chette collectchion ? (Balzac)
2. Jé beux, cadédis, lé faire mourir sous les coups de vaton... cé fat de Géronte, cé maraut, cé vélître, (Molière)
3. Hé biengue, Mademoiselle Fanylle, est-ce que votre mère n'est pas ici ?... A la poissonnerille ?... Vous seriez bien aimable de lui dire qu'elle n'oublille pas ma bouillabaisse de chaque jour. (M. Pagnol)
4. Hé ! la mé, savez-vous c' que j' f'rais ; mé, si j'étais de vous ? Il est chaud comme un four, vot' homme, qui n' sort point d' son lit. Eh ben, mé, j' li f'rais couver des œufs. (G. de Maupassant)
5. Ne rougis-tu mie de dire ches mots-là, et d'être insainsible aux caresses de chette pauvre ainfain ? (Molière)

126
PAE§17

Victor Hugo a écrit : *« Il est remarquable que presque tous les mots qui expriment l'idée de lumière contiennent des A ou des I et quelquefois les deux lettres. »* **Vous citerez 30 mots exprimant une idée de lumière :**

5 contenant le son A (ex. : *ardent*) ;
5 contenant le son I (ex. : *bougie*) ;
5 contenant le son A et le son I (ex. : *Paris*) ;
15 ne contenant ni A ni I (ex. : *météore*).

Vous éviterez de confondre son et lettre comme l'a fait Victor Hugo ; ainsi, les mots *lampe, rayon* **ne contiennent pas le son A ; au contraire, le mot** *étoile* **le contient, alors qu'il ne contient pas le son I.**

127
PAE§18

Relevez dans les vers suivants les effets d'harmonie suggestive en précisant bien par quelles consonnes ou quelles voyelles ils sont produits, quelle impression est suggérée, et — s'il y a lieu — quel bruit est imité (harmonie imitative) :

1. Des ramiers reviendraient vers les sourdes glycines
Bourdonneuses au vol doré des lourds frelons.
(Émile Despax)

2. L'infant pique des deux, une dague à la main,
Une autre entre les dents, prête à la repartie. (V. Hugo)

3. On voit, quand vient l'automne, aux fils télégraphiques,
De longues lignes d'hirondelles grelotter. (F. Jammes)

4. Et c'est comme un écho des pas qui l'ont foulé
Que font nos pas sur le pavé des vestibules. (H. de Régnier)

5. ... Roncevaux ! dans ta sombre vallée
L'ombre du grand Roland n'est donc pas consolée ! (Vigny)

128
PAE§18

Même exercice :

1. **L'âne au pré.**
Il y lâche sa bête, et le grison se rue
Au travers de l'herbe menue,
Se vautrant, grattant et frottant,
Gambadant, chantant et broutant,
Et faisant mainte place nette. (La Fontaine, VI, 8.)

2. L'heure menteuse est molle aux membres sur la mousse. (P. Valéry)

3. Avec comme un parfum triste de fleurs fanées,
Les vents tièdes fuiraient en laissant des traînées
D'airs de flûtes errer aux franges des roseaux. (Émile Despax)

4. **Tonnerre.**
Tout l'univers trembla de la base à la cime
Comme un toit où quelqu'un d'affreux marche à grands pas.
(V. Hugo)

5. Les ramiers assoupis sur les balustres d'or
Le long de l'eau lunaire des lagunes. (Stuart Merrill)

129
PAE§18

Même exercice :

1. Et le soupir d'azur du soleil à la terre
Balance les beaux lis comme des encensoirs. (Vigny)

2. **La fusillade :** Ils entraient dans la rue Caumartin, quand, tout à coup, éclata derrière eux un bruit, pareil au craquement d'une immense pièce de soie que l'on déchire. (Flaubert)

3. Métropole pareille à l'étoile polaire
Paris qui n'est Paris qu'arrachant ses pavés. (Aragon)

4. La respiration de Booz qui dormait
Se mêlait au bruit sourd des ruisseaux sur la mousse.
(V. Hugo)

5. Au tintement de l'eau dans les porphyres roux
Les rosiers de l'Iran mêlent leurs frais murmures
Et les ramiers rêveurs leurs roucoulements doux.
(Leconte de Lisle)

130
PAE § 18

Montrez comment la répétition de certains sons suggère le chant de la cigale et le bruit du vent soufflant en tempête sur la mer.

La cigale.
L'air est si chaud que la cigale,
La pauvre cigale frugale
Qui se régale de chansons
Ne fait plus entendre le son
De sa chansonnette inégale. (P. Arène)

Le vent de la mer.
Quels sont ces bruits sourds ?
Écoutez vers l'onde
Cette voix profonde
Qui pleure toujours
Et qui toujours gronde,
Quoiqu'un son plus clair
Parfois l'interrompe...
— Le vent de la mer
Souffle dans sa trompe. (V. Hugo)

131
CFC § § 31-33

Écrivez en alphabet phonétique les mots suivants :

cageot, boucher, bague, phrase, barrette, beignet, tu prends, mercredi.

132
CFC § § 31-33

Même exercice :

cachons-nous, pêle-mêle, sous le jet d'eau, indigné, ours blanc, heureux, client, temple grec.

133
CFC § § 31-33

Dans cet énoncé :

Il avait ouvert son parapluie.

Combien y a-t-il de voyelles : 1° écrites ? 2° prononcées ?
Même exercice sur l'énoncé suivant :

Tu n'oublieras pas la crème fouettée.

134
CFC § § 31-33

Dans ce texte d'Alain-Fournier, copiez les mots contenant exactement 3 consonnes ou semi-consonnes prononcées :

Il fit quelques pas et, grâce à la vague clarté du ciel, il put se rendre compte aussitôt de la configuration des lieux. Il était dans une petite cour formée par des bâtiments des dépendances.

135
CFC § § 31-33

Dans ce texte de Ch. Vildrac, copiez les mots contenant exactement 2 voyelles prononcées (ne comptez pas les semi-consonnes) :

La vie est remplie de combinaisons mystérieuses, Thérèse : je quitte Paris pour le Canada avec Bastien. Depuis un mois je ne pensais qu'au Canada. Dans le train je voyais le bateau et puis le Canada dont je me suis fait un tableau dans ma tête.

136
CFC § 33

Recopiez le texte suivant en remplaçant par une apostrophe tous les *e* caducs qui ne se font pas entendre dans la prononciation courante :

Plus tard, au collège, il m'arrivera de trouver déserte une salle de classe surpeuplée de camarades anonymes, et je la sentirai se remplir d'une intense présence à la seule entrée du préfet d'études. Ce n'est pas le nombre des vivants, c'est leur autorité qui meuble une maison. (H. Bazin)

137 CFC § §33-34

Dans ce texte de Renan, copiez les mots qui ont exactement trois syllabes dans la prononciation courante :

Sans doute les patientes investigations de l'observateur, les chiffres qu'accumule l'astronome, les longues énumérations du naturaliste ne sont guère propres à réveiller le sentiment du beau : le beau n'est pas dans l'analyse.

138 CFC § §34-35

Découpez en syllabes les textes suivants, donnés en transcription phonétique. Récrivez-les ensuite selon l'orthographe normale :

pɔlnəlsorakədmɛ̃	sɛlasœldiferɑ̃sɑ̃trøenu
setɛtɑ̃sɔmœ̃bravɔm	kɑ̃vumɑ̃ʒrelbɔ̃sivɛdlapɛ̃

139 CFC § §35-36

Faites trois énoncés où vous emploierez *quelque, presque* et *entre* devant une voyelle sans que l'orthographe marque l'élision, puis six énoncés où vous emploierez *lorsque, puisque* et *quoique*, 1. avec notation de l'élision par l'orthographe (apostrophe), 2. sans notation de l'élision par l'orthographe. (Neuf énoncés en tout.)

140 CFC § §35-36

Copiez le texte suivant en remplaçant, s'il y a lieu, la voyelle finale par une apostrophe :

Depuis que ils se étaient querellés, Pierre et son camarade Etienne étaient presque à couteau tiré ; quelque autre ayant envenimé leur brouille, ils passèrent à la guerre ouverte, jusque au jour où, après une lutte sauvage où ils faillirent se entretuer, ils firent la paix entre eux, et se embrassèrent. Ce aurait été mieux si ils avaient commencé par là.

141 CFC §36

Copiez en deux listes : 1° les mots commençant par *h* muet ; 2° les mots commençant par *h* aspiré :

habile	hallier	handicapé	haricot
hableur	halte	hangar	harmonica
haillon	haltère	hanneton	harpon
haleine	hamac	happer	hébété
haler	hameçon	hareng	hélice

142 CFC §36

Même exercice :

helléniste	hérissé	hiatus	horion
hémicycle	hernie	hibou	hortensia
henné	héros	hiéroglyphe	houspiller
hépatique	herse	holocauste	huguenot
héraut	hétérogène	horde	humble

143 CFC §36

Copiez les mots suivants en indiquant pour chacun le nombre de syllabes qu'il comporte dans la prononciation courante. Exemple : *alliage :* 2 syllabes.

lirions	poivrier	crier	contravention
marier	poirier	chouette	moelle
trions	brio	trouer	vitrier
(nous) passions	Lucienne	dentier	iode
(les) passions	poétique	Brienne	mutuel

144 CFC §37

Quelles liaisons faites-vous en lisant le texte suivant ? Indiquez, s'il y a lieu, le changement de prononciation de certaines consonnes et de certaines voyelles finales :

Ce grand homme n'a pas été un brillant élève. A neuf ans, il savait à peine compter. Mais un bon entourage, un certain amour-propre, de sérieux efforts ont remplacé les dons absents, et la chance a fait le reste.

145
CFC § 37

Recopiez les phrases suivantes en séparant :
— par la lettre *O* les mots qu'on prononce obligatoirement avec liaison (ex. : *les O autres*) ;
— par la lettre *F* les mots entre lesquels la liaison est facultative, plus fréquente dans la lecture appliquée que dans la conversation familière (ex. : *toujours F un peu*) ;
— par la lettre *I* les mots entre lesquels la liaison est impossible (ex. : *une liaison I étrange*) :

1. Les marchands ambulants, assis à l'ombre, rêvassaient derrière leurs éventaires de pastèques, de petits pains et de glaces. (M. Déon)
2. Il aurait fallu que je donne mon adresse... Alors, comme je n'en ai pas... Qu'est-ce que tu as à faire les yeux ronds ?... Mes deux derniers sous ont été pour des journaux, à cause des annonces... (Aragon)
3. **Les coiffeurs des élégantes :** Et, au moment où nous sommes le plus hideuses, ils ont une telle façon de nous dire que nous n'avons jamais été plus belles, qu'entre des mains si tendres tout entières occupées à nous bichonner, nous nous sentons sans défense. (P. Daninos)
4. D'Aubel(...) me regardait avec une expression étrange, amicale et vaguement étonnée. (M. Genevoix)

146
CFC § 39

Copiez ce texte en soulignant les syllabes frappées de l'accent tonique :

Le courage aujourd'hui.
— Le courage, c'est de dominer ses propres fautes, d'en souffrir, mais de n'en pas être accablé et de continuer son chemin. Le courage, c'est de chercher la vérité et de la dire, c'est de ne pas subir la loi du mensonge triomphant qui passe et de ne pas faire écho de notre âme, de notre bouche et de nos mains aux applaudissements imbéciles et aux huées fanatiques. (J. Jaurès, 1903.)

147
CFC § 39

Même exercice :

La patrie en danger.
— Nous demandons qu'il soit fait une instruction aux citoyens pour diriger leurs mouvements ; nous demandons qu'il soit envoyé des courriers dans tous les départements pour les avertir des décrets que vous aurez rendus. Le tocsin qu'on va sonner n'est point un signal d'alarme, c'est la charge des ennemis de la patrie. Pour les vaincre, Messieurs, il nous faut de l'audace, encore de l'audace, toujours de l'audace, et la France est sauvée. (Danton, 1792.)

148
CFC § 40

Prononcez les phrases suivantes en mettant un accent d'insistance sur les mots en italique ; recopiez ces mots en soulignant la syllabe particulièrement frappée de cet accent :

1. « Voilà d'*étranges* mesures ! dit-elle. » (Marivaux)
2. « A qui en veut-il, ce *polisson*-là, avec sa lettre ? » (Marivaux)
3. On s'*écrasait* aux ponts pour passer les rivières. (V. Hugo)
4. Voici une *terrible* causerie, ma chère bonne. (Mme de Sévigné)
5. L'empereur se tourna vers Dieu ; l'homme de gloire
   Trembla... (V. Hugo)
6. « Ah !... j'avais une faim, mon cher, *épouvantable* ! »
   (E. Rostand)
7. « C'est un *triomphe* !... » (Balzac)
8. « Je ne me repentirai *jamais*, dit le meurtrier d'une voix sonore. » (Balzac)

149
CFC§40
PAE§19

Lisez les phrases suivantes de façon normale d'abord, puis en mettant l'accent sur les divers mots en caractères gras, successivement (4 lectures pour chaque phrase) :

1. Les personnages du **second plan** ont **parfois** une influence **énorme**. (Flaubert)
2. Chabot **lui-même** parlait de faire venir **ses patrons** pour une **grande** consultation. (Duhamel)
3. Alors chacun se battait pour faire triompher **son parti**, et non pas pour gagner platement **une croix** comme du temps de **votre** empereur. (Stendhal)

150
CFC§41

Prononcez les phrases ou groupes de mots ci-dessous en marquant très nettement l'« intonation d'attente » devant les virgules et en baissant la voix devant les points :

Messieurs Guillard, Grappin, Anglès, Alexandre, Fourrier, Duvet.
Si tu m'écris, je t'écrirai.
Nous avons vu, aux Grands Magasins, cent modèles de lit pliant.
Ce problème, je n'y comprends décidément rien.
Appuyez sur le bouton, le tableau s'allume.
Joubert, qui a une angine, n'a pu faire la composition.

151
CFC§41

Établissez le schéma mélodique des phrases suivantes :

1. Mon père travaillait. Son métier était très futile. (F. Sonkin)
2. « Montez dans votre chambre. » (H. Bazin)
3. Victor alla successivement à Morlaix, à Dunkerque, et à Brighton. (G. Flaubert)
4. « On est revenu au pays ? » (B. Groult)

152
CFC§41

Établissez deux schémas mélodiques pour la phrase

A-t-il appris l'anglais au lycée ?

selon que *« au lycée »* **fait partie du thème ou constitue le propos.**

153
CFC§41

Dites si l'intonation, devant chaque signe de ponctuation (sauf les deux points), est montante, descendante, uniforme ou indifférente (justifiez brièvement votre réponse) :

Le président : Garçon, faites circuler cette femme !
Le garçon : Je m'en garderai, Monsieur. Elle est ici chez elle.
Le président : C'est la gérante du café ?
Le garçon : C'est la Folle de Chaillot, Monsieur.
Le président : Une folle ? (Jean Giraudoux)

154
CFC§41

Même exercice :

Fanny : Tu es sûr que tu vas aux Lecques ?
Césariot : Oui, je vais me reposer aux Lecques.
Fanny : Et ici, tu ne peux pas te reposer ?
Césariot : Ça ne serait pas la même chose.
Fanny : Oui. Évidemment. Ici, tu n'as que ta mère, ta grand-mère et ta tante pour te soigner. Tandis qu'ailleurs...
Césariot : Mais non, maman. Je te dis la simple vérité.
(Marcel Pagnol)

155
CFC§41
PAE§19

Lisez les phrases en italique sur le ton qui convient :

1. Je suis las de subir tes caprices ; *j'en ai assez !*
   Voulez-vous encore quelques pommes de terre , — Je vous remercie, *j'en ai assez.*
2. (A un jeune enfant) : Vous avez voulu me faire une farce ; *vous êtes un coquin !*

(A un scélérat) : Vous avez volé et maltraité votre bienfaiteur ; *vous êtes un coquin !*

3. Monsieur Laloue vient d'apprendre que le visiteur attendu, M. Vidal, est arrivé ; il s'écrie, joyeux : *« Ah ! c'est M. Vidal ! »*
   Monsieur Blanchard vient d'apprendre que l'auteur d'un vol est M. Vidal, qu'il croyait honnête ; il s'écrie : *« Ah ! c'est M. Vidal ! »*
4. Commettre une pareille infamie ? *Non, merci !*
   Voulez-vous que je vous aide ? — *Non, merci.*
5. Cela vous fait mal ? — *Je vous crois !*
   Vous me dites que vous avez fait seul votre devoir ; *je vous crois.*

156
CFC § § 39-41
PAE § 19

1° Vous montrerez que ces excuses peuvent avoir deux sens opposés : comment les comprend le public ? comment les entend l'acteur ?
2° Prononcez les paroles de l'acteur en leur donnant un sens favorable au public, puis défavorable ; comment la différence est-elle marquée dans l'intonation (importance respective des accents toniques, « intonation d'attente » devant les virgules) ?

Une belle réparation.
On raconte que le grand acteur Frédérick Lemaître, en colère, avait traité son public d'imbécile. Sommé par le directeur du théâtre de faire des excuses, il s'avança sur la scène et s'écria : « J'ai dit que vous étiez des imbéciles, c'est vrai ; je vous présente mes excuses, j'ai tort. » Le public s'en fut satisfait.

157
PAE § 20

Recopiez les textes suivants en soulignant à l'encre les parties à lire vite, et au crayon les parties à lire lentement :

1. Que d'un pas lent et lourd le bœuf fende la plaine,
   Chaque syllabe pèse, et chaque mot se traîne.
   Mais si le daim léger bondit, vole et fend l'air,
   Le vers vole et le suit, aussi prompt que l'éclair.
   Ainsi de votre chant la marche cadencée
   Imite l'action et note la pensée. (Delille)
2. Ils abordent sans peur, ils ancrent, ils descendent
   Et courent se livrer aux mains qui les attendent.
   (Corneille)
3. C'était le matin. Allant, venant, tournant, trottant, galopant, tournoyant, tourbillonnant, courant après sa queue et courant après son ombre, le Chat-Comme-Ça venait d'engager une formidable partie de cache-cache avec le balai mécanique. (Claude Farrère)
4. Le repas dura longtemps. Je mangeai un peu de pain et je bus du lait. La lampe éclairait mal ; et il y avait sur la nappe un bol de faïence bleue où trempaient encore quelques fleurs. Je n'étais pas précisément triste : j'étais seul. (Henri Bosco)
5. **Deux compagnons :** Bouvard marchait à grandes enjambées, tandis que Pécuchet, multipliant les pas, avec sa redingote qui lui battait les talons, semblait glisser sur des roulettes. (G. Flaubert)

158
PAE § § 20-21

Dans les textes suivants, les auteurs ont manifestement cherché à donner à leur prose un rythme régulier au moyen des pauses et des accents ; vous recopierez, en allant chaque fois à la ligne, les membres de phrases qui, dans une prononciation plus ou moins familière, peuvent compter pour 8 syllabes (1er texte) et pour 12 syllabes (second texte) :

1. Seigneur, j'ai reçu un soufflet. Vous savez ce qu'est un soufflet, lorsqu'il se donne, à main ouverte, sur le beau milieu de la joue. J'ai ce soufflet fort sur le cœur ; et je suis dans l'incertitude, si pour me venger de l'affront, je dois me battre avec mon homme, ou bien, le faire assassiner. (Molière)

2. J'ai vu dans le Tyrol, en un logis désert, un pauvre enfant tout seul. Un sauvage torrent doué de force énorme, fait pour tourner dix meules, d'un filet ménagé qui servait de nourrice, agitait, balançait l'enfant dans son berceau. (Michelet)

159
PAE§§20-21

Même exercice (8 syllabes dans le 1er texte, 6 dans le second) :

1. J'annonce un écrit périodique, et croyant n'aller sur les brisées d'aucun autre, je le nomme « Journal inutile ». Pou-ou ! je vois s'élever contre moi mille pauvres diables à la feuille ; on me supprime ; et me voilà derechef sans emploi ! Le désespoir m'allait saisir ; on pense à moi pour une place, mais par malheur j'y étais propre : il fallait un calculateur, ce fut un danseur qui l'obtint. (Beaumarchais)

2. J'ai les yeux bien ouverts, larges, plissés aux tempes, placides et railleurs ; à d'autres les songes creux ! Je conte ce que j'ai vu, ce que j'ai dit et fait... N'est-ce pas grande folie ? Pour qui est-ce que j'écris ? Certes pas pour la gloire ; je ne suis pas une bête, je sais ce que je vaux, Dieu merci... (Romain Rolland)

160
PAE§§20-21

Souvent les proverbes, les maximes, les locutions populaires sont faits de plusieurs groupes de mots ayant un nombre égal de syllabes et rimant ensemble ; exemple :

Cœur de **fiel**, *bouche de* **miel. (V. Hugo.)**
(Prononciation familière : 3 syllabes + 3 syllabes.)

Voici le début de quelques dictons ou locutions remplissant au moins une de ces conditions ; vous les compléterez en soulignant éventuellement les rimes et en marquant comme dans l'exemple ci-dessus le nombre de syllabes de chaque groupe de mots dans la prononciation familière :

1. Qui vivra...
2. A la tienne...
3. Petit à petit...
4. La parole est d'argent...
5. Qui aime bien...
6. A bon chat...
7. Il n'est pire eau...
8. Qui veut la fin...
9. Qui va à la chasse...
10. Tout passe...
11. A beau mentir...
12. Cherchez...

161
PAE§§20-21

Même exercice :

1. En avril...
2. En mai...
3. Quand il pleut à la Saint-Médard...
4. Noël au balcon...
5. Ciel pommelé...
6. A tout péché...
7. Qui terre a...
8. Rira bien..
9. Ventre affamé...
10. Tout juste...
11. Qui veut voyager loin...
12. A tout seigneur...

162
PAE§§20-21

Le texte suivant est écrit en prose rythmée : les pauses et, par endroits, les accents et les rimes permettent de le découper en membres de 6, 8, 10 ou 12 syllabes. Vous recopierez ces membres en allant chaque fois à la ligne ; vous soulignerez s'il y a lieu, à la fin de ces membres, les syllabes de timbre semblable, faisant rime :

Du naturel dans les portraits.
Je ne suis pas comme ces femmes qui veulent, en se faisant peindre, des portraits qui ne sont point elles, et ne sont point satisfaites du peintre, s'il ne les fait toujours plus belles que le jour. Il faudrait, pour les contenter, ne faire qu'un portrait pour toutes ; car, toutes, demandent les mêmes choses : un teint tout de lis et de roses, un nez bien fait, une petite bouche et de grands yeux vifs, bien fendus, et, surtout, le visage pas plus gros que le poing, l'eussent-elles d'un pied de large. Pour moi, je vous demande un portrait qui soit moi, et qui n'oblige point à demander qui c'est. (Molière, *Le Sicilien.*)

ORTHOGRAPHE

163
CFC§43

Certains mots, dans les phrases suivantes, devraient être écrits avec trait(s) d'union ; recopiez ces mots en rétablissant les traits d'union :

1. Soudain je vois, contre mon coude, lové sur lui même, bleu vert comme le dessus de lit, un serpent semblable à celui de la plage. (M. Cardinal)
2. « Que dois je faire ? Par Notre Dame, conseillez moi ! » (J. Bourin)
3. Le tout est d'une netteté violente, découpée à l'emporte pièce sur un triste ciel lie de vin. (P. Loti)
4. Mettons qu'il y ait eu dans tant de conformité aux usages quatre vingt dix huit pour cent du désir de ne pas me singulariser vis à vis de nos camarades... (M. Yourcenar)
5. « Gardez vous en bien, répondit la Syrienne. » (Voltaire)
6. « Nous sommes autant au dessus d'elle que les dieux sont au dessus de nous. » (A. France)
7. La grosse tour a cent quatre vingts pieds de haut. (Stendhal)
8. « Voyez ces olives, dit il ; nous sommes satisfaits que celles ci soient claires et celles là sombres. » (A. France)
9. « Pourquoi gardes tu cet almanach de facteur dans une si jolie chambre. — Oh ! laissez le moi, mon parrain. » (Balzac)
10. Je fus extrait de mon sous sol et affecté à un bureau de l'état major, dans les étages supérieurs. (A. Frossard)

164
CFC§43

Même exercice :

1. « Jette moi ça au feu tout de suite, veux tu ; ne dirait on pas que tu as décroché la lune ! » (J. Carrière)
2. Aller dans ce pays de sauvages ! De crève la faim ! De va nu pieds ! (Cavanna)
3. « Mais, que se passe t il, me dit il, qu'est ce qu'il y a de si grave ? » (E. Carles)
4. « N'allez pas au grand soleil nu tête. » (V. Hugo)
5. De ci, de là, des barrières blanches donnaient à l'avenue une allure champêtre. (J. Dutourd)
6. Quel âge pouvait il avoir ? Vingt ans ? Vingt et un ans ? (H. Troyat)
7. Par là dessus le bruit des cloches, et toujours quelques tambourins qu'on entendait ronfler, là bas, du côté du pont. (A. Daudet)
8. Ses enfants n'avaient pas eu le temps de le connaître, et ma grand mère, qui ne fut sa femme que pendant quatre années, n'a pas pu nous dire grand chose. (M. Pagnol)

9. L'incomparable joyau a une valeur réelle... de deux cent trente trois millions quatre cent mille sept cent vingt deux francs cinquante. (San-Antonio)

10. Il lui semblait toujours qu'elle tournait sur cette maudite plate forme, avec les rires de la ville au dessous. (A. Daudet)

165
CFC§45
PAE§24

Pourriez-vous donner des mots dont l'aspect graphique vous paraît « à falbalas » ? « à béquilles » ? « plein de rocailles » ? (un mot de chaque sorte). Justifiez votre choix :

Physionomie des mots.
Il y a des mots avec des « h » en trop, des consonnes doublées, des « eau », des « ault », des « ain », des « xc »... C'est ce que je préfère. Ça leur donne une physionomie spéciale, un air précieux, un peu maladif, comme « thé », ou au contraire pétant de gros muscles, comme « apporter », « recommander », ou qui fait grincer les dents, comme « exception »... Il y a des mots à chapeaux à plumes, des mots à falbalas, des mots à béquilles et à dentiers, des mots ruisselants de bijoux, des mots pleins de rocailles et de trucs piquants, des mots à parapluie... (Cavanna)

166
CFC§§46-47

Recopiez les mots où manque un accent ou un tréma en rétablissant ces signes :

Blanchette.
Blanchette, la chevre alerte et preste, bondit par-dessus les ravins, court de coteau en coteau. Elle file comme une fleche, s'arrete net, se repait tranquillement de tendres pousses vertes, puis flechit les jarrets et se couche parmi les bruyeres roses et les grandes cigues aux gracieuses ombelles. Brusquement elle repart, s'elance d'un pied sur vers les cimes, cotoie les abimes beants. Elle parait un instant sur une arete aigue, puis se perd au lointain.

167
CFC§§46-47

Même exercice :

1. Pecheur endurci, voici que la tache de l'infamie t'a marque a jamais.
2. La temperature est polaire : le poele en faience s'est eteint ; tu feras les crepes sur le gaz, dans la piece contigue, afin que nous puissions dejeuner au plus tot.
3. Joachim Gratiné, l'auteur de tant de poemes gracieux, de tant de chapitres emouvants, a laisse sur son pupitre la derniere page redigee de son nouveau roman : *Les pecheurs a la ligne.* L'epitre dedicatoire est deja terminee. Elle est d'un poetique !

168
CFC§48

Relevez, parmi les mots suivants, ceux dont l'articulation comporte le phonème « yod » ; indiquez pour chacun d'eux comment ce phonème est noté par l'écriture :

conciliant - outil - hiératique - festoyer - tranquille - cahier - yatagan - empaillé - caïman - quille - caïeu.

169
CFC§49

Les points remplacent, dans la liste de mots suivante, les lettres qui notent le phonème [s]. Écrivez entièrement ces mots :

iner...ie	situa...ion	provin...ial	insa...iable
magi...ien	péripé...ie	répéti...ion	diploma...ie
silen...ieux	spa...ial	éclair...ie	sou...ieux
substan...iel	spa...ieux	permi...ion	so...iable

170
CFC§49

Copiez en remplaçant les points de suspension par *ss* ou *sc* :

Rééducation.
Une ...iatique l'avait terra...é et cloué au lit pour deux mois. Convale...ent, il se mit au...itôt à di...ipliner ses muscles. Il se força à ca...er du bois et ...ier des bûches. Il fréquenta a...idûment la pi...ine.

Il re...u...itait et avait con...ience de sa pui...ance physique retrouvée. Le sport le fa...ina et su...ita en lui une efferve...ence de vie. Il partit pour la montagne, réu...it des a...ensions difficiles, chau...a des skis et se cla...a très bien dans des de...entes périlleuses.

171
CFC§51

Formez des mots préfixés avec les mots suivants, en utilisant les préfixes *ad, com, dis, ex, en* ou *in*, que vous mettrez à la forme convenable :

baisser	altérer	propre	plâtre
lancer	citoyen	puiser	honneur
moral	sembler	rompre	parfait
disciple	qualifier	saut	tribut
latéral	perdu	veiller	espérer

172
CFC§51

A quel préfixe a-t-on affaire dans les mots suivants ? Expliquez la forme de ce préfixe, s'il y a lieu :

supporter - corroder - dévoyer - innerver - alliage - opprimer - apolitique - innommable - ressentir - emménager.

173
CFC§51

Classez en trois colonnes les mots suivants selon qu'ils présentent le préfixe *in/en-* 'dans', qu'ils présentent le préfixe *in-*, négatif, ou qu'ils ne présentent pas de préfixe.

impoli - illuminer - implanter - imaginer - impiété - immigrer - implacable - impétigo - immaculé - imitation.

174
CFC§52

Complétez les mots inachevés (la famille est indiquée en gras) :

Chat : Dans le ch... de cette bague, on a enchâssé une pierre au reflets ch...
Battre : Quoique d'humeur b..., Mathieu, ce jour-là, souffrant de c..., se montra peu comb...
Bon : Votre vin n'est pas fameux, tous vos b... ne vont pas le b...
Courir : Un coup de trompe et les badauds ac... pour voir défiler les c...
Fou : D'humeur f..., le petit chien b... sur le gravier.
Homme : « Le cycliste s'est jeté sous vos roues, déclara le gendarme avec b... ; c'est un h... involontaire. »
Honneur : Le titre de médecin des hôpitaux n'est pas seulement h..., il me permet d'augmenter mes h...
Nom : Rappelle-toi la n... des fractions et tu sauras quel terme est le d...
Son : Ce piano a une excellente s..., ce qui donne du charme à cette s... malgré les d... voulues par le compositeur.
Ton : La d... retentit très affaiblie, elle troubla à peine la m... des bruits du soir.
Patron : Le comité de p... des colonies de vacances de l'usine est présidé par le délégué p...

175
CFC§53

Donnez un verbe de la même famille que chacun des mots suivants :

ramoneur - papillon - tonnerre - téléphoniste - savon - chiffon - poumon - détonation - ordre - bouillon - flot - sanglot - chuchotement - frotteur - fagot - garrot - sirop - frisette - complot - trot.

176
CFC§50-5

Copiez en remplaçant les points de suspension par une consonne simple ou une consonne double :

Réception.
Rémy Fassola, le ténor de reno...ée mondiale, fête aujourd'hui son millio...ième disque. L'a...éritif est servi dans un sa...on de l'avenue de l'Opéra, où ses admirateurs essou...lés accou...ent en ba...aillons serrés. Chacun veut lui donner l'acco...ade : il doit se déba...re. A chaque compliment, il s'incline et dit : « Très ho...oré » avec une

into...ation bo...asse. La so...erie du télépho...e grelo...e sans arrêt pour de mono...ones félicitations. Quand il se montre à la fenêtre, les passants ba...ent des mains ou si...lent en manière d'ho...age. Demain, il aura des courba...ures dans le dos et la main droite boursou...lée.

177
PAE§24

Quel effet est produit par l'orthographe de l'« apostrophe » finale ?

Gavroche.
Il plongea profondément son doigt dans son nez avec une aspiration aussi impérieuse que s'il eût eu au bout du pouce la prise de tabac du grand Frédéric, et jeta au boulanger en plein visage cette apostrophe indignée :
— Keksekça ? (V. Hugo)

178
PAE§24

Que suggère la graphie du dernier mot quand Pagnol fait dire par la vieille Honorine à son petit-fils :
« Je t'ai presque fini un pulovère. » ?

PONCTUATION

179
CFC§56

Expliquez la virgule isolée après *étable*. Quel problème de ponctuation est posé dans cette phrase par l'élision de *que* ? Peut-on le résoudre autrement que n'a fait ici Marcel Aymé ?

Le bœuf savant.
Il devint si studieux qu'à l'étable, il avait toujours dans son ratelier un livre ouvert. (M. Aymé)

180
CFC§58

Nous avons supprimé la ponctuation dans le texte ci-dessous ; vous la rétablirez en mettant une virgule, un point-virgule ou un point partout où le sens le demande :

Prénoms.
M. Homais quant à lui avait en prédilection tous ceux qui rappelaient un grand homme un fait illustre ou une conception généreuse et c'est dans ce système-là qu'il avait baptisé ses quatre enfants ainsi Napoléon représentait la gloire et Franklin la liberté Irma peut-être était une concession au romantisme mais Athalie un hommage au plus immortel chef-d'œuvre de la scène française. (Flaubert)

181
CFC§§41, 58

1° Le point-virgule après *dansa* est-il correct ? Comment peut-il s'expliquer ?
2° Avec quelle intonation doit-on prononcer *dansa* ? Quels mots doivent être prononcés sur une mélodie descendante ?

Le chant de l'eau.

Là-bas,
Le petit bois de cornouillers
Où l'on disait que Mélusine
Jadis, sur un tapis de perles fines,
Au clair de lune, en blancs souliers,
Dansa ;

Le petit bois de cornouillers
Et tous ses hôtes familiers
Et les putois et les fouines
Et les souris et les mulots
Écoutent
Loin des sentes et loin des routes
Le bruit de l'eau.
(É. Verhaeren, *Les blés mouvants*.)

182
CFC§58

Comment s'expliquent les virgules placées devant *et* dans les textes suivants ?

1. **Le chien Macaire au café** : — Il récolta cette fois cinq morceaux de sucre, et la valeur d'une demi-tasse de café. (J. Romains)
2. **Soleil couchant** : — Les rayons froidissent encore, et, presque horizontaux, exhaussent et creusent les montuosités et les ravins. (La Varende)
3. Avec des enfants peut-être charmants, et qui ne demanderaient qu'à comprendre, ce père démagogue fabriquera des monstres. (P. Guth)
4. **Au Japon** : — La marquise Yorisaka ne s'orne pas d'un prénom wagnérien, et elle n'écrit pas sa correspondance à la machine. (C. Farrère)
5. **Amis d'un jour** : — Ils entrent, ils sortent, et parfois laissent derrière eux un mot, un sourire qui me sont précieux, dont je voudrais les remercier. (F. Mallet-Joris)

183
CFC§59

Expliquez l'emploi du point-virgule et des virgules dans la phrase suivante :

Mme Guyon : — Les catholiques (plus que l'Église elle-même) l'ont traitée en hérétique ; les moralistes, en aventurière. (F. Mallet-Joris)

184
CFC§60

Dites si les deux points, dans les phrases suivantes, introduisent une apposition, ou un propos rapporté, ou une proposition unie à la précédente par un rapport de cause, de conséquence ou d'opposition :

1. **Le facteur** : Le dimanche, il faisait sa tournée comme les autres jours et il ne s'en plaignait pas : c'était son métier. (M. Aymé)
2. **Foyer sans mère** : J'avais demandé naguère à l'aînée comment s'arrangeait son dîner :
   — Papa est trop ennuyé le soir, il me dit : tiens, v'là six sous, achetez ce que vous voudrez. (L. Frapié)
3. La colonisation danoise a peut-être des défauts ; du moins les Groenlandais lui doivent-ils cette chose essentielle : d'exister. (A. de Cayeux)
4. Non, la terre n'est pas couverte d'arbres, de pierres, de fleuves : elle est couverte d'hommes. (Jean Tardieu)
5. Vous êtes homme de bien, vous ne songez ni à plaire ni à déplaire aux favoris, uniquement attaché à votre maître et à votre devoir : vous êtes perdu. (La Bruyère)
6. Tu sais médire et je sais boire :
   Nous ne manquerons point d'amis. (La Fontaine)
7. Juliette les nomme tous les trois : Léon Dur, Baptiste Rugnon et Noël Maloret. (M. Aymé)
8. **L'A.P.** : A leur cou, ils portaient un collier, le naïf et douloureux collier de perles bleues de l'Assistance publique, avec une médaille ronde : « République Française ». Il y en avait d'adorables, de ces gosses, et

qu'on voyait avec un vrai crèvement de cœur s'en aller pour l'Assistance : une petite fille, ainsi, très douce, très aimante, qu'avait abandonnée une laveuse de vaisselle de l'hôpital. (Van der Meersch)

185
CFC§61

Copiez les textes suivants en remplaçant les points, quand cela conviendra, par des points d'interrogation ou d'exclamation. Ne changez rien aux points de suspension (...) :

1. Elle se planta devant moi, me regarda droit dans les yeux : « Après tout, qu'importe que je saute sur une mine. » Je protestai : « Vous, Janine. Vous qui êtes la vie même. » (G.E. Clancier)
2. **Examen médical** : — « Mais vous me faites mal, docteur. — Pas possible. Où donc. » Pour l'égarer, il toucha plusieurs autres points. « Est-ce là. ... » (R. Martin du Gard)
3. « Que deviendrai-je. Ah. mon respectable ami, je le sens, je l'avoue. Depuis quelques mois je commets des imprudences, je me laisse mettre en avant, je tente sottise sur sottise... Ne me les faites pas payer trop cher. » (G. Bernanos)

186
CFC§61, Rem. b

Étudiez dans ces textes la discordance entre les points et la construction syntaxique :

Bonheur simple : Le bon mari sérieux, la famille, la carrière... Et tout ça représenté par les solides fauteuils de cuir. Un symbole magnifique. De chez Maple. Inusables. Économiques. (N. Sarraute)

L'inspiration : Un mot s'ébauche... elle se tend (...) elle cherche... Elle a trouvé. Juste le mot qu'il lui faut. Fait tout exprès. Sur mesure. Admirablement coupé. (N. Sarraute)

187
PAE§25

Récrivez selon l'orthographe moderne les textes suivants de Molière. Vous ne garderez les majuscules que lorsque l'usage actuel le demande :

1. « Je ne pense pas qu'il y ait Gentilhomme en France plus mal servy que moy(...) — Almanzor, dites aux gens de Monsieur qu'ils aillent querir des Violons. »
2. *La Guide des pecheurs* est encore un bon livre...
Et, si vous n'aviez leu que ces Moralitez,
Vous sçauriez un peu mieux suivre mes volontez.
3. Jusqu'icy Dom Louis, qui vit à sa prudence
Par le feu Roy mourant commettre son enfance,
A caché ses destins aux yeux de tout l'Estat.

188
CFC§62

Des virgules ont été omises dans les phrases suivantes ; rétablissez-les en copiant seulement le mot qui précède et le mot qui suit :

1. **A la batteuse** : Un maigre et vigoureux garçon enlève, du bout de sa fourche la paille découronnée. (A. France)
2. L'orgueil seul, l'en avait empêché. (E. Pérochon)
3. Depuis l'arrivée de Vendredi Robinson n'était pas retourné au fond de la grotte. (M. Tournier)
4. Ripotois, couché dans son lit est inconscient. (M. Arrivé)
5. Chaque année notre cher Henri Saint-Ramé dans la paix de son bureau, prend sa plume et calcule. (R.-V. Pilhes)
6. **L'enfant perdue** : Je vis une petite fille de huit à neuf ans qui les yeux pleins de larmes, appelait désespérément, en frappant des pieds sa mère. (Devoir d'élève)

189 CFC § § 63-64

Expliquez l'emploi des tirets et des parenthèses dans les énoncés suivants ; signalez les cas où ils ne sont pas interchangeables :

1. Ce fut Fabienne qui, la première, conseilla à son père :
   — Et si tu te remettais au travail, tout doucement ?
   (Van der Meersch)
2. Il y avait aussi des toiles de Suzanne Valadon, la mère de Maurice Utrillo (qui signe toujours Utrillo V. par amour filial). (Francis Carco)
3. J'apprenais cette loi terrible de la force qui régit le monde, et que l'Homme n'arrive à tempérer — bien imparfaitement — que par les artifices de sa morale. (Marcel Roland)
4. Le soir même de notre entretien — c'était le 31 — le père de Collinet est venu me voir. (J. Vallès)
5. Le lavage et le raccommodage, voilà bien les deux plaies des expéditions (après la cuisine). (A. de Cayeux)
6. **Bébé grandit** : Ainsi du hochet *(je tiens, je vois, j'entends)*, on passe au boulier *(les choses se divisent)*, aux cubes gigognes *(les choses s'emboîtent dans les choses)*, au jouet à ressort *(voici le mouvement)* et à l'ours *(voilà le sentiment)*. (H. Bazin)
7. Nous remontâmes notre sonde et la rallongeâmes d'une bonne trentaine de mètres avec de la ficelle (le prévoyant Paya en portait toujours sur lui). (Haroun Tazieff)
8. J'aimais les poireaux.
   « Pourquoi ne pourrais-je pas en manger ? demandais-je en pleurant.
   — Parce que tu les aimes, répondait cette femme pleine de bon sens, et qui ne voulait pas que son fils eût des passions. » (J. Vallès)
9. **Grand-père et grand-mère** : Tous deux avaient un bonnet de coton blanc — était-ce la crainte des vents coulis, ou celle de gâter les « têtes d'oreillers » sans pli ni tache ? (F. des Ligneris)

190 CFC § § 63-64

1° Expliquez l'emploi des points de suspension, des tirets, des parenthèses et des guillemets dans ce texte.
2° Pourrait-on remplacer ici les parenthèses par des tirets ?
3° Pourrait-on supprimer ces parenthèses ? Quelle est leur valeur de style ?

Claudine au brevet.

« Vous, la lectrice de Michelet, tâchez de me dire comment vous iriez, en bateau, d'Amiens à Marseille ou je vous flanque un 2 dont vous me direz des nouvelles !
— Partie d'Amiens en m'embarquant sur la Somme, je remonte... etc., canaux... etc., et j'arrive à Marseille, seulement au bout d'un temps qui varie entre six mois et deux ans.
— Ça, c'est pas votre affaire. Système orographique de la Russie, et vivement.
(Heu ! je ne peux pas dire que je brille particulièrement par la connaissance du système orographique de la Russie, mais je m'en tire à peu près sauf quelques lacunes qui semblent regrettables à l'examinateur.)
— Et les Balkans, vous les supprimez, alors ?
(Cet homme parle comme un pétard.)
— Que non pas, Monsieur, je les gardais pour la bonne bouche.
— C'est bon, allez-vous-en. » (Willy et Colette W., *Claudine à l'école*.)

191 CFC § 63, Rem. a

Expliquer l'emploi des majuscules ou des minuscules après les différents signes de ponctuation :

1. Que faire ? je te le demande. Quitter la place ? courir avertir le poste ? c'était l'oubli du plus élémentaire devoir. (Courteline)

2. **Atteint de la variole** : Je frappais, on ouvrait ; en m'apercevant, on disait : « Passez ! passez ! » et l'on me fermait la porte au nez. (Chateaubriand)
3. — Perfide ! imposteur ! s'écriaient-ils, c'est toi qui as causé tous nos maux. (P. Mérimée)
4. A n'en pas douter, le cri qu'elle avait jeté à l'annonce du suicide : « Qui l'a poussée à cette extrémité ? » était bien la complète expression de sa pensée intime. (E. Estaunié)
5. Les cris d'un homme ou d'une femme (à l'extrémité de la douleur les timbres ne se distinguent plus), haletants, traversaient la salle de l'hôpital San Carlos et s'y perdaient. (A. Malraux)

192
CFC § 64

Expliquer l'emploi des guillemets dans les phrases suivantes, en justifiant la présence ou l'absence des deux points :

1. C'est moi qui m'occupe des moutons et pousse la chienne vers eux : « Amène-les, Lisette ! Amène-les là-bas ! », c'est moi qui roule les « prr... ma guéline ! » pour les empêcher de toucher à l'avoine. (Willy et Colette W.)
2. Le cocher, qu'on avait surnommé « dégourdi », allait répondre une facétie. (G. de Maupassant)
3. **En partance pour l'Arctique** : Chacun essaie de voir ce qui peut encore lui manquer.
   « Mes mouchoirs ! s'écrie l'un. J'allais les oublier ! »
   Tandis qu'un autre déclare placidement :
   « Il ne me manque plus que du papier millimétré. » (A. de Cayeux)
4. Je savais enfin que si la forme générale du volcan est la montagne conique au sommet de laquelle s'ouvre un cratère, il en existe d'autres : volcans à « cratères emboîtés », à « cône perché », « strato-volcans », ayant pour cratère un vaste « sink hole » ou cuve d'effondrement cylindrique... (Haroun Tazieff)
5. Maman, lasse de me voir tourner auprès d'elle, me conseillait d'aller jouer « avec mon ami Pierre », c'est-à-dire tout seul. (A. Gide)
6. **Pour les petits pauvres** : J'apporte, le matin, le restant de mon pain, parce que « je n'aime pas le rassis », dis-je à madame Paulin. (L. Frapié)

193
CFC § § 13, 64

Étudiez l'emploi des guillemets et le mélange des discours dans ce texte :

La tuberculose (vers 1930).
L'idée de maman, c'est que c'est une maladie de gens qui mettent tout dans les frusques, dans le rouge à lèvres et dans les meubles à crédit, et alors ils grattent sur la nourriture et bourrent les gosses de soupes au pain trempé dans l'eau chaude, c'est ça qui vous donne de la calorie et de la globule, tu parles, et en pleine croissance, moi je dis que c'est criminel, voilà ce que je dis. Si bien que lorsqu'il se déclare un tubard dans une famille, maman, tout en les plaignant, juge sévèrement ces gens qui rognent, c'est sûr, sur le bifteck de cheval et la quintonine de leurs enfants. « Moi, j'ai peut-être pas la T.S.F., mais quand le gosse passe une radio à l'école je peux marcher la tête haute, j'ai pas honte. » (Cavanna)

194
CFC § § 58-64

Recopiez ce texte en rétablissant la ponctuation supprimée :

Un ami très respectueux.
Un jour nous nous promenions le long de l'Isère dans un lieu tout plein de saules épineux je vis sur un de ces arbrisseaux des fruits mûrs j'eus la curiosité d'en goûter et leur trouvant une petite acidité très

agréable je me mis à manger de ces grains pour me rafraîchir le sieur Bovier se tenait à côté de moi sans m'imiter et sans rien dire un de ses amis survint qui me voyant picorer ces grains me dit eh monsieur que faites-vous là ignorez-vous que ce fruit empoisonne ce fruit empoisonne m'écriai-je tout surpris sans doute reprit-il et tout le monde sait si bien cela que personne dans le pays ne s'avise d'en goûter je regardais le sieur Bovier et je lui dis pourquoi donc ne m'avertissiez-vous pas ah monsieur me répondit-il d'un ton respectueux je n'osai pas prendre cette liberté. (J.-J. Rousseau)

195
CFC§§43-65

Expliquer l'emploi des points de suspension dans les phrases suivantes :

1. **La maison de Napoléon** : Le passé commença de s'agiter d'une vie spectrale, dans ma tête attentive... D'abord la cour, la toute petite cour triste et sans verdure, entourée de hautes maisons très anciennes... Je vis jouer là-dedans, en costume d'autrefois, l'enfant singulier qui devint l'empereur... (P. Loti)

2. — Voulez-vous vous dépêcher de f... le camp de chez moi ! (Alphonse Allais)

3. **Révision d'histoire.**
Faites silence au camp, la Vierge va périr !
A qui réserve-t-on ces apprêts meurtriers,
Pour qui ces torches...
J'arrête ce torrent poétique :
— Non, Pomme, non !... Où est née Jeanne d'Arc ?
— ...
— Quelles villes a-t-elle délivrées ?
— ...
— En quelle année est-elle montée sur le bûcher ?
— Jeanne d'Arc, c'est quand j'ai été malade qu'on l'a appris.
(G. Chevallier)

196
CFC§§43-65

Même exercice :

1. Ce fut alors que... Non, je n'ai pas besoin que l'on me croie ! Je raconte tout uniment ce qui s'est passé, sans y rien changer. Tant pis pour les sceptiques !... Ce fut alors que se passa un phénomène assez surprenant. (Luc Durtain)

2. **Sans espoir** : — Alors, docteur ?
Il n'y a pas grand-chose à prescrire. C'est cela le pis ! Rien de tel pour paraître un parfait imbécile.
— Je reviendrai ce soir, bredouille Michel... Je... nous... je verrai ce soir... (Van der Meersch)

3. **L'évasion d'un corsaire** : Je plongeai avec fureur ; mais, au bout de deux brasses, je me trouvai arrêté par une substance épaisse. Le fond diminua sensiblement... J'étais dans la vase... Alors, comme si le diable s'en fût mêlé, le vent redoubla de sifflements, la pluie de force. (Eugène Sue)

4. **Journal de voyage** : Évité, comme pestes, les vestiges de bains romains, les musées « qui renferment quelques bonnes toiles », les sculptures trop curieuses, les églises dont la façade date de... et le maître-autel de... (J. Renard)

197
CFC§§55-66
PAE§§19-20

Quelles remarques de ponctuation appellent les textes suivants ?

1. « Faire un exemple. A titre symbolique. Sym-bo-li-que ! » (F. Mallet-Joris)

2. La dame au carreau court de droite et de gauche. Elle dit à toute vitesse : « Voulez-vous du thé du café du chocolat du beurre du pain grillé ou pas des croissants ordinaires ou au beurre du lait de la tarte d'hier de la confiture de groseilles d'abricots de fraise ou un jus de fruit ?... » (F. Sonkin)

3. ... un résidu de crayon de couleur vermillon qu'elle a volé à Dibiri, le fils de la mercière-journaux-papeterie-patrons de mode-piqûre à la machine-herboristerie. (A. Arnoux)

4. Ce-que-je-sais-faire ???
J'ai encore cherché toute la nuit, je n'ai rien trouvé. (J. Vallès)

5. — Moi, j'ai imaginé un truc épatant pour ne pas être pincée.
— !!!??? (Alphonse Allais)

GRAPHISME

198 **Appréciez la typographie et la décoration dans ces placards publicitaires de restaurants :**

PAE § § 22-23

199 Appréciez la typographie et la décoration dans ces placards publicitaires de spectacles :
PAE § § 22-23

THEATRE MOGADOR-HENRI VARNA 25 Rue Mogador. 285.28.80 et 874.33.73. M° Trinité. Location de 11h à 18h. Pl : 25 à 80 F. Soirée 20h30 les Jeu, Ven, Sam. Mat les Sam et Dim à 14h30. Relâche Jeu, Dim soir, Lun et Mar. Location ouverte pour les réveillons :

LOCATION OUVERTE pour les RÉVEILLONS

soir d'escale aux Antilles
222.23.25
groupe Salsa
SON CARIBE
La canne à sucre
4, rue Ste Beuve, 6e. F. Dim. & L.

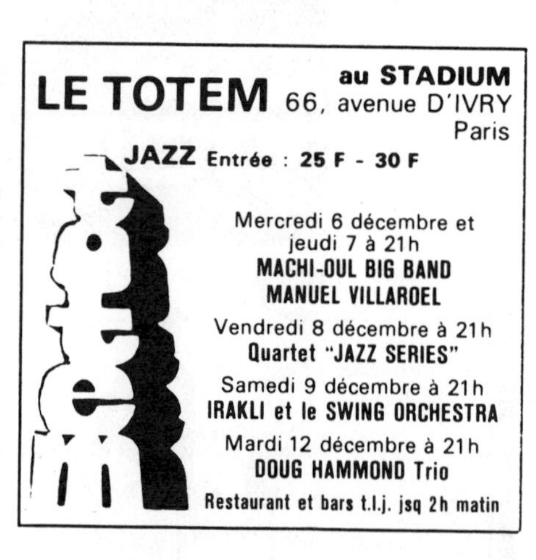

200
PAE§§22-23

Comparez, du point de vue de la typographie et de la mise en page, cette colonne de publicité pour les « bonnes tables » (*Paris Magazine*, XXe arrondissement, 1981) et cette colonne d'« offres d'emploi » (*France-Soir*, 2-10-1981) :

« LES GOURMETS »
BAR - RESTAURANT (spécialités)
NOCES - BANQUETS - SEMINAIRES - REPAS D'AFFAIRES
Cuisine soignée faite par le patron
15, rue du Surmelin - 75020 PARIS
Fermetures dimanche soir, lundi et mardi soir T. 364.39.63
Réservation S.V.P.

RESTAURANT CHINOIS PAVILLON D'OR
60, rue Haxo
PARIS 20e
金谷酒家
Métro St Fargeau - Tél. 361.92.35

Restaurante
RIBATEJO
SPÉCIALITÉS PORTUGAISES
6, RUE PLANCHAT - PARIS 20e - Tél. 370.41.03

KALÏNDA
Restaurant Spécialités Antillaises
Service jusqu'à 23 h 30 - Fermé le lundi
4, rue des Rasselins
75020 PARIS
Métro : Porte de Montreuil
Tél. 370.86.05
Ouvert midi et soir

RESTAURANT GHOMRASSEN
Salon de thé
Spécialités tunisiennes - COUSCOUS
Chakchouka - Merguez - Brochettes
Pâtisserie orientale
69, rue d'Avron - PARIS 20e - Tél. 373.34.05

AUBERGE DE CHINE
RESTAURANT CHINOIS
SPECIALITES PEKINOISES
3, rue Orfila
75020 PARIS
Tél. : 636.91.83
Métro Gambetta
Ouvert tous les jours
杏花村

DH – DIX-SEPT

POUR UNE MISSION LONGUE DUREE, NOUS RECHERCHONS D'URGENCE
30 MAÇONS COFFREURS
5 FUMISTES
JET - 280.37.17 - 874.34.81

MARIGNAN - E.T.T. rech.
MINEURS-BOISEURS
pr PARIS. Travail de nuit
44, av. St-Ouen, Paris-18e
Tél. 263.70.41

ENTREPRISE DE PEINTURE embauche
PEINTRES OQ1 OQ2 OQ3
S'adresser chantier 29, r. Paul-Cavaré (à côté mairie)
ROSNY-SOUS-BOIS (93)

Entreprise peinture GIACALONE emb.
PEINTRES QUAL.
Certificats exigés. Se prés. ce jour à partir de 17 h
122, r. du Chemin-Vert-11e

Entreprise peinture rech.
PEINTRES RAVAL.
haut sal. si compétents
Se prés. entre 17 et 19 h
31, av. Gl-Leclerc, 92100
Boulogne Mo Marcel-Sembat

Recherche
ARTISANS PEINTRES
pour travx d'entretien
PEINTRES OHQ
Tél. 028.06.96

SERRURIERS
SPECIALISTES BLINDAGE
expér. Permis conduire.
Avant.socx du bât. Salaire + primes rendement. Se pr.
116, r. de la Croix-Nivert, 15e

JEUNES PEINTRES et PEINTRES
Se prés. 3, rue Chevreul
93500 PANTIN le 3 oct.
de 8 h à 13 h.

Recherchons
PETIT COMPAGNON-
OUVRIER OQ1. Tél.
après 19 h 855.14.19
ou se prés. 11, avenue d'Osseville, 93-VILLEMBOMBLE

10 MAÇONS
10 BOISEURS
5 FERRAILLEURS
VTS : 23, bd Villette - 208.28.17

GRUTIERS
BANLIEUE SUD
SOFRATI 10, rue Grange-Batelière-9e Mo Montmartre
Tél. 770.82.15

MANŒUVRES
BATIMENT
TERRASSIERS
ATOT 6, r. d'Antin, Mo Opéra

Entreprise peinture recherche
PEINTRES QUALIF.
pour 91 ESSONNE
Tél. ce jour entre 8 et 10h

Troisième section

Les mots (étude lexicale)

(CFC §§ 68-106, PAE §§ 26-48)

CARACTÈRES PHONIQUES

201
PAE§26

Quel effet de style est produit par la longueur ou la brièveté des mots en italique dans les textes suivants ?

1. *Glorieuse, monumentale et monotone,*
La façade de pierre effrite au vent qui passe
Son chapiteau friable... (H. de Régnier)

2. Le corbeau tombait sur lui, donnait *sec* et *dru* deux piqûres de son *fort bec noir.* (Michelet)

3. ... L'animal seul, Monsieur, qu'Aristophane
Appelle *Hippocampéléphantocamélos*
Dut avoir sur le front tant de chair sur tant d'os !
(Ed. Rostand)

4. Mais je vais me venger de vous, cousin damné,
Épouvantablement, quand j'aurai déjeuné. (V. Hugo)

5. **Prusias :**
Je veux mettre d'accord l'amour et la nature,
Être père et mari dans cette conjoncture...
Nicomède :
Seigneur, voulez-vous bien vous en fier à moi ?
Ne soyez l'un ni l'autre.
Prusias :
Et que dois-je être ?
Nicomède :
Roi.
Reprenez hautement ce noble caractère.
Un véritable roi n'est ni mari ni père ;
Il regarde son trône, et rien de plus. *Régnez.* (Corneille)

202
PAE§26

Même exercice :

1. **Après la bataille :**
Il reprit : « C'est bien vous, Hugo ? c'est votre voix ?
— *Oui* — Combien de vivants êtes-vous ici ? — *Trois.* »
(V. Hugo)

2. Pangloss enseignait la *métaphysico-théologo-cosmolonigologie.* (Voltaire)

3. Il était un grand mur blanc, *nu, nu, nu,*
Contre le mur une échelle — *haute, haute, haute.*
Et, par terre, un hareng saur — *sec, sec, sec.* (Ch. Cros)

4. *L'incompréhensibilité*
Non des doctrines qui sont nulles
Mais de leurs gueuses de formules... (Verlaine)

5. Mais je marche, sans rien sur moi qui ne reluise,
Empanaché d'indépendance et de *franchise.* (Ed. Rostand)

6. Alors il s'entendit appeler par son nom
Et quelqu'un qui parlait dans l'ombre lui dit : *Non.*
(V. Hugo)

203
PAE§26

Vous donnerez sous leur forme complète les mots abrégés ci-dessous, et pour chacun vous indiquerez par les lettres P, T ou E si l'abréviation appartient à la langue populaire, aux langues techniques, ou à l'argot des écoliers et étudiants :

dico	occase	bibli	manif	salle d'op	labo
transfo	métro	anar	sympa	pneumo	exam
trad	magnéto	oto-rhino	amphi	math'élèm	typo

204
PAE§26

Jeu des sigles : La langue moderne use et abuse des initiales pour abréger l'énoncé de noms composés tels que :

U.S.A. *(United States of America)*
P.S. *(Parti socialiste)*
S.A.M.U. *(Service automobile de médecine d'urgence)*
T.G.V. *(Train à grande vitesse)*
V.R.P. *(Voyageur représentant placier)*

Comme dans le jeu bien connu des « chaînes de mots », on peut disposer ces abréviations dans un ordre tel que chacune commence comme la précédente finit : T.G.V. - V.R.P. - P.S. - S.A.M.U. - U.S.A. Vous essaierez de faire ainsi deux chaînes d'au moins 4 abréviations, dont vous donnerez ensuite le sens complet.

205
PAE§26

Les auteurs du texte suivant ont multiplié les sigles. Les comprenez-vous tous ? Cela a-t-il beaucoup d'importance ? Que suggèrent-ils sur le mode de vie du héros ?

Un citoyen en règle.
La CCAFRP lui verse de l'argent pour ses enfants, l'URSSAF le lui reprend pour les enfants des autres ; la SACEM, la SACD, la SDRM, la CAPRIC et l'ORTF lui octroient des sommes qu'il reverse incontinent au CNEP pour le bénéfice de l'EDT, des P et T, des HLM et de sa BMW. (B. et F. Groult)

206
PAE§§22, 23, 26

Appréciez du point de vue stylistique le choix et la présentation typographique des sigles ci-dessous *(Centre d'information et d'orientation de l'Université Paris-X ; Société d'édition d'enseignement supérieur, Centre de documentation universitaire)* **:**

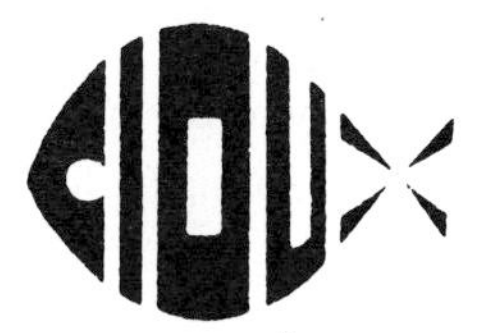

207
PAE§27

Les phrases suivantes, empruntées pour la plupart à des devoirs d'élèves, pèchent par la répétition d'un mot ou par l'emploi à bref intervalle de deux mots de même radical ; vous les recopierez en modifiant l'expression de manière à supprimer la répétition sans changer sensiblement le sens :

1. Mon grand-père m'a payé une superbe bicyclette verte. Il fait un temps superbe pour mon premier départ. Quelle joie, pour moi, de passer devant les personnes qui attendent le départ de l'autobus !
2. Toutes sortes de pendules étaient pendues aux murs.

3. Il est habillé d'habits foncés.
4. Dans la vitrine était entassé un tas de linge sale.
5. Un remue-ménage attira mon attention : un jeune ménage venait de prendre possession des lieux.
6. **La poupée** : Je faisais mine de la faire manger, tout en faisant attention de ne pas l'abîmer.

208

PAE§27

Même exercice :

1. J'ai l'impression d'être tombée bien mal, dans une maison qui tombe en ruines.
2. Une automobile immobile était devant le portail.
3. Il chante des airs entraînants qui communiquent aux autres sa gaîté et son entrain.
4. Ce bureau était meublé d'un bureau encombré de papiers et d'une bibliothèque.
5. Elle était couverte d'une couverture en coton déchirée.
6. Il aperçut un serpent au bord du talus qui bordait le chemin.
7. Il franchit la porte de l'église, monte l'escalier vermoulu qui monte au clocher.
8. La tendresse filiale, la confiance et le repos d'un sommeil délicieux reposaient sur sa figure morte. (Vigny)

209

PAE§27

Les phrases suivantes pèchent par la répétition à trop bref intervalle d'une préposition ou du verbe *être* ; vous les recopierez en modifiant l'expression de manière à supprimer la faute sans changer sensiblement le sens :

1. Le garçon apporta une bouteille de bière et de gros verres avec des creux alternant avec des bosses avec lesquels la lumière jouait.
2. J'aime aussi chanter en promenade en montagne.
3. Il a commencé à s'adonner à la boisson à vingt ans à peine.
4. L'avion dans la cabine duquel j'étais était en train de prendre des passagers.
5. Quinze cents paillotes ont été détruites à la fin de la matinée dans le quartier nord-ouest de Saïgon, par un incendie allumé par une bouteille de pétrole renversée imprudemment par un Chinois. (Journal)
6. Ma grand-tante est une personne très gentille et très bonne qui était assez jolie quand elle était jeune.

210

PAE§27

Les phrases suivantes contiennent des répétitions. Faites suivre chacune d'elles d'une des lettres I, P, E, selon que l'auteur a voulu marquer l'insistance sur une idée (4 exemples), rendre un spectacle avec pittoresque (3 exemples), traduire une émotion plus ou moins vive (3 exemples) :

1. « Vous êtes résolu, dites-vous... — D'épouser Mariane. — Qui ? vous ?... — Oui, moi, moi, moi. » (Molière)
2. Je ne dépends de personne... je n'ai besoin de personne et je ne demande rien à personne. (Labiche)
3. Roncevaux ! Roncevaux ! dans ta sombre vallée
L'ombre du grand Roland n'est donc pas consolée !
(Vigny)

4. Frère Coutu, en disant ces mots, bâilla plus que jamais. Berthier répliqua par des bâillements qui ne finissaient point. Le cocher se retourna et, les voyant ainsi bâiller, se prit à bâiller aussi ; le mal gagna tous les passants ; on bâilla dans toutes les maisons voisines. (Voltaire)

5. Je suis hanté. L'Azur ! l'Azur ! l'Azur ! l'Azur !
(Stéphane Mallarmé)

6. **L'ouvrage « bien faite » :** Il fallait qu'un bâton de chaise fût bien fait. Il ne fallait pas qu'il fût bien fait pour le salaire ou moyennant le salaire. Il fallait qu'il fût bien fait lui-même, pour lui-même, dans son être même. (Péguy)

7. Le petit, lorsque vient le soir,
Et qu'il pleut sur la feuille rousse,
Flâne sur le boulevard noir
Et puis il tousse, tousse, tousse. (Th. de Banville)

8. Je te dis toujours la même chose, parce que c'est toujours la même chose ; et si ce n'était pas toujours la même chose, je ne te dirais pas toujours la même chose. (Molière)

9. Ce n'est dans les jasmins, ce n'est dans les pervenches
Qu'un éblouissement de folles ailes blanches
Qui vont, viennent, s'en vont, reviennent, se fermant,
Se rouvrant, dans un vaste et doux frémissement. (V. Hugo)

10. Souvenir, souvenir, que me veux-tu ? (Verlaine)

211
PAE§27

Même exercice (même nombre d'exemples de chaque sorte) :

1. Après la plaine blanche, une autre plaine blanche. (V. Hugo)

2. Tout l'univers est rempli de l'esprit du monde ; on juge selon le monde ; on agit et l'on se gouverne selon le monde ; le dirai-je ? on voudrait servir Dieu selon l'esprit du monde. (Bourdaloue)

3. Quel rhume ! J'éternue. Je renifle des poudres étonnantes. J'éternue. Je m'abreuve de grogs bouillants ! J'éternue. (Tristan Derème)

4. Fille de la douleur ! harmonie ! harmonie !
Langue que pour l'amour inventa le génie... (Musset)

5. Rome ! l'unique objet de mon ressentiment !
Rome, à qui vient ton bras d'immoler mon amant !
Rome qui t'a vu naître, et que ton cœur adore !
Rome enfin que je hais parce qu'elle t'honore ! (Corneille)

6. M. Zola est captif d'une doctrine, captif d'une époque, captif d'une famille, captif d'un plan. (J. Lemaître)

7. **Stamboul :** En plein ciel pointent des minarets, aussi aigus que des lances, montent des dômes et des dômes, de grands dômes ronds, d'un blanc gris, d'un blanc mort, qui s'étagent les uns sur les autres comme des pyramides de clochers de pierre. (P. Loti)

8. J'ai jeté un coup d'œil sur l'ouvrage. Le texte hâtif, précaire, soutenu de photographies d'énormes locomotives, d'énormes péniches, d'énormes camions, montre à quel point le transport des marchandises est un énorme travail ! (P. Jardin)

SENS LEXICAL

212
CFC§§ 8, 68

1° Dans la succession de phonèmes suivante, vous reconnaîtrez un énoncé grammatical et intelligible que vous transcrirez en écriture courante.
2° Pour chaque mot de cet énoncé, vous donnerez trois autres mots de sens différent pouvant le remplacer dans le premier contexte en changeant le sens sans porter atteinte à la grammaticalité.

rɛmɔ̃rɑ̃ʒselivrədɑ̃sɔ̃byro

213

Même exercice avec la suite ci-dessous :

CFC§§ 8, 68

ilməvɑ̃dradypɛ̃osiblɑ̃

214
CFC§§ 8, 68

Pour chacun des mots ci-dessous, vous direz quelle place (1, 2, etc.) il peut occuper grammaticalement dans l'énoncé suivant :

Ils	*habitent*	*des*	*maisons*	*basses*
1	*2*	*3*	*4*	*5*

Notez 0 les mots qui ne peuvent occuper aucune place ; certains peuvent en occuper plusieurs.

ces, jaunes, tu, retrouvaient, beaucoup, verront, très, quelques, fréquente, splendides, quatre, elles, plusieurs, châteaux, dorment, cellules.

215

Même exercice pour l'énoncé suivant :

CFC§§8, 68

Laurent	*te*	*rendra*	*la*	*lettre*
1	*2*	*3*	*4*	*5*

avec les mots suivants :

passe, me, moi, bien, grand-mère, une, le, sur, calme, pièce, Jean, donnait, signal, nous, notre, réclame.

216
CFC§69

Quel est le nom des animaux caractérisés par les propriétés suivantes ?
Essayez de définir de même : *le chat, l'ours.*

1. mammifère + carnivore + petit + à queue longue et très fourrée + à museau pointu + à grandes oreilles + de pelage roux.
2. mammifère + marin + de taille colossale + à tête énorme + carnivore.
3. ailé + petit + criard + bon nageur + amateur de poisson + nichant sur le sable ou dans les rochers.
4. reptile + sans pieds + non venimeux + très long + dangereux.

217

Sans vous aider du dictionnaire, définissez le sens des mots suivants :

CFC§§69-70

mare, buvard, peur, pâle, allumer, lire.

218 CFC §§69-70

Peut-on classer en genre et espèces les signifiés des noms suivants ? Dans l'affirmative, notez le genre par G et les espèces par E1, E2 :

1. fossé, fortification, poterne.
2. caille, chien, gibier.
3. poire, confiture, fruit.
4. assassin, criminel, pyromane.
5. pierre, saphir, iridium.
6. bateau, fable, mensonge.
7. épée, poignée, lame.
8. tribu, société, ruche.

219 CFC §71

Citez tous les homonymes des mots suivants, en disant s'ils sont homographes ou simplement homophones :

vingt, mousse (n. fém.), veine, cygne, frais (adj. masc.).

220 CFC §71

Même exercice :

voix, page (n. fém.), tendre (adj.), mort (n. fém.), août.

221 CFC §71

Les phrases suivantes présentent deux sens d'un même mot ; dites à quel sens (a ou b) se rattache chacun des dérivés entre parenthèses :

1. a) Nous avons veillé jusqu'à minuit. — b) Veille sur ton petit frère. *(réveiller, surveiller, veillée)*
2. a) Ce garçon est très poli. — b) Cette agate n'est pas encore polie. *(polissage, politesse, dépoli, impoli)*
3. a) Rien n'apaise mieux que l'eau une gorge altérée. — b) Ce produit est altéré par la chaleur qu'il fait. *(inaltérable, désaltérer, altération)*
4. a) Cette punition est juste. — b) Ce costume est trop juste. *(justice, ajuster, justifier, rajuster)*
5. a) L'Angleterre a dominé un immense empire. — b) Le bleu domine dans ce tableau. *(dominance, domination, prédominer)*
6. a) Le lézard appartient à la classe des Reptiles. — b) Nous sommes en classe de Première. *(classeur, classique, classification)*
7. a) Yves conduit trop vite. — b) Isabelle se conduit très bien. *(conducteur, inconduite)*
8. a) Raphaël sait monter à cheval. — b) Montez au cinquième. *(montée, monture, remonter)*

222 CFC §71

Employez chacun des mots suivants dans deux phrases où il présentera un sens nettement différent (Exemple : *lettre.* La *lettre* A est la première de l'alphabet. — J'ai reçu deux *lettres* ce matin) :

cours, cuisine, division, volume, tour.

223 CFC §71

Même exercice :

gras, dur, simple, gris, large.

224 CFC §71

Même exercice :

regarder, contracter, repasser, réfléchir, découvrir.

225
CFC§72

Remplacez les mots en italique par les mots propres paronymes que deux commères ont grossièrement déformés :

« Tiens, c'est vous, Mâme Boutu, qu'est-ce qu'il y a donc, qu'on vous voit plus ? Vous vous servez plus chez Poicassé ?
— Plus souvent ! vous avez pas su ? L'autre jour a-t-il pas *incinéré* que j'avais fauché cent francs sur sa caisse ? Je me suis fâchée, alors lui aussi, il m'a *agonisée* d'insolences. Avec une voix de *Centaure*, il a osé dire que je piquais toujours des cerises sur son *inventaire* ! Vous vous rendez compte ! Alors j'y ai dit : « J'y remettrai plus les pieds, dans votre sale boutique, qu'est *infectée* de vermine. »
— Taisez-vous, l'autre jour, il m'a vendu des champignons *venimeux*. On a tous été malades, et après mon mari a fait un *entracte* au cou. Quinze jours de chômage ! On touchait plus que nos *locations*. Et en même temps mon garçon, en se battant à l'école, s'est fendu l'arcade *souricière* ; il a fallu lui faire des points de *soudure* ; pendant que le docteur était là, j'y ai montré notre aînée qu'entendait plus : il lui a enlevé un bouchon de *cire humaine* ; et puis il a ordonné des *fortifications* pour la plus jeune, qu'est un peu *annamite* ; y a que moi qui n'a rien, je touche du bois. »

226
CFC§72

Relevez et rectifiez dans les phrases suivantes, la plupart empruntées à des copies d'élèves, des impropriétés dues à la confusion des paronymes :

1. Le chat a lampé tout son lait, il ne mourra pas d'inanité.
2. « Si vous voulez, nous allons vous accompagner à la gare.
   — Avec plaisir, rapplique ma mère. »
3. Elle portait un jean éliminé aux genoux.
4. Le coffre avait été ouvert par infraction.
5. La rue Paul-Bert est dans la continuité de la rue Gambetta.
6. Le parc est plein de murs mousseux, d'allées ombrageuses.
7. J'ai assisté jadis à l'arrivage du paquebot France au Havre.
8. Les gradations de ce thermomètre deviennent illisibles.

227
CFC§72

Même exercice :

1. Après un mois de recherches défectueuses, mon père trouva un logement.
2. Régulus fut traité par les Carthaginois avec des raffineries de cruauté.
3. Plein d'une rage sanguine, le sultan entre dans la pièce.
4. C'était un homme barbu, d'âge respectueux.
5. J'étais sur mon lit de camp ; les indigènes couchaient sur des nappes à même le sol.
6. Devant une telle réussite, il restait béat d'admiration.
7. En traversant le village, nous avons entamé un air de marche.
8. Nous avons assez de soucis comme ça ; inutile de soulever ce lièvre.
9. Je lui ai demandé son âge ; sa réponse m'a stupéfait.
10. Napoléon sut inculper à ses généraux sa volonté de vaincre.
11. Les églises russes sont surmontées de dogmes en forme de bulbes ; les églises japonaises sont des mousmées.

228
CFC § 72

Quelle différence faites-vous, du point de vue du sens, entre les paronymes suivants ?

armistice	décrépie	affilé	anoblir
amnistie	décrépite	effilé	ennoblir
colorer	prolongement	épancher	désaffection
colorier	prolongation	étancher	désaffectation

229
CFC § 72

Même exercice :

abattis	temporaire	essanger	conjoncture
abats	temporel	échanger	conjecture
éminent	chérif	orfraie	repartir (2 sens)
imminent	shérif	effraie	répartir

230
CFC § § 73-74

Grouper les mots suivants en douze séries de deux synonymes :

Exact, doux, connu, calme, infamant, ponctuel, malpoli, suave, méprisant, incertain, notoire, aigu, persévérant, grossier, âpre, dédaigneux, douteux, travailleur, tranquille, déshonorant, laborieux, tenace, pointu, rude.

231
CFC § § 73-74

Même exercice :

Bronze, gobelet, irritation, attitude, habileté, heurt, bataille, airain, coup, blé, fiole, subtilité, colère, contentement, reconnaisance, allure, combat, adresse, gratitude, satisfaction, timbale, froment, flacon, finesse.

232
CFC § § 73-74

Grouper les mots suivants en trois séries de 8 synonymes :

Révoquer, marauder, escamoter, réprimander, remercier, congédier, gronder, dérober, sermonner, chaparder, renvoyer, tancer, subtiliser, licencier, admonester, détourner, blâmer, mettre à pied, voler, déposer, vitupérer, casser, chapitrer, soustraire.

233
CFC § § 73-74

Copiez en modifiant l'ordre des mots de la 2e colonne pour rétablir la propriété des termes :

Une écaille	d'amande
Une carapace	d'huître
Une écale	d'escargot
Une coquille	de homard
Une cosse	de chou
Une gousse	de pomme de terre
Une bogue	d'oignon
Un bulbe	de vanille
Une silique	de châtaigne
Un tubercule	de pois

234
CFC § § 73-74

Même exercice :

On cure	un sol trop sec
On défriche	les pommes de terre
On butte	des haricots
On draine	des noix
On greffe	une lande
On rame	un marécage
On repique	un fossé
On sarcle	un sauvageon
On gaule	des plates-bandes
On irrigue	un jeune plant

235 CFC § § 73-74

Même exercice :

La vache	coasse
Le cerf	grogne
L'éléphant	glapit
La grenouille	rugit
Le renard	meugle
Le tigre	brame
Le loup	blatère
Le lion	barrit
Le chameau	hurle
Le porc	rauque

236 CFC § § 73-74

Remplacez les points de suspension par celui des mots mis entre parenthèses qui vous semblera le plus propre :

(collègue, confrère)

1. Le professeur réunit ses ...
2. Le médecin m'a recommandé à l'un de ses ...

(prolonger, proroger)

3. Les souverains ont décidé de ne pas ... les hostilités.
4. Les souverains se sont accordés pour ... ces assemblées.

(sérail, harem)

5. Les femmes du sultan sont enfermées dans le ...
6. Le sultan habite le ...

(amener, apporter)

7. Chacun devra ... une partie du repas.
8. A votre prochaine visite, il faut ... votre fiancé.

(adepte, partisan)

9. Mon père est un ... du stoïcisme.
10. Mon père est un ... de la monarchie.

(funeste, néfaste)

11. Ce jour m'a été ...
12. Ce voyage lui a été...

237 CFC § § 73-74

Même exercice :

(capable, susceptible)

1. Ce lit est ... d'être transformé en fauteuil.
2. Seriez-vous ... de traduire ce texte.

(oubli, omission)

3. Le gardien du passage à niveau n'avait pas fermé la barrière, ... qui causa un accident terrible.
4. J'ai salué tous mes collègues, sauf Berteaux, ... qu'il a bien dû comprendre.

(imagé, illustré)

5. Je cherche un éditeur pour un récit d'aventures ...
6. Le style de votre récit n'est pas assez ...

(dentition, denture)

7. Ce chanteur n'a pas une belle ...
8. Mon fils a beaucoup souffert de la ...

(entrer, rentrer)

9. Je ne suis jamais ... dans une mosquée
10. Le travail terminé, les ouvriers ... chez eux.

(de suite, tout de suite)

11. Obéis-moi ...
12. J'ai interrogé dix élèves ...

238 CFC§§73-74

Remplacer les points de suspension par celui des adjectifs ci-dessous qui vous paraîtra le mot propre :

fantaisiste, fantasmagorique, fantasque, fantastique, fantomatique.

1. Avec ton caractère ..., on ne sait jamais si l'on va te faire plaisir.
2. Les enfants aiment les contes où interviennent des personnages ...
3. Les récits ... de notre cousin ont beaucoup égayé la réunion de famille.
4. Dans l'obscurité de la chambre, la pauvre malade avait une pâleur ...
5. La danse des flammes faisait s'agiter sur le mur des images ...

239 CFC§§73-74

Remplacer les points de suspension par l'un des synonymes suivants :

Célébrité, notoriété, popularité, renommée, réputation.

1. La publicité a donné à ce fait divers une ... qu'il ne méritait pas.
2. Ce maire a une grande ... dans sa commune.
3. Vous me faites une étrange ...
4. Certains artistes n'ont atteint la ... qu'après la mort.
5. La ... de nos vins et de nos fromages a franchi les océans.

240 CFC§§73-74

Même exercice :

Accroissement, agrandissement, augmentation, extension, hausse.

1. Une nouvelle... des prix va entraîner une révision des salaires.
2. Les cordonniers réclament une ... des tarifs de ressemelage.
3. L'... de l'épidémie inquiète la municipalité.
4. L'... des magasins a nécessité une fermeture d'un mois.
5. Ce fermier n'a qu'un but : l'... de son revenu.

241 CFC§§73-74

Lequel des synonymes suivants :

incident, accident, malheur, calamité, catastrophe

convient à chacun des faits énoncés ci-dessous ?

1. Panne d'électricité.
2. Déraillement : 18 morts, 45 blessés.
3. Épidémie de fièvre typhoïde.
4. Deux automobiles entrent en collision.
5. Mort au champ d'honneur.

242 CFC§§73-74

Les mots suivants sont très souvent employés, à tort, les uns pour les autres ; vous les distinguerez par des définitions précises :

créole, métis, mulâtre, quarteron.

243 CFC§§73-74

Les mots suivants servent à désigner l'argent qu'on dépense ou qu'on reçoit ; précisez-en le sens exact :

Cotisation, arrhes, contribution, rente, prime, indemnité, dividende, solde, coupon, commission.

244 CFC§§73-74

Lequel des synonymes suivants a le sens le plus général ? Définissez-le par une analyse sémique, puis définissez les autres de manière à montrer comment ils s'en distinguent :

Averse, bruine, crachin, giboulée, ondée, pluie.

245 CFC § § 73-74

Même exercice :

Simulacre, imitation, plagiat, pastiche, transcription, copie, contrefaçon, parodie, caricature, calque.

246 CFC § § 73-74

Distinguez le sens des synonymes suivants :

Assistance, bienfaisance, charité, fraternité, générosité, humanité, miséricorde, philanthropie, pitié, solidarité.

247 CFC § § 73-74

Même exercice :

Sabotage, vandalisme, détérioration, dégât, dommage, dégradation, destruction, dévastation, profanation, ravage.

248 CFC § § 73-74

Même exercice :

Réduire, restreindre, minimiser, diminuer, abréger, raccourcir, abaisser, amoindrir, rétrécir, condenser.

249 CFC § § 73-74

Même exercice :

Déclencher, entraîner, provoquer, causer, produire, occasionner, amener, procurer, valoir, déterminer.

250 CFC § § 73-74

Même exercice :

Renfermé, sournois, silencieux, réservé, dissimulé, cachottier, discret, taciturne.

251 CFC § § 73-74

Expliquez la différence de sens entre les mots groupés ci-dessous par deux, et employez-les chacun dans une phrase :

bouche / gueule

culte / religion

groin / hure

ressentiment / rancune

doué de / doté de

oripeaux / guenilles

252 CFC § § 73-74

Employez dans des phrases les synonymes suivants de manière à montrer la différence de sens qui les sépare :

Aboutissement, conclusion, dénouement, issue, résultat.

253 CFC § § 73-74

Même exercice :

Délaissé, désuet, hors d'usage, périmé, suranné.

254 CFC § § 73-74

Même exercice :

Asservir, assujettir, maîtriser, soumettre, subjuguer.

255 CFC § § 73-74

Même exercice :

Abattre, affaiblir, alanguir, amollir, débiliter.

256 CFC § § 73-74

Même exercice :

Bouffi, boursouflé, enflé, gonflé, tuméfié.

257 CFC § § 73-74

Même exercice :

Luire, scintiller, briller, éclairer, chatoyer, resplendir, étinceler.

258
CFC § § 73-74

Dans les phrases suivantes, toutes relevées dans des copies d'élèves, les mots en italique sont employés improprement ; dites en quoi l'emploi est impropre et refaites chaque phrase en supprimant l'impropriété :

1. Les murs sont quelquefois *recouverts* de tapisseries, de tableaux ou d'autres *articles* de grande valeur.
2. J'ai une grande *affection* pour les vieux murs, qui souvent sont à moitié écroulés *grâce* aux intempéries.
3. Tout à coup le ballon *divergea* de mon côté et je le reçus en pleine figure.
4. Je me regarde dans le miroir sur toutes les *faces*.
5. La table était *remplie* de bonnes choses.
6. Un grand bassin, avec un jet d'eau, *reposait* au milieu du jardin.
7. Le bambin a une tête ronde ; un sourire malicieux *se dégage* de ses lèvres ; de grosses joues *encadrent* sa bouche.
8. Nous errâmes dans la forêt ; de temps en temps, une clairière *se dressait* devant nous.

259
CFC § 75

Donnez les antonymes des douze mots en italique :

1. La *joie* de cette arrivée avec l'oncle Gus, dans une ville dont toutes les grandes personnes semblaient *entichées*, en fut soudain *amoindrie*. (M. Denuzière.)
2. La présence *discrète* des deux femmes, le dîner, les propos, les attentions qui m'avaient tout de suite entouré, rien, à aucun moment, qui m'eût donné le sentiment d'une intention d'*accueil concertée*, d'une dévolution *provisoire*. (M. Genevoix.)
3. « C'est surtout très *rare* », répond-il sur un ton *grincheux* propre à vous persuader immédiatement que la *philanthropie* et la *sociabilité* ne sont pas ses qualités *dominantes*. (F. Dorin.)

260
CFC § 75

Donnez les antonymes des mots en italique, en vous fondant sur leur contexte (10 mots à trouver) :

1. a) Je lui avais donné là une *fameuse* idée. (J. Hougron.)
   b) De Paris à Delhi, du couchant à l'aurore,
   Ce *fameux* voyageur courut plus d'une fois. (Boileau.)
2. a) Sa mine était, après deux nuits blanches, toujours aussi tendre, ses yeux aussi *frais*. (J. Laurent.)
   b) Soir et matin, la brise est *fraîche*. (Th. Gautier.)
3. a) Marie-Bonne gardait le Pavillon, toute seule, *indifférente* à la peur comme si elle eût couché au Louvre... (La Varende.)
   b) « Non, non, Monsieur, lui répondis-je, ceci n'est pas aussi *indifférent* que vous le croyez. » (Marivaux.)
4. a) « Je l'aime, cette petite ; ma femme est *vive*, mais elle l'aime aussi. » (V. Hugo.)
   b) La lueur de ce beau feu éclairait la chambre d'une réverbération si *vive* que la lumière de la lampe eût été inutile. (Th. Gautier.)
5. a) Il semblait que l'effort dépensé en commun pour examiner un problème *pratique* donnât à chacun l'illusion que ses désirs étaient déjà à demi exaucés. (H. Troyat.)
   b) « Vous connaissez d'autres moyens, vous, Cap ? — D'autres moyens ?... Mille autres moyens, plus expéditifs, plus *pratiques* et plus élégants. » (A. Allais.)

261
CFC§75

Donnez les antonymes des 8 mots en *italique* ; faites-les suivre des lettres M, R ou P selon que l'antonymie est marquée par le mot entier (4 ex.), par le radical (1 ex.) ou par un préfixe (3 ex.) :

1. **Bal au village :** La tante Rose se laissait conduire par un estivant inconnu, mais *distingué*. (M. Pagnol.)
2. Lorsqu'il n'est plus préoccupé de ses *antipathies*, de son *anglophobie*, il s'anime et plaide pour l'humanité. (Balzac.)
3. Il semblait infatigable et prenait à ses leçons un plaisir *extrême*. (M. Déon.)
4. **Les déjeuners Goncourt :** Ce sont, trois fois sur quatre, d'homériques empoignades autour de *divergences* littéraires. (F. Nourissier.)
5. « Pour des êtres de sa trempe, notre enseignement est, somme toute, *inoffensif.* » (R. Martin du Gard.)
6. **Un mannequin brutalement manipulé dans une devanture :** J'ai envie de crier, d'alerter un agent. *Non-assistance* d'une personne en danger de mort. (P. Guth.)
7. Moi, je suis descendu aux cuisines parce que c'est là, comme on sait, que l'on trouve les *meilleurs* morceaux. (P.-J. Hélias.)

262
CFC§75

1° Relevez dans ce texte les mots ou groupes de mots qu'on peut tenir pour antonymiques ;
2° Décrivez, en les opposant aussi de manière antonymique, deux personnes occupant la même fonction, ou deux frères (ou sœurs), ou deux acteurs ayant joué le même rôle.

Mon double.
Contrairement à ce que vous pourriez croire, mon double n'est pas en tous points semblable à moi.
Il est, dans l'ensemble, beaucoup moins *bien* que moi. Moi, par exemple, je suis grand, maigre, élancé ; lui, il est petit, bedonnant, poussif. J'ai d'abondants cheveux noirs, avec une curieuse mèche blanche qui, dans un jeune visage, surprend et séduit. Lui, il a le cheveu rare, court et grisonnant, la figure couperosée. J'ai les mouvements vifs, la mine avenante, un caractère hardi, bienveillant et enjoué. Lui, il est fripé, morose, chafouin, grognon, soupçonneux. (Jean Tardieu, *La part de l'ombre*.)

263
CFC§76

Les mots suivants sont tous de radical différent, mais certains s'apparentent par le sens ; vous les grouperez par 5 en 4 champs sémantiques :

Navire, prix, trivial, convalescence, vente, juron, guérir, escale, commerce, ancre, médicament, vulgaire, panacée, sillage, négociant, grossier, croisière, argot, achat, thérapeutique.

264
CFC§76

Même exercice :

Gorge, délégué, humour, flâner, député, spirituel, laryngite, paresse, amygdales, mission, facétieux, lambin, glotte, mandataire, oisif, malice, lâcheté, comique, trachée, ambassadeur.

265
CFC§76

Les mots suivants, groupés deux à deux par famille étymologique, ont perdu tout rapport de sens évident ; vous les regrouperez deux à deux d'une autre manière, en les rapprochant par leur sens actuel :

1. Onde, abondant.
2. Concours, cours (d'eau).
3. Chandelle, candidat.
4. Mèche, éméché.
5. Ivraie, ivre.
6. Blé, déblayer.
7. Terrassier, terrine.
8. Pâté, pastiche.
9. Copie, copieux.

266
CFC § 76

Même exercice :

1. Têtard, tête.
2. Bosse, caboche.
3. Gondole, gondoler.
4. Nausée, navire.
5. Écœurer, encouragement.
6. Récompense, poêle.
7. Fumiste, parfum.
8. Pomme, pommade.
9. Reinette, grenouille.

267
CFC § 76

Sur le modèle du tableau de la page 93 du CFC, analysez les sèmes des mots suivants :

caillou, dalle, galet, pavé, pierre, roc, tomette.

268
CFC § 77

Les mots suivants sont usités le plus souvent à notre époque dans un sens dérivé ; donnez-en le sens primitif, en vous servant d'un dictionnaire si c'est nécessaire :

1. Déboire
2. Leurrer
3. Grève
4. Plongeon
5. Excentrique
6. Pot-pourri
7. Sérac
8. Enchevêtrer
9. Rosse
10. Mazette

269
CFC § 77

Classer les mots suivants en trois colonnes (de 4 mots chacune) : ceux dont le sens s'est généralisé, donc appauvri (comme *panier*), ceux dont le sens s'est précisé, donc enrichi (comme *pondre*), ceux dont le sens a complètement changé (comme *courrier*) :

1. **Cahier** (du latin *quaterni* : groupe de 4 feuilles).
2. **Boucher** (au XIIe siècle : marchand de viande de bouc).
3. **Succès** (jusqu'au XVIIe siècle : résultat bon ou mauvais).
4. **Cadeau** (jusqu'au XVIe siècle : lettre capitale).
5. **Chère** (jusqu'au XVIIe siècle : visage).
6. **Fronder** (au début du XVIIe siècle : combattre quelqu'un à la fronde).
7. **Poutre** (ancien français : jeune jument).
8. **Divorce** (jusqu'au XVIIe siècle : séparation).
9. **Faon** (jusqu'au XVIIe siècle : petit d'un animal quelconque).
10. **Forêt** (du bas latin *forestis* : bois relevant de la cour de justice royale).
11. **Traire** (du latin *trahere* : tirer).
12. **Flemme** (remonte au latin *flegma* : lymphe).

270
CFC § 77

Même exercice :

1. **Canot** (jusqu'au XVIIe siècle : barque propre aux Peaux-Rouges d'Amérique du Sud).
2. **Robe** (au moyen âge : vêtement).
3. **Bâcler** (du provençal *baclar* : mettre un bâton au travers d'une porte).
4. **Tanière** (du latin *taxonaria* : retraite du blaireau).
5. **Appétit** (jusqu'au XVIIe siècle : désir).
6. **Noyer** (de *necare* : tuer, en latin classique).
7. **Gouache** (de l'italien *guazzo* : endroit où il y a de l'eau).
8. **Dame** (titre réservé au moyen âge à la femme noble).
9. **Saupoudrer** (à l'origine : poudrer de sel).

10. **Tuer** (du bas latin *tutare* : protéger).
11. **Poison** (de *potionem* : breuvage, en latin classique).
12. **Fourrière** (au Moyen Age : local où l'on met le fourrage).

271
PAE§28

Remplacez le mot *chose* par un terme plus précis (ex. : *La chimie est une chose passionnante. — ... une science passionnante*) :

1. Que tu mettes ou non ton chapeau mou, c'est une chose sans importance.
2. La docilité est une chose bien utile à l'enfant.
3. Cette comédie est une chose bien divertissante.
4. Ce buffet est une belle chose.
5. Brutaliser plus faible que soi est une chose répréhensible.
6. Elle rassemblait les diverses choses nécessaires à la composition de cette sauce.
7. Le dépanneur a apporté toutes les choses nécessaires à son travail.
8. Tu as décidé de travailler régulièrement ? C'est une chose sage.

272
PAE§28

Remplacez les mots *gens* et *personne* par des termes plus précis :

1. Voici l'équipe du Racing-Club : les gens qui la composent sont en excellente condition physique.
2. Le crémier se hâte de servir les gens : ils sont pressés.
3. Fouilly-les-Canards est un village de huit cents personnes environ.
4. Cette pièce est d'un comique irrésistible ; pendant toute la représentation, les gens se tordent de rire.
5. A la bibliothèque municipale, chaque fois qu'une personne écrit dans la marge d'un livre, le gardien l'expulse.
6. Les gens du XVIIe siècle nous ont laissé d'admirables pièces de théâtre.
7. Quoiqu'ils eussent promis de rapporter deux ou trois lièvres, au crépuscule nos gens revinrent bredouilles.
8. Je me suis fait inscrire à la S.P.L.D.C. ; les gens de cette société jouissent de nombreux avantages.

273
PAE§28

Remplacez le pronom démonstratif en italique par un adjectif démonstratif accompagné d'un nom (ex. : Il a trop mangé le jour de sa fête ; *cela* a provoqué une crise de foie. — ... *cet excès* a provoqué une crise de foie**) :**

1. Villars battit le prince Eugène à Denain ; *cela* permit à Louis XIV de négocier la paix.
2. Le spectacle commençait à huit heures ; il est arrivé à neuf heures moins le quart ; *cela* lui a fait manquer le premier acte.
3. Elle a quarante-cinq ans et en avoue trente ; *cela* fait sourire ses amis.
4. Le noir américain Johnson a passé pour la première fois deux mètres dix ; *cela* ne sera pas égalé de sitôt.
5. La composition de français aura lieu le 17 octobre, *cela* me permettra de juger de votre savoir.
6. Il y a cinq kilomètres de la ferme des Adrets à l'école ; *cela* oblige les enfants du fermier à venir à bicyclette.

7. Il voudrait devenir un garçon instruit et sportif ; *c'*est louable.
8. La maîtresse lui a dit qu'elle le trouvait très appliqué ; *cela* lui a fait plaisir.

274 PAE§28

Substituez au verbe en italique et au pronom démonstratif complément d'objet un autre verbe et un nom complément d'objet accompagné d'un adjectif démonstratif (ex. : J'*ai répondu* cela. — J'*ai donné cette réponse*) **:**

1. Il *a conseillé* cela. — 2. Tu *as juré* cela. — 3. J'*ai permis* cela. — 4. Ils *ont osé* cela. — 5. J'*ai visé* à cela. — 6. J'*ai tenté* cela. — 7. Nous *avons risqué* cela. — 8. Il *a tâté* de cela.

275 PAE§28

Remplacez le verbe *avoir* par un autre verbe plus précis :

1. Il n'est pas allé à son travail : il a des rhumatismes.
2. Achetez des pâtes : nos clients auront aujourd'hui un rabais considérable.
3. Dans ce pays, il a une excellente réputation.
4. J'ai eu une grosse déception.
5. La Seine a comme principaux affluents l'Yonne, la Marne et l'Oise.
6. Ce problème a plusieurs solutions.
7. Cette mercière a des laines de toutes les marques.
8. Aujourd'hui Jacques a son costume neuf.
9. L'enfant eut une forte douleur.
10. Il a des illusions ; il ferait mieux de voir la vie telle qu'elle est.

276 PAE§28

Remplacez le verbe *faire* par un verbe plus précis :

1. Colbert a fait une œuvre considérable.
2. Cet été j'ai fait les châteaux de la Loire.
3. Il a fait une lettre de recommandation pour son ami.
4. Il a fait six kilomètres pour venir jusqu'ici.
5. Mon nouvel emploi requiert une patience que je n'ai pas : je ne peux m'y faire.
6. Celui qui triche fait une faute grave.
7. Il a travaillé pendant ses vacances pour faire un peu d'argent.
8. Le bébé faisait plus de sept livres à sa naissance.
9. Il fait le « cent mètres » en onze secondes.
10. Pendant la leçon Pierre faisait des bonshommes sur son cahier de brouillon.

277 PAE§28

Remplacez le verbe *mettre* par un verbe plus précis :

1. Par mégarde il mit la main sur le calorifère et se brûla.
2. Il a mis tout son argent dans le dernier emprunt.
3. Elle a mis ses plus beaux habits pour aller au mariage de sa tante.
4. Tu mettras le cheval pommelé à la grande charrette.
5. Ne laisse pas traîner tes cahiers, mets-les dans ton tiroir.
6. J'ai soif, mets un peu d'eau dans mon verre.
7. Ce chiffon ne peut servir à rien, mets-le à la poubelle.
8. Emporte ce paquet et mets-le chez M. Ramlot.

9. Il mit la clé dans la serrure et ouvrit la porte.
10. Il met trop de temps à se pomponner.

278
PAE§28

Remplacez le verbe *dire* par un verbe de sens plus précis :

1. Dites-moi avec précision ce que je dois faire.
2. Jacques m'a dit sa leçon avant de partir pour le lycée.
3. Mon partenaire habituel m'a dit : « Pourras-tu venir dimanche jouer au tennis à Nogent ? »
4. « Hue ! hue ! » disait le charretier.
5. Si tu es sage, je te dirai l'histoire du Petit Poucet.
6. Comme on lui disait qu'il ne travaillait pas assez, il dit : « Je travaille dix heures par jour ! »
7. — Pourriez-vous dire les cas d'égalité des triangles ?
8. La tragédienne disait à ce moment le fameux songe d'Athalie.
9. « Et si je venais t'aider demain ? » dit-il.
10. « Oui », dit-il, si bas que je l'entendis à peine.

279
PAE§28

Remplacez la forme verbale en italique par un verbe de sens plus riche, de forme active (ex. : Dans ce vallon tortueux *il y a* un ruisseau. — ... *serpente* un ruisseau) **:**

1. Dans la fourmilière *se trouvait* un peuple d'insectes affairés.
2. Au lointain *il y avait* l'œil clair du phare.
3. Dans le ciel clair *il y avait* des étoiles.
4. Près de cette mare *il y a* un écho.
5. Dans le foyer *il y avait* un maigre feu.
6. Sur ses joues *il y avait* des larmes.
7. Dans ses yeux *il y avait* une vive intelligence.
8. Dans ce verger *il y a* des poires délicieuses.

280
PAE§28

Remplacez la forme verbale en italique par un verbe de sens plus riche, de forme pronominale (ex. : Sous ce masque impassible, *il y a* une vive sensibilité. — ... *se cache* une vive sensibilité) **:**

1. Parfois, sur ce petit visage attentif, *il y avait* un large sourire.
2. Sur le flanc de la colline, *il y a* un vieux village pittoresque.
3. Dans la foule *il y eut* une rumeur.
4. Sur la face sud de la maison *se trouve* une vaste porte cochère.
5. Devant le château *il y a* une belle allée bordée de tilleuls.
6. Entre les Ardennes et la mer *se trouve* une vaste plaine.
7. Sur le sable doré de la plage *il y a* des baigneurs.
8. Entre les pattes du chien *se trouvait* le chapeau d'un cèpe magnifique.

281
PAE§28

Dans la description d'une table richement servie, Flaubert aurait pu écrire la phrase suivante :

Il y avait *des figues, des cerises énormes, des poires et des raisins en pyramide dans des corbeilles de vieux saxe.*

Mais il aurait employé la banale locution *il y a* **; pour l'éviter, il a fait des noms** *figues, cerises,* **etc., les sujets d'un verbe de sens plus imagé :**

Des figues, des cerises énormes, des poires et des raisins **montaient** *en pyramide dans des corbeilles de vieux saxe.*

Faites subir le même traitement aux phrases ci-dessous, en prenant pour sujets les mots en caractères gras ; vous arriverez peut-être à rétablir ces phrases dans la forme que leurs auteurs leur avaient donnée :

(Pour vous aider à trouver, voici, par ordre alphabétique, les verbes qu'ont employés les auteurs : *courir, s'étaler, s'éteindre, flotter, luire, picorer, se prélasser, respirer*.**)**

1. **Plaine normande :** Il y avait **la plate campagne** à perte de vue. (D'après G. Flaubert)
2. **Cuisine paysanne :** Il y avait **un reste de feu** dans l'âtre sous la marmite. (D'après G. de Maupassant)
3. **Aurore en montagne :** Il y avait à mi-côte **les brouillards** roux du matin. (D'après Lamartine)
4. **La vallée de la Bièvre :** Il y a **la rivière,** ignorante encore de sa misère prochaine et de l'obscure destinée que lui réserve Paris. (D'après G. Duhamel)
5. **Basse-cour :** Parmi les poules et les dindons, il y avait **cinq ou six paons.** (D'après G. Flaubert)
6. **En Touraine :** Le rocher même est habité, et il y a **des familles de vignerons** dans ses profonds souterrains. (D'après Vigny)
7. **Dans le Paris médiéval :** Derrière ces palais, il y avait dans toutes les directions **l'enceinte** immense et multiforme de ce miraculeux hôtel de Saint-Pol. (D'après V. Hugo)
8. **Le Marais :** La grande plaine herbeuse paraissait bleue. Çà et là, il y avait **un fossé.** (D'après René Bazin)

282
PAE§28

Même exercice :

(Pour vous aider à trouver, voici, par ordre alphabétique, les verbes qu'ont employés les auteurs : *s'allonger, cacher, se mêler à, pendre, pulluler, ressembler à, tendre, traîner*.**)**

1. **Poissonnerie :** Il y avait, de toutes parts, **des soles,** par paires, grises ou blondes ; **des équilles** minces, raidies, comme des rognures d'étain. (D'après E. Zola)
2. **Aux champs :** De l'autre côté du chemin, il y avait **un champ** de maïs, aux tiges mutilées et noircies. J'ai pénétré dans une cour de ferme où il y avait **des os, de vieux sabots, quelques loques.** (D'après F. des Ligneris)
3. **Volaille :** En haut il y avait, accrochées à la barre à dents de loup, **des oies grasses.** (D'après E. Zola)
4. **Chambre à coucher :** Il y avait sur tout le parquet **une moquette** où il y avait **des rosaces compliquées** et des étoiles. Devant le lit, il y avait **un de ces tapis de mousse**, fait de longs brins de laine frisés. (D'après E. Zola)

283
PAE§28

Quel effet de style est produit dans ce texte par l'emploi des mots *chose* **et** *machin* **?**

Gavroche.
Dès le début de l'insurrection, passant rue Ménilmontant, il avait avisé, dans la devanture de boutique d'une marchande de bric-à-brac, un vieux pistolet d'arçon... Il cria :
— Mère chose, je vous emprunte votre machin.
Et il se sauva avec le pistolet. (V. Hugo)

284
PAE§28

Quel effet produit l'accumulation des mots dans les textes suivants (renforcement de l'idée, pittoresque, désordre ?...)

1. **Aux halles :** Une barre de soleil vint allumer l'opale des merlans, la nacre des maquereaux, l'or des rougets, la robe lamée des harengs, les grandes pièces d'argenterie des saumons. (E. Zola)
2. **Deux frères :** Antoine lui jeta un regard d'indignation et, une fois de plus, constata que le vétérinaire avait un visage ignoble, chevalin, prognathe, buté, sournois, méchant, vicieux, cruel, stupide, content, rageur. (M. Aymé)
3. **Le piano aphone :** N'importe qui eût prescrit à ce piano domestique, excessivement casanier, une bonne journée d'aération, mais le couvercle supportait un palmier nain, un bronze à l'antique, une conque marine, un héron empaillé, cinq tomes du *Magasin Pittoresque*, une chignole, un pain de quatre livres entamé plus une vingtaine de kilos d'objets variés, sédentaires ou en transit. (J. Perret)
4. **Cactées :** De petites plantes grasses y vivotaient, cierges épineux, boules en colonnes armées, serpents tortueux et hérissés, deux fois terribles, bourses à cabochons, feutrages cruels, difformités et gibbosités hallucinantes. (Alexandre Arnoux)
5. **L'oiseau-mouche :** Son vol vibratile est un trait, une micassure, une étincelle, une braise ardente, une poussière au soleil, une étoile filante, une larme de diamant, un éclat. (Blaise Cendrars)

285
PAE§28

La saveur de ce texte est due en grande partie à sa richesse verbale ; vous recopierez les groupes de mots semblables accumulés, en expliquant pour chaque groupe (il y en a 4) l'effet de style produit.
Puis vous essaierez de raconter de la même façon (en accumulant des mots de même forme grammaticale) les déboires d'un enfant qui a acheté des accessoires de prestidigitation, ou toute autre aventure à votre choix.

Appareils électriques *(L'auteur rend compte d'une visite au Salon des Arts Ménagers).*
Entre les mains des démonstrateurs, tout démarre, tout s'enclenche, tout fonctionne divinement. Nous achetons. Nous revenons. Nous déballons. Nous installons. Nous branchons. Maladroitement, sans doute, car ce n'est qu'une succession d'étincelles, d'explosions, de claquements secs, de chuintements fumeux, de ratés narquois. Le multi-mixeur s'enraye. Le manche de la cireuse-lustreuse, « inclinable à volonté », devient têtu comme un vrai manche d'avant l'ère atomique. Le balai-serpillière automatique semble avoir perdu sa spongiosité en traversant la Seine. Tous ces appareils qui battent, mélangent, raclent, râpent, hachent, rognent, scalpent, essorent, émulsionnent et malaxent nous sautent assez volontiers à la figure, puis simplement cessent de fonctionner. Sonia prétend qu'entre mes mains tout se détraque. C'est bien possible. Avec moi, la fée Électricité devient sorcière. (Pierre Daninos)

286
PAE§28

Il s'agit d'un turfiste et d'un maréchal-ferrant qui boivent ensemble du vin rosé ; dans l'énumération — aussi précise que riche — des sujets de leur conversation, vous montrerez l'effet croissant du vin rosé, en disposant les mots en deux colonnes selon qu'ils ont trait au cheval ou à la boisson (aidez-vous du dictionnaire).

Le cruchon sur l'enclume.
Les deux hommes se mirent à parler chevaux, fers, clous, brochoir, cure-pied, brûle-queue, vin blanc, fer à pantoufle, vin rouge, éparvins, ferrage à la hongroise, vin gris, vin bourru, vin pommelé, vin cagneux, bai-brun fruité, pineau torche-nez, clairet quinteux, alezan piqué, rouquin rétif... (Jacques Perret)

287
PAE§29

Dans les phrases suivantes, les auteurs ont joué sur deux sens possibles d'un même mot ou d'une même expression ; vous expliquerez ce jeu en donnant les deux sens et vous apprécierez l'effet produit :

1. **Un joyeux hurluberlu :** Le drôle est assez drôle. (E. Rostand)
2. Ma chienne, la Chougna, qui n'est pas une bête,
   Approche, et sous mes mains fourre sa grosse tête. (V. Hugo)
3. **Le meunier :**
   Ce nigaud, comme un évêque assis,
   Fait le veau sur son âne et pense être bien sage.
   (La Fontaine)
4. **Recensement :** La France contient trente-six millions de sujets sans compter les sujets de mécontentement. (H. Rochefort)
5. **Histoire d'un portier :**
   Il m'avait fait venir d'Amiens pour être suisse. (Racine)
6. **Un homme de prix :** « L'un est le baron de Grandgicourt... Quatre cent mille livres de rente... — Je n'ai jamais adressé la parole à un homme... de cette valeur-là. » (Labiche)
7. **Défuntes majestés :**
   « Comme c'est bon, les rois ! » disent les vers de terre.
   (V. Hugo)
8. **Mauvais geôliers :** Il y a dans beaucoup de prisons des employés traîtres (...), qui aident aux évasions, qui vendent à la police une domesticité infidèle, et qui font danser l'anse du panier à salade. (V. Hugo)

288
PAE§29

Même exercice :

1. **Père adoptif :** « Enfin, il l'a bien élevé, puisqu'il en a fait quelqu'un de mieux que nous... C'est ça que ça veut dire, « élever ». Ça veut dire monter plus haut que soi. » (M. Pagnol)
2. **Microbes :** « Et comment appelez-vous ceux qui résistent ? — Je ne les appelle pas, Cap ; ils viennent bien tout seuls. » (A. Allais)
3. **L'aristocratie anglaise :** Elle vit en province, elle y fleurit et la fleurit. (Balzac)
4. **Sinistre récit :** « Vous me faites froid dans le dos. — Ne vous enrhumez pas. » (M. Déon)
5. **L'impératrice Joséphine parle de son père :** « Me promenant au bout d'une longe, il vanta les qualités de sa pouliche : « une jolie voix, une belle peau, de beaux yeux, de beaux bras », détails que l'on souligne quand l'animal a plus de beautés que de beauté. » (P. Guth)
6. **Une victime :** « Cœur de laitue, tout m'est vinaigre : ce que c'est dur d'être tendre. » (H. Bazin)
7. **Mère et fille :** Marion se réjouissait obscurément que les « fiancés » de Pauline se fussent estompés avant d'avoir pu lui demander sa main pour lui passer les menottes. (B. Groult)
8. **Une balle dans la tête :** Le rêve de ses chers vieux parents s'est réalisé : il a du plomb dans la cervelle. (San-Antonio)

289
PAE§29

Voici des définitions prises aux mots croisés de Michel Laclos. Trouvez la solution en vous aidant des remarques entre parenthèses :

1. 8 lettres, hommes d'études (étude = local où s'exercent certaines professions).
2. 6 lettres, une dame du grand monde (grand est au sens physique).
3. 5 lettres, matière première de pâtés (pâté se dit de certaines taches).

4. 7 lettres, glace en faisant chauffer (glacer = revêtir d'un vernis brillant).
5. 3 lettres, fait dévier la raie et contrarie le merlan (le dernier mot désigne très familièrement le coiffeur).
6. 7 lettres, protège la pupille (il ne s'agit pas de la pupille de l'œil).
7. 3 lettres, la moitié d'une petite bête de somme (somme = sommeil).
8. 4 lettres, production d'ouvrières (ouvrières se dit de certains insectes).
9. 6 lettres, précipitation soudaine (registre météorologique).
10. 5 lettres, trains rapides (train = allure).

290
PAE§29

Dites si les jeux de mots donnés ci-dessous, empruntés pour la plupart à un journal enfantin *(Francs-Jeux)*, reposent sur l'homonymie ou sur la polysémie :

1. Quel est le jour le plus savant de l'année ? — Le 7 août (sait tout).
2. Cet étudiant envie la Seine, qui peut suivre son cours sans quitter son lit.
3. Qu'est-ce qui augmente de volume quand on le coupe ? — Le vin.
4. Combien vaut une Française ? — 1,08 F, la moitié de deux francs seize.
5. Quelle est la salade préférée des marins ? — La chicorée, parce qu'elle a le goût de l'amer.
6. Qu'est-ce qui sort d'un café et vous invite à boire ? — L'arôme.
7. Quel est l'instrument à corde qu'on n'a jamais besoin d'accorder ? — La cloche.
8. Quelle différence entre un calendrier, une maison, un oiseau et une omelette ? — Le calendrier est à moi (mois), la maison à toi (toit), l'oiseau à elle (ailes) et l'omelette à eux (œufs).
9. Quel est le centre de gravité ? — La lettre V.

291
PAE§29

Relevez les à-peu-près, expliquez-les, essayez de préciser leur efficacité :

1. « Il est connu comme le houblon », ajouta Mistigris. (Balzac)
2. « Quand on prend du talon, on n'en saurait trop prendre », dit Mistigris, en voyant la prestesse avec laquelle le voyageur se perdit dans un chemin creux. (Balzac)

3. **Une goutte de rosée sur une feuille :**
   La plus belle feuille du monde
   Ne peut donner que ce qu'elle a. (V. Hugo)

4. **Rencontre de dix dames portant des robes à quatre volants :**
   On sort du hallier champêtre
   La tête basse, à pas lents,
   Le cœur pris, dans ce bois traître
   Par les quarante volants. (V. Hugo)

5. **Terrains pour sanatoriums :** Et puis, il y a les voisins, qui poussent des cris de porc frais (1) et clament à la contamination dès qu'on parle d'installer auprès de leurs domaines, châteaux ou masures, quelqu'un de ces fameux sanatoriums.
   (1) Certaines personnes disent « des cris d'orfèvre ». (A. Allais)

6. « Tous les ours viennent vieillir et mourir dans les régions arctiques. — De sorte qu'on aurait droit d'appeler ce pays l'arctique de la mort. » (A. Allais)
7. Il aime à répéter :
   — Moi, je suis cielibataire. (H. Bazin)
8. Bérurier (...) disparaît à travers champs, sa hache sur l'épaule, comme un vieux sapeur (sapeur et sans reproche !). (San-Antonio)

292
PAE§29

Les définitions suivantes ont été pour la plupart imaginées par des lecteurs d'*Ouest-France* en période de vacances.
1° Pour chaque mot en italique, donnez : a) sa définition ; b) les mots dont la ressemblance a inspiré le rédacteur malicieux.
2° Essayez de définir aussi peu sérieusement d'autres mots (exemple : *papotage, sanguin, clovisse, verveine, avoué, pouf...***).**

mildiou : juron usité chez les vignerons du pays d'oc.
omega : cri d'une mère grecque à la recherche de ses fils.
lustre : année lumière.
cachemire : tissu usité par les réparateurs de télévision.
novices : jeunes religieuses qui s'interrogent souvent sur leurs défauts.
galéjade : histoire marseillaise qui voudrait nous faire prendre des cailloux pour des pierres précieuses.
S.A.C.E.M. : Amicale des auteurs de chansons.
moutard : enfant de meunier qui ne travaille pas de bonne heure.

293
PAE§29

Montrer que le comique de chacune des définitions suivantes repose sur le jeu des signifiants et sur celui des signifiés :

1. *Monocle :* Verre solitaire.
2. *Le Masque de Fer :* Muselé historique.
3. *Policier poète :* Mouche à vers.
4. *Le métro :* Les voies intérieures.
5. *Librairie :* Boîte à ouvrages.
6. *Chaumière :* Home de paille.
7. *Plancher effondré :* Descente du parquet.
8. *Enterrement civil :* Service athée.
9. *Pessimiste :* Cervelle aux peurs noires.
10. *Pickpocket :* Vide-poches.
11. *Enterrement :* Fosse nouvelle.
12. *Linceul :* Couvre-feu.

294
PAE§29

Dans ce début d'une *Chanson des rues et des bois* **(Hugo), relevez et commentez trois effets de paronomase :**

Autrefois inséparables,
Et maintenant séparés.
Gaie, elle court dans les prés,
La belle aux chants adorables ;

La belle aux chants adorés,
Elle court dans la prairie ;
Les bois pleins de rêverie
De ses yeux sont éclairés.

Apparition exquise !
Elle marche en soupirant,
Avec cet air conquérant
Qu'on a quand on est conquise.

295 PAE§30

Pouvez-vous résoudre les rébus proposés ci-dessous (parus dans l'*Express* en juillet 1981) ?

1

2

296 PAE§30

Donnez la solution de ces deux charades :

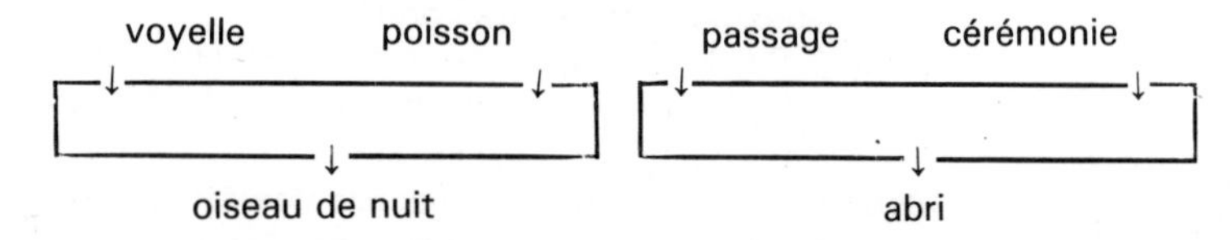

297 PAE§30

A propos de chacun des exemples suivants de contrepèterie, dites s'il produit un effet comique et montrez, dans l'affirmative, que cet effet procède à la fois d'un jeu sur les signifiants et sur les signifiés :

1. Un mour vers jidi, sur la fate-plorme autière d'un arrobus, je his un vomme au fou lort cong... (R. Queneau)
2. **Petite annonce :** Échangerais moulin à café contre café à Moulins. (P. Dac)
3. Ne pouvant fortifier la justice, on a justifié la force. (Pascal, *Pensées.*)
4. La fourche m'a langué.
5. La croix m'attire ? Lacrymatoire ! (M. Leiris)
6. Il vaut mieux passer hériter à la poste que de passer à la postérité. (Attribué à plusieurs.)
7. Un juor vres miid, sru la plate-forme aièrrre d'un aubutos, je requarmai un hmome au cuo frot logn... (R. Queneau).
8. Sorbillans, Sorbonagres, Sorbonigènes, Sorbonicoles, Sorboniformes, Sorbonisecques, Niborcisans, Borsonisans, Saniborsans. (Rabelais, *Pantagruel.*)

298 PAE§30

Formez d'autres mots, par anagramme, avec chacun des mots suivants :

plaine, parent, notaire, Marcel, tramerai, sanglier.

299

Lequel, dans un autre ordre, n'est pas un animal domestique ?

NICHE, LOUPE, AGILE, ASSENE, ENA, TACHONS, LIBERE.

300 PAE§§32-33

Recopiez les mots en *italique* en les faisant suivre des lettres S ou M, selon qu'il y a synecdoque ou métonymie (5 exemples de chaque) :

1. Tant de *fiel* entre-t-il dans l'âme des dévots ? (Boileau)
2. Il envoya une flotte de cent *voiles* au Péloponèse. (Amyot)

3. Le choix d'*Albe* et de *Rome* ôte toute douceur
Aux noms jadis si doux de beau-frère et de sœur. (Corneille)

4. Et ce *fer* que mon bras ne peut plus soutenir,
Je le remets au tien pour venger et punir. (Corneille)

5. A la fin, j'ai quitté la *robe* pour l'*épée*. (Corneille)

6. Depuis plus de six mois éloigné de mon père,
J'ignore le destin d'une *tête* si chère. (Racine)

7. Hé quoi ! vous êtes étonnée
Qu'au bout de quatre-vingts *hivers*
Ma muse faible et surannée
Puisse encor murmurer des vers ? (Voltaire)

8. Et les bruits du *foyer* que l'aube fait renaître (...)
Montaient avec le jour. (Lamartine)

301 PAE § § 32-33

Même exercice, même nombre d'exemples :

1. La *tranchée* flânait. (R. Dorgelès)
2. **Dans les Commandements faits au mari :**
De *soies*, de *visons*, de carats
Tu vêtiras son dénuement. (H. Bazin)
3. **Mode canine en 1908 :** Pour le moment, les toutous en vogue étaient, paraît-il, les *Japonais* et les *King-Charles*. (J. Romains)
4. Ma *lampe* d'étude, et toute la ferveur de mon amour et de ma foi écartaient mal, hélas ! le froid de mon cœur. (A. Gide)
5. Naturellement, le soir, je quittais la maison et je me trouvais, une fois de plus, sur le *pavé*. (O. Mirbeau)
6. **Pluie au Japon :** Un *moutonnement* de parapluies couvrait les rues. (Cl. Farrère)
7. Je viens de lire ta lettre et j'ajoute un *mot* à celle-ci, mon Adèle, pour t'en remercier. (V. Hugo)
8. Il apprit à rouler à bicyclette et s'acheta une *Saint-Étienne*. (R. Ikor)

302 PAE § 34

Les mots en *italique* sont-ils employés par métaphore ou sont-ils seulement l'objet d'une comparaison ?

1. **Le poète pense :**
Tandis qu'auprès de moi les petits sont joyeux
Comme des *oiseaux* sur les grèves,
Mon cœur *gronde* et *bouillonne*, et je sens lentement,
Couvercle soulevé par un flot écumant,
S'entrouvrir mon front plein de rêves. (V. Hugo)
2. Clodomir lisse sa moustache *de maïs* avec le *crochet* de son index. (J. Giono)
3. Tels que *la haute mer* contre les durs rivages,
A la grande tuerie ils se sont tous rués. (Leconte de Lisle)
4. Et des rires s'élevèrent, pareils au *clapotement des flots*. (G. Flaubert)
5. Une moitié de l'aviron est *d'ébène*, l'autre moitié, sous la lame, est *d'argent*. (V. Hugo)
6. Les claviers résonnaient ainsi que des *cigales*. (Lamartine)
7. Et la Sainte-Chapelle a l'air de *s'envoler*. (A. Samain)

303
PAE§34

Relevez les mots employés par métaphore :

1. Et la cloche, à qui soudain répondent les deux colombes, roucoule toujours dans la matinée immatérielle. Et des voix d'adolescentes, plus légères que des églantines, s'effeuillent aux échos de la maison. (F. Jammes)
2. Le couchant est si beau parmi
   Les arbres d'or qu'il ensanglante... (H. de Régnier)
3. Ce vent plonge, écrase les bois, s'élance sur la route en tordant de longues tresses de poussière. (J. Giono)
4. Une autre étoile filante patina d'un bord à l'autre de la nuit. (René Laporte)
5. **Iraniennes :** Pour ces jouvencelles dont les yeux chavirent sous des cils en baldaquin, quel est le suprême délice de l'âme ? (Paul Guth)
6. L'herbe verte,
   Le lierre, le chiendent, l'églantier sauvageon
   Font, depuis trois cents ans, l'assaut de ce donjon. (V. Hugo)

304
PAE§34

Relevez et expliquez les métaphores contenues dans les phrases suivantes :

1. Le ciel était tapissé de fougères blanches, comme il l'est aux jours de vent chaud. (F. des Ligneris)
2. **Le réveil de la maison :** Toute la maison s'étire, gronde et fait le gros dos. (G. Duhamel)
3. Ce grand rapide transeuropéen faisait voler derrière lui des copeaux d'espace. (M. Constantin-Weyer)
4. Soudain, il reçut la gifle noire d'un tunnel. (H. Troyat)
5. J'entends
   Vibrer d'un moucheron l'arabesque sonore. (Ch. Guérin)
6. La lumière d'une veilleuse clapotait derrière les vitres. (Paul Drouot)
7. **A la ferme :**
   Et le peigne de bois pendu parmi les blouses
   Qui garde entre ses dents les cheveux des pelouses ! (E. Rostand)
8. Huit heures s'égouttèrent tranquillement de l'horloge de Saint-Caradeuc. (Louis Dumur)

305
PAE§34

Dites si dans les phrases suivantes il y a métaphore in praesentia (P, 3 exemples) ou métaphore in absentia (A, 3 exemples) :

1. Ces yeux sont des *puits* faits d'un million de larmes... (Baudelaire)
2. **Enfants terribles :** La *meute* chassait à courre dans l'escalier. (H. Bazin)
3. **Joséphine de Beauharnais à Paris :** « A côté de nos buissons de bougainvillées et de jasmins de la Martinique, le jardinet de l'hôtel Beauharnais, planté de *cure-dents*, me donnait envie de pleurer. » (P. Guth)
4. Mémoire, *sœur* obscure et que je vois de face
   Autant que le permet une image qui passe... (J. Supervielle)
5. **Maison récemment réparée :** Il arrive que les doigts de Dorothy plongent dans une *pustule* de plâtre frais. (D. Decoin)
6. Il s'agit d'un *bijou* de chansonnette aux rimes plus fraîches qu'un matin de printemps. (San-Antonio)

306
PAE§34

Dans les textes suivants, les noms en caractères gras sont employés par image, et sont expliqués par un nom « clé » construit de six manières différentes. Pour chaque phrase vous indiquerez le mot clé (ex. : *La petite* **chenille jaune** *du tramway.* **Paul Morand. — Mot clé :** *tramway***) et vous grouperez les phrases deux par deux selon la manière dont ce mot est construit :**

1. Un œuf de bois traînait dans le **pondoir** de la corbeille à laines. (H. Bazin)

2. Je regarde, au-dessus du mont et du vallon(...),
S'envoler sous le bec du **vautour** aquilon,
Toute la toison des nuées. (V. Hugo)

3. Le regard qui sortait des choses et des êtres,
Des flots bénis, des bois sacrés, des arbres **prêtres...** (V. Hugo)

4. Et sur la cité, **monstre** aux écailles de toits,
Le silence descend, doux comme une paupière. (A. Samain)

5. Les crabes, ces **galets** qui marchent. (J. Renard)

6. Et moi je songe à ce **gouffre**, Paris. (V. Hugo)

7. Dans la feuillée, **écrin** vert taché d'or(...),
Un faune effaré montre ses deux yeux. (A. Rimbaud)

8. La **marmite** budget pend à la crémaillère. (V. Hugo)

9. Le palmier, ce **jet d'eau** végétal. (Lucien Dumas)

10. Les maisons semblaient dessinées à la craie sur le **papier bleuté** du ciel. (H. Barbusse)

11. On entend dans les pins que l'âge use et mutile
Lutter le rocher **hydre** et le torrent **reptile**. (V. Hugo)

12. Et, pareils au chaos, les océans funèbres
Roulent cette **nuit**, l'eau, sous ces **flots**, les ténèbres. (V. Hugo)

307
PAE§34

Relevez les métaphores contenues dans les textes suivants et dites quel effet de style elles produisent : comparaison comique (Com.), vision poétique (Poét.), vérité descriptive (Desc.), incohérence malicieusement recherchée (Inc.), saveur populaire (Pop.) :

1. En ce temps-là, c'était le temps miraculeux
Où fleurissaient les contes bleus
Teintant la vie en rose... (J. Richepin)

2. **En avion :** Une bise cinglante cisaille les visages. (Cdt Pierre Weiss)

3. **Louis XIV :**
Il fit, magicien, sortir de ces broussailles
Cette fleur gigantesque et splendide, Versailles. (V. Hugo)

4. — Tu renifles, mon ancienne, dit Gavroche. Mouche ton promontoire. (V. Hugo)

5. Ce tuyau de poêle, qu'on a baptisé d'un nom sonore et nommé la Colonne de Juillet... (V. Hugo)

308
PAE§34

Même exercice :

1. Et, dans l'ombre, entrouvrant ses mâchoires de pierre,
Un vieux antre ennuyé bâillait au fond des bois. (V. Hugo)

2. Le poisson-médecin dont le flanc dresse, tout à coup, le bistouri d'une étroite et tranchante nageoire. (L. Durtain)

3. **Bifteck de tranchée :** « Attention, vous autres ! N'mâchez pas trop vite : vous vous casseriez les dominos. » (H. Barbusse)

4. Ainsi finissent souvent ceux qui brûlent leurs vaisseaux devant le foyer paternel pour se lancer sur l'océan de la vie d'orages ! Que j'en ai vu trébucher, parce qu'ils avaient voulu sauter à pieds joints pardessus leur cœur ! *(Fin d'article en style romantique, que Jules Vallès s'accuse d'avoir écrit dans sa jeunesse.)*
5. A la devanture de la charcuterie, espiègle par-delà la mort, la tête de veau tire la langue aux passants. (Lucien Dumas)

309
PAE§34

Dans chacun des textes suivants, plusieurs mots font métaphore ; vous relèverez ces mots et vous direz si les métaphores sont cohérentes ou incohérentes :

1. **Hiver :** Tout est malade ; dans la brume
L'air s'enroue et l'arbre s'enrhume ;
Le nuage est torrentiel.
L'ouragan tousse à l'aventure.
Le catarrhe de la nature
Emplit de ses quintes le ciel. (V. Hugo)
2. La bouilloire se mit à jouer d'une cornemuse si grêle, qu'il fallait, si j'ose dire, s'enchâsser dans l'oreille une loupe d'horloger pour arriver à suivre cette mélopée microscopique qui créait entre nous une solitude sans bornes, de même que la flûte arabe crée le désert autour d'elle. (André Obey)
3. ...le baccalauréat, par exemple, charnière du second degré et du supérieur, et qui se répercute aussi sur le technique. (Journal)
4. L'aiguille du clocher va faire une reprise au nuage déchiré. (Lucien Dumas)
5. Vous allez vivre auprès de l'être aimé, de l'être
Pour lequel vous brûlez avant de le connaître,
Et qui, vous ignorant, pour vous se calcinait ! (E. Rostand)
6. Le problème est de ramener dans les lignes la tourbe des parasites qui s'évertuent à butiner à tous les degrés de l'échelle sociale. *(Discours prononcé au Conseil général de la Sarthe.)*

310
PAE§34

Même exercice :

1. Le pays donne en ce moment une leçon de sagesse aux meneurs qui s'engraissent des mauvaises fièvres qu'ils allument.
(W. d'Ormesson)
2. Pour cette grande faim qu'à mes yeux on expose,
Un plat seul de huit vers me semble peu de chose,
Et je pense qu'ici je ne ferai pas mal,
De joindre à l'épigramme, ou bien au madrigal,
Le ragoût d'un sonnet, qui, chez une princesse,
A passé pour avoir quelque délicatesse.
Il est de sel attique assaisonné partout,
Et vous le trouverez, je crois, d'assez bon goût. (Molière)
3. La plage de sable fin où viennent continuellement balbutier les petites langues bleues des vagues... (Lamartine)
4. Le spectacle d'un cerveau sans inquiétude est appréciable à notre époque troublée, encore que, manquant d'épices, il soit tiède à nos palais fiévreux. (P. Hepp)
5. Plongez le scalpel dans ce talent tout en surface, que restera-t-il, en dernière analyse ? une pincée de cendre. (Albert Wolf)
6. Les quilles au corset sanglé, ces belles filles
Dont Patou, mal reçu, dérange les quadrilles. (E. Rostand)

7. Je veux lui plonger dans le cœur un fer rouge... un fer rouge qui s'appellera le remords... un fer rouge qui le poursuivra partout, qui lui rongera le foie... comme un vautour... et dont le miroir implacable lui représentera son crime en lui criant : « Misérable ! » (Labiche)
8. Certes, le bon Sigognac n'avait jamais senti les dents venimeuses de l'envie mordre son honnête cœur et y infiltrer ce poison qui bientôt s'insinue dans les veines, et, charrié avec le sang jusqu'au bout des plus minces fibrilles, finit par corrompre les meilleurs caractères du monde. (Th. Gautier)

311
PAE § 34

Dans ce texte les métaphores suivies constituent une « allégorie ». Quelles qualités en font la beauté ? (La comparaison est-elle simple ou subtile ? naturelle ou artificielle ? prosaïque ou poétique ?)

La vie humaine.
La vie humaine est semblable à un chemin dont l'issue est un précipice affreux... Il faut marcher, il faut courir ; telle est la rapidité des années. On se console pourtant, parce que de temps en temps on rencontre des objets qui nous divertissent, des eaux courantes, des fleurs qui passent. On voudrait s'arrêter. Marche ! marche ! et cependant on voit tomber derrière soi tout ce qu'on avait passé. Fracas effroyable, irrévocable ruine ! On se console, parce qu'on emporte quelques fleurs cueillies en passant, qu'on voit se faner entre ses mains du matin au soir, et quelques fruits qu'on perd en les goûtant : enchantement ! illusion ! Toujours entraîné, tu approches du gouffre affreux : déjà tout commence à s'effacer ; les jardins moins fleuris, les fleurs moins brillantes, leurs couleurs moins vives, les prairies moins riantes, les eaux moins claires : tout se ternit, tout s'efface. L'ombre de la mort se présente.

(Bossuet, *Sermon pour le jour de Pâques.*)

312
PAE §§ 31, 34

Citez un ou plusieurs « mots d'enfant » entendus (ou prononcés) par vous, reposant sur une métaphore (ex. : le cygne, appelé *« un canard majuscule »*).

313
PAE §§ 32, 33, 34

Vous grouperez en trois colonnes les mots et expressions populaires ci-dessous selon que leur emploi résulte d'une métaphore, d'une synecdoque ou d'une métonymie :

Tu déraillles (= déraisonnes).
Une bavarde (= une lettre).
Lever le coude (= boire).
Je vais le dérouiller (= le corriger).
Serrer la cuiller (= la main).
Être dans ses bois (= dans ses meubles).
Se mettre la ceinture (= être privé de quelque chose).
Les profondes (= les poches).
Faire un plat de quelque chose (= en exagérer l'importance).
Il y a maldonne (= malentendu).
Gagner son bifteck (= sa vie).
Faire du pétard (= du bruit).

314
PAE § 35

Comment peut-on appeler par euphémisme :

1. *l'avarice*
2. *la lâcheté*
3. *la fourberie*
4. *une grande peur*
5. *une erreur d'un historien*
6. une dame *maigre*
7. une *grosse* dame
8. une personne *qui parle trop*
9. une personne *qui ne parle pas assez*
10. une mise *malpropre et débraillée*
11. *un asile de fous*
12. *une déroute militaire ?*

315
PAE§35

Donnez cinq façons de dire : « Il est malade » sans employer l'adjectif *malade*, ni le nom *maladie*.

316
PAE§35

Que désignent les périphrases suivantes ?
(Voici les réponses, par ordre alphabétique : *l'accordéon, l'air pur, le baobab, l'échafaud, le financier, le ballon de football, la grenouille, le melon, le mouton, le plomb, le vin, la voiture cellulaire.***)**

1. Cet énorme enfant du rivage africain. (Delille)
2. Ce métal docile où l'onde s'emprisonne. (Delille)
3. Vil suivant de Plutus que l'intérêt dévore. (Bertin)
4. Une quenouille vivante. (Saint-Pol-Roux)
5. Une bavarde verte. (Saint-Pol-Roux)
6. Le cognac du père Adam. (Saint-Pol-Roux)
7. Le sirop de Bois Tordu. (Jargon de Guignol)
8. Un boulet à queue. (Populaire)
9. Un piano à bretelle. (Populaire)
10. La sphère de cuir. (Journaliste sportif)
11. Le panier à salade. (Argot)
12. L'abbaye de Monte-à-regret. (Argot)

317
PAE§35

Expliquez les textes suivants en disant avec précision quels êtres ou quelles choses sont désignés par périphrase :

1. Ils montent, épiant l'échelle où se mesure
L'audace du voyage au déclin du mercure. (Sully Prudhomme)

2. Ce meuble précieux et souple où se déploie
Et l'art de la baleine et l'art du ver à soie,
Et dont l'aile, en s'ouvrant contre l'humide affront,
De l'onde pluviale abrite notre front. (Delille)

3. Eh bien, cet animal aux longs crocs, au pas lent,
Dont le cours rétrograde avance en reculant,
Montre au sage étonné, que ce prodige enchante,
Les débris renaissants de sa serre tranchante. (Delille)

318
PAE§35

Même exercice :

1. Tous deux furent menés séparément dans des appartements d'une extrême fraîcheur, dans lesquels on n'était jamais incommodé du soleil. (Voltaire)

2. J'estime plus ces honnêtes enfants
Qui de Savoie arrivent tous les ans
Et dont la main légèrement essuie
Ces longs canaux engorgés par la suie. (Voltaire)

3. Je veux enfin qu'au jour marqué pour le repos
L'hôte laborieux des modestes hameaux,
Sur sa table moins humble, ait, par ma bienfaisance,
Quelques-uns de ces mets réservés à l'aisance.
(Legouvé, *Mort d'Henri IV.*)

4. Je chante ce doux jeu qui sied à tous les âges,
Aux petits comme aux grands, aux fous ainsi qu'aux sages,
Où notre main agile, au front d'un buis pointu,
Lance un globe à deux trous dans les airs suspendu.
(Facétie d'H. de Balzac.)

319
PAE§35

Que désignent les périphrases suivantes, empruntées au jargon des Précieuses (Dictionnaire de Somaize) ?
(Réponses par ordre alphabétique : *l'almanach, le chapeau, les dents, la fenêtre, les joues, le miroir, le nez, les oreilles, la perruque, le poète, le verre d'eau, le violon.***)**

1. l'affronteur des temps
2. l'âme des pieds
3. l'ameublement de la bouche
4. un bain intérieur
5. le conseiller des grâces
6. les écluses du cerveau
7. la jeunesse des vieillards
8. le mémoire de l'avenir
9. un nourrisson des Muses
10. la porte du jour
11. les portes de l'entendement
12. les trônes de la pudeur

320
PAE§35

Dans ce fragment d'une fable de La Fontaine, vous relèverez quatre périphrases en donnant leur sens ; quel effet de style est produit (ton noble et prétentieux ou expression malicieusement détournée) ?

L'ivrogne et sa femme.

Un suppôt de Bacchus
Altérait sa santé, son esprit, et sa bourse :
Telles gens n'ont pas fait la moitié de leur course
Qu'ils sont au bout de leurs écus.
Un jour que celui-ci, plein du jus de la treille,
Avait laissé ses sens au fond d'une bouteille,
Sa femme l'enferma dans un certain tombeau...

(La Fontaine, III, 7.)

321
PAE§35

Dans ce texte, la langue poétique se caractérise par la noblesse et les détours de l'expression ; vous direz quels mots propres pourraient remplacer les mots ou périphrases en italique.

Le navire.

L'aimant, fidèle au pôle, et le *timon* prudent
Dirigent ses *sillons* sur l'*abîme grondant...*
La *foudre* arme ses flancs : géant audacieux,
Sa carène est dans *l'onde*, et ses mâts dans les cieux.
Longtemps de *son berceau* l'enceinte l'emprisonne ;
Signal de son départ, tout à coup *l'airain* tonne...
Il part...

(Delille)

322
PAE§35

Donnez le sens des expressions populaires suivantes en essayant de dire ce que peuvent représenter les pronoms ou adverbes en caractères gras :

1. Il ne s'**en** fait pas. — 2. Il se **la** coule douce. — 3. Il sait **y** faire. — 4. Il **la** connaît. — 5. Il s'**en** est mis jusque-**là**. — 6. Après cela, il **en** a poussé **une**. — 7. J'**en** sais **une** bien bonne. — 8. Ferme-**la**. — 9. Tu nous **en** contes. — 10. Il **les** lâche avec un élastique.

323
PAE§36

Précisez le procédé utilisé pour produire un effet d'intensité (renforcement ou atténuation) dans les phrases suivantes (4 hyperboles, 1 métabole, 2 gradations, 1 litote, 2 antiphrases, 1 ellipse, 1 double négation, 2 préfixes intensifs) :

1. « Il faut avouer que tu es d'une innocence ! » (Goncourt)
2. Botté jusqu'au nombril, ganté jusqu'aux épaules,
   Chapeauté jusqu'au nez, emplumé jusqu'aux cieux (...),
   C'est Féraudy. (E. Rostand)
3. **A un visiteur en fuite :** « Il est encore poli, celui-là, quand on lui parle !... » (E. Zola)
4. **La route d'Aigle :** Elle nous est archi et superconnue. (R. Töpffer)

5. **Un écrivain admiré** : « J'aime tant ce que vous faites, j'adore, je r fole. » (M. Aymé)
6. Oui, messieurs, un lourdaud, un animal, un âne...

(La Fontai
7. On dit de certaines gens qu'ils ont la main lourde ; cet honn homme ne l'avait pas légère. (Marivaux)
8. **Un homme du monde découragé** : « Bien la peine d'être romanc mondain, et arbitre des élégances. » (J. Romains)
9. A dix pas de moi, sur le dos d'une vague, j'aperçus un gros poiss un énorme poisson, un poisson comme on n'en voit guère, un po son comme on n'en voit pas. (A. Dumas)
10. Il n'est pas inutile de revenir ici sur quelques notions banale (J. Gracq)

324
PAE§36

Même exercice (2 hyperboles, 1 métabole, 1 gradation, 1 litote, antiphrase, 1 ellipse, 2 doubles négations, 2 préfixes intensifs) :

1. Avec le nouveau fer superautomatique T..., surpuissant et lég repassez deux fois plus vite. (Affiche publicitaire.)
2. **Un visage desséché** : Elle n'avait plus que les yeux dans la figure. (J. Husson)
3. **La veuve Tribou** : Elle n'est cependant pas tout à fait dépourvue charmes ni d'économies. (A. Daudet)
4. **Un beau cadeau** : Cap ne savait comment remercier notre actif sou secrétaire d'État de sa mille fois trop flatteuse, disait-il, gracieuset (A. Allais)
5. Les bruits parasites qui agrémentent les réceptions de radio ou télévision peuvent provenir du récepteur lui-même. (*Radio* 52.)
6. « J'aurais dû m'en douter, dit-elle. Ce n'est pas très malin. (Colette)
7. « Retour de ces crises, il est d'un susceptible ! » (G. Bernanos)
8. **Un parti politique dangereux** : Quand les circonstances l'aident, il es fort, très fort, trop fort ! (V. Hugo)
9. « Vous n'êtes pas sans savoir le malheur qui m'a frappé il y a deu ans. » (P. Guth)
10. « Je suis tourmentée, traquée, persécutée. » (B. Beck)

325
PAE§36

En utilisant les procédés indiqués entre parenthèses, nuancez l'idée qu contient chaque phrase, de manière à obtenir un effet d'intensité (renfor cement ou atténuation) :

1. Ce linge est sale (hyperbole, litote, antiphrase, ellipse, doubl négation).
2. Il est désagréable de vous entendre toujours vous plaindre (hyper bole, litote, antiphrase).
3. Pierre est fort (hyperbole, gradation, litote, ellipse).

326
PAE§36

Même exercice :

1. Vous avez fait une mauvaise composition d'anglais (hyperbole, gra dation, litote, antiphrase, ellipse).
2. Vous me faites de la peine (hyperbole, gradation, litote, antiphrase)
3. Ce peintre a du talent (hyperbole, ellipse, double négation).

327 PAE§36

Montrez à propos de ce texte que la gradation n'est pas toujours un simple renforcement :

Grand-mère.
Mais, par-dessus tout, son sourire était une clarté, un épanouissement, un pardon, une bénédiction. (Séverine)

328 PAE§37

Relevez dans les phrases suivantes les mots qui font pléonasme (6 pléonasmes en tout) ; refaites la phrase en supprimant la faute :

1. Après le numéro de prestidigitation, deux duettistes ont chanté.
2. Pour obtenir son horoscope, il suffisait juste de mettre dix francs dans la fente.
3. Cette plante est morte faute de ne pas avoir été arrosée.
4. Les jours se succédaient les uns après les autres et la date de notre départ se rapprochait de plus en plus.
5. Né en 1902 dans une ferme de son pays natal, Laxness s'est attaché à décrire les souffrances de son peuple. (Journal)

329 PAE§37

Relevez les mots qui font redondance :

1. Le grand vizir encor de nouveau m'importune. (Corneille)
2. Un gland se détache, puis rebondit successivement de feuille en feuille.
3. Les barres de cuivre étaient mates et ne brillaient pas.
4. Il imite le singe en poussant des cris aigus et perçants.
5. Voilà comment et dans quelles conditions j'aimerais faire ce grand voyage.
6. Mon père me conseilla de bien m'amuser et surtout de ne pas m'ennuyer.

330 PAE§37

Relevez les pléonasmes (ou redondances) en disant s'ils sont des fautes de style ou s'ils sont destinés à renforcer l'expression :

1. Monsieur, nous avons raisonné sur la maladie de votre fille et mon avis, à moi, est que cela procède d'une grande chaleur de sang. (Molière)
2. Le ministre de l'Éducation nationale... informe les familles que les établissements suivants : lycée Condorcet..., etc., disposent encore de places disponibles dans les classes secondaires. (Communiqué paru dans la presse)
3. **Une araignée vorace :** Pour moi, je puis attester que j'ai vu, de mes yeux, une de ces Mygales manger une souris. (Marcel Roland)
4. Quoi ! sur le nez du Roi ! — Du Roi même en personne. (La Fontaine)
5. **Flûte :** Instrument à vent, formé d'un tube creux percé de plusieurs trous. (Dictionnaire.)
6. Le train est arrivé en retard de dix minutes sur son horaire. (Journal.)
7. **Sous les obus :** — Tu vas pas m'faire croire qu'tu s'rais fichu d'dormir et d'faire schloff avec un bruit et un papafard pareils comme celui qu'y a tout partout là ici, dit Marthereau. (H. Barbusse)
8. Pourquoi ne demanderait-on pas aux agrégés, avant de prendre leur première classe en main, de repasser une deuxième fois leur baccalauréat ? (Journal)
9. **Trisser :** Faire répéter trois fois (un morceau) par un chanteur, un musicien, etc. (Dictionnaire.)

331
PAE§37

Le texte ci-dessous est composé d'extraits de plusieurs copies d'élèves ; vous le recopierez en laissant à droite une marge du tiers de la page, et vous l'annoterez d'une encre différente, comme pourrait le faire un professeur, en signalant dans la marge les fautes de style (répétitions, imprécisions, clichés, pléonasmes, redondances) et en soulignant dans le texte les mots incriminés.

Un repas au restaurant.
En voyage avec mes parents, j'ai eu l'occasion de manger au restaurant. C'était un dimanche, nous étions exténués de fatigue et nous avions l'estomac dans les talons. Papa arrêta la voiture devant une auberge dont la façade extérieure nous plut par son aspect engageant. Nous entrâmes ; il ne restait seulement qu'une table, à laquelle nous nous installâmes. L'ambiance était très agréable car le monde était très gai et tout le monde semblait faire largement honneur au repas. Cependant, personne ne s'occupait de nous ; Papa dut réclamer à deux reprises différentes pour que la servante arrive et nous serve. Elle nous offrit du vin, mais Papa dit que nous préférions plutôt de la bière. Quelquefois le vin n'est pas toujours bon. Puis nous mangeâmes beaucoup d'excellentes choses. Le prix du repas coûta environ mille francs pour nous trois. Puis ayant ainsi réparé nos forces, nous prîmes le chemin de la sortie contents et satisfaits, l'estomac bien lesté.

332
PAE§37

Relevez les alliances de mots ; justifiez-les :

1. La vie de cour est un jeu sérieux. (La Bruyère)
2. **Une rude gaillarde :** Elle jurait splendidement. (V. Hugo)
3. Aussi le calme de la figure est-il un signe certain auquel un observateur peut reconnaître les hommes jadis enrégimentés sous les aigles éphémères mais impérissables du grand empereur. (Balzac)
4. **La justice sous l'Empire :** Il a oublié qu'au moment où je parlais, je ne parlais pas de la justice, mais de la justice injuste, de la justice politique. (V. Hugo)
5. **Un médecin malheureux :** Il avait à subir les intolérables consolations du pharmacien. (G. Flaubert)

333
PAE§37

Même exercice :

1. **Un veuf inconsolable :** Il se disait qu'en le voulant extrêmement, il parviendrait peut-être à la ressusciter. Une fois même il se pencha vers elle, et il cria tout bas : « Emma ! Emma ! » (G. Flaubert)
2. **Un beau cimetière italien :** Vous verrez une tristesse délicieuse monter de la Terre des morts. (A. France)
3. **Confidences :** Arsule écoutait les mots, mais, autour des mots, elle écoutait le silence aussi parce que, vraiment, il y avait eu tout à l'heure dans ce silence quelque chose de pas naturel. (J. Giono)
4. **Tartarin de Tarascon :** Il faisait, en avançant sa lèvre inférieure, une moue terrible, qui donnait à sa brave figure de petit rentier tarasconnais ce même caractère de férocité bonasse qui régnait dans toute la maison. (A. Daudet)
5. **Un jeune homme désabusé :** Daniel connaissait bien cette joie d'être déçu. (F. Mauriac)

334
PAE§29, 37

Relevez, en les distinguant, les alliances des mots (al., 4 exemples), les attelages (at., 3 exemples) et les antithèses (an., 3 exemples) :

1. **En avion :** Je confie le manche à mon compagnon et lui recommande beaucoup d'imprudence. (Cdt P. Weiss)

2. Le 18 brumaire s'accomplit, le gouvernement consulaire naît, et la liberté meurt. (Chateaubriand)

3. Il battit ses serviteurs, ses servantes, des tapis, quelques fers encore chauds, la campagne, monnaie et, en fin de compte, ses flancs. (R. Queneau)

4. **Les lions ont faim :**

   Leur dent
   Mâchait l'ombre à travers leur cri rauque et grondant. (Hugo)

5. **Une vieille tapisserie :** Les lés décousus faisaient cent hiatus et ne tenaient plus que par quelques fils et la force de l'habitude. (Th. Gautier)

6. « Si vous voulez consentir à ne rien faire d'extraordinaire, je ne doute pas que vous ne soyez un évêque très respecté, si ce n'est très respectable. » (Stendhal)

7. **Règle d'un savant :** Acquérir chaque jour des ignorances solidement fondées. (Jean Rostand)

8. Un vieux Monsieur (...) levait sur nous, par-dessus son journal, un œil aussi enflammé par l'indignation que par la conjonctivite. (F. Mallet-Joris)

9. L'offensive contre les biberons rebondit. (Journal.)

10. Le roi délire, sans doute, mais c'est le dauphin qui est fou. (P. Gascar)

335
PAE § 37

Même exercice (même nombre d'exemples) :

1. Sur la route, nous vivons de prunes, de haltes et d'éclats de rire. (R. Töpffer)

2. « Je te reproche d'être irréprochable. » (H. Troyat)

3. Malheureuse Aphrodite, condamnée à n'étreindre jamais que sa solitude... (M. Druon)

4. C'est une prière... que je vous intime. (Labiche)

5. La terre cache l'or et montre les moissons. (V. Hugo)

6. Elle n'osait plus le lui demander, sûre qu'il y aurait toujours un prétexte, un rendez-vous donné, dans la salle des Pas-Perdus, à l'un des trois cents intimes dont le méridional disait d'un air attendri : « Il m'adore... » (A. Daudet)

7. Le peintre qui, depuis vingt minutes, promenait par les ruelles du village son pliant, sa boîte à couleurs et sa perplexité d'artiste en quête d'un coin à croquer avait fait une soudaine halte. (Courteline)

8. Quand je suis consterné, je deviens consternant. (H. Bazin)

9. J'eus un éblouissement et m'en allai dinguer au pied d'un marronnier, dans cet espace creux réservé pour l'arrosement des arbres, d'où je sortis plein de boue et de confusion. (A. Gide)

10. **Achat d'un vase à un artisan sarde :** N'a-t-il pas un emballage plus solide ? Non, lui est potier, il n'est pas marchand. (D. Fernandez)

336
PAE §§ 29-37

Précisez si dans les textes suivants les auteurs ont joué sur les divers sens possibles d'un mot ou d'une expression ou sur l'homophonie plus ou moins complète de deux mots :

1. **Diamants :** Rien de plus clair que ces rivières ; rien de plus trouble que leurs sources. (H. Bazin)

2. Les girafes sont des bêtes auxquelles la nature, cette grande fumiste, a monté le cou à la hauteur du ridicule. (A. Allais)

3. **Blessé par des dents d'éléphant :** Pour réparer des dents l'irréparable outrage, il va lui falloir des concours nombreux. (San-Antonio)

4. Laissons, et même envoyons paître
Les bœufs, les chèvres, les brebis,
La raison, le garde champêtre !
(V. Hugo)

5. L'année de la femme a mieux pris que nos mayonnaises. Elle a même pris un mauvais tournant. (P. Guth)

6. **Après la tempête :** Tout le monde, matelots et passagers, entonnent, les uns des hymnes de grâce, les autres, des grogs bien chauds. (A. Allais)

337
PAE§37

Dans les textes suivants un certain comique naît de rapprochements inattendus. Précisez en quoi le rapprochement est inattendu :

1. Ci-gît Piron qui ne fut rien,
Pas même académicien. (Piron)

2. Le Phaéton d'une voiture à foin
Vit son char embourbé. (La Fontaine)

3. Dieu, soupire à part soi la plaintive Chimène,
Qu'il est joli garçon, l'assassin de papa ! (G. Fourest)

4. Jeanne était au pain sec dans le cabinet noir
Pour un crime quelconque. (V. Hugo)

5. **Cléonte** : (Après) tant de larmes que j'ai versées à ses genoux !
Covielle : Tant de seaux d'eau que j'ai tirés du puits pour elle !
Cléonte : Tant d'ardeur que j'ai fait paraître à la chérir plus que moi-même !
Covielle : Tant de chaleur que j'ai soufferte à tourner la broche à sa place ! (Molière)

338
PAE§37

Même exercice :

1. Par ma foi, voilà un beau jeune vieillard pour quatre-vingt-dix ans. (Molière)

2. Si vous venez ici m'ennuyer, tas de dieux ! (V. Hugo)

3. Hangard était bègue, mais éloquent. (A. France)

4. Alors, pâle, à son téléphone,
La pauvre Didon vint s'asseoir.
« Allô ! La maison Perséphone ?
Un couvert de plus pour ce soir ! » (J. Pellerin)

5. Candide et Cacambo sautèrent au cou de Sa Majesté. (Voltaire)

6. Il lui donna un jour, pour la guérir d'un petit rhume, une médecine si efficace qu'elle en mourut en deux heures de temps dans des convulsions horribles. (Voltaire)

339
PAE§37

Relevez dans les phrases suivantes les rapprochements de mots originaux ; précisez pourquoi ils sont inattendus ; essayez d'indiquer l'effet produit (simple mise en relief, effet comique, pittoresque, poétique) :

1. Vous me demanderez si j'aime la sagesse.
— Oui ; j'aime fort aussi le tabac à fumer. (Musset)

2. Le prélat voit la soupe, et, plein d'un saint respect,
Demeure quelque temps muet à cet aspect. (Boileau)

3. Vos veuves aux fronts blancs, lasses de vous attendre,
Parlent encor de vous en remuant la cendre
De leur foyer et de leur cœur. (V. Hugo)

4. Comme le matin rit sur les roses en pleurs ! (V. Hugo)

5. Tu t'es bercé sur ce flot pur
Où Naples enchâsse dans l'azur
Sa mosaïque(...)
Où sont nés le macaroni
Et la musique. (Musset)

6. **Gavroche** : Cette fois il s'abattit la face contre le pavé, et ne remua plus. Cette petite grande âme venait de s'envoler. (V. Hugo).

7. **Les yeux de Suzanne** : Ils ont un ton de vieil or et de soupe à l'oignon. (A. France)

8. **Molière** :
J'admirais quel amour de l'âpre vérité
Eut cet homme si fier en sa naïveté(...),
Quelle mâle gaieté, si triste et si profonde,
Que, lorsqu'on vient d'en rire, on devrait en pleurer. (Musset)

340
PAE§37

Expliquez le sens des épithètes en italique :

1. Au loin dans le bois *vague* on entendait des rires. (V. Hugo)

2. **Stymphale** :
...Quand, ajustant au nerf la flèche *triomphale*,
L'Archer superbe fit un pas dans les roseaux. (Heredia)

3. **Au coin du feu** :
Chaque fois que j'ai pris mes pincettes *fidèles*,
Partent en pétillant des milliers d'étincelles. (Delille)

6. Toi, reprends, Aglaé, l'aiguille *intelligente*,
Qui nous rend ces bosquets de fleurs ;
Toi, la navette *diligente*,
Qui marie, en courant, les soyeuses couleurs. (M. Guiraud)

5. **Pays natal** :
Beaux lieux, recevez-moi sous vos *sacrés* ombrages !
Vous qui couvrez le seuil de rameaux *éplorés*,
Saules contemporains, courbez vos longs feuillages
Sur le frère que vous pleurez. (Lamartine)

6. Une clé *vigilante* a, pour cette journée,
Dans le cèdre enfermé sa robe d'hyménée. (A. Chénier)

CONNOTATIONS SOCIALES, LOCALES, TEMPORELLES, AFFECTIVES

341
PAE§38

Les mots et groupes de mots rapprochés ci-dessous en listes de trois peuvent être employés comme synonymes, mais ils se distinguent par des différences de registre ; vous recopierez chaque liste en disposant les mots dans l'ordre du plus littéraire au plus familier (ex. : *Un soufflet, une gifle, une claque*) **:**

1. Nous avons ri comme des fous. On s'est tordus de rire. Nous avons follement ri.
2. Baraque, maison, demeure.
3. Pour, histoire de, afin de.
4. L'onde, la flotte, l'eau.
5. Un docteur, un médecin, un disciple d'Esculape.
6. S'amener, arriver, survenir.
7. Une physionomie avenante, une bonne bouille, une bonne tête.
8. Potin, tapage, tumulte.
9. S'évanouir, se pâmer, tourner de l'œil.
10. Le dénuement, la purée, la misère.

342
PAE§38

Même exercice :

1. Pas de veine ! Nous n'avons pas de chance ! La fortune ne nous sourit pas !
2. Ennuyer, bassiner, excéder.
3. Parfois, quelquefois, des fois.
4. Protester, rouspéter, récriminer.
5. Injurier, incendier, vilipender.
6. Une couche, un plumard, un lit.
7. Flagorner, flatter, encenser.
8. Vite, en vitesse, promptement.
9. Le nez, le pif, la narine.
10. Piquer, voler, dérober.

343
PAE§38

Donnez l'équivalent en français commun des mots familiers ou populaires en italique :

1. Vivy et la tante Victoria parlaient de la nouvelle mode : on resserrait la taille, on raccourcissait les jupes, jamais les *bibis* n'avaient été si drôles. (R. Sabatier)
2. « Vos pensionnaires avaient bien le diable au corps ; ils ont tous *décanillé...* » (Balzac)
3. **La linotype :** Un homme effleure à toute vitesse son vaste clavier, déclenchant des *dégringolades* de petits *bazars* de laiton dans un cliquetis musical. (Cavanna)

4. **Frères :** Nous avions beau nous chamailler, nous *ficher des peignées* farouches, nous nous adorions. (Ph. Clay)
5. « Il m'*embête*, ce *coco-là* : *flanquons*-le dehors ! » (G. Flaubert)
6. Derrière lui, Taïaut, *paniqué* par la voiture qu'il emprunte pour la première fois, *tournique* en gémissant sur la banquette. (San-Antonio)
7. « Pour des affaires comme la nôtre, il faut de la réflexion, du calcul et de la *jugeote*. » (G. Duhamel)

344
PAE§38

Relevez dans chacune des phrases suivantes un mot de la langue noble, dont vous donnerez l'équivalent en langue commune :

1. Là, le coursier fougueux lève sa tête altière. (Saint-Lambert)
2. Soulage le malheur, consacre l'hyménée. (Delille)
3. L'airain religieux attriste la vallée
   De ses lugubres tintements. (J. de Rességuier)
4. Les glaives émoussés manquèrent de victimes. (Voltaire)
5. De grands aigles ou éperviers, très élevés dans le firmament, tournent pendant des heures au-dessus de nos têtes. (Lamartine).
6. Si quelqu'un d'entre nous vient à déterrer quelques pommes de terre oubliées dans la glèbe d'un champ retourné, il nous les apporte. (Lamartine)
7. Et là je vis, spectacle étrange(...),
   Sous la bruine et dans la fange,
   Passer des spectres en plein jour. (Th. Gautier)
8. Il vaut mieux courir au trépas. (Corneille)

345
PAE§38

Le style « burlesque » est caractérisé par un effet de contraste : il mélange les termes nobles et les termes bas, ou énonce en termes nobles des faits ou des choses communes, ou vice versa ; relevez ces traits dans les textes suivants :

1. **Jupiter et le poète :**

   Jupiter trouva l'Ouvrage
   Digne d'un homme de cœur,
   Et fit présent à l'Auteur
   D'une poire et d'un fromage. (Scarron)

2. **A la gloire d'Énée :**

   Je chante cet homme pieux,
   Qui vint, chargé de tous ses dieux
   Et de monsieur son père Anchise,
   Beau vieillard à la barbe grise,
   Depuis la ville où les Grégeois (= les Grecs)
   Occirent tant de bons bourgeois. (Scarron)

3. **Chagrins d'amour :**

   A l'ombre d'un rocher, sur le bord d'un ruisseau,
   Dont les flots argentés enrichissent la plaine,
   Le beau berger Daphnis, amoureux de Climène,
   Faisait de ses beaux yeux distiller un seau d'eau.
   Et le jeune Alcidon, un autre jouvenceau,
   Atteint du même mal pour la même inhumaine,
   Pressé du souvenir de sa cruelle peine,
   Faisait comme Daphnis, et pleurait comme un veau. (Scarron)

4. **Tapage matinal :**

   « Je saurai réveiller les chanoines sans vous.
   Viens, Girot, seul ami qui me reste fidèle :
   Prenons du saint jeudi la bruyante crécelle...

Suis-moi... Qu'à son lever le soleil aujourd'hui
Trouve tout le chapitre éveillé devant (= avant) lui. »
Il dit. Du fond poudreux d'une armoire sacrée,
Par les mains de Girot la crécelle est tirée.
Ils sortent à l'instant et, par d'heureux efforts,
Du lugubre instrument font crier les ressorts.

(Boileau, *Lutrin,* IV

346
PAE§39

1° Traduisez en français courant ce texte écrit en argot ;
2° Montrez à propos de quatre mots quel code de substitution es appliqué ;
3° Relevez quatre mots dont le caractère argotique ne ressortit pas, o pas seulement, à ce code :

Un lourjingue vers lidimège sur la lateformeplic arrière d'un lobustc tem, je gaffe un lypetingue avec un long loukem et un lapeauchar entouré d'un lalongif au lieu de lubanrogue. Soudain il se met à leulè guer contre son loisinvé parce qu'il lui larchemait sur les miépouilles Mais sans lagarreboum il se trissa vers une lacepème lidévée.

(Raymond Queneau, *Exercices de style.*

347
PAE§39

Montrez que l'auteur approprie son registre de discours à la nature de personnes et des faits évoqués :

Mémoires d'un maquisard.
J'ai fait parvenir des lettres à ma grand-mère où je lui raconte que j travaille dans une jolie ferme où tout le monde est très gentil ave moi. Mes seuls moments de remords... lorsque je pense à elle. San doute se morfond-elle d'inquiétude.
Ma rue, elle, je l'ai larguée sans un petit regret. Anatole, dans son bis trot, devenu nabab. Quand la guerre sera finie, lui, il l'aura bie gagnée ! Il pourra se retirer dans ses terres, aux as, bourré à éclater Ça le gênera pas de donner tous les ans aux bonnes œuvres. Dan son arrière-magasin, il entrepose de tout ce qui manque ailleurs... l bouffe, les fringues, les pneus, la quincaillerie... l'alcool, les bidon d'essence ! (Alphonse Boudard, *Les combattants du petit bonheur.*

348
PAE§40

Relevez dans les phrases suivantes 12 mots ou locutions employés pa les auteurs pour donner la « couleur locale » à leur style (à l'exceptio des noms propres) ; indiquez ce que vous pourrez savoir du sens de ce mots, soit par les renseignements que donne l'auteur, soit à l'aide d'u dictionnaire français d'usage courant, soit en vous fondant sur le con texte (si le sens reste complètement obscur pour vous, dites-le) :

1. **A Barcelone :** Le taureau avait tué trois chevaux et en avait bless deux. L'alguazil fit signe aux picadors de s'éloigner. Les picador gagnèrent l'extrémité du cirque située en face du toril, et s'appuyè rent tous trois à l'olivo, la tête tournée vers le milieu du cirque. Le chulos firent jouer leurs capes. (A. Dumas)
2. **A Cholon :** Les arroyos sont si remplis de jonques et de sampan qu'on pourrait passer d'une berge à l'autre sans se mouiller les pieds (R. Dorgelès)
3. **Au Canada :** A la fin de la semaine, tout le foin était dans la grange sec et d'une belle couleur, et les hommes s'étirèrent et respirèren longuement comme s'ils sortaient d'une bataille.
   — Il peut mouiller à cette heure, dit le père Chapdelaine. Ça ne nou fera pas de différence. (L. Hémon)
4. **A Lisbonne :** Et le mieux est de s'installer devant l'une des grande portes pour voir sortir les peixeiras, les marchandes de poisson qu s'en vont, leur panier sur la tête, crier la marée dans les rues (A. t'Serstevens)

349 PAE§40

Même exercice :

1. **Près de Constantinople :** On voyait souvent passer sous les fenêtres de la métairie des bateaux d'effendis, de bachas, de cadis. (Voltaire)
2. **A Grenade :**

   Alcacava pour les fêtes.
   A des cloches toujours prêtes
   A bourdonner dans son sein,
   Qui dans leurs tours africaines
   Vont éveiller les dulcaynes
   Du sonore Albaycin. (V. Hugo)
3. **En Camargue :** Les gens du pays l'appellent lou Roudeïroù (le rôdeur), parce qu'on le voit toujours, dans les brumes d'aube ou de jour tombant, caché pour l'affût parmi les roseaux ou bien immobile dans son petit bateau, occupé à surveiller ses nasses sur les clairs (étangs) et les roubines (canaux d'irrigation). (A. Daudet)
4. **En Malaisie :**

   Voici sa belle tête morte !
   Je l'ai coupée avec mon kriss.
   Le praho rapide m'emporte
   En bondissant comme l'axis. (Leconte de Lisle)
5. **Dans les Landes :** C'était ce potage vulgaire qu'on mange encore en Gascogne, sous le nom de garbure ; puis Pierre tira de l'armoire un bloc de miasson tremblant sur une serviette saupoudrée de farine de maïs et l'apporta sur la table... (Th. Gautier)

350 PAE§40

Quel pays ou quelle région (Afrique du Nord, Afrique noire, Brésil, Inde, Turquie) sont évoqués par les mots ci-dessous ?

1. divan
2. ananas
3. bled
4. rajah
5. muezzin
6. gorille
7. igname
8. manioc
9. pacha
10. paria
11. razzia
12. sarigue

351 PAE§40

Même exercice :

1. gris-gris
2. brahmane
3. casbah
4. mamelouks
5. jungle
6. pilaf
7. tsé-tsé
8. tapir
9. caftan
10. fellah
11. maïs
12. palanquin

352 PAE§40

Quelle nuance de style peut-on établir entre les mots anglais et leurs correspondants français ci-dessous ?

building	business	gentleman	home
immeuble	affaires	homme du monde	foyer
nurse	select	speech	spleen
nourrice	élégant	allocution	mélancolie

353 PAE§40

Le texte suivant a été rédigé par « Mme Express » dans le « sabir » de français anglicisé qui s'est répandu en France depuis le milieu du siècle ; elle-même en propose ensuite une traduction en français. Vous justifierez ou discuterez s'il y a lieu la traduction proposée :

1. Tout dans le living-room paraissait confortable : le shaker sur le bar, le fauteuil club à côté du cosy-corner. Simone, très sexy dans son blue-jeans et son twin-set de cashmere fully fashioned, se remit du compact sur le bout du nez avant d'enfiler ses snow-boots et son duffle-coat.

2. Tout dans le vivoir paraissait confortable : le secoueur sur le bahut ; le fauteuil cleube à côté du sofa. Simone, très affriolante dans son pantalon de treillis bleu yankee et son deux-pièces tricoté de cachemire entièrement diminué, se remit du pain de poudre sur le bout du nez avant d'enfiler ses bottes pour la neige et son manteau de molleton. (Cité par Etiemble, *Parlez-vous franglais ?*)

354
PAE§41

Relevez dans les phrases suivantes les mots techniques et dites sans indiquer leur sens à quelle science ou à quel métier ils appartiennent. (Voici, pour faciliter votre travail, les réponses rangées par ordre alphabétique : *arboriculture, armée, aviation, botanique, charpenterie, droit commercial, marine, médecine, mines, musique) :*

1. **Promenade d'octobre :** Les derniers accords de la nature s'éteignaient dans un pianissimo insaisissable. L'automne est un andante mélancolique et gracieux qui prépare admirablement le solennel adagio de l'hiver. (G. Sand)
2. **Une délicate manœuvre :** Gilliatt courut aux guinderesses et fila du câble ; puis, n'étant plus retenu par l'affourche, il saisit le croc de la panse et, s'appuyant aux rochers, la poussa vers le goulet. (V. Hugo)
3. **Un chef-d'œuvre :** Il y a là un exemple d'assemblage de jambettes sur chantignoles à enchevauchement carré qui est un sommet de l'école française. (Jacques Perret)
4. **Inexpérience :** Il n'abattit pas les flèches, respecta les lambourdes, et, s'obstinant à vouloir coucher d'équerre les duchesses qui devaient former les cordons mi-latéraux, il les cassait ou les arrachait invariablement. (G. Flaubert)
5. **Jour de fête :** Il y avait là des herscheurs, des moulineurs, jusqu'à des galibots de quatorze ans, toute la jeunesse des fosses, buvant plus de genièvre que de bière. (E. Zola)
6. **L'associé gérant :** L'usage permet à l'associé gérant de régler une certaine somme à l'associé commanditaire par une anticipation sur les bénéfices. (Balzac)
7. **Dans la banlieue :** J'en aperçus deux que je voyais assez rarement autour de Paris(...). L'une est le Picris hiéracioïdes, de la famille des composés, et l'autre le Bupleurum falcatum, de celle des ombellifères. (J.-J. Rousseau)
8. **Fâcheuses confusions :** Pécuchet confondait les files et les rangs, demi-tour à droite, demi-tour à gauche. (G. Flaubert)
9. **Préludes :** — La scopolamine l'a un peu moins assommée que les autres, celle-là, dit Géraudin, qui se savonnait les mains. Faites-lui sa rachi, Tillery. (Van der Meersch)
10. **Drôles d'oiseaux :** Les multimoteurs actuels ont les groupes motopropulseurs placés dans le voisinage immédiat de la cellule, pour des raisons de centrage. (Svetopolk Pivko)

355
PAE§41

Donnez le sens de tous les termes techniques imprimés en caractères gras dans le texte d'Eugène Sue cité au paragraphe 41 des PAE *(Bataille de Navarin).*

356
PAE§41

Quels sont les animaux (bien connus) que l'on peut désigner par les termes scientifiques suivants ? (Voici les réponses par ordre alphabétique : *capricorne, chauve-souris, crocodile, éléphant, grenouille, puce, rat, serpent, singe, tortue).*

un proboscidien
un chélonien
un primate
un aphaniptère
un batracien
un ophidien
un saurien
un chiroptère
un cérambycidé
un muridé

357 Voici quelques devinettes dont la solution repose sur le sens particulier qu'ont certains mots de la langue commune dans les langues techniques ; répondez (en expliquant) :

1. Est-il vrai que tous les géographes couchent avec un atlas sous la tête ?
2. Faut-il parfois plus de 60 secondes pour faire une minute ?
3. Est-il vrai que les employés de bureau portent parfois des chemises en carton souple ?
4. Qui est-ce qui met ses aliments dans son bonnet ?
5. On peut rencontrer des bergères dans les champs ; en voit-on souvent dans les salons des grandes villes ?
6. Est-il vrai que les chatons naissent souvent sur des arbres et y restent suspendus ?
7. Peut-on mettre des tiroirs dans un placard, et des placards dans un tiroir ?
8. Peut-on passer par une servitude sans perdre la liberté ?

358 PAE§41 **Expliquez les phrases suivantes en donnant le sens des mots techniques en italique :**

1. Pour amarrer mon yacht, j'ai dû *mouiller un corps mort*.
2. Le diplôme porte la signature de l'*impétrant*.
3. **En mer** : M. Delabove a raison... Nous avons engagé une épave. (B. Franck)
4. Le *mandrin* a lâché la *mèche*.
5. L'artiste, ayant égaré son *médiator*, prit une dent de peigne.
6. Des géraniums étaient rangés en bon ordre sur l'*allège*.
7. Il y a trop de jeu entre cet *arbre* et le *palier*.
8. Deux *orpailleurs* se battaient au bord de la rivière.

359 PAE§41 **Le texte suivant, sans doute tiré des mémoires d'un savant très pédant, est rendu incompréhensible par l'abus des termes scientifiques ; vous le recopierez en remplaçant — à l'aide du dictionnaire — les mots en italique par des mots équivalents de la langue commune :**

Comme les hasards de l'herborisation m'avaient conduit fort loin de la ville, une subite et impérieuse fringale me fit demander asile à d'humbles paysans. La table était prête, égayée d'un modeste bouquet de *leucanthèmes vulgaires* et de *centaurées à fleurs bleues*, et je partageai de bon cœur leur frugal repas : *hélianthes tubéreuses* sautées dans l'*axonge* et relevées d'*ail d'Ascalon*, salade de *nasturce officinal* et de *valérianelle potagère, sycones* charnus et juteux. Ces aliments rustiques m'apportèrent une *sédation* suffisante sans risque de *dyspepsie*.

360 PAE§41 **Remplacez les termes techniques en italique par des mots ou des locutions équivalents de la langue commune :**

1. Le *bioxyde d'hydrogène* est couramment employé pour *déterger* les *lésions traumatiques cutanées*.
2. Le médecin jugea prudent de *réséquer ce néoplasme*.
3. Depuis que cet homme est guéri de son *éthylisme*, il ne souffre plus de *céphalalgie*.
4. La *collision* n'a pas été grave : après une courte et spectaculaire *lipothymie,* le sujet n'a conservé qu'une *ecchymose* sur le *zygoma*.

5. Le port d'un chapeau à larges bords est conseillé dans la *prophylaxi* des *éphélides*.
6. Bidasse demande à être couché : il se plaint d'*adynamie* générale, d *tylosis*, de *phlyctènes palmaires* et *plantaires*.

361
PAE§41

A l'imitation de ce texte, montrez un savant, un technicien ou un collec tionneur (conférencier, guide, camarade de classe...) lassant ceux qu l'écoutent par l'emploi abusif des mots techniques.

A la faïencerie.
Il continua lui-même la démonstration, s'étendit sur les diverses sor tes de combustibles, l'enfournement, les pyroscopes, les alandiers les englobes, les lustres et les métaux, prodiguant les termes de chi mie, chlorure, sulfure, borax, carbonate. Frédéric n'y comprenai rien. (G. Flaubert)

362
PAE§41

Recopiez les numéros des phrases suivantes et marquez de la lettre A cel les où les termes techniques sont employés avec modération et à propo (4 exemples), de la lettre B celles où l'accumulation des termes techni ques aboutit à l'obscurité (3 exemples), de la lettre C celles où un effe comique résulte de l'emploi des termes techniques hors de propo (3 exemples) :

1. **Une opération financière délicate :** « S'il est prouvé, lui dit Derville que le prêteur ne possédait plus chez Roguin la somme que Rogui vous faisait lui prêter, comme il n'y a pas eu délivrance d'espèces, il a lieu à rescision : le prêteur aura son recours sur le cautionnement. (H. de Balzac)
2. **Un homme anguleux :** L'hypoténuse de ses jambes croisées vint obli quer sous la table, tandis que l'extrémité de son coccyx se posait e sommet d'angle sur le bord antérieur du voltaire. (Louis Dumur)
3. **Sabotage :** On achève le sabot. On le passe au « paroir », pour lu donner sa coupe, tracer le « bout du nez », arrêter le talon. O l'entame au milieu avec une tarière, on le creuse avec la « cuillère » pour y ménager la place du pied, on le polit avec la « rase ». (J. d Pesquidoux)
4. **Imprimerie :** Dès qu'une forme fut pleine et serrée au moyen de coins, Picquenart, à notre grande frayeur, la souleva d'un gest adroit, sans laisser tomber un signe, et la porta sur la minerve. Le rouleaux étaient gras d'encre. Picquenart se mit en place et com mença de pédaler. (G. Duhamel)
5. **Chasubliers :** Hubert avait posé les deux ensubles sur la chanlatte e sur le tréteau, bien en face, de façon à placer de droit fil la soie cra moisie de la chape qu'Hubertine venait de coudre aux coutisses (E. Zola)
6. **Chute d'un laquais :**

   Voyez l'impertinent ! Est-ce que l'on doit choir
   Après avoir appris l'équilibre des choses ?
   — De ta chute, ignorant, ne vois-tu pas les causes,
   Et qu'elle vient d'avoir du point fixé écarté
   Ce que nous appelons centre de gravité ?
   — Je m'en suis aperçu, Madame, étant par terre.
   (Molière)

7. **Chez la couturière :** Le lendemain elle se rendait chez Mme Legri pour lui commander une robe de lainage façon sport, un tailleur d tweed, un tailleur en crêpe de Chine avec un assortiment de blouse et un paletot de couleur réséda à poches rapportées. (M. Aymé)
8. **Le poète dans le ruisseau :** Chaque molécule de l'eau du ruisseau enlevait une molécule de calorique rayonnant aux reins de Gringoire et l'équilibre entre la température de son corps et la température d ruisseau commençait à s'établir d'une rude façon. (V. Hugo)

9. **A bord des longs-courriers** : On cargue la brigantine, on assure les écoutes de gui ; une caliourne venant du capelage d'artimon est frappée sur une herse en filin. (*L'Illustration,* 11-9-1897.)

10. **Égypte** : Au bout des rues désertes, et au-dessus des terrasses, se découpaient, dans l'air d'une incandescente pureté, la pointe des obélisques, le sommet des pylônes, l'entablement des palais et des temples, dont les chapiteaux, à face humaine ou à fleurs de lotus, émergeaient à demi, rompant les lignes horizontales des toits... (Th. Gautier)

363
PAE§42

La phrase suivante est tirée d'une copie de français au baccalauréat ; vous direz si les mots, à partir de *transcendance*, vous paraissent choisis pour leur dénotation ou pour leur connotation (justifiez votre réponse) :

Lecture de Tolstoï.
Un soir de notre dernier hiver je relisais quelques pages de notre merveilleux Tostoï (sic) et je me disais à moi-même qu'une transcendance d'un concret puissamment valable en soi émanait de cette œuvre où ruisselle une écrasante atmosphère de ponctualité.

364
PAE§43

Relevez les archaïsmes dans les phrases suivantes et dites leur sens :

1. Comment Candide fut élevé dans un beau château et comment il fut chassé d'icelui. (Voltaire)
2. Regardons si cette bonne Isabelle est grièvement navrée. (Th. Gautier)
3. Savez-vous seulement que Louis-Hector-Joseph Pommier vécut céans de 1764 à 1796 ? (J. Perret)
4. La Terre sent la flamme immense ardre ses flancs. (Heredia)
5. Parfois un corselet miroite,
Un morion brille un moment ;
Une pièce qui se déboîte
Choit sur la table lourdement. (Th. Gautier)
6. — Chevalier, fait le maréchal de Broglie, j'ai ouï parler de vous. (J.-J. Brousson)
7. Je la paie d'un gobelet de vin et d'un fin morceau, lièvre, lapin, oie, voire geline ou chapon. (A. France)
8. Los aux dames !
Au roi los !
Vois les flammes
Du champ clos... (V. Hugo)
9. Un ost de pygmées vient à bout d'un géant. (Th. Gautier)
10. Il souleva légèrement, comme pour saluer, la casquette usée avec laquelle il se couvrait le chef. (Balzac)

365
PAE§44

Classez en trois colonnes (mots du langage courant, mots péjoratifs, mots mélioratifs) les groupes de synonymes suivants :

1. un peintre, un artiste-peintre, un barbouilleur.
2. un Monsieur, un homme, un individu.
3. un flic, un agent, un gardien de la paix.
4. un volume, un livre, un bouquin.
5. le pipelet, le portier, le concierge.
6. un coursier, un cheval, une rosse.
7. un acteur, un artiste dramatique, un cabotin.
8. l'organe de ce parti, la feuille de ce parti, le journal de ce parti.

9. une voiture, une bagnole, une auto.

10. élucubration, ouvrage, œuvre.

366
PAE§44

Quelles nuances de style pouvez-vous saisir entre les synonyme suivants ?

1. un employé de bureau, un bureaucrate, un plumitif.
2. un maître d'école, un instituteur, un magister.
3. un journaliste, un folliculaire, un publiciste.
4. une chanteuse, une cantatrice.
5. un adolescent, un jeune homme, un jouvenceau.
6. manigancer, combiner, organiser.

367
PAE§44

Même exercice

1. les mâchoires, les mandibules, les maxillaires.
2. un secrétaire, un scribe, un scribouillard.
3. un tabellion, un notaire.
4. un apothicaire, un pharmacien.
5. la scène, les planches, le plateau.
6. un artiste capillaire, un coiffeur, un tondeur.

368
PAE§44

Relevez les noms et adjectifs pourvus d'un suffixe à valeur stylistiqu (13 en tout), faites-les suivre des lettres Péj. (3 mots à valeur péjorative) Aff. (3 mots à valeur affectueuse), Fant. (5 mots à valeur plaisante e fantaisiste), Péd. (2 mots à suffixe pédant) :

1. **Le docteur Thomas Diafoirus :** « Je dis que le pouls de Monsieur es le pouls d'un homme qui ne se porte pas bien. — Bon. — Qu'il es duriuscule, pour ne pas dire dur. » (Molière)
2. **La dame à sa petite chienne :** « Ma zézette ! ma gougounett blonde !... » (Colette)
3. **Un garçon bien doué :** « Justin est un esprit distinguiche, charmiblè che et même aristocratouille... » (G. Duhamel)
4. **Petits mendiants :** Oh ! les pauvres mignons ! s'écria Cécile, sont-il pâlots d'être allés au froid ! (E. Zola)
5. **Un monsieur cérémonieux :** Cependant le barbiflore se levait, s'incli nait à se casser la barbe et disait... (M. Aymé)
6. **Refus d'audience :** « Allez donc ! je ne connais pas ce musicâtre ! » (E. Labiche)
7. **Une redingote qui ne plaît pas :** « Elle est d'un ton beaucoup trop clair. J'ai l'air d'un propriétaire d'écurie de courses, d'un cercleux. » (G. Duhamel)
8. **Contre la mélancolie :** Mais je hais les pleurards, les rêveurs à nacelle (A. de Musset)
9. **Tables tournantes :** « Moi, j'admets un fluide, reprit Bouvard. — Ner voso-sidéral, ajouta Pécuchet. » (G. Flaubert)
10. **A la terrasse d'un café :** Mais, par contre, qu'aperçois-je, conforta blement installé devant une eiffellesque pile de soucoupes ? (A. Allais)

369
PAE§44

Quels effets de style sont produits dans les phrases suivantes pa l'emploi des suffixes ?

1. Il pleuvine, il neigeotte,
L'hiver vide sa hotte. (P. Verlaine)

2. Tu écrivailles dans les gazettes. (A. de Musset)
3. **Mme Vingtras, à son mari (licencié ès lettres) :** Mon pauvre ami, avec ta latinasserie et ta grécasserie, tu en es réduit à défendre à ta femme, qui est de la campagne, de t'éclipser ! (J. Vallès)
4. La ratification de la convention pour la suppression des prohibitions à l'importation et à l'exportation. (Série imaginée par Charles Bally)
5. **Ronsard à son âme :**

   Amelette Ronsardelette,
   Mignonnelette, doucelette(...),
   Tu descends là-bas faiblelette,
   Pâle, maigrelette, seulette. (Ronsard)
6. **Le petit rentier dans son petit sentier :** Il y trotte, y toussote, y crachote, y grignote, y jabote à lui-même et clignote content, y mijote au soleil son vieux cœur radotant, y vivote et s'y trouve heureux en vivotant. (Paul Fort)

370
PAE§44

L'usage des noms abstraits pour décrire les attitudes du chat donne au style de ce passage une allure scientifique.
1° Refaites la même description en employant, au lieu de noms abstraits, des verbes à un mode personnel (Kiki en colère : *Voici qu'il redresse les sourcils...*).
2° Décrivez, à l'aide de noms abstraits comme Louis Pergaud, les symptômes du sommeil chez un jeune enfant.

Symptômes d'impatience chez un chat.
Le redressement des sourcils, le renversement des oreilles, le brandissement des moustaches, le frémissement du nez, le pli imperceptible du mufle, l'agrandissement ou le rétrécissement des paupières, l'avivement de l'œil, un frétillement nerveux de la queue, certaines façons de se ramasser et de faire porter le poids du corps sur une seule patte, sont autant d'indices précurseurs de l'orage auxquels ne se trompent point ceux qui se sont donné la peine d'examiner d'un peu près nos charmants petits familiers. (Louis Pergaud)

371
PAE§44

Relevez dans le dictionnaire ou, mieux, dans des notices pharmaceutiques :
1° des noms en *ite* et en *algie*, des adjectifs en *ique* tels que ceux qui ont effrayé Sylvestre Bonnard ;
2° un ou plusieurs autres suffixes fréquemment employés pour désigner des maladies (joindre les noms à l'appui) ;
3° des suffixes fréquemment employés dans les noms de médicaments (indiquer ces noms).

Les maux et les mots.
Des maux sans nombre ont fondu ensemble sur mon vieux corps. Ces maux, effroi de l'homme, ont des noms, effroi du philologue. Ce sont des noms hybrides, mi-grecs, mi-latins, avec des désinences en *ite*, indiquant l'état inflammatoire, et en *algie*, exprimant la douleur. Le docteur me les débite avec un nombre suffisant d'adjectifs en *ique*, destinés à en caractériser la détestable qualité. Bref, une bonne colonne du Dictionnaire de médecine. (A. France, *Le crime de Sylvestre Bonnard.*)

372
PAE§45

Les mots suivants ont leur sens influencé par des mots de son voisin, avec lequels ils n'ont aucun rapport étymologique (cf. *mousseline*, de *Mossoul*, évoquant *mousse* et *lin*) ; en face de chacun d'eux vous indiquerez les mots de son voisin auxquels il fait penser :

1. hébété (lat. *hebes*, émoussé).
2. effroi (francique *frida*, paix).

3. hagard (germanique *hag*, farouche).
4. miniature (lat. *minium*, vermillon).
5. ouragan (esp. *huracan*, mot des Antilles).
6. étourneau (lat. *sturnellus*).
7. galetas (*Galata,* tour de Constantinople).
8. gaze *(Gaza)*.
9. poignant (lat. *pungere*, piquer).
10. isolé (lat. *insula*, île).

373 PAE§45

Même exercice :

1. essor (lat. *exaurare*, arriver à l'air libre).
2. faubourg (lat. *foris*, hors de, *burgum,* bourg).
3. marasme (grec *marasmos*, consomption).
4. avatar (sanscrit *avatâra*, incarnations successives d'une divinité).
5. crocodile (lat. *crocodilus*).
6. plantureux (lat. *plenitas*, plénitude).
7. ouvrables (jours où l'on peut *ouvrer*, du lat. *operari*, travailler).
8. hydre (lat. *hydra*, monstre aquatique, racine grecque de *hudôr*, l'eau).
9. draconien (*Dracon,* législateur sévère).
10. acariâtre (possédé par le démon, du nom de l'évêque *Acharius* qui passait pour guérir la folie, *mal de Saint-Acaire*).

374 PAE§45

Quel effet de style vous paraissent produire les noms propres en italique dans les textes suivants ?

1. ...*Urrugne,*
Nom rauque dont le son à la rime répugne. (Th. Gautier)

2. Deux vrais amis vivaient au *Monomotapa*. (La Fontaine)

3. *Thogorma* le voyant, fils d'*Elam*, fils de *Tur*. (Leconte de Lisle)

4. *Rongemaille* ferait le principal héros,
Quoique à vrai dire ici chacun soit nécessaire.
Porte-maison l'Infante y tient de tels propos,
Que *Monsieur du Corbeau* va faire
Office d'espion, et puis de messager.
(La Fontaine, XII, 15 ;
Le Corbeau, la Gazelle, la Tortue et le Rat.)

5. Depuis *Tawasentha*, le vallon sans pareil,
Jusqu'à *Tuscaloosa*, la forêt parfumée.
(Baudelaire, *Le calumet de la paix.*)

375 PAE§45

Même exercice :

1. Le médecin *Tant-pis* allait voir un malade
Que visitait aussi son confrère *Tant-mieux*. (La Fontaine)

2. *La Floride* apparut sous un ciel enchanté. (Heredia)

3. Augusta, d'une voix soucieuse, avait demandé ce qui pouvait bien se passer chez les souris. « Depuis hier midi, je n'ai vu, disait-elle, ni *Marinette*, ni *Quart-de-queue*, ni *Arminthe*, ni le gros *Godolphe*, ni *Pantagruyère*, ni même le vieil *Abélardon* qui venait tous les soirs se faire les chicots dans le Trésor des Familles. Qu'est-ce que ça veut dire ? » (J. Perret)

376 PAE§45

Les deux textes suivants nous présentent les noms de deux grands seigneurs espagnols. Produisent-ils le même effet ? A quoi cela tient-il ?

1. Cunégonde, le capitaine, Candide et la vieille allèrent chez le gouverneur Don Fernando d'Ibaraa, y Figueora, y Mascarenès, y Lampourdos, y Souza. (Voltaire)

2. Dieu, qui donne le sceptre et qui te le donna,
M'a fait duc de Segorbe et duc de Cardona,
Marquis de Monroy, comte d'Albatera, vicomte
De Gor, seigneur de lieux dont j'ignore le compte. (V. Hugo)

377 PAE§45

Parmi les vingt noms suivants, dix appartiennent à des personnages de comédie ou de vaudeville, dix à des personnages de tragédie ou de drame ; classez-les en deux colonnes :

1. Papavert
2. Lord Kingston
3. Le marquis de Santa-Cruz
4. Croquebol
5. Paul de Saint-Gluten
6. Hermione
7. Le capitaine Tic
8. M. Beckford
9. Joad
10. M. de Pourceaugnac
11. Monsieur Purgon
12. Prosper Faribol
13. Hermann
14. Pacorus
15. Chicanneau
16. Le duc Gerhard
17. Des Rillettes
18. M. Pont-Biquet
19. Le comte de Gassi
20. Xénoclès

378 PAE§45

Les écrivains ne choisissent pas au hasard les noms de leurs personnages, ils évitent surtout les banalités comme *Dupont, Durand,* et forgent ou choisissent des noms expressifs. Vous direz quelles raisons ont pu déterminer :

1. Zola à appeler *Gradelle* un charcutier.
2. Hugo à appeler *Gavroche* un gamin de Paris (*gavroche,* nom commun, vient de ce nom propre).
3. Balzac à appeler *Grandet* un très riche avare.
4. Henri Barbusse à appeler *Volpatte* un « poilu » blagueur.
5. Jacques Perret à appeler *Ursule Ledru* une demoiselle de province très vieux jeu, mais d'un courage et d'un sang-froid à toute épreuve.
6. Anatole France à appeler *Sylvestre Bonnard* un vieux savant au cœur d'or, célibataire.

379 PAE§45

Voici des noms de cuisiniers forgés par Rabelais ; vous montrerez en quoi ils sont évocateurs en disant pour chacun à quel mot (ou quels mots) il fait penser :

Paimperdu	Lardon	Raclenaveau
Grasboyau	Lardonnet	Francbeuignet
Pillemortier	Croquelardon	Moustardiot
Leschevin	Tirelardon	Bouillonsec
Fresurade	Archilardon	Potageouart
Hoschepot	Antilardon	Jusverd
Crespelet	Grattelardon	Marmitige
Badiguoincier	Maschelardon	Macaron
Salmiguondin	Myrelardon	Aransor

380 PAE§45

En vous inspirant de l'exemple donné par Rabelais (exercice 379) et par d'autres écrivains (exercice 378), vous fabriquerez — en évitant les calembours trop faciles — des noms de famille pouvant convenir à :

un avare (4 noms), une mercière (4 noms), une fleuriste (4 noms).

381 PAE§45

Même exercice :

un forgeron (4 noms), un mathématicien (4 noms), une paysanne (4 noms).

382 PAE§45

Caractérisez en une phrase la connotation du nom d'un acteur ou d'un chanteur contemporain de votre choix (homme ou femme), comme le fait Jean Cocteau dans le texte suivant :

Marlène Dietrich... Un nom qui commence comme une caresse et qui finit comme un coup de cravache !

383 PAE§45

1° Quels sont les trois éléments de la valeur stylistique du nom de l'Ain d'après Jacques Perret ?
2° En imitant cette analyse, dites ce que vous inspire un autre nom géographique à votre choix, ou pris parmi les suivants : Allier, Creuse, Doubs, Gard, Ille-et-Vilaine, Jura, Manche, Puy-de-Dôme, Var...

Ain.
Le département de l'Ain me tient à cœur pour différentes raisons personnelles mais, dans l'esprit de tous les Français, il occupe, sans grand mérite, une place de choix qui est due à l'ordre alphabétique. Ain. On peut même dire qu'avec ce petit mot geignard et mal embouché la nomenclature s'annonce plutôt mal... Ce mot trompetteur, cette nasale outrancière, cette voyelle excessivement française, me faisait penser à quelque chose de dur et de sonore ; entre l'Ain et l'airain se nouèrent obscurément de ces relations d'enfance qui durent toute la vie, je voyais un pays de vieilles montagnes où résonnaient encore les échos de l'âge de bronze et peuplé de vrais Gaulois justement installés au sommet de la hiérarchie départementale. (J. Perret)

384 PAE§46

Dites le sens de chacune des locutions suivantes en appuyant l'explication d'un exemple :

1. être dans ses petits souliers.
2. coucher à la belle étoile.
3. être pris entre deux feux.
4. tenir les cordons du poêle.
5. se plaindre que la mariée est trop belle.
6. brûler ses vaisseaux.
7. prendre le chemin des écoliers.
8. faire d'une pierre deux coups.

385 PAE§46

Même exercice :

1. damer le pion à quelqu'un.
2. dorer la pilule.
3. avoir les coudées franches.
4. se tenir les coudes.
5. avoir voix au chapitre.
6. jeter le gant à quelqu'un.
7. avoir les dents longues.
8. mettre du beurre dans les épinards.

386
PAE§46

Chacune des locutions suivantes a pour origine une fable de La Fontaine ; vous direz laquelle (n° du livre, n° et titre de la fable) en expliquant le sens actuel de la locution (ces 6 locutions sont tirées des quatre premiers livres des *Fables*) :

1. attacher le grelot.
2. se tailler la part du lion.
3. se parer des plumes du paon.
4. donner le coup de pied de l'âne.
5. montrer patte blanche.
6. avoir l'œil du maître.

387
PAE§46

Même exercice (locutions tirées des livres V-IX des *Fables*) :

1. tirer les marrons du feu.
2. tuer la poule aux œufs d'or.
3. vendre la peau de l'ours.
4. faire la mouche du coche.
5. lâcher la proie pour l'ombre.
6. lancer le pavé de l'ours.

388
PAE§46

Donnez le sens des locutions suivantes, en l'appuyant d'un exemple (expliquez-en l'origine si vous la savez) :

1. faire des coupes sombres.
2. tirer à boulets rouges.
3. faire long feu.
4. faire amende honorable.
5. mener une vie de bâton de chaise.
6. avoir maille à partir avec quelqu'un.
7. bayer aux corneilles.
8. payer en monnaie de singe.
9. tirer au flanc.
10. battre l'estrade.

389
PAE§46

Remplacez les points de suspension par des noms de manière à obtenir des locutions très usuelles :

1. bavard comme...
2. bête comme...
3. clair comme...
4. doux comme...
5. fier comme...
6. heureux comme...
7. maigre comme...
8. menteur comme...
9. rouge comme...
10. sale comme...

390
PAE§46

Même exercice :

1. battre comme...
2. boire comme...
3. courir comme...
4. dormir comme...
5. filer comme...
6. fumer comme...
7. pleurer comme...
8. rire comme...
9. secouer comme...
10. travailler comme...

391
PAE§46

Voici une liste de noms et une liste d'adjectifs rangés par ordre alphabétique ; vous copierez chaque nom en l'accompagnant d'un adjectif, pris dans la liste 2, auquel il est très souvent associé ; vous placerez l'épithète avant ou après le nom à votre choix et vous l'accorderez en genre et en nombre :

1. Une activité, une chaleur, un chêne, une colère, une dose, des économies, des efforts, une émotion, une fierté, une horreur, un imitateur une ironie, des larmes, un président, une propreté, une quantité, des reproches, une répulsion.
2. Amer, bienfaisant, contenu, débordant, désespéré, distingué, douteux, indicible, industriel, instinctif, légitime, massif, mordant, pâle séculaire, sourd, substantiel, véhément.

392
PAE§46

Ce texte est écrit entièrement en formules toutes faites ou « clichés » ; copiez-le en rétablissant les mots supprimés (chaque mot a autant de lettres qu'il y a d'x).

Brr...
Il fait un froid à ne pas xxxxxx un xxxxx dehors. Il gèle à xxxxxx fendre. La nature semble couverte d'un blanc xxxxxxx. Yvette va faire les courses pour sa mère malade. Elle xxxxxxx ses pas dans la neige d'une blancheur xxxxxxxxx. Son visage est crispé, à ses yeux xxxxxxx de grosses larmes qu'elle xxxxxxx courageusement. Elle tremble de xxxx ses xxxxxxx, elle est xxxxxx jusqu'aux xx. Enfin arrivée au village, elle franchit avec joie le xxxxx de la boulangerie. Là, il règne une douce xxxxxxx. Une bonne odeur de pain chaud xxxxxxxxxx ses narines, elle l'aspire à pleins xxxxxxx, l'eau lui en xxxxx x xx xxxxxx. Elle s'attarde un peu, réchauffant au-dessus du poêle ses mains xxxxxxx par le froid. Mais l'horloge lui rappelle bientôt qu'il faut prendre le xxxxxx du xxxxxx. Dehors le vent xxxxxx avec xxxx ; elle prend son xxxxxxx à deux xxxxx, sort et presse le xxx pour rentrer vite à la maison où elle goûtera un xxxxx bien xxxxx.

393
PAE§46

Même exercice :

Abracadabrant.
Par une triste soirée de novembre, je goûtais xxx xxxxx de la lecture près d'un xxx feu de bois qui mettait une xxxx de gaîté dans notre vaste salle commune. Les bûches pétillaient xxxxxxxxxxx, lançant par moments des xxxxxx d'étincelles. Parfois je regardais xxxxxx les flammes, semblables à de petits xxxxxx, ou je dirigeais mes yeux vers les coins sombres de la pièce où des araignées avaient élu xxxxxxxx. Je ne me sentais pas bien dans mon xxxxxxxx, j'avais la tête serrée comme dans un xxxx, mais peu à peu je fus xxxxxx par une xxxxx somnolence. Soudain, j'entends un craquement xxxxxxxx, puis une voix qui semble xxxxxx des xxxxxxxxxx de la terre. le diable apparaît dans un nuage de xxxxx et me menace de sa fourche avec un rire xxxxxxxxxx. Au xxxxxx de la terreur, j'appelle au xxxxxxx. Aussitôt j'entends la porte xxxxxxx, mon père entre en coup xx xxxx et le diable disparaît, les quatre xxxx en l'air, comme par xxxxxxxxxxxx. Il fallut bien me rendre à x'xxxxxxxx : j'étais purement et xxxxxxxxxx parti pour le pays des xxxxx. J'en étais xxxxxx pour la peur.

394
PAE§46

Dans ce texte, Flaubert imite le style d'un journaliste prétentieux rédigeant une information pour le *Fanal de Rouen.* Le mauvais goût se marque par l'abus des hyperboles et des formules toutes faites. Copiez le texte en soulignant ces « clichés ».

Miracle du progrès.
Malgré les préjugés qui recouvrent encore une partie de la face de l'Europe comme un réseau, la lumière cependant commence à pénétrer dans nos campagnes. C'est ainsi que, mardi, notre petite cité

d'Yonville s'est vue le théâtre d'une expérience chirurgicale qui est en même temps un acte de haute philanthropie. M. Bovary, un de nos praticiens les plus distingués, a opéré d'un pied bot le nommé Hippolyte Tautain, garçon d'écurie depuis vingt-cinq ans à l'hôtel du *Lion d'Or*, tenu par madame Lefrançois, sur la place d'Armes. La nouveauté de la tentative et l'intérêt qui s'attachait au sujet avaient attiré un tel concours de population, qu'il y avait véritablement encombrement au seuil de l'établissement. L'opération, du reste, s'est pratiquée comme par enchantement et à peine si quelques gouttes de sang sont venues sur la peau, comme pour dire que le tendon rebelle venait enfin de céder sous les efforts de l'art...
Nous tiendrons nos lecteurs au courant des phases successives de cette cure remarquable. (G. Flaubert, *Madame Bovary.*)

395
PAE§46

Dans ce discours d'un Conseiller de préfecture, Flaubert imite, avec une grande sobriété de ton, l'éloquence administrative, aussi fleurie que banale, souvent appelée après lui « éloquence de comices agricoles ». Copiez le texte en soulignant toutes les formules qui vous paraîtront des « clichés ».

Discours aux comices agricoles.

« Messieurs,
Qu'il me soit permis d'abord (avant de vous entretenir de l'objet de cette réunion d'aujourd'hui, et ce sentiment, j'en suis sûr, sera partagé par vous tous), qu'il me soit permis, dis-je, de rendre justice à l'administration supérieure, au gouvernement, au monarque, messieurs, à notre souverain, à ce roi bien-aimé à qui aucune branche de la prospérité publique ou particulière n'est indifférente, et qui dirige à la fois d'une main si ferme et si sage le char de l'État parmi les périls incessants d'une mer orageuse, sachant d'ailleurs faire respecter la paix comme la guerre, l'industrie, le commerce, l'agriculture et les beaux-arts.
Le temps n'est plus, messieurs, où la discorde civile ensanglantait nos places publiques, où le propriétaire, le négociant, l'ouvrier lui-même, en s'endormant le soir d'un sommeil paisible, tremblaient de se voir réveillés tout à coup au bruit des tocsins incendiaires, où les maximes les plus subversives sapaient audacieusement les bases... » (G. Flaubert, *Madame Bovary.*)

396
PAE§46

Voici le début d'une lettre rédigée par un homme qui n'a pas l'habitude de manier les idées : *« Je mets la main à la plume pour te donner des nouvelles de ma santé, qui n'est pas bonne pour le moment ; et je désire que la présente te trouve de même... »* **L'emploi de formules toutes faites (ou clichés) le conduit jusqu'à l'absurdité ; vous écrirez, sans employer aucune formule toute faite :**

1. les six premières lignes d'une « lettre de nouvel an » ;
2. les six dernières lignes d'une lettre à un ami que vous remerciez pour un service qu'il vous a rendu.

397
PAE§46

Une incohérence — involontaire ou malicieuse — résulte parfois de l'emploi d'une formule ou d'un cliché dont le sens étymologique est oublié ; exemple : *Si le lasso cassait, je m'écraserais* au fond *de ce trou* sans fond **(Copie d'élève). Toutes les phrases ci-dessous présentent de telles incohérences ; vous les récrirez de manière plus logique :**

1. Le comte, vexé, mangea sans desserrer les dents. (Feuilleton.)
2. Il faut considérer le prix du poisson sur pied. (A la Chambre.)
3. Tel est l'homme, ô mon Dieu, entre les mains de ses seules lumières. (Massillon.)

4. La gloire n'est due qu'à un cœur qui sait fouler aux pieds les plaisirs. (Fénelon.)
5. A la barbe du palefrenier, de la palefrenière et de leurs brigandeaux, nous allons déjeuner tout à côté de l'auberge, dans un honorable petit café. (R. Töpffer.)
6. Mlle Acacia est une étoile en herbe qui chante de main de maître. (F. Coppée.)

FORMATION DES MOTS

398
CFC§§78-79

Le mot latin *fur* **signifie** *voleur* **; en retrouve-t-on aujourd'hui le sens dans les mots français suivants qui en sont issus :**

furet, fureter, furoncle, furtif ?

Répondez de même pour les mots des familles suivantes :

Latin panis **(pain) :** *panade, pané, panetier, paneton, panifier, apanage, compagnon* **(autre forme :** *copain***) ;**

Latin trahere **(tirer) :** *traire, traiter, trait, traité, traîner, train, attrait, extraire, portrait, retraite, soustraire.*

(Dans certains des mots à expliquer, le sens du mot latin originel a totalement disparu ; si tel vous paraît être le cas, n'hésitez pas à le dire.)

399
CFC§§78-79

Souvent le sens du radical est très différent dans des mots de la même famille ; vous recopierez les mots suivants en écrivant en face de chacun d'eux un mot de la même famille où le sens du radical soit très différent (ex. : respectif — *respect***) :**

interlocuteur	tablier
obséquieux	assaisonner
ménagerie	cuirassé
démanger	exploiter
assommer	effleurer

400
CFC§§78-79

En face des mots français ci-dessous sont indiqués les mots latins dont ils sont issus en formation populaire ; pour chacun vous indiquerez le mot de formation savante correspondant, en faisant ressortir la différence de sens par des exemples :

1. **Dénué :** *denudatus* (participe de *denudare*, mettre à nu).
2. **Livraison :** *liberatio* (délivrance).
3. **Meuble :** *mobilis* (qui peut être déplacé).
4. **Orteil :** *articulus* (articulation).
5. **Peser :** *pensare* (peser).
6. **Piètre :** *pedester* (qui est à pied).
7. **Rançon :** *redemptio* (rachat).
8. **Serment :** *sacramentum* (serment).

401
CFC§§78-79

Même exercice :

1. **Apprendre** : *apprehendre* (saisir, comprendre).
2. **Asséner** : *assignare* (distribuer).
3. **Combler** : *cumulare* (entasser).
4. **Cueillette** : *collecta* (participe de *colligere*, cueillir).
5. **Métier** : *ministerium* (service, fonction).
6. **Sanglier** : *singularis* (seul).
7. **Sembler** : *simulare* (imiter).
8. **Usine** : *officina* (atelier).

402
CFC§80

Les dix néologismes suivants ont été plus ou moins répandus dans l'usage. Pour chacun vous direz : 1° comment on l'a fabriqué ; 2° s'il vous paraît utile ou non :

planchiste, « adepte de la planche à voile » — *top niveau,* « niveau le plus haut, grand patron » — *samutard,* « du personnel du S.A.M.U. (cf. ex. 204) » — *s'éclater,* « s'amuser sans frein » — *bédiste,* « dessinateur de bandes dessinées » — *sinistrose,* « pessimisme systématique » — *tilter,* « réagir brusquement » — *télévendeuse,* « vendeuse par téléphone » — *pédégère,* « femme président-directeur général » — *évident,* au sens de « facile » en contexte négatif.

403
CFC§80

Même exercice avec ces dix néologismes lus dans des journaux récents :

réunionite, « manie des réunions » — *cabestan,* « sorte de roulette qui sert à entraîner une bande magnétique » — *cartepostalesque,* « d'une esthétique qui rappelle celle des cartes postales » — *enthouse,* « enthousiasme » — *cosmonette,* « dame cosmonaute » — *jargonaute,* « celui qui se complaît au jargon » — *épate-bourgeois,* « attitude non conformiste » — *guidance,* « orientation » — *ubucrate,* « technocrate digne d'Ubu » — *(pneus) sous-gonflés,* « insuffisamment gonflés ».

404
CFC§80

Même exercice avec ces dix mots techniques ou savants :

avacher, « se poser dans les champs (terme de vol à voile) » — *modeling,* « technique de modelage du visage » — *néocratie,* « règne de la nouveauté » — *niniste,* « intellectuel rejetant un parti et son contraire » — *parturologue,* « accoucheur » — *puce,* « microprocesseur » — *médiathèque,* « bibliothèque de documents audio-visuels (photos, disques, cassettes) » — *réjuvéner,* « rajeunir (la peau) » — *verbipare,* « créateur/trice de mots » — *prémédiqué,* « (malade) qui a reçu les soins préalables à une opération chirurgicale ».

405
CFC§80
PAE§47

Vous relèverez tous les néologismes contenus dans ce texte (il y en a 6) et vous les expliquerez, sachant que les skieurs, quand ils ne vont pas *schuss* (en ligne droite, mot allemand), peuvent pratiquer le virage autrichien (ou *stem*), le virage en skis parallèles (ou *christiania*), ou le virage en *ruade*, sachant aussi que l'*appel* et la *rotation* sont les deux temps du virage ; vous apprécierez en même temps la valeur stylistique de ces néologismes. (Comment l'auteur y est-il entraîné ? Faut-il l'en blâmer ? La langue française est-elle menacée ?)

Une éclosion de skieurs.

Allais (1), enfant de la patrie du ski, a changé le visage d'un peuple en lui mettant des ailes aux pieds. « Allez schuss ! » a-t-il dit, et les Français ont tous été avec lui. Je sais bien que la métamorphose n'a pas été soudaine. Mais le spectacle que je contemple en ce moment n'en est pas moins stupéfiant, de tous ces points noirs qui parsèment les champs de neige, tous ces petits points dont les aïeux naguère

(1) *Allais :* champion de ski, né à Megève.

restaient seulement d'exclamation devant les pentes vertigineuses et qui aujourd'hui virgulent, virevoltent, pivotent, foncent, freinent, schussent, stemment, arabesquent, christianiasent, ruent, « appellent-et-rotationnent ». (Pierre Daninos)

406 CFC§80 PAE§47

Les phrases suivantes contiennent dix néologismes littéraires. Relevez-les en disant pour chacun : 1° la manière dont on l'a fabriqué ; 2° l'effet de style produit : ce mot nouveau est-il naturel ou recherché, spirituel ou expressif, utile ou superflu ?

1. **Un triste sire** : Il y avait des noms qu'il prononçait souvent, pour appuyer les choses quelconques qu'il disait, Voltaire, Raynal (...). Du reste fort escroc. Un filousophe. (V. Hugo)
2. Elles sont allées près du ruisseau. Il était tout emmoustaché d'herbes sales. (J. Giono)
3. — Ouvrez, les gens, je suis la pluie,
   Je suis la veuve en robe grise
   Dont la trame s'indéfinise
   Dans un brouillard couleur de suie. (E. Verhaeren)
4. En fait les Turlot, qui disposent d'une vaste demeure, s'apprêtaient à déjeuner dans leur cuisine, mais, en mon honneur, entreprirent de « déhousser » la salle à manger. (P. Daninos)
5. **L'écrivain « nouveau »** : Un tour de piste suffit, il sent l'écurie comme pas un, il court maintenant à la mangeoire ; il n'est plus bon qu'à radioter, à fourrer dans un jury littéraire. (J. Gracq)
6. **Le cabinet de Tartarin** : Par là-dessus, un grand soleil féroce, qui faisait luire l'acier des glaives et les crosses des armes à feu (...). Ce qui rassurait un peu pourtant, c'était le bon air d'ordre et de propreté qui régnait sur cette yataganerie. (A. Daudet)
7. — Une fois sur ce terrain, tu lances un mot qui résume et explique aux niais le système de nos hommes de génie du dernier siècle, en appelant leur littérature une littérature idéée. (Balzac)
8. **Un médecin galant** : — Ah ! nourrice, charmante nourrice, ma médecine est la très humble esclave de votre nourricerie. (Molière)
9. Vers le tiers de cette lecture, le premier président se laissa tomber le front sur son bâton, qu'il tenait à deux mains, et, en cette singulière posture, acheva d'entendre cette lecture, si accablante pour lui, si résurrective pour nous. (Saint-Simon)
10. **Candide et Cacambo en Eldorado** : Les grands officiers et les grandes officières de la couronne les menèrent à l'appartement de Sa Majesté. (Voltaire)

407 CFC§80 PAE§47

Même exercice (douze néologismes) :

1. **Retour d'Indochine** : Il avait un peu chauvi, pas mal jauni. (Aragon)
2. **Edmond Rostand** : Coquelin et Sarah ont répandu sur les continents ses vers panacheurs. (G. Rageot)
3. **Cyclistes** : Non sans peine, nous suivîmes l'étrange vélochée (on dit bien chevauchée) jusqu'à Suresne. (A. Allais)
4. J'ai le malheur d'avoir le cœur, l'âme sensible, et souvent ma bonté, ma compatissance m'ont rendu la dupe la plus bête, la plus ridicule. (Restif de la Bretonne)
5. **La pianiste du cinéma** : La mère Béchut se montre enfin aux applaudissements de l'assistance et assommant un vieux piano elle exécute de douze fausses notes dans la clé de sol un morceau de musique sautillant et pimprené qui fut peut-être célèbre. (R. Queneau)

6. **Enterrement** : Enlevé à trois portes de la mienne, le corps est conduit au cimetière : au bout d'une demi-heure, les cortégeants reviennent, moins le cortégé. (Chateaubriand)
7. Le maître d'hôtel tenait son bras gauche en écharpe, comme tout morquaquoquassé : « Le diable, dit-il, me fit bien assister à ces noces. J'en ai, par la vertu Dieu, tous les bras engoulevezinemassés. Appelez-vous ceci fiançailles ? » (Rabelais)
8. **Trois baigneurs en détresse viennent d'être repêchés** : Toute cette repêcherie fut l'affaire de cinq minutes. (A. Dumas)
9. — Êtes-vous un homme volable, quand vous renfermez toutes choses, et faites sentinelle jour et nuit ? (Molière, *L'Avare.)*
10. **Un sergent interroge une femme (1793)** : — Dis-nous ce que c'était que tes parents. — C'étaient les Fléchard. Voilà tout. — Oui, les Fléchard sont les Fléchard... Mais on a un état. Quel était l'état de tes parents ? Qu'est-ce qu'ils faisaient ? Qu'est-ce qu'ils fléchardaient, les Fléchard ? — C'étaient des laboureurs... (V. Hugo)

408
CFC§82

Relevez dans les phrases suivantes 10 mots qui présentent une réduction par effacement ; faites-les suivre des lettres A (effacement du mot de base, 4 ex.), B (effacement du mot de liaison, 4 ex.) ou C (effacement du terme dépendant, 2 ex.).

1. Aimant la marche et le grand air, mais sans situation, il s'engagea dans la Légion.
2. L'appartement se compose d'une cuisine, d'un séjour et de deux chambres à coucher.
3. Tu feras bien d'envoyer un mandat-poste pour régler ta commande de vin.
4. En ancien français, le cas sujet, au féminin, ne se distingue pas, en général, du cas régime.
5. Peu avant sa retraite, il fut nommé chef de service et reçut la croix.
6. Après la salade, vous aurez le choix entre du gruyère et du hollande.
7. N'oublie pas de coller un timbre-quittance sur le reçu.

409
CFC§83

Pour chacun des dérivés en italique, dites si l'économie de mot réalisée est du type A (remplacement du mot base par un suffixe, 3 ex.), B (remplacement du mot dépendant par un suffixe, 2 ex.), C (remplacement du mot dépendant par un préfixe, 2 ex.) ou D (ellipse du mot base et remplacement d'une préposition par un préfixe, 3 ex.) :

1. Le chien *mordillait* les pieds de la chaise. - 2. On a dû remorquer la *dépanneuse.* - 3. Notre voisine, *ex-sociétaire* de la Comédie-Française, reçoit encore des lettres d'admirateurs. - 4. Je préfère l'*entrecôte* au rumsteck. - 5. Ce breuvage n'a pas de *contrepoison.* - 6. Un *chauffard* a embouti mon aile. - 7. Ma fille est en *postcure* à Saint-Gervais. - 8. Urbain et Clément se traitaient réciproquement d'*antéchrist.* - 9. Le témoin a *noirci* les faits. - 10. Qui pourrait *garantir* l'efficacité de ce remède ?

410
CFC§83

Parmi les mots suivants, relevez les dérivés parasynthétiques, au nombre de 5 ; détachez par des traits d'union les affixes ; donnez la formule développée correspondante (exemple : *em-manch-er,* ajuster sur un manche**) :**

englober - entamer - apparaître - aplanir - antédiluvien (lat. *diluvium*, déluge) - antécédent - dénaturer - dépenser - périurbain (lat. *urbs*, ville) - périphérique.

411
CFC§84

Dites le type de dérivation d'après lequel ont été construits les dérivés suivants (modèle : *chapeauter* [chapeau] : analogie de la dérivation *saut, sauter*) **:**

Bazarder (bazar) - *plafonner* (plafond) - *trisser* « exécuter ou faire exécuter une troisième fois (ter) » - *tabatière* (tabac) - *Morvandiot* et *Morvandais* (Morvan) - *mauviette* (mauvis) - *étamer* (étain) - *bijoutier* (bijou) - *secouriste* (secours) - *printanier* (printemps).

412
CFC§84

La dérivation d'un mot français de formation populaire se fait souvent par recours au radical savant ; ainsi la « culture des huîtres » (lat. *ostrea*) **est appelée** *ostréiculture* **; en vous aidant du radical latin ou grec indiqué entre parenthèses, vous direz comment on appelle :**

1. l'état d'un corps qui est en *feu* (lat. *ignis*)
2. l'apparence d'une tige *grêle* (lat. *gracilis*)
3. (les muscles) de l'*oreille* (lat. *auricula*)
4. (les muscles) du *dos* (lat. *dorsum*)
5. (la membrane) qui entoure la *moelle* (lat. *medulla*)
6. (la vitesse d'un projectile) au *début* (lat. *initium*) de sa course
7. (une pluie) évoquant le *déluge* (lat. *diluvium*)
8. (une crise) de *foie* (grec *hêpar*)
9. (le repos) du *soir* (lat. *vesper*)
10. (le repos) du *dimanche* (lat. *dies dominica*)

413
CFC§84

Les noms des habitants des villes sont souvent des créations savantes à partir de radicaux latins ou grecs. Comment appelle-t-on les habitants des villes suivantes ?

Arras - Cahors (latin *Cadurci*, nom de peuple) - Charleville (latin *Carolus* « Charles », grec *politês* « citoyen ») - Epernay (latin *Sparnacus*) - Epinal (latin *spina* « épine ») - Fontainebleau (latin *bellus* « joli ») - Lons-le-Saunier (latin médiéval *Ledo, Ledonis*) - Lure - Meaux (latin *Meldi*, nom de peuple) - Pont-à-Mousson - Saint-Brieuc - Saint-Omer (latin *Sanctus Audomarus*).

414
CFC§84

Quelle différence de sens ou d'emploi faites-vous entre les mots populaires et les mots savants groupés ci-dessous :

1. Écouteur et auditeur
2. Machineur et mécanicien
3. Faussaire et falsificateur
4. Loueur et locataire
5. Ouvrier et opérateur ?

415
CFC§85

Quelle différence de sens ou d'emploi faites-vous entre :

1. Ruade et ruée
2. Blanchissage et blanchiment
3. Raccommodage et raccommodement
4. Arrivage et arrivée
5. Raffinage et raffinement
6. Justesse et justice ?

416 CFC§85

Même exercice :

1. Étourderie et étourdissement
2. Fraction et fracture
3. Hachure et hachis
4. Inanité et inanition
5. Observation et observance
6. Prolongement et prolongation ?

417 CFC§85

Même exercice :

1. Afficheur et affichiste
2. Débiteur et débitant
3. Algérien et Algérois
4. Garde, gardien et gardeur
5. Machineur et machiniste
6. Donateur et donataire
7. Bûcheur et bûcheron
8. Laveuse et lavandière ?

418 CFC§85

Même exercice :

1. Raisonneur et raisonnable
2. Simple et simpliste
3. Original et originaire
4. Natal et natif
5. Respectif et respectable
6. Mondain et mondial
7. Marin et maritime
8. Ombragé et ombrageux ?

419 CFC§86

Expliquez le sens des mots préfixés en le rattachant au sens du radical (exemple : *s'abstenir :* se tenir loin de, éviter**) :**

adjoindre	circonscrire	émigrer	parcourir
anormal	contexte	implanter	promouvoir
antihygiénique	contrordre	mégarde	rétroactif
bénévole	délasser	monoplan	trident

420 CFC§86

Au moyen des préfixes *dé (dés, dis), in (im, il, ir), mal (mau)* **ou** *mé (més),* **donnez aux mots suivants un sens négatif (exemple :** *mentir :* démentir**) :**

chausser	réel	joindre	respect
heureux	actif	avantage	licite
légal	estimer	buvable	intelligence
prudent	connaître	couvrir	habile

421 CFC§87

En ajoutant au radical des mots suivants les suffixes convenables, formez des noms indiquant l'état, la qualité, la propriété, la fonction :

bizarre	voisin	perfide	loyal
acre	frais	certain	filou
fin	perpétuel	avare	ennemi
parallèle	bête	docteur	pontife

422
CFC § 87

En ajoutant au radical des mots suivants les suffixes convenables, formez des noms collectifs :

rosier	fût	papier	clayon
carreau	paille	dent	grain
limer	pommier	herbe	palis (= pieu)
balustre	plume	osier	houx

423
CFC § 87

Remplacez les verbes entre parenthèses par un nom d'action de même sens ; si c'est impossible, exprimez la même idée en tournant autrement la phrase :

1. Antoinette fut initiée au (manier) de la brosse et du battoir, à l'usage des produits de (nettoyer), au (rincer), à l'(étendre). (L. Frapié)
2. L'(absorber) de ce médicament procure un (dormir) immédiat.
3. La (retrouver) de ses bijoux volés a coûté des millions à la princesse.
4. Des (réparer) urgentes ont nécessité la (clore) de ce théâtre.
5. La (éviter) de cette route défoncée oblige à un (se détourner) et à une (perdre) de temps.
6. Le (raisonner) est juste, mais la (résoudre) est fausse, parce que les (donner) sont inexactes.

424
CFC § 88

En ajoutant au radical des mots suivants les suffixes convenables, formez des adjectifs indiquant la qualité, le caractère, la relation :

main	salut	rancune	agression
passage	rage	république	respect
infortune	douleur	chevalier	obliger
centre	confidence	héros	enfant

425
CFC § 88

En ajoutant au radical des mots suivants les suffixes convenables, formez des adjectifs de sens péjoratif :

bon	homme	vanter	geindre
crier	brailler	patte (ancienn. : pate)	mou
doux	court	violet	vert
fin	caboche	noir (2 adj.)	blond

426
CFC § 89

Formez des verbes en ajoutant au radical des mots en *italique* les suffixes *ifier, iser* ou *oyer* :

traiter *brutalement*	marcher *à côté* de
rendre *bon*	transformer en *cristaux*
additionner d'*alcool*	faire la *fête*
faire des *flammes*	rendre *doux*
rendre *divers*	rendre *solide*
rendre *humain*	frapper de la *foudre*
rendre *clair*	faire un *pacte*
rendre *précis*	exprimer par *symbole*

427
CFC § 90

Formez des adverbes en *ment* sur le radical des adjectifs suivants :

actif	commode	cru	goulu
apparent	cher	gai	différent
assidu	collectif	ardent	pesant
suffisant	obscur	étourdi	douillet

428 CFC§91

Formez les dérivés parasynthétiques (verbes ou adjectifs) correspondant aux groupes syntaxiques suivants :

rendre *laid*
rendre *bête*
rendre *apte*
priver de sa *pointe*
s'associer à un *coquin*
vider de ses *grains*
débarrasser du *noyau*
mettre dans un *maillot*
qui est hors du *centre*
qui dépasse le *son*
qui immunise contre le *tétanos*
qui se fait à l'intérieur du *muscle*

429 CFC§91

Même exercice :

se poser à *terre*
serrer dans ses *bras*
mettre en *magasin*
rendre plus *court*
s'enfoncer dans le *sable*
faire perdre *contenance*
débarrasser de ses *chenilles*
équiper contre les *parasites*
qui est hors de la *terre*
qui est contre *Marx*
antérieur à l'époque des *glaces*
qui est sous la *clavicule (clavis)*

430 CFC§92

Tirez les dérivés régressifs des verbes suivants :

déblayer
brouiller
s'ébattre
plier
entretenir
aboyer
babiller
allonger
troquer
coûter
détailler
entailler
appuyer
ébaucher
chicaner
employer

431 CFC§93

Expliquez par leur composition le sens des mots en *italique* **:**

une statue *polychrome*
une boucherie *hippophagique*
une voiture *automobile*
l'ordre *chronologique*
une lyre *tétracorde*
un articulé *myriapode*
un singe *anthropoïde*
un animal *microcéphale*
un breuvage *somnifère*
de la ouate *thermogène*
du coton *hydrophile*
l'école *polytechnique*
un souverain *autocrate*
un microbe *pathogène*
un message *télégraphique*
un corps *polymorphe*

432 CFC§94

Précisez la nature et la fonction des éléments dans les 15 mots composés en *italique* **:**

Si vous déjeunez sur le *bateau-mouche*, ne manquez pas de complimenter le *maître-queux* sur son *court-bouillon.* Flatté dans son *amour-propre*, le brave homme vous dira, sans quitter son *brûle-gueule*, qu'il a cuisiné sur un *trois-mâts*, sur un *contre-torpilleur*, sur un *navire-école* et sur un *porte-avions*, et qu'il réussit particulièrement le *pot-au-feu* de *lion de mer*, le *vol-au-vent* de *poisson-lune*, l'omelette au *hareng saur* et le civet de *poisson-chat.*

433 CFC§94 PAE§48

Les phrases suivantes (fabriquées, sauf la première, pour le besoin de l'exercice) sont rédigées dans le style elliptique que R. Etiemble impute à l'influence anglaise. Pour chaque groupe en italique, vous direz quelle relation associe les deux noms sur le plan du sens, et quelle préposition pourrait l'exprimer ; appréciez l'économie :

1. « Pour vos *maquillages vacances*, ce ravissant *poudrier écaille* avec sa *glace plein visage* et six *teintes soleil* » (d'après un journal féminin).
2. Déposez vos *gobelets carton* dans la *boîte propreté* du *hall promenade.*

3. Notre *agent domicile* établira sous réserve d'un prochain *examen santé* la formule *assurance-maladie* ou *capital-décès* exactement conforme à vos désirs.

4. Grâce à notre *rapport qualité-prix* très étudié, réalisez votre *rêve croisière.*

434
CFC§96

Relevez dans les phrases suivantes les verbes composés, au nombre de 10, et dites la nature et la fonction de leurs éléments :

1. Il faisait éclatant. (J. Giraudoux)
2. Je maintiens que vous auriez dû vous en remettre à moi.
3. Si vous avez trop chaud, venez prendre l'air dans le jardin.
4. Tu n'as pas besoin d'avoir peur pour moi, va ! (A. Gide)
5. Enfant gâté, il fait la moue quand on lui propose une brioche.
6. Il faut en finir avec ces calomnies qui ont été colportées par votre ancien ami.

435
CFC§§95-97

Relevez dans ce texte les adjectifs composés (A.C., 6 ex.), les locutions adverbiales (L.A., 5 ex.), prépositives (L.P., 2 ex.), conjonctives de coordination (L.C.C., 1 ex.), conjonctives de subordination (L.C.S., 3 ex.) :

En même temps qu'il dictait, le maître nous regardait à la dérobée par-dessus ses lunettes. Tout à coup, il toussa, signe avant-coureur de reproches, et dit sur un ton aigre-doux, en s'adressant à l'élève nouveau venu, assis à l'avant-dernier rang : « Voulez-vous me relire cette phrase ? » Interpellé à brûle-pourpoint, ce garçon parut sortir d'un rêve et agita en vain les lèvres. « Ne faites pas le sourd-muet, reprit le maître ; j'ai vu que vous n'écriviez pas, et que vous dormiez l'œil grand ouvert ; de sorte qu'il faudra emprunter ce soir le cahier d'un camarade, qui en sera privé à cause de vous. Au contraire, si vous écriviez à mesure que je dicte, vous pourriez vous coucher de bonne heure. »

436
CFC§98

En vous fondant sur leur forme, mais aussi sur l'histoire et la géographie, essayez de trouver à quelles langues sont empruntés les mots suivants (4 emprunts à l'arabe, 4 à l'espagnol, 4 à l'italien, 4 à l'allemand, 2 au japonais, 2 au russe) :

macaroni	duègne	arcade	patate
karatéka	fez	guérilla	sbire
fellah	goulag	bock	loustic
feldspath	dulcinée	kamikaze	harem
loto	margrave	razzia	spoutnik

437
CFC§98

Voici 12 emprunts récents à l'anglais. Quels sont ceux qui permettent d'éviter une périphrase ? Les autres expriment-ils quelque chose de plus que leurs correspondants français (dénotation, connotations) ?

blue-jean — bulldozer — feed-back — hobby — kidnapping — leadership — lifting — overdose — plexiglas — shopping — steeple — twist.

LEXICOGRAPHIE

438
CFC § 103

Que peut-on reprocher aux définitions suivantes, données dans un même dictionnaire ? Pouvez-vous les améliorer ?

parenté : situation de personnes parentes.
parent : qui a des liens familiaux plus ou moins étroits avec quelqu'un.
famille : n.f. ensemble des individus, vivants ou morts, qui sont liés par un lien de parenté.

439
CFC § 103

Même exercice :

extrémité : la partie qui termine.
terminer : (avec un sujet nom de chose) constituer la fin.
fin : arrêt d'une chose qui se déroule dans le temps (ex. : *la fin de l'année*).

440
CFC § 103

Même exercice :

mélèze : arbre à aiguilles caduques, croissant dans les montagnes.
sapin : grand arbre résineux à feuillage persistant.
caduc, caduque : se dit d'un texte de loi, d'un système, etc., qui n'est plus en usage, qui n'a plus cours.

441
CFC § 103

Le *Dictionnaire de Trévoux* **(1752) définit l'***âne* **dans les termes suivants :** *« Baudet, animal à quatre pieds et à longues oreilles, qui a de grosses babines, qui est ordinairement de poil gris, qui vit environ 30 ans, et qui est lent, patient, paresseux, laborieux et stupide. »* **L'indication** *« baudet »* **est-elle satisfaisante, du point de vue de la logique ? Quels sont les sèmes qui caractérisent le physique de l'animal ? L'indication de l'âge moyen était-elle nécessaire ? La définition permet-elle de distinguer l'âne de l'onagre ? Qu'est-ce qui était nécessaire, parmi les traits qui marquent le comportement de l'animal, pour faire comprendre un sens dérivé usuel ?**

442
CFC § 103

En vous fondant sur les remarques signalées par le trait rouge à la page 131 du CFC, donnez une définition encyclopédique du mot *oie* **; donnez-en ensuite une définition linguistique. Aidez-vous d'un dictionnaire.**

443
CFC § 103

Vous composerez un texte suivi, cohérent et si possible amusant, d'une douzaine de lignes, où vous emploierez le verbe *poser*, **à l'actif ou au passif, dans le plus grand nombre de sens possible. Aidez-vous d'un dictionnaire.**

Quatrième section

Les mots (étude grammaticale)

(CFC §§ 107-210, PAE §§ 49-56)

LE NOM

444
CFC § 108

Relevez chaque nom en *italique* avec le mot ou les mots lui servant de « déterminant » dans le texte :

Le droit de jouer.
Comme beaucoup d'*enfants*, nous avions aménagé notre *territoire* et, sur cette *pelouse* qui nous appartenait, nous organisions des *fêtes*, des *dînettes*, des *représentations* théâtrales. Nous invitions parfois les autres *gosses* du *quartier* qui devaient payer un *droit* d'entrée : quelques *morceaux* de sucre ou de chocolat, et nous nous montrions sévères quant à la *sélection*. (A. Laguiller)

445
CFC § 108

Dites si les mots en *italique*, dans les phrases suivantes, sont employés avec le sens d'un nom ou d'un adjectif qualificatif :

1. Devant quelques *privilégiés*, des coupes de champagne-whisky. (J. Romains)
2. D'abord, vous comprenez, mon *brave*, que ces gens-là sont trop occupés de fumer eux-mêmes pour fumer leurs terres. (Balzac)
3. Et rien n'était petit, quoique tout fût *enfant*. (V. Hugo)
4. Ma nuit écourtée a été pleine de rêves, où l'*extravagant* le disputait à l'*idiot*. (Colette)
5. J'aurais certainement paru à une femme jeune et aimable infiniment plus *ours* et plus *misanthrope* que je ne le parais à ceux qui ne me voient qu'en passant. (E. Delacroix)
6. **Art baroque** : De tout cela des *artistes* vraiment *artistes* savaient faire des ensembles charmants. (E. Delacroix)
7. Letondu apparaissait prodigieusement *farce* et cocasse. (Courteline)

446
CFC §§ 109-110

Quels sont, dans les textes suivants, les noms ayant valeur de noms propres qui demandent à être écrits avec une majuscule ?

1. A droite, la côte hérissée de falaises et d'écueils se courbe pour former la baie des trépassés. Plus loin, nous voyons luire comme un feu rouge le cap de la chèvre. (A. France)
2. **En relisant Balzac** : Je suis tombé sur la scène où lousteau et brianchon traitent de haut les romans écrits du temps de l'empire. (F. Mauriac)
3. Elle ouvrit son sac, lui tendit un browning qu'il cacha dans sa poche, sans la regarder. (H. Troyat)
4. **Au musée du Luxembourg** : Vu le velasquez et obtenu de le copier. (E. Delacroix)
5. « Monsieur le ministre, dit le délégué le plus âgé, nous tenons à montrer une fois de plus à l'état notre bonne volonté. » (A. Malraux)

6. **Une nuit sans nuages.**
   Me voici sur les feux que le langage humain
   Nomme cassiopée et l'ourse et le dauphin.
   Maintenant la couronne autour de moi s'embrase.
   Ici l'aigle et le cygne et la lyre et pégase. (A. Chénier)
7. « Je fus invité, au mois de mai, à la noce de mon cousin simon d'érabel, en normandie. » (G. de Maupassant)
8. **Jacinthe :** Plante de la famille des liliacées. (Dictionnaire)
9. J'ai marché sur les grands boulevards, de la république à la madeleine. (H. Calet)
10. **L'auteur de « Sagesse »» :** Il adore la toute-bonté et invoque la toute-puissance, fils soumis de l'église... (Verlaine)

447

CFC § § 109-110

Expliquez pourquoi les noms en *italique* sont écrits a. avec majuscule, b. sans majuscule :

1. a. L'idée que Robinson eût de son côté quelque chose à apprendre de *Vendredi* ne pouvait effleurer personne avant l'ère de l'ethnographie. (M. Tournier)
   b. **Rendez-vous :** « Voulez-vous *jeudi* soir ? à huit heures ? » (M. Aymé)
2. a. L'*Azur* triomphe, et je l'entends qui chante
   Dans les cloches. (S. Mallarmé)
   b. Par l'*azur* tendre et fin tournoient les hirondelles. (J. Laforgue)
3. a. Les *Français* changent. Pourquoi les en blâmer ? (P. Guth)
   b. « Êtes-vous *français* ? — Oui, dit Jean, surpris qu'on le devinât ainsi. » (M. Déon)
4. a. Laulerque et Clanricard vinrent contempler le Paris nocturne du *Nord-Est*, qu'une bise avait nettoyé jusqu'aux extrêmes banlieues. (J. Romains)
   b. A un kilomètre au *sud* du village, il trouvait sans peine l'établissement des Pères Jésuites. (J. Romains)

448

CFC § 111

Sur cet échiquier sont disposées des pièces (rois, tours, cavaliers, pions). Vous compléterez les phrases ci-dessous en remplaçant les points de suspension par *le, la, les, un, une, deux* ou *chaque* selon le sens impliqué par la situation (le référentiel) que représente la figure (ex. : 1. *Une pièce*) :

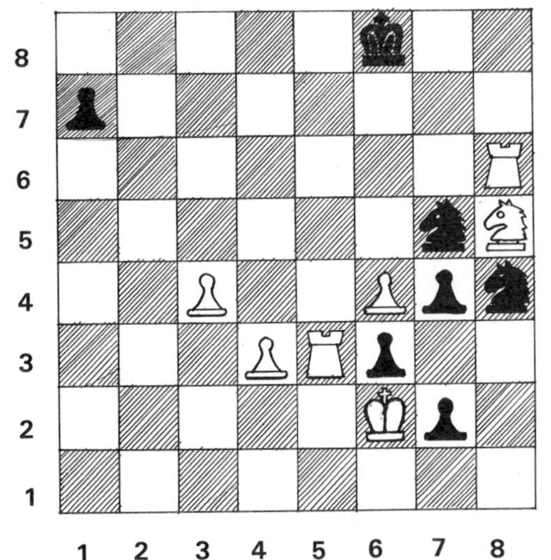

1. ... pièce de la 4e rangée est un cavalier.
2. ... pièce de la 7e rangée est un pion.
3. ... pièce de la 8e colonne est une tour.
4. ... roi noir est sur sa couleur.
5. ... rois sont sur la même colonne.
6. ... cavalier de la 5e rangée est noir.
7. ... roi est sur la 6e colonne.
8. ... pions noirs sont sur la même colonne.
9. ... pièces de la 7e colonne sont noires.
10. ... pièces de la 3e rangée sont blanches.
11. ... tours sont blanches.
12. ... tour est blanche.
13. ... pièces de la 5e rangée sont des cavaliers.

449
CFC § 112

Pourquoi les noms en *italique* sont-ils sans déterminant dans les textes suivants ?

1. O *Mort*, vieux *capitaine*, il est *temps* ! levons l'ancre !
(Baudelaire)
2. Je n'ai jamais été brillant *causeur.* (A. Gide)
3. A travers la vitre du paravent de *fer*, il observe une écaillère entourée de ses paniers d'*huîtres.* (J. Romains)
4. **Retraite de Russie :**
O *chutes* d'Annibal ! *lendemains* d'Attila !
Fuyards, blessés, mourants, caissons, brancards, civières,
On s'écrasait aux ponts pour passer les rivières.
(V. Hugo)
5. **Lettre-express :** *Navire* rentré au port. (G. de Maupassant)
6. Mais le chien (...) se leva et s'alla recoucher hors de *portée*, avec un bruit de vieux *sac.* (Colette)

450
CFC § 112

Même exercice :

1. O saisons, ô *châteaux*,
Quelle âme est sans *défauts ?*
2. M. Gogault, le maître de danse, était *danseur* à l'Opéra. (G. Sand)
3. « Que tu avais l'air farouche sur la chaise à *porteurs*, dit-il avec *tendresse.* — Je me suis à *moitié* trouvé mal, dit Françoise. » (S. de Beauvoir)
4. **A la tribune :** « Voilà pourquoi je veux que l'ouvrier de Paris reste ce qu'il est, un noble et courageux travailleur, *soldat* de l'idée, au besoin, de l'idée et non de l'émeute *(sensation).* » (V. Hugo)
5. Jamais *baigneurs* n'étaient venus en ces parages. (P. Loti)
6. « Si cela continue, il faudra que je ferme *boutique*, ou que j'accepte, moi aussi, de travailler en *fraude* ! » (H. Troyat)

451
CFC § 113

Dites pour chaque nom en *italique* si le singulier a le sens particulier ou général :

1. **L'arrivée des cigognes :** En moins d'*une minute*, il y eut plus de cent personnes, *le nez* en l'air, devant le Grand-Cerf. (Erckmann-Chatrian)
2. **Chiens de bergers :** Tout en lapant *leur écuellée* de soupe, ils racontent à leurs camarades de *la ferme* ce qu'ils ont fait là-haut dans la montagne. (A. Daudet)
3. **Duo d'enfants :** Louison et Frédéric chantent ; *leur bouche* est ronde comme une fleur et leur chanson s'élance, aigrelette et claire, dans l'*air matinal.* (A. France)
4. Mais déjà les enfants s'échappent ; vers *la plage*
Ils courent, mi-vêtus, chercher *le coquillage.* (Albert Samain)
5. **La mafia en Sicile :** Pas un mois ne s'écoule dans *la moitié* occidentale de l'île (...), que *le fil* de plusieurs vies humaines n'ait été barbarement tronqué. (D. Fernandez)

452
CFC § 113
PAE § 53

Expliquez le nombre des noms en *italique* en disant pourquoi l'auteur a préféré le singulier général ou le pluriel :

1. Il y avait là (...) un défilé sans fin d'ouvriers allant au travail, *leurs outils* sur le dos, *leur pain* sous le bras. (E. Zola)

2. **Les chats** : La plupart sont à demi sauvages, ne connaissent pas *leurs maîtres*, ne fréquentent que *les greniers* et *les toits*, et quelquefois *la cuisine* et *l'office*, lorsque la faim les presse. (Buffon)
3. Ce devait être une délicieuse fillette, en qui se retrouvaient *le cheveu* noir et *l'œil* bleu du père, avec *les fossettes* mutines de la mère. (Colette)
4. Les gendarmes tirèrent *leurs sabres.* (V. Hugo)
5. Les campagnards introduits racontaient *leurs guerres* de Hanovre, les affaires de *leur famille* et l'histoire de *leurs procès.* (Chateaubriand)
6. **Marins perdus en mer :**

   Vos veuves *aux fronts blancs*, lasses de vous attendre,
   Parlent encor de vous en remuant la cendre
   De *leur foyer* et de *leur cœur.*

   (V. Hugo)

453
CFC§113
PAE§53

Dans le texte suivant, l'auteur emploie tantôt le pluriel, tantôt le singulier de sens général ; dites, à propos de chaque mot en *italique*, pourquoi il a préféré le pluriel ou le singulier :

Aux comices agricoles.
Le pré commençait à se remplir, et les ménagères vous heurtaient avec *leurs grands parapluies, leurs paniers* et *leurs bambins.*
...Les bêtes étaient là, le *nez* tourné vers la ficelle, et alignant confusément *leurs croupes* inégales. Des porcs assoupis enfonçaient en terre *leur groin*, des veaux beuglaient ; des brebis bêlaient ; les vaches, *un jarret* replié, étalaient *leur ventre* sur le gazon, et, ruminant lentement, clignaient *leurs paupières* lourdes, sous les moucherons qui bourdonnaient autour d'elles...
(Les juments) restaient paisibles, allongeant *la tête* et la crinière pendante, tandis que *leurs poulains* se reposaient à *leur ombre.* (Gustave Flaubert)

454
CFC§113

Composez 10 phrases en employant les mots suivants, 1° en tant que désignant une substance nombrable, 2° en tant que désignant une substance continue :

pain, fromage, bronze, air, douceur.

455
CFC§113
PAE§§29-30, 53

L'auteur joue sur le double sens qu'ont certains mots selon qu'ils sont employés au singulier ou au pluriel. Vous expliquerez ces différences pour les cinq mots qu'il a choisis :

Nuances.
L'honneur fait l'homme, les honneurs le défont.
Le bonheur, quand il est entier, n'a pas de pluriel. Quand il est brisé, les tessons s'appellent : les petits bonheurs.
La dignité, c'est le respect de soi-même. Les dignités, c'est le respect des autres.
De la valeur, si vous en avez, tant mieux pour nous. Des valeurs, si vous en avez, tant mieux pour vous.
Soyez prodigue de vos respects : la politesse le veut. Soyez avare de votre respect : l'honnêteté l'exige. (André Berthet, *Mes lunes.*)

456
CFC§113
PAE§§29-30, 53

En imitant l'auteur du texte ci-dessus, vous essaierez d'opposer, en deux courtes phrases, le sens du singulier à celui du pluriel dans les mots suivants :

curiosité, attention, instruction, intelligence.

457
CFC §§ 113-114
PAE § 53

Expliquez le nombre des noms en italique dans les textes suivants :

1. Cependant, le long de la haie on voyait luire deux ou trois canons de *fusils.* (J. Giono)
2. Des meubles noirs à *marqueterie* de *cuivre* garnissaient la chambre à coucher, où se dressait le grand lit à *baldaquin* et *à plumes* d'*autruche.* (G. Flaubert)
3. Les grains de *blé*, versés dans une vaneuse à *manivelle*, abandonnent aux souffles de l'air les débris de *leurs tuniques* légères. (A. France)
4. On vit des troubles sans *cause* et des révolutions sans *motifs.* (Montesquieu)
5. Partout s'étageaient, comme de beaux chapelets de *corail*, des guirlandes de *piments* rouges. (P. Loti)
6. Adrien Giffard était un orphelin de *père* et de *mère*, sans *frères* ni *sœurs.* (A. Gide)

458
CFC § 115

Quel est le pluriel des noms en italique ? (dans votre réponse, disposez les noms en colonnes) :

1. Vêtu d'un *sarrau*, j'ai cru devenir *fou* en réparant l'*essieu* et le *moyeu* du *landau* ; mais ce ne fut qu'un *jeu* de remplacer le *pneu* usé par un *morceau* de *tuyau* d'arrosage.
2. L'*amiral* ayant ordonné de faire sauter l'*arsenal*, un *bateau* chargé de dynamite y fut conduit par le *canal* ; on y mit le *feu* au *signal* d'un *fanal.*
3. Tu as encore accroché ton *chandail* à un *clou* : il a un *trou* !
4. Mon *neveu*, blessé au *genou*, est resté un mois à l'*hôpital*, pendant la formation du *cal.*
5. Un *chacal* a mordu le *cheval* au *poitrail.*

459
CFC § 115

Même exercice :

1. Le *journal* décrit en *détail* le dernier *carnaval*, marqué d'un *festival* de musique italienne avec *récital* d'orgue et terminé par un *banquet* — qui fut un *régal* — suivi d'un *bal.*
2. Le poète Verlaine, ennemi de la rime, demande quel barbare nous a forgé ce *bijou* d'un *sou.*
3. Mme Laroue arborait un étrange *attirail* : au *cou* un énorme *joyau* d'*émail*, au poignet un bracelet de *corail*, à la main un *éventail* de *bambou*, au doigt un *anneau* de jade.
4. J'ai trouvé un *cheveu* dans le potage, un *caillou* dans le *chou*, un *noyau* dans le *gâteau.*
5. Le menu *bétail* est rentré au *bercail* au son du *pipeau* du *pastoureau.*

460
CFC § 116

Expliquez l'orthographe des noms composés au pluriel dans les phrases suivantes :

1. Ne jamais plaisanter avec les chaud-et-froid. (Courteline)
2. Gavroche venait d'allumer un de ces bouts de ficelle trempés dans la résine qu'on appelle rats-de-cave. (V. Hugo)
3. Des troupes d'enfants lançaient des cerfs-volants à longues banderoles frissonnantes. (E. Fromentin)
4. « Veux-tu bien venir ici, polisson ! Que je te voie causer avec les va-nu-pieds ! » (G. de Maupassant)

5. On se mit à raconter des histoires effrayantes de mauvaises rencontres, des tête-à-tête avec des fous dans des rapides. (G. de Maupassant)
6. Une longue colonne de prisonniers passait, flanquée sur les côtés de soldats garde-chiourme. (P. et V. Margueritte)
7. **La souris** : Je devine ses va-et-vient au bord du trou obscur où notre servante met ses torchons et ses brosses. (J. Renard)
8. Nos arrière-grands-mères, faute de poches, avaient des sacs. (A. Hermant)

461
CFC § 116

Mettez au pluriel les noms composés suivants :

pèse-bébé, eau-de-vie, carte-lettre, boute-en-train, chemin de fer, arrière-goût, maréchal des logis, contrepoison, contre-amiral, faire-valoir.

462
CFC § 118

Expliquez pourquoi les noms propres en *italique*, dans les phrases suivantes, prennent ou ne prennent pas la marque du pluriel :

1. Aimer Molière (...), c'est savoir reconnaître à première vue nos *Trissotins* et nos Vadius jusque sous leurs airs galants et rajeunis. (Sainte-Beuve)
2. **Le mariage d'Aliénor d'Aquitaine et d'Henri de Normandie :** Tout laisse supposer (...) que les premiers projets en ont été ébauchés lors du séjour des *Plantagenêts* à Paris, en août 1151. (R. Pernoud)
3. Les *Piccolin*, tenant du bout des doigts leurs tasses de lait qu'ils boivent par petites gorgées, se promènent dans la cour. (J. Renard)
4. On apercevait dans les feuillages des statues en plâtre, *Hébés* et *Cupidons* tout gluants de peinture à l'huile. (G. Flaubert)
5. Elle égalise tout dans la fosse, et confond
   Avec les bouviers morts la poussière que font
   Les *Césars* et les *Alexandres.* (V. Hugo)
6. « Moi aussi, j'en ai, des *Cézanne.* Et des *Monet*, donc ! » (G. Duhamel)

463
CFC § 119

Indiquez le genre (M ou F) des noms suivants et dites s'il est justifié (+) ou non (−) par le sexe des signifiés (exemple : libellule : **F −) :**

anguille	vipère	encrier	tigre
lion	chatte	soupière	jument
solitude	boulanger	torrent	pharmacien
silence	postière	rivière	professeur

464
CFC §§ 119-120

Recopiez les phrases suivantes en mettant au féminin tous les mots en italique :

1. *Le fermier* a vendu *un bœuf*, trois *moutons*, trois *agneaux*, deux *coqs* et *un jars.*
2. *Mon cousin Jean* veut être *avocat* et son *frère cadet pharmacien* ; leur *père* est *instituteur* et leur *oncle journaliste.*
3. *Le chasseur,* du haut de *son chameau*, croyant tuer *un lion*, a blessé *un âne.*
4. *Le doyen* des *rats* fut choisi pour traiter avec l'*empereur* des *chats.*

465
CFC§§119-120

Refaites les phrases suivantes en mettant au féminin, si possible, tous les mots en italique :

1. *Le typographe* est *un ouvrier, le dentellier un artisan, le poète un artiste, le pianiste un exécutant, le libraire un marchand, le professeur un éducateur. Le roi* est *le premier fonctionnaire* de son pays.
2. *Le candidat* cherche des *électeurs.*
3. *Un comte* était *le gouverneur du prince.*
4. *Ce directeur* est plutôt *le camarade* que *le bourreau* de *son secrétaire.*
5. *Le correcteur* n'a pas pu nous dire si notre *champion* est reçu.

466
CFC§120

Retrouvez le texte original en mettant au féminin les mots entre parenthèses :

1. Je pense à toi, Myrtho, (divin enchanteur). (G. de Nerval)
2. Ces yeux-là lui avaient rappelé (...) des yeux de (cerf), peureux et tendres. (M. Genevoix)
3. **Fête à Saint-Pétersbourg** : (Le tsar) est costumée en (paysan hollandais). (H. Troyat)
4. J'ai fait élever des lapins avec des (lièvres) et des lièvres avec des (lapins), mais ces essais n'ont rien produit. (Buffon)
5. (Le sacristain) mourut la première. (E. Renan)
6. **Les nymphes de Jean Goujon** : (Le Cuisinier, le Dormeur, le Danseur, le Mondain, le Rameur), je les nommais ainsi à (Lucien). (P. Guth)
7. Ce fut (un sanglier) que nous découvrîmes, lorsque nous partions, à la corne d'une friche. (H. Vincenot)
8. « Voyez (l'enfant), comme elle lui ressemble. » (F. Mallet-Joris)
9. La célèbre Amélie de Hanau, (landgrave) douairière, (le héros) de son temps, entretenait, à l'aide de quelques subsides de la France, une armée de dix mille hommes. (Voltaire)
10. (Mon lecteur) rougit, et je la scandalise. (A. de Musset)

467
CFC§119 Rem. g et h
PAE§52

Le nom *après-midi* se rencontre aux deux genres comme *automne* : il en est de même pour les noms de ville. Comme l'ont fait Francis Vielé-Griffin et Charles Guérin (PAE), écrivez deux textes (en vers ou en prose) où *après-midi* sera respectivement masculin et féminin dans un contexte approprié. Même exercice avec un nom de ville.

ADJECTIFS ET ADVERBES

468
CFC § 121

Dites si les mots en *italique*, dans les phrases suivantes, sont employés avec le sens d'un nom (N) ou d'un adjectif qualificatif (AQ), d'un pronom (P) ou d'un adjectif non qualificatif (ANQ) :

1. Le journaliste a photographié quelques *élégantes* sur le champ de courses.
2. Une *élégante* torpédo pénétra dans l'enceinte du parc.
3. Nous sommes nés le *même* jour.
4. Ce deuil a beaucoup affecté notre ami ; il n'est plus le *même.*
5. *Tous* m'ont adressé leurs compliments.
6. J'ai payé *tous* mes créanciers.
7. Le directeur de la salle s'efforça d'apaiser les spectateurs *mécontents.*
8. Les *mécontents* se sont réunis devant l'Hôtel de Ville.
9. *Nul* ne peut lui reprocher la plus petite incorrection.
10. Il ne m'a donné *nulle* satisfaction.

469
CFC § 121

Même exercice (10 mots en *italique*) :

1. Dans *ce* récit je prétends faire voir
D'un *certain sot* la remontrance *vaine.* (La Fontaine)
2. Excellent réveillon passé (...) avec *cinq* ou six députés *prévaricateurs*, le *tout* sous la chatoyante présidence du Captain Cap. (A. Allais)
3. Scandale et *ridicule*, voilà *ce* que le Baron de D. redoutait plus que *tout.* (E. Charles-Roux)

470
CFC § 121

Même exercice (10 mots en *italique*) :

1. **Le vaniteux :** Ce *mesquin* ignore même ce que connaît le *riche*, ce que le *grand* recherche, les charmes de la bonhomie, les agréments du *naturel* et de la simplicité, les douceurs de la solitude. (R. Töpffer)
2. *Ce* personnage de Vulcain était joué par Fontan, un *comique* d'un talent *canaille* et original. (É. Zola)
3. Les côtelettes que vous *leur* avez montées, *c*'est *leur* part. (A. Dumas)

471
CFC § 122

Dites si les compléments de nom en *italique* sont du type 2, du type 3 ou du type 4, tels qu'ils sont définis par le § 122 du CFC :

1. « Veillez à la sûreté *du captif.* » (G. de Maupassant)
2. **Préparatifs de départ :** Elle criait toute chaude de mouvement : « Le collier *de Toby* ! » (Colette)
3. Lorsqu'elle quitta la demeure *du roi Céléos* (...), Déméter fit encore de nombreux présents au jeune Triptolème. (M. Druon)

4. Des ouvriers agricoles, dans la salle du bas, parlaient fort en prenant le café *du matin*. (Alain-Fournier)

5. Le rideau *de ma voisine*
Se soulève lentement. (A. de Musset)

6. Mais Prullière, avec son rire vexé *de joli garçon*, criait que ce n'était pas de jeu. (É. Zola)

472
CFC§122

Remplacez les adjectifs par les compléments prépositionnels équivalents :

Un médicament fébrifuge
Une œuvre magistrale
La littérature médiévale
La douceur angevine
Une note marginale
Le repos dominical
Une patience angélique
Un équipage princier
Les difficultés budgétaires
L'artère brachiale
Une renoncule aquatique
Le foyer domestique

473
CFC§122

Remplacez les compléments prépositionnels par les adjectifs équivalents :

Un terme de médecine
Un travail d'Hercule
Des paroles de paix
Un arrêté du préfet
Une loi de nature
La population du Congo
L'industrie du coton
Une vie de moine
Un dévouement d'apôtre
Un journal contre le clergé
Un ton d'ivoire
L'espace entre les astres

474
CFC§125

Remplacez le nom en caractères gras par le nom entre parenthèses et accordez les adjectifs en conséquence :

1. **Un poteau** (une plaque) indicateur.
2. **Un compagnon** (une compagne) discret, simplet, muet, inquiet.
3. **Un caractère** (une nature) fin, malin, secret, traître.
4. **Le costume** (la langue) turc, grec, hébreu, persan.
5. **Un garçon** (une fillette) maigriot, sot, idiot, rigolo.
6. **Un ton** (une réponse) bénin, hautain, vengeur.

475
CFC§126

Expliquez l'accord des adjectifs en *italique* :

1. Il y avait partout des insectes *nouveau-nés* que le vent balançait comme des atomes de lumière à la pointe des grandes herbes. (E. Fromentin)
2. Coffinières fut invité à jeter le plus de ponts *possible* sur la Seille et la Moselle. (P. et V. Margueritte)
3. Ce soir, ils se sentent *fin* prêts, comme on dit par ici. (R. Frison-Roche)
4. **Variations de la mode :** Au bout de trois ou quatre fois elles se rendaient compte que les toilettes qu'elles avaient cru *chic* étaient précisément proscrites par les personnes qui l'étaient. (M. Proust)
5. Nous passâmes toute la nuit, tremblants de froid et *demi-morts*, sans savoir où la tempête nous jetait. (Fénelon)
6. Le vent de la fenêtre qu'il avait laissée *grande ouverte* faisait flotter sa pèlerine. (Alain-Fournier)
7. Les gens *comme il faut* copiaient et colportaient ces libelles. (G. Sand)
8. C'étaient de mauvaises herbes ; elle se faisait *fort* de les arracher. (R. Rolland)

476 CFC § 126

Accordez comme il convient les adjectifs exprimant la couleur :

1. Sous ses fenêtres, la plage se tachait de parasols (orange), de pédalos (rouge). (M. Déon)
2. Vous avez une jupe plissée (bleu marine). (J. Laurent)
3. Ses joues étaient (pourpre). (E. Jaloux)
4. **Une gare, près de Rio de Janeiro :** De tous côtés, des visages (noir), (chocolat), (olivâtre), (jaunâtre) ou (café crème). (H. Troyat)
5. De ses yeux (vert clair) sortait une flamme généreuse. (G. Sand)
6. **Sous le Directoire :** Thérésa lança le feu d'artifice des perruques : (roux), (doré), (noisette), (violet), (bleu), (vert). (P. Guth)

477 CFC § 126

Accordez s'il y a lieu les adjectifs entre parenthèses :

1. Dans le fracas de l'usine, nous nous comprenions, tels des (sourd-muet), en faisant le plus de gestes (possible).
2. J'ai des amis (haut placé) et (tout-puissant) qui me donneront toutes les recommandations (possible).
3. A trois heures et (demi), tous les convives étaient (ivre mort).
4. Nous avons vu les jumeaux (nouveau-né) dans leur berceau : l'un avait les yeux (grand ouvert), l'autre (mi-clos).
5. La photographie (ci-joint) est celle de (feu) ma tante.
6. (Ci-joint) la somme de cent francs, pour régler votre (avant-dernier) facture.

478 CFC § 127

Pour chacun des adverbes ou locutions adverbiales en *italique*, dites à quel mot (ou à quels mots) s'applique son sens, en indiquant la classe grammaticale de ce mot (ou en précisant la composition du groupe déterminé) :

1. « Il ne trouvera pas *beaucoup* de camionnettes où la cabine *avant* soit *aussi bien* close et protégée. » (J. Romains)
2. Nous voilà tous deux, mariés *bien* jeunes, et nous possédons de grands titres, mais *bien peu avec*. (A. de Musset)
3. Je me comparerais à un Troyen qui mérita la protection d'une déesse *seulement* parce qu'il la trouva belle. (Montesquieu)
4. Ce n'étaient plus que quelques fragments de tours bossuant la prairie (...), mais me donnant *fort* à songer, me faisant ajouter à la petite ville d'*aujourd'hui* une cité *très* différente. (M. Proust)
5. J'étais parti *aussitôt* après l'enterrement sans me recueillir sur sa tombe. (A. Camus)
6. **Tante et neveu :** Elle qui, *d'ordinaire*, semble *à peine* me voir, m'appelle : « *Pourquoi* t'en vas-tu *si vite* ? » (A. Gide)

479 CFC §§ 127-128

Dans les phrases suivantes les mots en caractères gras indiquent la manière ; vous direz s'ils sont des adjectifs (ex. : *La neige tombe* abondante) ou des adverbes (ex. : *Les hirondelles volent* bas) :

1. L'oncle Honoré faisait à lui tout seul autant de tapage que les enfants ; il buvait **sec**, parlait **haut**, riait **franc** et amusait tous les convives. (M. Aymé)
2. Les uns flottent **indécis** entre les voluptés de la matière et celles de l'esprit. (Balzac)
3. Toutes s'avancent **prosternées**. (Balzac)

4. Les deux paysans besognaient **dur** sur la terre inféconde pour élever tous leurs petits. (G. de Maupassant)
5. Les pensées jaillissent **écumeuses.** (Balzac)
6. Élisa arracha une poignée d'herbes et de fleurs ; entre les dents, les herbes jutaient **sucré** et les fleurs légèrement **amer**. (J.-L. Bory)
7. La ville, que nous traversions **rangés** par deux, avait son air de fête. (A. Lafon)
8. Je filais de chez moi, **subreptice** et **léger**... (E. Rostand)
9. La mitrailleuse avait tiré **serré.** (H. Barbusse)

480
CFC§§127-128

Sur le modèle de l'expression *parler haut,* **composez pour chacun des adjectifs suivants une phrase où il sera employé comme adverbe invariable :**

creux	cher	doux	lourd
profond	double	gras	lâche

481
CFC§§127-129

1° Relevez dans ce texte un adverbe se rapportant à un adjectif et à un participe, et un autre se rapportant à un adverbe.
2° Quelle indication concernant le sens du verbe est donnée dans la 1re phrase par la locution adverbiale *sans cesse* **?**
3° De quel mot, exprimé ou sous-entendu, l'adverbe *où* **est-il complément de lieu dans la proposition** *où vous voudrez* **?**
4° Expliquez le sens exact de l'adverbe *justement* **dans ce texte : porte-t-il sur le verbe seul ou sur toute la proposition ?**
Vous composerez une phrase où *justement* **aura le sens d'un adverbe de manière, puis deux phrases où il aura le même sens que dans ce texte.**
5° Si le texte était dicté, à quoi verrait-on qu'il faut la négation *ne* **devant** *arrivera*, **et non pas devant** *est arrivé* **(1re phrase) ?**
6° Relevez dans ce texte les locutions négatives formées avec *ne*.
7° Relevez deux mots négatifs employés sans *ne* **; justifiez cet emploi.**
8° Expliquez le tour *Point de sœurs*.

A la recherche d'une auberge.
Roveredo est un de ces bourgs qui s'espacent sur une lieue de pays, en sorte que l'on passe sans cesse de la certitude que l'on est arrivé à la certitude que l'on n'arrivera jamais. Enfin, enfin, une belle maison se présente ; c'est tout justement celle des sœurs Barbieri...
Point de sœurs, mais un gros homme qui nous donne l'agréable assurance qu'il n'y a point de place...
« Pas possible ! dit M. Töpffer, votre maison est bien grande... mettez-nous au grenier, à la grange, où vous voudrez... — Elle est grande, mais elle n'est pas finie, et nous n'avons point de meubles... Bien fâché, bonsoir. » (R. Töpffer)

482
CFC§129

Quels sont dans les phrases suivantes les mots constituant, en liaison avec le mot *ne*, **une locution négative ?**

1. Le manieur d'argent, l'homme d'affaire est un ours qu'on **ne** saurait apprivoiser ; on **ne** le voit point ; car d'abord on **ne** le voit pas encore, et bientôt on **ne** le voit plus. (La Bruyère)
2. Dans cet inextricable enchevêtrement de véhicules de toute espèce qui, sans arrêt depuis des semaines, refluait vers le sud, on avait l'impression que tout était irrémédiablement perdu et que personne, jamais, **ne** reverrait ni sa maison, ni son usine, ni son village, ni son jardin. (Francis Carco)
3. Mon travail **n'**avance guère, pourtant. (J. Vallès)

4. Personne **ne** lui donnait plus rien. (G. de Maupassant)
5. Le silence **n**'est troublé que par le glissement des crotales. (Villiers de l'Isle-Adam)

483
CFC § 129

Dites si *que* forme avec *ne* une locution négative, auquel cas vous recopierez la phrase en remplaçant *ne... que* par *seulement* :

1. Je **ne** vois dans ces lieux **que** ceux qui n'y sont pas. (Lamartine)
2. On **n**'y voyait pas plus **que** dans un four. (Aragon)
3. Les parents marchèrent vers la porte de la chambre. Ils **n**'en étaient plus **qu**'à deux pas. (M. Aymé)
4. Je **ne** vous ai pas caché, mon cher ami, **que** votre premier article m'a fait plaisir. (G. Duhamel)
5. Je **ne** trouve point de gêne plus terrible **que** l'obligation de parler sur-le-champ et toujours. (J.-J. Rousseau)
6. **Ne** vois **que** le blanc dans la pie
   Et dans la vie. (Francis Jammes)
7. On **ne** s'entend **que** grâce à des malentendus. (E. Rostand)
8. Soyez tranquille ! Ce **n**'est pas pour vous **que** nous ferions des façons. (Labiche)

484
CFC § 129

Dites si le mot *ne*, en gras, a le sens négatif ou s'il est explétif :

1. Je craignais qu'il **ne** parût trop hardi. (J.-J. Rousseau)
2. Je **n**'osais rien faire qu'il parût désapprouver. (J.-J. Rousseau)
3. La directrice sait même, en bonne charité, oublier les dettes, le cas échéant ; mais elle doit prendre garde qu'on **n**'abuse. (L. Frapié)
4. Pas de maladie qui **n**'ait son remède en une herbe des champs. (H. Pourrat)
5. Le grand veneur et le premier serviteur **ne** doutèrent pas que Zadig n'eût volé le cheval du Roi. (Voltaire)
6. Gardez qu'une voyelle à courir trop hâtée
   Ne soit d'une voyelle en son chemin heurtée. (Boileau)
7. « C'est ma sœur, que je n'aurais jamais reconnue si elle **ne** s'était nommée. » (P. Mérimée)
8. « J'ai bien peur, Monsieur le duc, que mon dîner **ne** vous paraisse une vengeance. » (Th. Gautier)
9. Cela n'empêche pas que ce retardement **ne** m'impatiente. (Marivaux)
10. Elle avait tâché de **n**'y rien perdre. (Marivaux)

485
CFC § § 123, 130

Les adjectifs et adverbes en italique (au nombre de 12) sont accompagnés de compléments exprimant différents degrés. Dites quels sont ces compléments et s'ils indiquent un degré faible ou fort :

1. Sa joie aussitôt me déplut ; il ne put la dissimuler ; elle me fit sentir encore plus sa beaucoup *trop grande* jeunesse. (A. Gide)
2. **Au Creusot :** Et nous entrons dans la galerie des laminoirs. C'est un spectacle *plus étrange* encore. (G. de Maupassant)
3. Un noyau des plus *compacts* s'était surtout formé sous le lustre. (A. Dumas)
4. Ce calcul, comme on le voit, était on ne peut plus *rassurant*. (A. Dumas)

5. Cette fois le silence fut un tout *petit peu plus long*. (J. Giono)
6. Le ciel est tendu d'un bleu absolument *pur*, et la mer immense scintille. Le monde est miraculeusement *grand* et sobre. (Haroun Tazieff)

486
CFC § § 123, 130

Dites si les adjectifs et les adverbes en italique (au nombre de 12) sont au positif, au comparatif (de supériorité, d'égalité ou d'infériorité) ou au superlatif (absolu, ou relatif de supériorité ou d'infériorité) :

1. Le chant est aussi *souvent* la marque de la tristesse que de la joie. (Chateaubriand)
2. L'âne se mordait les oreilles pour s'assurer qu'il ne rêvait pas, et le chat n'était pas moins *étonné*. (M. Aymé)
3. Il avait les idées les plus *absolues*, les manières les plus rudes, le langage le plus outrecuidant. (G. Sand)
4. J'étais un *petit* enfant très *intelligent* et très réfléchi. (A. France)
5. Bientôt ils deviennent plus *nombreux*, plus pressés. (Th. Gautier)
6. En mettant les choses au *pis*, il descendrait pour le dîner. (F. Mauriac)
7. Maintenant, on savoure la *moindre* joie, comme un dessert dont on est privé. (R. Dorgelès)
8. Votre lettre me procurera le plaisir de voir plus *souvent* et d'étudier un homme vraiment extraordinaire. (P. Mérimée)
9. Cherchez dans le monde entier ce qui convient *le mieux* à la vertu malheureuse. (Chateaubriand)
10. Il y a *souvent* très *loin* du mal que l'on dit d'un ouvrage à celui qu'on en pense. (Beaumarchais)

487
CFC § § 123, 130

Même exercice :

1. On atteint *aisément* une âme vivante à travers les crimes, les vices les plus *tristes*, mais la vulgarité est infranchissable. (F. Mauriac)
2. La lune s'était levée, d'une lumière *blanche* qui permettait à Jacques de distinguer *les moindres* buissons. (É. Zola)
3. La concierge disait d'elle *pis* que pendre. (É. Zola)
4. Malheureusement, si Rouget imitait le cri des sauvages très *bien*, il savait encore *mieux* dire les gros mots d'enfants de la rue. (A. Daudet)
5. **La disgrâce royale :** « C'est un certain degré de supplice qui, moins *cruel* en apparence, marque aussi *bien* que la main du bourreau. » (Musset)
6. Une après-dînée, j'étais là, regardant beaucoup, parlant peu, et écoutant *le moins* que je pouvais, lorsque je fus abordé par un des plus *bizarres* personnages de ce pays. (Diderot)
7. — Parbleu, dit-il, vous venez *au mieux*. (Musset)

488
CFC § § 123, 130

Mettez l'adjectif ou l'adverbe placé entre parenthèses à la forme de comparatif de supériorité ; si deux formes sont possibles, indiquez la seconde entre parenthèses :

1. Il dit qu'il est des barbes comme des oraisons de Démosthène et que la (longue) est la (bonne). (Guez de Balzac)
2. Pour manger, il lui faut devenir homme-sandwich ; (mal) : automate. (H. Pourrat)

3. Et je me plains ici du (petit) de mes maux. (Boileau)

4. De tous les gîtes où nous sommes entrés, celui-ci est proclamé le (mauvais) et le (bon). (R. Töpffer)

489
CFC § 123

Remplacez dans les phrases suivantes les adjectifs au superlatif absolu par d'autres adjectifs au positif, de manière à ne pas changer le sens du texte (ex. : On servit à Candide de *très bons* plats. — ... *des plats exquis*) **:**

1. Son père était un *très bon* homme.
2. La plaine russe est *très grande*.
3. Il prit un grog *très chaud*.
4. En Poldavie les impôts étaient *très lourds*.
5. La paresse est un défaut *très laid*.
6. Artaxerxès était à la tête d'un royaume *très riche*.
7. D'avare il devint *très libéral*.
8. Il a obtenu ce livre contre une somme d'argent *très modique*.

490
CFC § 123

Même exercice :

1. Il faut une *très grande* naïveté pour croire sur parole n'importe qui.
2. Il a montré, dans son dernier roman, un *très grand* talent.
3. Dans ses habits du dimanche, elle se trouvait *très belle*.
4. Le gala des Artistes a été un *très brillant* spectacle.
5. Avec ses cent dix kilos, il était vraiment *très gros*.
6. Cet individu n'éprouve que des sentiments *très bas*.
7. Je trouve ces procédés *très choquants*.
8. Nous l'invitons souvent : c'est un causeur *très plaisant*.
9. Ce petit vin blanc n'est pas mauvais, mais ce bordeaux rouge est *très agréable*.
10. Ses conclusions sont *très sûres*.

491
CFC § 123
PAE § 51

1° Relevez deux fautes dans l'expression du degré (en quoi y a-t-il incorrection ?).
2° Quel effet de style produisent ces fautes voulues ?

Lyrisme verlainien.

1. Ce fut, et quel préjudice ! un Parisien fade,
Vous savez, de ces provinciaux cent fois plus pires. (Verlaine)

2. Ô ses lettres d'alors ! les miennes elles-mêmes !
Je ne crois pas qu'il soit des choses plus suprêmes. (Verlaine)

492
CFC § 123, R

Par quels procédés le haut degré est-il exprimé dans les textes suivants ?

1. Il lui adressait les compliments les plus justes possible. (G. Flaubert)

2. C'est une dure loi, mais une loi suprême,
Vieille comme le monde et la fatalité,
Qu'il nous faut du malheur recevoir le baptême...
(Musset)

3. **Scepticisme :** Les plus sincères amitiés, les bonnes volontés, les tendresses à venir, je les soupçonnerai, je les découragerai, je les renierai. (H. Bazin)

4. La question était des plus simples. (G. Duhamel)

5. L'intérêt était des plus minimes. (Stendhal)

6. **Une pièce bizarre :** Il y a ce dialogue extravagantissime qu'aucun auteur de la toute dernière vague néo-surréaliste n'oserait inventer ! (J.-J. Gautier)

493
CFC § 130

Dans cette phrase, l'article en caractères gras est variable :

La truite est l'un des poissons **les** *plus méfiants.* (T. Derème)

Dans celle-ci, au contraire, il est invariable :

C'est à l'égard de l'homme que ces fauves sont **le** *plus méfiants.*

Vous essaierez de définir la différence de sens qui répond à cette différence de construction.
Puis vous remplacerez les points de suspension dans les phrases suivantes par l'article *le, la* **ou** *les* **selon le sens :**

1. Les plus désespérés sont les chants ... plus beaux. (Musset)
2. C'est le samedi soir que mes élèves sont ... plus remuants.
3. De tous les déguisements, c'est le tien et celui de ton frère qui ont été ... plus comiques.
4. Ils amusèrent les convives pendant tout le repas, mais c'est au café qu'ils furent ... plus comiques.
5. C'est de ses progrès en calcul que la maîtresse était ... plus satisfaite.
6. De toutes les questions, c'est la dernière qui est ... plus intelligente.

MOTS DE RELATION INVARIABLES

494
CFC §§ 131-132

Dites si les mots en *italique*, **dans les textes suivants, sont employés comme adverbes (A) ou comme prépositions (P) :**

1. a) Allongé sur un lit de camp tout *près* du fourneau, dans la cuisine où il fait chaud, John l'Enfer ne dort pas. (D. Decoin)
   b) On sentait tout *près* le grand silence inquiet des tranchées. (R. Dorgelès)
2. a) *Au-dessus,* le pic dressait son grand cône baigné de soleil. (P. Loti)
   b) Alors, dans l'espace *au-dessus de* moi, une voix d'oiseau cria. (G. de Maupassant)
3. a) **Dans l'éléphant :** Gavroche en même temps prit la main du petit *par-dessus* son frère. (V. Hugo)
   b) Mets cela dans ta poche, avec ton mouchoir *par-dessus*. (Expression populaire)
4. a) Landry obéit bravement et passa la porte de la maison sans regarder *derrière* lui. (G. Sand)
   b) **Confidence :** « Tenez, restons un peu *derrière*. Je vais vous dire ça, c'est fort triste. » (G. de Maupassant)
5. a) *Avant* les derniers maraîchers, commençait la ville véritable. (G. Duhamel)
   b) Il faut pénétrer très *avant*, se mêler aux choses... (M. Barrès)

495
CFC § § 131-132

Relevez dans chacun des textes suivants un adverbe (ou une locution adverbiale) susceptible d'être employé comme préposition et faites chaque fois une phrase où il présentera cette fonction :

1. **Les ablettes et le pain :** Elles descendaient autour, à mesure qu'il s'enfonçait. (R. Rolland)
2. Quel lourd aviron qu'une plume et combien l'idée, quand il la faut creuser avec, est un dur courant ! (G. Flaubert)
3. **La pie :** C'est pourquoi, peu après, l'homme lui tendant de nouveau le verre (...), elle y vint boire goulûment. (L. Pergaud)
4. **Attelage de bœufs :** Un homme marche devant et règle leurs pas avec une longue baguette dont il les touche par moments. (G. de Maupassant)
5. Suivez la route jusqu'à l'arbre couché en travers. (R. Dorgelès)
6. Geneviève, elle, souriait en dessous, d'un air félin. (H. Bosco)

496
CFC § § 127-133

Relevez dans les textes suivants, en les disposant en trois colonnes, dans l'ordre où vous les rencontrerez, 1. les adverbes ou locutions adverbiales (au nombre de 11), 2. les prépositions ou locutions prépositives (au nombre de 9), 3. les conjonctions de subordination (au nombre de 6) :

1. **Impatience :** Si les regards pouvaient user les choses, Frédéric aurait dissous l'horloge à force d'attacher les yeux dessus. (G. Flaubert)
2. Yvette, tout à coup, fixa les yeux sur elle, et un soupçon, si vague qu'elle ne le formula pas (...), lui passa dans la pensée comme passe sur la terre l'ombre d'un nuage que chasse le vent. (G. de Maupassant)
3. **Partie de traîneau :** Et quand nous fûmes en haut, Hans Aden devant, les deux mains cramponnées aux patins recourbés, nous autres derrière, assis trois à trois, Scipio au milieu, et que tout à coup la schlitte partit, ondulant dans les ornières et filant par-dessus les rampes, quel enthousiasme ! (Erckmann-Chatrian)
4. **A l'hôpital :** Lorsqu'il y avait une distribution de cigarettes, Rabot prenait sa part et jouait un petit moment avec. (G. Duhamel)

497
CFC § 133

Dites si le mot *quand*, dans les phrases suivantes, est une conjonction de subordination ou un adverbe d'interrogation :

1. « Mais je ne vois pas pourquoi tu m'insultes *quand* je me donne un mal de chien pour te faire plaisir. » (M. Pagnol)
2. Toujours quelque dame pour venir lui parler de son mari et essayer de savoir par des détours *quand* il reviendrait. (H. Pourrat)
3. Le printemps s'annonçait dans ces régions méridionales, *quand* Blanche prit avec Aliénor le chemin de son pays d'adoption. (R. Pernoud)
4. Je vous dirai *quand* ce sera le moment de partir. (M. Aymé)
5. Il commençait à reconnaître les gens, à les individualiser, *quand*, au début, (...) tous lui avaient paru se ressembler. (La Varende)
6. Je ne sais plus *quand*, je ne sais plus où,
   Maître Yvon soufflait dans son biniou. (V. Hugo)

498
CFC § 133

Dites si le mot *comme*, dans les phrases suivantes, est une conjonction de subordination ou un adverbe :

1. « Mon président, *comme* je ne veux pas aller dans une maison de fous, et que je préfère même la guillotine, je vais tout vous dire. » (G. de Maupassant)

2. C'est un « cassement de tête », *comme* disent les bonnes gens, et j'en ai encore pour longtemps. (G. Flaubert)
3. « J'ai *comme* une idée, dit-il, que ça ne lui vaudra rien, au Raboliot, de venir rôder par ici. » (M. Genevoix)
4. « Tu ne peux pas t'imaginer *comme* j'ai été jaloux. » (M. Pagnol)
5. Il n'y a plus de vérité du tout puisque vous arrangez les faits *comme* il vous plaît. (A. Gide)
6. Pauvre ami ! *comme* une nuit l'a changé. (Musset)

499
CFC § 133

Dites si le mot *si*, dans les phrases suivantes, est une conjonction de subordination conditionnelle (CSC) ou interrogative (CSI), ou un adverbe (A) :

1. Je suis *si* discipliné que je porte mes lunettes même la nuit, quand je dors. (R. Pingaud)
2. Je veux essayer *si* cela m'ira. (G. de Nerval)
3. « Qu'elle épouse un singe, *si* elle veut, mais qu'elle se marie ! » (M. Pagnol)
4. Papa s'impatiente, s'étonne de cette guérison *si* lente à venir. (F. Cavanna)
5. L'*autoskiff* ! Olivier avait rêvé *si* longtemps de le posséder. (R. Sabatier)
6. « Et puis on se lance dans la grande aventure. L'édition sur microfilm. *Si* vous voulez bien travailler avec moi. » (F. Cavanna)
7. **La marquise Obardi** : « Elle a une fille ? — *Si* elle a une fille ! Une merveille, mon cher. » (G. de Maupassant)
8. Le cabo avait tenu à m'aider à préparer mon petit barda, j'avais *si* peu d'ordre, prétendait-il. (L. Bodard)

500
CFC § 133

Dites si le mot *que*, dans les phrases suivantes, est une conjonction de subordination ou un pronom relatif :

1. Je leur cachais *que* je vivais dans l'angoisse. (P. Guth)
2. Malheureusement, ce *que* je gagnais à Lyon suffisait à peine à me faire vivre. (A. Daudet)
3. Je ne puis pas dire *qu'*il m'ait franchement découragé. (J. Romains)
4. Je me sentais entraîné dans ce mouvement général *que* j'exécrais. (P.-É. Victor)
5. Ce misérable m'a rappelé une histoire *que* je vais te dire. (G. de Maupassant)
6. Je vous aime dans l'espoir *que* vous m'aimerez un jour. (A. France)

501
CFC § 134

Quelle relation existe dans la pensée entre les propositions coordonnées dans les phrases ci-dessous par juxtaposition ; quelle conjonction pourrait exprimer cette relation ?

1. ... La nuit
On pense mieux, la tête est moins pleine de bruit.
(V. Hugo)
2. Vous mourez, personne ne s'émeut. (V. Hugo)
3. Vous n'êtes point gentilhomme, vous n'aurez pas ma fille. (Molière)
4. Il aurait pu être guide, il n'y tenait pas. (R. Frison-Roche)

5. Je n'aime pas les maisons neuves :
Leur visage est indifférent. (Sully Prudhomme)
6. On se fatigue d'être assis : on se lève. (H. Barbusse)
7. Les bêtes reconnaissent ceux qui les nourrissent. Les pauvres nous nourrissent ; prions Dieu pour eux. (Vincent de Paul)
8. Un homme vain trouve son compte à dire du bien ou du mal de soi : un homme modeste ne parle point de soi. (La Bruyère)
9. Son émoi se transmit cruellement au petit voyou. Il avait l'âme vive. (La Varende)
10. J'ai toujours trouvé quelque bassesse chez ceux qui croient si facilement à l'indignité des autres. Mon estime pour Conrad en resta diminuée. (M. Yourcenar)

502
CFC§134
PAE§51

1° Quelle remarque faites-vous sur l'emploi de *et* dans ce texte ? Quel effet de style est produit ?
2° Composez une phrase où le même procédé de coordination produira un effet semblable.

Hiver canadien.
La neige tombait dru, cachant tout, et le sol, et les broussailles qu'elle couvrait peu à peu, et la ligne sombre du bois qui disparaissait derrière le rideau des flocons serrés. (Louis Hémon).

503
CFC§133
PAE§51

On voit en comparant ces deux textes que la conjonction *tantôt* répétée exprime l'alternance de deux faits dans un récit, tandis que *soit* convient plutôt à l'expression d'une alternative théorique dans un ouvrage savant. A l'imitation de ces deux textes, vous emploierez *tantôt ... tantôt* dans une phrase de caractère narratif, et *soit ... soit* dans une phrase de caractère scientifique ou administratif.

Hiver capricieux : Tantôt le soleil vif dessinait les croix des carreaux sur les rideaux blancs de la fenêtre, tantôt un vent brusque jetait aux vitres une averse glacée. (Alain-Fournier)

L'araignée rouge : Les pattes sont longues, surtout celles de devant, dont elle se sert soit comme d'antennes, pour tâter le terrain, soit comme de harpons, pour attirer ses proies, et se défendre au besoin. (Marcel Roland)

504
CFC§§127-134
PAE§51

Dans ces premiers vers d'un poème où il désigne apparemment par *toi* sa femme, épousée depuis 19 ans, Jean Tardieu emploie des mots de relation d'une manière très elliptique. Relevez ces mots, dites leur nature (pron. rel., adv., prép., conj.), en quoi leur construction est elliptique, et ce qu'on peut imaginer pour combler les lacunes. Appréciez l'effet de style produit :

Étude de pronoms.
Ô toi ô toi ô toi ô toi
toi qui déjà toi qui pourtant
toi que surtout.
Toi qui pendant toi qui jadis toi que toujours
toi maintenant.

(J. Tardieu, *Monsieur Monsieur*.)

DÉTERMINANTS ET SUBSTITUTS DU NOM

505
CFC § 135

Donnez l'espèce du pronom en italique et précisez à chaque fois s'il est absolu (A) ou représentant (R) :

1. Par quelle allée va-t-on passer ? Par *celle-ci* ? Par celle-là ? (R. Martin du Gard)
2. Il savait bien aussi que mon père avait été tué comme *le sien*. (H. Vincenot)
3. **En 1147 :** Constantinople était le plus fabuleux ensemble de palais *dont* on pût rêver à l'époque. (R. Pernoud)
4. « Prenez la rue que vous voyez là, tournez par *la deuxième* à gauche... » (J. Romains)
5. **Pierre le Grand :** *Rien* ne le délasse autant que le travail manuel. (H. Troyat)
6. « *Que* dois-je savoir ? fit-elle avec un abandon inattendu... » (La Varende)
7. **Tableaux :** Ils évoquaient tous pour *moi* des portraits d'ancêtres, même les paysages. (F. Sonkin)

506
CFC § 135

Dans les phrases suivantes, relevez les pronoms, au nombre de 18, et indiquez leur antécédent s'ils en ont un, ce qu'ils désignent s'ils n'ont pas d'antécédent :

1. Sa vie fut plus dissipée qu'elle ne l'avait été jusqu'alors. (F. Mauriac)
2. Ma mère me chantait une chanson de Noël ; mais comme cela ne revenait qu'une fois l'an, je ne me la rappelle pas. (G. Sand)
3. « Je vous le dis : je suis indigne. » (La Varende)
4. Régine le voit qui se cache le visage dans ses mains. (H. Bordeaux)
5. **Autorité de Louis VII :** Et combien d'autres après Thomas vont prendre le chemin de sa cour et solliciter, comme l'archevêque en avait donné l'exemple, sa protection, la suite de l'histoire va nous l'apprendre. (R. Pernoud)

507
CFC § 135

Dans chacune des phrases suivantes, le pronom en caractères gras représente incorrectement le nom en italique ; dites pourquoi cette représentation est incorrecte :

1. En sautant, le chat renversa le pot au *lait* **qu**'on ne pouvait avoir sans carte à cette époque.
2. Les bouchers suspendent leurs quartiers de *viande* à des crochets ; **elle** est très propre et très rouge.
3. Gérard avait grand *peur* en pénétrant dans le souterrain, mais **elle** ne dura pas.
4. Ils s'installèrent à Paris en *hiver* **qui** cette année-là fut très rigoureux.

5. Ayant enfin débouché son réservoir, le conducteur remonta en *voiture* et **la** fit démarrer.
6. **Maison abandonnée** : Les fenêtres ne possèdent plus de *carreaux*, **dont** les morceaux gisent sur le parquet poussiéreux.

508
CFC§136

Pour chaque pronom en *italique*, dites ce qu'il désigne ou représente, quel est son genre, pourquoi l'auteur a choisi ce genre :

1. Les tableaux riants sont rares dans ce livre, *cela* tient à ce qu'ils ne sont pas fréquents dans l'histoire. (V. Hugo)
2. *Qu'est-ce qui* vient d'entrer par la baie ? *C'*est trop grand pour une chauve-souris, et *cela* vole avec des ailes de feutre. (F. de Croisset)
3. **Une échelle bien employée** : L'appliquer sous la fenêtre de Frédie, grimper, enjamber l'appui, réveiller la victime (...), tout *cela* ne dura que cinq minutes. (H. Bazin)
4. Elles avaient beau, les Grandes-Personnes, *tout* faire pour me rendre contente... ah ! contente, je *l'*étais bien quand l'*une* d'*elles* m'avait gâtée, je l'étais plus, quand je l'étais, que toutes les autres petites filles, mais quand même, de temps en temps, malgré *tous, quelqu'un* me manquait. (Marie Noël)
5. Les griefs, les ressentiments, les rancunes, les haines, jetons *ça* au vent. (V. Hugo)
6. « *Qui* est idiote ? Ma sœur, ma mère, ma nièce ? » (J. Giraudoux)
7. J'ai chaud, mais... *quelque chose* a remué dans l'air. (Colette)
8. *Qui* étaient ces dames et d'où venaient-elles ? (H. Bosco)

509
CFC§136
PAE§52

Les neutres *cela, ça* s'emploient assez souvent pour désigner des êtres humains, mais ces mots prennent alors diverses valeurs affectives. Quels sentiments expriment-ils dans les phrases suivantes (mépris, pitié, admiration, etc.) ?

1. « Ces bons Flamands, dit Charle, il faut que cela mange. » (V. Hugo)
2. **Maurice Sand** : Sa femme aussi est charmante (...) : ça chante à ravir, c'est colère et tendre, ça fait des friandises succulentes. (G. Sand)
3. **Accueil** : La première chose qu'elle dit fut : « Alors c'est ça ! » en me regardant comme si j'étais un ver de terre. (E. Carles)
4. Un juge, ça a des hauts et des bas. (A. Camus)
5. **Souvenir d'une jeune fille connue autrefois** : Parfois, dans l'autobus, le métro, devant une dame de mon âge, quinquagénaire au double menton, à la poitrine d'apparat, je sursaute. Peut-être Lucienne est-elle devenue ça. (P. Guth)
6. **Une jeune paysanne à la ville** : « Dame, vous savez, c'est de la campagne ; ça porte encore la coiffe de Bannalec, ça n'a pas d'usage. » (P. Loti)

510
CFC§137

Étudiez les articles en *italique* dans le titre et le texte suivant au moyen d'un tableau en six colonnes indiquant 1. l'article et le nom auquel il se rapporte ; 2. la nature de l'article (défini ou indéfini) ; 3. son genre (masculin ou féminin) ; 4. son nombre ; 5. si le nom indique une notion nombrable ou continue ; 6. si le nom a le sens déterminé ou indéterminé :

***Un* trio d'écrivains se mettent *au* travail après dîner.**
On sonna *le* domestique, on fit enlever *les* plats, *les* couverts et *les* nappes, on ne garda que *les* trois verres ; on mit *des* plumes, *de l'*encre et *du* papier sur *la* table, on me glissa *la* plume entre *les* doigts et l'on fit monter *la* troisième bouteille. (Alexandre Dumas)

511
CFC § 137

Recopiez les mots en *italique* ; faites-les suivre des noms auxquels ils se rapportent ; indiquez à chaque fois si l'on a affaire à un article défini contracté (ADC), une préposition suivie d'un article défini (P + AD), un article indéfini au pluriel (AIP) ou un article « partitif » (AP) :

1. *Des* ficelles rattachaient les harnais *de la* bête. (G. Flaubert)
2. *Des* toits *des* hameaux s'élèvent *des* fumées légères comme *des* haleines. (A. France)
3. « Mais c'est *de l'*eau minérale. — Elle a *des* propriétés, à votre avis ? » (J. Romains)
4. Grâce *à la* vache, la famille a *du* beurre dans sa soupe et *du* lait pour mouiller ses pommes de terre ; tout le monde vit *de la* vache. (H. Malot)
5. Elle me propose *de la* compote, *du* clafoutis, *des* œufs, *du* camembert, *des* gâteaux secs et *des* pommes. (G. Proux)
6. Lorsque l'auto franchit enfin le seuil *du* jardin, la jeune Eulalie s'élança, un grand parapluie à la main, au-devant *des* voyageurs. (H. Troyat)

512
CFC § 137
PAE §§ 51, 53

Quel effet de style est produit par l'emploi de l'article « partitif » dans chacun des deux textes suivants ?

Guerre d'usure : Du « million d'hommes » étalé en couche épaisse. (...) Il faut l'user tout au long. (...) Il faut enlever ça comme à la lime (...). Du copeau de « million d'hommes ». De l'homme tué ou de l'homme-débris par jets drus comme de la sciure. (J. Romains)

Mondanités : Maintenant, nous recevons de la simarre, de la toque et du képi. (H. Bazin)

513
CFC § 138

Recopiez les phrases en mettant au pluriel les mots en italique et en faisant les modifications qui en résultent, notamment dans l'emploi de l'article :

1. Nous partîmes à la recherche d'un *piquet* et d'une *branche* de feuillage.
2. Je l'ai rencontré en compagnie d'un *ami* qui l'écoutait.
3. La route était barrée d'un *arbre* que l'ouragan avait abattu.
4. Le plateau valsait au-dessus des tables, chargé d'un *verre*, d'une *soucoupe*, d'une *carafe*, d'une *bouteille*.
5. Nous ignorons souvent le nom d'une *fleur* que nous reconnaissons sans hésitation.
6. *Il* regardait toutes choses avec l'*œil* ébahi d'un *enfant* qui découvre le monde.

514
CFC § 138

Remplacez les points de suspension par l'article indéfini pluriel à la forme voulue *(des, de, d')*. Recopiez seulement l'article et le groupe nominal qui le suit :

1. Ils allaient, chacun à son tour, boire ... grandes lampées d'eau. (L. Hémon)
2. **Une poupée :** Elle avait une tache de vermillon sur chaque joue, ... bras mous et courts, ... horribles mains de bois et ... longues jambes écartées. (A. France)
3. ... petites filles se retournaient pour me voir. (A. Gide)
4. Puis bientôt s'élevèrent ... vastes clameurs d'allégresse. (M. Druon)

5. Cacambo expliquait les bons mots du roi à Candide et, quoique traduits, ils paraissaient toujours... bons mots. (Voltaire)
6. ... mésanges bleues venaient se poser sur les branches. (M. Proust)
7. Ce sont ... vastes champs de rhododendrons, d'un rouge vif. (E. Rod)
8. Puis les employés étaient passés, ... jeunes gens efflanqués aux habits trop courts. (E. Zola)
9. Sur les pistes même, par endroits, les paysans répandaient ... larges traînées de cendre. (H. Troyat)
10. Dans les jours qui suivirent, il se prépara ... choses mystérieuses. (H. Vincenot)

515
CFC § 139

Relevez les pronoms personnels du texte (au nombre de 12) ; précisez ce qu'ils désignent ou quels mots ils représentent.

Parents égoïstes.
Vous savez tous que Josette est malheureuse, qu'elle l'est doublement, qu'elle aurait pu en mourir, mais vous vous êtes gardés d'y réfléchir seulement une minute. Vous ne vous êtes souciés de vos chers enfants que pour mieux leur faire mesurer leur détresse, leur rendre leur misère plus sensible !... (Marcel Aymé)

516
CFC §§ 139, 140

Le mot *le* en caractères gras (12 fois) dans les phrases suivantes est-il l'article défini, le pronom personnel masculin, ou le pronom personnel neutre ?

1. **Un tailleur garni d'astrakan** : « La dernière folie de Madame, dit **le** colonel. Bien sûr, elle ne **le** met jamais ici, sauf dans les grandes occasions. » (P. Daninos)
2. Il n'y avait pas trace en elle (...) de cette brillante et vaine coquetterie, qui **le** rebutait chez la plupart des femmes. Intelligente, elle **l'**était sûrement. (H. Troyat)
3. « Fais un paquet de mes habits, et jette-**le** dans **le** jardin aussitôt que tu **le** pourras. » (Stendhal)
4. S'il n'a pas pu empêcher **le** mal, il est impuissant ; s'il **l'**a pu et ne **l'**a pas voulu, il est barbare. (Voltaire)
5. Après dîner, il se trouva tout à fait débarrassé de **l'**accès d'enthousiasme qui **l'**avait obsédé toute la journée. (Stendhal)

517
CFC §§ 139, 140

Dites si le pronom *le* (ou *l'*) en *italique* (10 fois) est masculin ou neutre, et ce qu'il représente :

1. **Autobus** : Je prends le studieux 52 pour aller à la Bibliothèque Nationale. Quand je *le* cueille, il est déjà empreint de grâces classiques. (P. Guth)
2. « Vous n'êtes pas libre ! — Je *le* deviendrai ! » (H. Troyat)
3. Mon père marchait en regardant le ciel, les mains nouées derrière le dos. Je *le* sentais investi de pouvoirs immenses. (F. Sonkin)
4. Tout ce qui doit être taillé semble *l'*être à sa juste mesure et tout ce qui doit s'épanouir *le* fait avec magnificence. (J. Fougère)
5. Je vous *le* présenterai. C'est un excellent ouvrier. (G. Duhamel)
6. L'enfance est terriblement sérieuse, ne *l'*oubliez pas. (Vercors)
7. « C'est un nom qu'on ne te donnera plus, car tu ne mérites pas de *le* porter. » (G. Sand)
8. « A l'équateur, je te dis, elles craindraient que la mer soit froide ! » Moi, je *le* suis : faisant ce que je peux pour ne pas *le* laisser voir. (H. Bazin)

518
CFC § § 139, 140

Justifiez la forme réfléchie ou non réfléchie des pronoms en caractères gras :

1. **Une jeune fille sensible :** Tout **lui** était souci, chagrin, blessure : une expression qu'elle cherchait, une chimère qu'elle **s'**était faite **la** tourmentaient des mois entiers. (Chateaubriand)
2. Avant d'accomplir son dessein, il **se** rendit auprès du vieillard Palémon, afin de **lui** demander conseil. (A. France)
3. Rex **se** laissa tomber sur un rocher moussu... L'écume des cascatelles volait jusqu'à **lui.** (R. Margerit)
4. Il **se** vit, menottes aux poings, défilant entre deux gendarmes dans les rues de Verneuil, **lui,** secrétaire perpétuel de la Société d'Histoire ! (R. Margerit)
5. **Les deux champions :**
   Ils **se** battent — combat terrible ! — corps à corps. (V. Hugo)
6. Il ne quitte plus ses bureaux, celui du magasin et la pièce qu'il **s'**est réservée chez **lui** pour travailler. (G. Chevallier)

519
CFC § § 139, 140

Remplacez les points de suspension par les pronoms *soi* ou *lui* selon le sens :

1. Il est certain qu'on se parle à ...-même ; il n'est pas un être pensant qui ne l'ait éprouvé. (A. Thibaudet)
2. C'était son orgueil colossal qu'il vengeait ainsi sans se l'avouer à ...-même. (A. de Vigny)
3. Tu prendras en pitié l'usage de se chanter ...-même. (G. Flaubert)
4. **Dans l'eau :** Au moment où, malgré ..., il va respirer de l'eau, ses orteils touchent du solide, le renvoient vers l'air, enfin. (R. Margerit)
5. Jean Valjean rentra chez ... sur-le-champ, tout pensif. (V. Hugo)
6. Il faut être honnête pour ... (Marivaux)
7. Il avait le mépris extrêmement facile pour tout ce qui était différent de ... (E. Faguet)
8. C'est n'être bon à rien que n'être bon qu'à ... (Voltaire)
9. Quoi qu'il en soit, tout ce qui peut brûler, ici, brûlera, mais hélas ! s'éteindra aussi de ...-même. (J. des Vallières)
10. Belhomme sort de la boucherie en tirant le portillon derrière ... (M. Aymé)

520
CFC § § 139, 140
PAE § 51

L'emploi de la forme réfléchie en caractères gras est-il conforme à l'usage ordinaire ? Quelle peut être sa valeur de style ?

1. Le sacristain va d'un pas égal, dans une église qu'il ne voit pas, et il est satisfait de faire fleurir l'un après l'autre les candélabres. Quand tous sont allumés, il se frotte les mains. Il est fier de **soi.** (Saint-Exupéry)
2. Dès son arrivée ici, il n'a visé qu'un but : faire parler de **soi** dans la commune, dans l'arrondissement, dans le département. (Léon Frapié)
3. **Une jeune Anglaise :** Le cordon bleu improvisé prépare chez **soi** des petits plats, la salade, le dessert, des fleurs. (P. Guth)

521
CFC § § 139, 140

Dites si les pronoms *on, vous* et *nous* en *italique* ont le sens général ou un sens particulier ; dans le second cas, indiquez qui ils désignent :

1. *On* ne désire pas toujours ce qu'on n'a pas. (H. Bazin)
2. « Papa ! — Mon enfant ! Mon petit ! Nous sommes réunis maintenant. *On* s'aime bien. On est bien. On est nous deux. » (P. Molaine)
3. En entrant, une fraîcheur *vous* surprenait. (G. Flaubert)
4. La douleur *nous* éduque ou nous avilit : c'est affaire de circonstances. (G. Chevallier)
5. « Eh bien ! petite, est-*on* toujours fâchée ? » (G. de Maupassant)
6. **L'amie Lucienne :** Je l'entraînais au square de Temple. *Nous* nous asseyions sous un arbre que je trouvais bizarre. (P. Guth)
7. **Souvenir de tranchée :** *On* se promenait dans les boyaux comme dans les rues d'une petite ville dont chaque coin *vous* est familier. (R. Dorgelès)
8. La jalousie si utile ne naît pas forcément d'un regard, ou d'un récit (...). *On* peut la trouver, prête à *nous* piquer, entre les feuillets d'un annuaire. (M. Proust)

522
CFC § 141

Expliquez l'emploi du pronom *lui* dans cette phrase :

Visite impromptue : « Et ce soir, justement, j'attendais quelqu'un, un homme important du maquis ; je croyais même que vous étiez lui. » (J. Perret)

523
CFC § § 139, 141

Comment les auteurs des textes suivants ont-ils évité la confusion d'antécédents résultant de l'emploi d'un pronom de la 3e personne ?

1. Le soir à dîner, il me conta que son voisin, qui s'appelait Daunis, possédait de l'encre dorée avec laquelle **lui, Charlot,** pouvait écrire son nom sur ses cahiers. (A. Lafon)
2. Il a tué Giovan'Opizzo, qui avait assassiné son père pendant que **lui** était à l'armée. (P. Mérimée)
3. Costals avait compris, dès leur première rencontre, que M. Dandillot ne s'intéresserait qu'à **soi.** (Montherlant)
4. J'ignorais ce que Mademoiselle avait fait de la lettre, par quelle voie elle avait décidé de la remettre, à quelle heure **celle-ci** arriverait. (E. Estaunié)

524
CFC § § 139, 141
PAE § 55

Quelles remarques de style appellent les mots en caractères gras, du point de vue de la désignation des personnes ?

1. **Ordre : Nous,** Tartarin, gouverneur de Port-Tarascon et dépendances, grand cordon de l'ordre, etc., etc...
   Recommandons le plus grand calme à la population. (A. Daudet)
2. J'ai mal dormi. C'est votre faute.
   J'ai rêvé que, sur des sommets,
   Nous nous promenions côte à côte,
   Et **vous** chantiez, et **tu** m'aimais. (V. Hugo)
3. « J'ai aussi oublié de dire à **madame la duchesse** que Mme la comtesse Molé avait laissé ce matin une carte pour **madame la duchesse.** » (M. Proust)
4. **Chez grand-mère :** A chaque élan de mon organisation on opposait une petite répression bien douce, mais assidue. On ne me grondait pas, mais on me disait **vous,** et c'était tout dire : « Ma fille, **vous** marchez comme une paysanne ; ma fille, **vous** avez encore perdu vos gants !... » (G. Sand)

5. **Un zéro « pistonné »** *(Convaincu de l'incapacité de son garçon de laboratoire, mais obligé de le conserver, le docteur Pasquier a décidé de l'exempter de tout travail)* : J'ai signifié cette mesure au dit Birault... Il m'a dit : — Alors, **on** n'a plus confiance. Entre Français ! c'est malheureux tout de même. Et pourtant, **on** faisait l'impossible pour bien accomplir son devoir... (G. Duhamel)

525
CFC§§139, 141
PAE§55

1. **Championne de tennis** : C'est avec elle-même que Miss Wade est le plus féroce. Les spectateurs placés à bonne portée peuvent l'entendre dire : « Winny, stupide Winny, tu as encore manqué ce smash. Tu n'es pas capable de te concentrer ! » (J. Fayard)
2. **Rêverie de gosse** : Je me blottis en chien de fusil dans le vieux fauteuil rouge vinasse tout râpé, tout près de la cuisinière pour avoir bien chaud, des fois je rabats la porte du four et je pose mes pieds dessus, ça brûle, tu les retires, t'as froid, tu les remets, et je plonge corps et âme dans le catalogue des pièces détachées Meccano. (Cavanna)

526
CFC§142

Dites si le mot *en* est adverbe de lieu, pronom adverbial ou préposition :

1. J'approuvai cette réponse, Parouba *en* fut assez content. (Voltaire)
2. « Mon père m'a dit que nous irions peut-être *en* Angleterre. » (V. Hugo)
3. Un des valets avança silencieusement un fauteuil, l'autre découvrit une soupière *en* vieille argenterie massive et il s'*en* éleva un tourbillon de fumée odorante. (Th. Gautier)
4. Ce ne serait déjà pas un si mauvais résultat, convenez-*en* ! (A. Billy)
5. J'étais le seul témoin de ces fêtes qui n'*en* partageât pas la joie. (Chateaubriand)
6. Le théâtre n'est-il pas la vie *en* raccourci ? (Th. Gautier)
7. « Vous entrez dans la vie, j'*en* sors. » (V. Hugo)
8. C'était mieux, je m'*en* rendais compte. (P. Larthomas)
9. « Si la chose arrivait, je ne vous cache point, mon maître, que je m'*en* retournerais dans le pays où elle est... » (G. Sand)

527
CFC§142

Dites si le mot *y* est adverbe de lieu ou pronom adverbial :

1. « Si ça venait à vous gêner, j'*y* renoncerais volontiers, croyez-moi. » (G. Sand)
2. **Le chien Toby** : Je pousse mon nez contre la terre, pour *y* reconnaître des odeurs compliquées. (Colette)
3. « Je préfère le mont d'Arbois. — Nous pourrions *y* aller demain. » (H. Troyat)
4. Elle n'*y* pouvait rien, elle l'aimait. (J. Green)
5. **Une école sur le front de Madrid** : Un caporal *y* enseignait la botanique. (Saint-Exupéry)
6. « Si l'on n'*y* prenait garde, ils mangeraient le tas de prunes, les enragés ! » (Balzac)
7. Ma chemise est toute déchirée, j'ai les coudes percés, mes bottes prennent l'eau ; depuis six semaines je n'*y* pense plus. (V. Hugo)
8. Il venait chez elle aussi souvent qu'il *y* pouvait venir. (G. de Maupassant)

9. Quand j'y débarquai vers midi, tout était endormi et comme abandonné. (J. et J. Tharaud)

10. **La malade et la chasse :** Le médecin était inquiet de la voir *y* participer. (P. Vialar)

528
CFC § 142

Quel est l'antécédent des pronoms adverbiaux *en* et *y* dans les phrases suivantes (copiez-le et indiquez sa forme grammaticale) ?

1. Filles d'un pauvre gentilhomme, au lieu de partager son mince héritage, elles *en* avaient joui en commun. (Chateaubriand)
2. On ne voit pas encore que c'est l'automne, mais le cœur *en* est averti. (P. Drouot)
3. Les polissons de la ville étaient devenus mes plus chers amis : j'*en* remplissais la cour et les escaliers de la maison. (Chateaubriand)
4. Blazius informa Bellombre de l'état où se trouvait la troupe. Il n'*en* parut nullement surpris. (Th. Gautier)
5. Il pose des questions et *y* répond le plus souvent. (R. Rolland)
6. L'été radouci, sans *y* parvenir, s'efforçait de ressembler à l'automne. (P. Molaine)
7. Tout cela était trop simple et trop solennel en même temps... Elle le sentait mais n'*y* pouvait rien. (R. Margerit)
8. Elle a poussé le cri de bienvenue : nous *y* avons répondu joyeusement. (Chateaubriand)

529
CFC § § 139, 142

Montrez que chacune des phrases suivantes contient une faute ou une maladresse dans l'emploi des pronoms personnels :

1. Un marin tombe à l'eau, on le sauve, mais il a le bras cassé et l'on est obligé de lui couper. (Copie d'élève)
2. C'était mon premier repas au restaurant, et j'ai gardé de lui un bon souvenir. (Id.)
3. Lorsque maman est seule dans sa cuisine, elle fredonne souvent des chansons pour lui rappeler son jeune temps. (Id.)
4. Eux, ils n'étaient pas pressés, mais moi j'y étais. (Id.)
5. — M'sieu, je veux rien dire moi, mais demandez aux autres si c'est pas vrai que c'est lui qui a commencé et que j'y avais rien dit et que j'y avais pas dit de noms. (L. Pergaud)
6. Le feu de camp est allumé ; nous nous asseyons tous en fer à cheval autour de lui. (Copie d'élève)
7. Nous, maire de Farfouilly, responsables de l'ordre dans la commune, avons arrêté que...
8. **Attention, danger !** Cent gardes républicains, en venant en renfort à la gendarmerie, ont surveillé cinquante carrefours dangereux qui ne l'étaient pas jusqu'ici faute d'effectifs. (Journal)

530
CFC § 144
PAE § 55

Quel est le rapport personnel (affection, déférence, etc.) qu'exprime l'adjectif possessif dans les phrases suivantes :

1. **Mme Pernelle.**
   Comme elle s'est pour rien contre nous échauffée !
   Et que de son Tartuffe elle paraît coiffée ! (Molière)
2. Angliviel, qui venait de finir sa rhétorique, fut chassé honteusement du collège. (Voltaire)

3. « Tu la verras plus tard, ta Germaine. » (M. Aymé)
4. Reste que mon Barthaut, simple et fin comme un enfant (...), sut éviter les panneaux. (H. Pourrat)
5. « Vous êtes bien bon, mon capitaine. » (Courteline)
6. « Je ne suis ni âme ni diable, mon bon Jean. » (A. France)

531
CFC § 144

Expliquez l'emploi de l'adjectif possessif ou de l'article dans les phrases suivantes :

1. Edmond et Léonard ont posé *leurs* cartables. (M. Genevoix)
2. Il se passe, plusieurs fois, *ses* longues mains sur *le* visage. (G. Duhamel)
3. Et avec cela elle faisait *sa* sotte ! (V. Hugo)
4. J'ai une épingle dans *le* dos... Ça me pique. (Labiche)
5. **Dourdan** : C'est un gros bourg riche et qui sent *sa* province. (Ch. Péguy)
6. Je venais enfin de faire une bonne pointe à mon crayon, et je m'essuyais *les* doigts sur le fond de *ma* culotte, où la mine de plomb ne marque pas. (G. Duhamel)
7. Il se met du cosmétique sur *les* cheveux. (J. Romains)
8. On y descendit Gaspard qui commençait à souffrir de *sa* jambe. (R. Benjamin)

532
CFC §§ 143, 144
PAE § 55

Discutez cette analyse stylistique d'Hervé Bazin :

Apostrophe possessive.

Écoutez Mariette prononcer : *mon mari.* Vous retrouverez le même accent dans les litanies : *mon loup, mon rat, mon chou, mon chat...* Derrière le possessif, le monosyllabe (m'assimilant à n'importe quoi : carnivore, volaille ou légume) est pur prétexte. On pose l'écriteau : *propriété privée.*

533
CFC §§ 144, 145

Relevez dans les phrases suivantes les adjectifs ou pronoms possessifs qui prêtent à confusion et indiquez pour chacun d'eux les possesseurs possibles ; refaites chaque phrase d'une manière qui ne permette aucune confusion :

1. Mon grand-père est dans le jardin, avec ma grand-mère, la nourrice, papa et sa sœur.
2. M. Dupont a grondé Jean parce qu'il avait déchiré ses livres.
3. Roger s'est mis à ma place ; Julien s'est mis à la sienne.
4. C'est à l'appui des cavaliers germains que les Romains durent cette victoire sur les Gaulois ; leur chef fut tué dans la bataille.
5. La chatte monta sur l'épaule de son vieux maître et commença à faire sa toilette.
6. C'était l'heure où les pâtres ramenaient les bœufs au village ; on entendait leurs meuglements autour de l'abreuvoir.

534
CFC §§ 144, 145

Relevez les membres de phrase où les mots *notre* ou *votre*, en *italique*, demandent un accent circonflexe :

1. La vivandière vit trois ou quatre soldats des *notres* qui venaient à elle. (Stendhal)
2. « Mais je suis *votre* ! » (V. Hugo)

3. On lira son éloge, qui est en même temps le *votre*. (V. Hugo)
4. Mais, dès que cette fusion aura lieu, on devra dire que le changement survenu dans *notre* caractère est bien *notre*. (H. Bergson)
5. « Vous-même avez eu *votre* part de rôle dans cette fête. » (M. Proust)

535
CFC § § 144, 145

Dites si les mots en italique sont des adjectifs possessifs à la forme tonique (à quel nom ou pronom se rapportent-ils ?) ou des pronoms possessifs (ont-ils un antécédent ? quel est-il ?) :

1. Je ne sais comment il s'y prend, il fait *sienne* notre pensée. (A. Gide)
2. « Pauvre abandonné, tu seras des *nôtres* ! » (G. de Maupassant)
3. **Bergers pyrénéens loin de leur famille :** Surtout, ils s'occupent des enfants. Eux à qui les *leurs* manquent tant, ils s'emparent de ceux de *leurs* hôtes. (J. de Pesquidoux)
4. Je pris dans la *mienne* sa main fiévreuse. (Alain-Fournier)
5. « Nous n'élevons pas plus de revendications sur ces titres que sur celui du marquis de Noirmoutiers qui fut *nôtre*. (M. Proust)
6. « Eh bien, si vous êtes honnête, vous me rendrez mon fils, parce qu'il est *mien*. » (M. Pagnol)
7. Mon plaisir, c'est pas d'arriver à me figurer que je joue avec ces trucs (...), c'est le moment où je les acquiers. Où ils deviennent *miens*. (F. Cavanna)
8. Un certain nombre d'esprits (...) continuaient à faire *leurs* ces formules de désespoir courant. (L. Aragon)
9. Gélis (...) m'a fait faire sa demande par un de ses professeurs, *mien* collègue, hautement estimé pour sa science et son caractère. (A. France)

536
CFC § § 146, 148

Expliquez l'emploi de *ça* dans les phrases suivantes :

1. « Ça s'est bien passé, la rentrée ? » (A. Gide)
2. « Vois-tu, mon cher, entre nous, il faut de ça. » Et il se frappa le cœur. (Balzac)
3. « Mon Dieu, ça me fait une peine infinie qu'il soit malade. » (M. Proust)
4. Siècle de vitesse ! qu'ils disent. Où ça ? (L.-F. Céline)
5. Ça pleut. (B. Cendrars)
6. Ces vieux, ça n'a qu'une goutte de sang dans les veines. (A. Daudet)
7. « Vous êtes un bon garçon, je vois ça. » (R. Rolland)
8. Devant moi, quelque chose apparaissait (...) ; ça semblait instable, perfide, engloutissant. (P. Loti)
9. « J'élèverai la voix si ça me plaît. » (F. Mauriac)
10. Ça ne sert à rien d'injurier ses adversaires. (E. Zola)

537
CFC § § 147, 148

Relevez dans les phrases suivantes les pronoms et les adjectifs démonstratifs composés en justifiant l'emploi des formes en *ci* ou des formes en *là* :

1. La maison faisait angle entre la rue de C... et la rue de L... Elle ouvrait sa porte cochère sur celle-là ; sur celle-ci le plus grand nombre de ses fenêtres. (A. Gide)

2. Cela dit, maître Loup s'enfuit, et court encor. (La Fontaine)
3. Bonjour, grand-père... Oui, je suis tout seul, maman ne viendra pas ce mois-ci. (L. Frapié)
4. **« Cloche »** : A l'âge de quinze ans, il avait eu les jambes écrasées par une voiture, sur la grand-route de Varville.
   Depuis ce temps-là, il mendiait en se traînant le long des chemins. (G. de Maupassant)
5. Qui occupe les postes importants ?
   Pas un homme connu. — C'est celui-ci ou celui-là, pris au hasard dans le Comité central. (J. Vallès)
6. C'est l'autre rive, plus élevée que celle-ci et d'une nature très différente, mais aussi plate, aussi monotone. (P. Loti)
7. Minnie prête ses autres jouets — quelquefois en rechignant — à ses petits amis. Ceux-là, on ne les prête pas, on les montre seulement. (A. Lichtenberger)
8. **L'architecte débutant** : Son premier admirateur se révéla, à l'usage, en même temps que client de premier choix, homme fort incommode, exigeant ceci, puis cela, à la fois versatile, influençable et entêté comme le sont bien des faibles. (R. Ikor)

538
CFC § 148

1° Donnez la solution du problème posé ci-dessous.
2° Comment l'énoncerait-on en français oral ?

Problème.
Le capitaine et le pharmacien ont à eux deux 72 ans ; sachant que celui-là est deux fois plus âgé que celui-ci, dites quel est l'âge du capitaine.

539
CFC § 148

Relevez dans ce texte un pronom démonstratif et expliquez sa forme et son emploi :

Meaulnes.
Il tenait à la main un cordon de fusées déchiquetées. Ç'avait dû être le soleil, ou la lune, au feu d'artifice du 14 juillet. (Alain-Fournier)

540
CFC § 148

Relevez dans les phrases suivantes les formes simples des pronoms démonstratifs et indiquez pour chacun la nature du complément déterminatif qui l'accompagne :

1. Je n'ai pas parlé de la plus malaisée des patiences : celle envers soi-même. (A. Maurois)
2. Ceux qui s'écrasent contre le comptoir se font suppliants, et ceux de derrière braillent par-dessus les têtes. (R. Dorgelès)
3. Il n'est pas de plus grands crimes que ceux commis contre la foi. (A. France)
4. Comme en tout pays d'Orient, au Maroc le passé est le passé ; ce qui fut hier n'intéresse plus aujourd'hui. (J. et J. Tharaud)
5. Ce couvert est celui de l'ami qui vient et s'en va. (Colette)
6. Celui capable de devenir tant d'êtres devient à jamais incapable d'une réelle sincérité. (A. Gide)
7. Au plaisir de jadis (...) succédait celui de partir à la nuit venue. (M. Proust)
8. Aucun des protagonistes de ce théâtre, et même celui tenant l'emploi de spectateur, n'avait conscience de jouer un rôle. (J. Cocteau)

541
CFC § 150

Recopiez les adjectifs en *italique* et dites s'ils ont le sens indéfini (I) ou qualificatif (Q) :

1. C'était l'interruption de toutes ses études (...), la privation *certaine* de cette belle vie calme qu'il aimait. (A. Maurois)
2. Il y a *certains* silences qui vous attirent, vous fascinent. (G. Bernanos)
3. **Vendeurs d'eau à Constantinople :** On y crie dans les rues les *différents* crus de fontaine. (A. t'Serstevens)
4. Cette exclusion lui faisait si clairement comprendre combien il était *différent*, combien il était éloigné de ce monde-là ! (J.-K. Huysmans)
5. « Oui, pour le moment il ne rêve que de cette existence avec vous ... qui le séduit ... pour *diverses* raisons que je comprends. » (J. Romains)
6. Ce parc, entouré de barrières blanches, n'était pas grand, mais si *divers* que je n'avais jamais fini de l'explorer. (S. de Beauvoir)
7. Tout cela est bel et bon — mais je m'interroge sur la portée de *tels* débats. (A. Decaux)
8. **Maximes d'une ambitieuse :** Il ne suffit pas de plaire à un tel, à *tel* moment. Il faut plaire à tous, toujours. (P. Guth)

542
CFC § 151

Dans quelles phrases *l'un* et *l'autre* expriment-ils la réciprocité ?

1. Muets, nous écoutons les hommes de soupe qui parlent d'abondance, *l'un* relayant *l'autre*. (R. Töpffer)
2. Ils redevinrent froids, *l'un* carré et solide, avec sa chevelure fortement plantée, *l'autre* redressant ses épaules maigres... (E. Zola)
3. **Repos dans la tranchée :** *Les uns* lisent, *les autres* dorment dans leur terrier. (R. Dorgelès)
4. Comme deux rois amis, on voyait deux soleils
   Venir au-devant *l'un* de *l'autre*.
   (V. Hugo)
5. M. Clare recevait, M. Clare était reçu, M. Clare s'entretenait avec *l'un*, s'entretenait avec *l'autre*. (R. Ikor)
6. Énervés, nous courions de droite à gauche, on s'appelait, on se renseignait *l'un l'autre*, sans rien savoir. (R. Dorgelès)

543
CFC §§ 152, 153

Recopiez les mots en *italique (autre, même)*, et dites s'ils sont adjectif (A) ou pronom (P) :

1. Une femme pleura, puis d'*autres*, puis toutes. (R. Dorgelès)
2. Quand tout change pour toi, la nature est la *même*,
   Et le *même* soleil se lève sur tes jours.
   (Lamartine)
3. Il se nommait Alphonse. Je ne lui connaissais pas d'*autre* nom. (A. France)
4. Ainsi, chacun trouvait son compte dans ces agapes sérieuses, et les enfants eux-*mêmes*, sans s'en douter, recevaient des enseignements profitables. (M. Aymé)
5. Il y a toujours des gens qui parlent d'aller d'un point à un *autre*. (G. Duhamel)
6. Les nuits *mêmes* étaient lumineuses. (P. Loti)
7. La rivière sombre et profonde, toujours *même* et toujours nouvelle, coulait indifférente. (R. Boylesve)

8. Je suis arrivé à cette constatation que le cube des Balkans est sensiblement le *même* que la jauge des Dardanelles. (A. Allais)
9. Notre esprit à nous *autres*, hommes de quarante ans, est un esprit qui tient encore un peu de l'aristocratie du dix-huitième siècle. (A. Dumas)

544
CFC§153

Même **est-il adjectif ou adverbe dans les phrases suivantes ?**

1. Nul n'y vit clair ; pas *même* moi. (J. Laforgue)
2. Elle parlait de souffleter Madame Robert ; un jour *même*, elle rêva de duel. (E. Zola)
3. C'est mon sort qui se décidait à ce moment *même*. (H. Malot)
4. Les pauvres *même* n'étaient pas des pauvres à la manière russe. (H. Troyat)
5. Dans tout marin, *même* féminin, il y a une survivance du corsaire. (M. Oulié)
6. « Je suis parisien, moi, et pas de Pantin, de Paris *même*. » (J. Romains)
7. *Même* ce village dévasté ne le troublait pas. (R. Dorgelès)
8. Un jour, Henri Monnier passe par Périgueux, va voir son ancien camarade et s'invite à dîner chez lui pour le jour *même*. (A. Dumas)

545
CFC§154

1° Remplacez *qui*, **pronom indéfini, par les pronoms** *un* **et** *autre* **précédés de l'article voulu.**
2° En employant de même le pronom *qui* **répété, dites les souhaits différents que forment des enfants à l'approche de Noël, ou les différentes manières de passer le dimanche ou les vacances.**

La classe de chant.
La musique accomplissait son prodige naïf, et l'on oubliait *qui* son mal de dents, *qui* la colère matinale d'un papa, *qui* l'embuscade et la bataille au coin de la rue de l'Ouest, *qui* son ventre creux, *qui* ses galoches percées. (G. Duhamel)

546
CFC§154

Remplacez les points de suspension par *quelque* **ou** *quel que*, **que vous accorderez s'il y a lieu :**

1. « Je n'approcherai pas de la croisée, répondit Isabelle, je te le promets, ... curiosité qui me pousse. » (Th. Gautier)
2. **Paris :** ... nombreux et intéressés que soient les explorateurs de cette mer, il s'y rencontrera toujours un lieu vierge, un antre inconnu. (Balzac)
3. ... voyous font irruption dans la chambre de la reine. (J. Delteil)
4. Cependant Falcone marcha ... deux cents pas dans le sentier. (P. Mérimée)
5. « Parlez-vous ... langue vivante ? » (A. Dumas)
6. ... puissent être vos sentiments pour lui, il est votre ami et celui de votre famille. (E. Delacroix)
7. Entre trois maisons qui se touchent, ... opposés, ... ennemis que soient les propriétaires, ils se doivent néanmoins le réciproque entretien de la toiture, des fondements. (R. Töpffer)
8. ... tristes que soient les suppositions où vous vous livrez, elles ne peuvent approcher de la réalité. (Th. Gautier)
9. ... soit la destinée de mes travaux, cet exemple, je l'espère, ne sera pas perdu. (A. Thierry)
10. ... grands avantages que la nature donne, ce n'est pas elle seule qui fait les héros. (La Rochefoucauld)

547
CFC § 154

Dites si l'adjectif *quelconque*, dans les phrases suivantes, a le sens indéfini ou qualificatif.

1. — En avant ! crie un soldat *quelconque.* (H. Barbusse)
2. **Une glace au café et à la pistache :** — Je l'ai trouvée bien *quelconque*, dit ma mère. (M. Proust)
3. Elle me semblait avoir des yeux, un nez, une bouche, des cheveux *quelconques*, toute une physionomie terne. (G. de Maupassant)
4. Il était en chasse dans un pays *quelconque*, depuis un temps indéterminé. (G. Flaubert)

548
CFC § 157

Dites si le mot *tout*, en italique, est un adjectif (ADJ), un pronom (P), un adverbe (ADV) ou un nom (N) :

1. De quoi parlons-nous ? De *tout*, pêle-mêle. (R. Dorgelès)
2. Ce spectacle vaut pour moi celui de *toutes* les fêtes en costumes et en musique. (D. Fernandez)
3. La pomme de terre (...) est assez grande fille pour se défendre *toute* seule contre vos grotesques imputations. (A. Allais)
4. Libre à ma tante, libre à *tout* autre de sonner chez les Bucolin. (A. Gide)
5. *Tout* autre est le cas de l'homme. (E. Gilson)
6. Il prit son livre d'adresses, ses lettres privées, le carnet rouge lui-même, et brûla le *tout.* (P. Morand)
7. Aucune de mes lettres n'a dû lui parvenir, puisque *toutes* sont sans réponse. (E. Estaunié)
8. « Je ne puis vraiment croire que je sois *tout* ce que tu dis. » (A. Maurois)
9. Comment diable les Anglais parviennent-ils à se taire *tout* en parlant ? (P. Daninos)
10. Le métier n'est pas le *tout* de l'existence. (R. Benjamin)

549
CFC § 158

Relevez les pronoms *qui, que, quoi,* en indiquant le sens (relatif ou interrogatif), l'antécédent, s'il y a lieu, dans le premier cas, et la fonction propositionnelle (sujet, attribut, complément) avec le mot auquel ils se rapportent :

1. Mais *qui* me demandait une explication ? (H. Bazin)
2. « Ah, Déodat, le bon facteur *que* tu es. » (M. Aymé)
3. *Qu'*en penses-tu, vieille ombre de Darwin ? (A. Allais)
4. « C'est ton mari *qui* se trouvait avec toi, l'autre jour, dans le traîneau ? » (H. Troyat)
5. A *quoi* cela ressemble-t-il ? (E. Charles-Roux)
6. Heureux *qui* j'aimerai, mais plus heureux *qui* m'aime ! (Leconte de Lisle)
7. Et l'avenir de l'Angleterre est, certes, quelque chose de sacré à *quoi* ses enfants doivent veiller. (P. Daninos)
8. Elle vacilla sous le coup, ne sut *que* répondre. (F. Mauriac)
9. Elle ne savait plus *quoi* inventer. (A. Gide)
10. *Qui* conserve ne range pas forcément. (H. Bazin)

550
CFC § 161

Le mot *où* est-il, dans les phrases suivantes, interrogatif (I) ou relatif (R) ? Dans le second cas, précisez, s'il y a lieu, l'antécédent :

1. Ce sceau, marque personnelle, a une extrême importance en une époque *où* la signature n'est pas en usage. (R. Pernoud)
2. « Il n'a pas besoin de savoir *où* je vais. » (E. Zola)
3. « Qu'il navigue *où* il voudra, mais pas sur l'eau ! » (M. Pagnol)
4. « *Où* prendre le courage de lui faire de la peine ? » (R. Ikor)
5. Je fais un détour jusqu'à la Sorbonne, *où* je me suis senti, jadis, si perdu. (P. Guth)

551
CFC § 164

Écrivez en toutes lettres les noms de nombre imprimés en chiffres :

1. **La carte d'« état-major » :** Il est devenu de mode de critiquer avec ironie ou même parfois avec malveillance la nomenclature de la carte au 80 000e. Ce faisant, on omet qu'elle a mis à la portée des linguistes un répertoire d'environ 650 000 à 700 000 vocables qu'ils ne pourraient trouver nulle part ailleurs. (J. Recordon)
2. **Un avion géant, le « Wellington » :** C'est, d'ailleurs, une sacrée machine de 86 pieds d'envergure, de 61 pieds de long, de 17 pieds de hauteur, et qui vous enlève son équipage, son armement, son chargement de bombes et son plein d'essence en 18 minutes à 15 000 pieds. Son rayon d'action est de 3 240 milles. (B. Cendrars)

552
CFC § 165

Dites si les mots en *italique* sont des adjectifs, des pronoms ou des noms numéraux cardinaux :

1. Il y a *trente* ans de cela. J'en avais *vingt*, Lucienne aussi. (P. Guth)
2. J'obtins la note *zéro.* (J. Giraudoux)
3. J'ai multiplié mes *vingt* griffes par *cent,* mes dents par *mille.* (Colette)
4. *Trois* d'entre eux se coulèrent pour dormir dans les petites niches noires qui ressemblaient à des sépulcres, et les *trois* autres remontèrent sur le pont. (P. Loti)

553
CFC § 166

Dites si les mots en *italique* sont des adjectifs, des pronoms ou des noms numéraux ordinaux :

1. **Exilés politiques :**
   S'il en demeure dix, je serai le *dixième.*
   (V. Hugo)
2. M. Töpffer, usant alors de la méthode d'intuition, finit par montrer un écu, et puis un *second* écu, et puis un *troisième.* (R. Töpffer)
3. Nous payons donc chacun le *tiers* des frais de ravitaillement. (H. Bazin)
4. Frédéric, ne doutant pas de ses forces, avala d'emblée les quatre *premiers* livres du Code de procédure, les trois *premiers* du Code pénal. (G. Flaubert)

554
CFC § 168

Les noms et adjectifs en *italique* indiquent-ils un nombre exact (E) ou un nombre approximatif (A) ?

1. « Si la source était à *deux* pas de chez moi, je serais bien tenté d'y faire une petite cure. » (J. Romains)
2. **Un garçon économe :** Il arrivera à ne coûter chaque jour à ses parents que *dix-neuf* sous. (J. Romains)
3. Je voyais ce matin affalés une *dizaine* de collégiens à l'intersection de Bourges, de Clermont et de Poitiers. (J. Giraudoux)

4. Le ciel est bleu, à part *trois* ou *quatre* nuages ronds qui tournent à la manière du soleil. (J. Giraudoux)
5. « Mon cher ami, dit le comte en s'adressant au ministre, vous aurez les *deux cent mille* francs sous *quarante-huit* heures. » (Balzac)
6. « Vous êtes en bonnet de police à midi *cinq* minutes, *huit* jours d'arrêts. » (P. Mérimée)
7. Je me suis *vingt* fois gendarmé en voyant les enfants jouer à la dînette avec différentes pièces d'un service de Limoges... (H. Bazin)
8. « On n'est pas sur la terre pour s'amuser et pour faire ses *quatre cents* volontés. » (A. France)

555
CFS § § 163-168

1° Dites si les mots *du* et *des* en *italique* (5 en tout) sont :
— article indéfini ou « partitif » ;
— article défini contracté.
2° Quelle est la nature du mot *de* dans ses deux emplois de la dernière phrase ?
3° Relevez dans le premier paragraphe 8 pronoms personnels en indiquant :
— leur antécédent ou, à défaut, les personnes qu'ils désignent ;
— leur fonction dans la proposition.
4° Dites si *en* et *y* dans le dernier paragraphe sont adverbe de lieu ou pronom adverbial.
5° Dites si les formes du mot *tout* en *italique* sont adjectif, pronom ou adverbe.
6° Relevez les mots numéraux en disant s'ils sont cardinaux ou ordinaux, adjectifs ou pronoms.

L'album de la mémoire.
Le moment est venu déjà de parler *du* temps où Pomme était *toute* petite. Elle-même en parle depuis *des* années. A quatre ans, elle disait *des* autres enfants en bas âge : le petit bébé. A cinq ans, on lui confiait les nourrissons *du* voisinage. Elle veillait sur eux et les protégeait.
Dernièrement, je faisais cette remarque à sa mère : Pomme grandit ; vous l'avez eue *tous* les jours sous les yeux, et déjà vous avez oublié ses gestes et ses paroles d'il y a quatre ou cinq ans. Lorsque votre fille aura vingt ans, vous ne conserverez de son enfance aucun souvenir très précis.
La mère *en* convenait. Le temps détruit *tout.* Notre passé se recouvre très vite d'une poussière qui le rend indistinct. Quand nous fouillons dans ce vieil album, nous n'*y* trouvons que *des* images altérées de nous-mêmes, comme d'anciennes photographies qu'on aurait mal virées.

(Gabriel Chevallier, *Ma petite amie Pomme.*)

LE VERBE : FONCTIONS ET FORMES

556
CFC §§ 170, 217

Relevez les verbes, à l'exception des verbes pronominaux et des participes passés, en disant s'ils sont dans ce texte transitifs directs ou indirects (indiquez le complément d'objet), transitifs employés absolument, ou intransitifs.

La calomnie.
D'abord un bruit léger, rasant le sol comme hirondelle avant l'orage, *pianissimo* murmure et file, et sème en courant le trait empoisonné. Telle bouche le recueille, et *piano, piano*, vous le glisse en l'oreille adroitement. Le mal est fait, il germe, il rampe, il chemine, et *rinforzando* de bouche en bouche, il va le diable ; puis tout à coup, ne sais comment, vous voyez la calomnie se dresser, siffler, s'enfler, grandir à vue d'œil. Elle s'élance, étend son vol, tourbillonne, enveloppe, arrache, entraîne, éclate et tonne, et devient, grâce au ciel, un cri général, un *crescendo* public, un *chorus* universel de haine et de proscription. Qui diable y résisterait ?
(Beaumarchais)

557
CFC § 160

Faites avec chacun des verbes suivants deux phrases où il sera employé : 1° transitivement ; 2° intransitivement :

aigrir	débarquer	fléchir	retarder
augmenter	embellir	gonfler	rompre
commencer	étouffer	peser	virer

558
CFC § 170

Dites si les verbes en caractères gras, dans les phrases suivantes, sont intransitifs (il y en a six) ou transitifs, mais employés absolument (six également) :

1. Du temps **passa.** (A. Gide)
2. Vous savez que les malades ne **reconduisent** point. (Molière)
3. Les bêtes **frissonnèrent** d'angoisse. (M. Barrès)
4. Sceptique et désintéressé, je **regarde** et j'**attends.** (Vigny)
5. A sa vue, la foule **recula**, épouvantée. (P. Mérimée)
6. La vieille famille, qui avait tenu un rang dans le Marais, **déclinait** rapidement. (R. Bazin)
7. L'homme se fait servir par l'aveugle matière.
   Il **pense**, il **cherche**, il **crée** ! (V. Hugo)
8. Des gens qui **ont agi** mettront plus de pensées en circulation que des gens de lettres. (Stendhal)
9. La Maheude s'était précipitée pour offrir des chaises. Ces dames **refusèrent.** (É. Zola)

559
CFC § 170

Même exercice :

1. Le jour **baissait.** (Voltaire)
2. Tu ne **bougeras** pas d'ici que tu n'aies demandé pardon. (G. Sand)

3. Jamais il n'a fait affront
A qui l'invitait à **boire.** (G. Vicaire)

4. « Pourquoi cela ? — Je ne **sais** pas. J'ai cru **deviner.** » (J. Romains)
5. Athènes, avec tous ses chefs-d'œuvre, **reposait** au centre de ce bassin superbe. (Chateaubriand)
6. On estimera peut-être que, par protestation, je **verse** dans un autre excès. (A. Gide)
7. Le tétrarque n'**écoutait** plus. (G. Flaubert)
8. Je **plie** et ne **romps** pas. (La Fontaine)
9. **Espère** et **chante** ! enfant, dont le berceau trembla. (H. Moreau)

560 CFC § 170

1° Relevez dans ces trois textes les verbes transitifs employés absolument ; quels compléments d'objet pourraient être exprimés ?
2° Exprimez de même, au moyen de quelques verbes transitifs employés absolument : les ravages que fait l'eau dans une inondation ; — les bienfaits du sport ; — ou la laideur des fautes que l'homme commet contre son prochain (*Honte à celui qui envie...,* etc.).

Rixe au cours d'un festin : Un vertige de destruction tourbillonna sur l'armée ivre. Ils frappaient au hasard, autour d'eux, ils brisaient, ils tuaient. (G. Flaubert)

Bienfaits des lettres : Semblables aux rayons du soleil, elles éclairent, elles réjouissent, elles échauffent : c'est un feu divin. (Bernardin de Saint-Pierre)

Vivre : Vivre, ce n'est pas glisser sur une agréable surface, ce n'est pas jouer avec le monde pour y trouver son plaisir : c'est consommer beaucoup de belles choses, c'est être le compagnon de route des étoiles, c'est savoir, c'est espérer, c'est aimer, c'est admirer, c'est bien faire. (E. Renan)

561 CFC §§ 171-75

Donnez les formes verbales suivantes :

1. *Plier :* ind. imparf., 2e pers. plur.
2. *Lancer :* ind. imparf., 2e pers. plur.
3. *Noyer :* ind. fut., 1re pers. sing.
4. *Envoyer :* condit. prés., 2e pers. plur.
5. *Payer :* subj. prés., 1re pers. plur.
6. *Appuyer :* subj. prés., 1re pers. plur.
7. *Créer :* subj. imparf., 2e pers. sing.
8. *Frapper :* ind. passé antér., 3e pers. sing.
9. *Frapper :* subj. imparf., 3e pers. sing.
10. *Frapper :* subj. passé, 2e pers. sing.

562 CFC §§ 171-75

Recopiez les phrases suivantes en mettant les verbes entre parenthèses à la forme voulue par le sens :

1. Nous étions dans la cour de récréation où nous (jouer) et (crier) tout à notre aise.
2. Quand tu voudras appeler la bonne, tu (appuyer) sur ce bouton.
3. Il faut que vous (nettoyer) un peu votre bleu de travail.
4. Il ne fera aucune difficulté : il (payer) comptant quand vous voudrez, ou (envoyer) la somme par mandat.

5. Tous les jeudis, ils vont en promenade ; en chemin, ils (acheter) des oranges ; à quatre heures, ils les (peler) et les mangent.
6. Il arrive à la maison de son ami , (appeler) celui-ci, (marteler) la porte de ses poings, et s'écrie : « Vite ! on (geler) ! »
7. Pierrot ne va pas bien : tout en dormant, il (haleter), il (grommeler). Il vaut mieux que tu (appeler) le médecin.
8. Quand cette musique t'(ennuyer), tu (prier) qu'on la fasse cesser, et on s'empressera d'obéir.
9. Il fait beau aujourd'hui : le soleil (étinceler), la glace se (craqueler) et fond, les villageois vont dans la forêt et (renouveler) leur provision de bois.
10. Que représente la broche que tu (ciseler) ? Un éléphant ? Je te l'(acheter).

563
CFC § 175

Transformez les phrases suivantes en mettant les verbes à la 2e personne du singulier :

Allez en ville. - Coupez-en deux mètres. - Restez ici. - Vous y êtes, restez-y. - Essayez-en un autre. - Mangez en mastiquant.

564
CFC §§ 171-177

Donnez les formes verbales suivantes :

1. *Assaillir :* ind. imparf., 2e pers. plur.
2. *Bouillir :* ind. fut., 3e pers. sing.
3. *Courir :* ind. imparf., 1re pers. sing.
4. *Courir :* condit. prés., 1re pers. plur.
5. *Cueillir :* condit. prés., 2e pers. plur.
6. *Mourir :* subj. prés., 1re pers. plur.
7. *S'enfuir :* subj. prés., 3e pers. plur.
8. *Conquérir :* ind. fut., 2e pers. plur.
9. *S'enquérir :* ind. prés., 3e pers. plur.
10. *Tenir :* subj. imparf., 1re pers. plur.

565
CFC §§ 171-177

Copiez en mettant les verbes entre parenthèses à la forme voulue par le sens (soulignez ces formes) :

1. Quand il apprit le malheur qui le frappait, il (défaillir), puis, à peine remis, s'(enfuir) dans sa chambre.
2. (Dormir) sur tes deux oreilles et considère ton succès comme (acquérir).
3. Pour que l'eau (devenir) stérile, il suffit qu'elle (bouillir) pendant quelques minutes.
4. Si tu (mentir) sur ce point ou si tu niais ta responsabilité, tu t'en (repentir) un jour ou l'autre.
5. Bientôt tu (sortir) de l'obscurité et une carrière magnifique s'(offrir) à tes talents : ce sera pour toi la richesse.
6. Il ne faut pas que tu t'(enfuir) : fais face et (tenir) en respect ceux qui voudraient t'attaquer.
7. Les deux petits, exténués, tombèrent de fatigue et s'(endormir) bientôt la neige les (recouvrir).
8. Notre chef se plaint, mais il reste ; tous les samedis, le bruit de sa démission (courir) ; tous les lundis, on en (démentir) la nouvelle.

9. Pendant qu'il (revêtir) son habit de piste, le pauvre clown n'est pas gai : il (souffrir) atrocement de l'estomac.
10. Je veux que tu (courir) à la gare et que tu t'(enquérir) des heures des trains.

566
CFC § § 171-177

Donnez les formes verbales suivantes :

1. *Voir :* subj. prés., 2ᵉ pers. plur.
2. *Savoir :* impér. prés., 2ᵉ pers. sing.
3. *Émouvoir :* ind. fut., 1ʳᵉ pers. sing.
4. *Promouvoir :* ind. passé composé, 2ᵉ pers. sing.
5. *Apercevoir :* ind. imparf., 1ʳᵉ pers. plur.
6. *Vouloir :* impér. prés., 2ᵉ pers. sing.
7. *Vouloir :* subj. prés., 1ʳᵉ pers. plur.
8. *Se mouvoir :* subj. prés., 2ᵉ pers. plur.
9. *Asseoir :* ind. fut., 1ʳᵉ pers. plur. (2 formes).
10. *Surseoir :* ind. fut. antér., 1ʳᵉ pers. plur.

567
CFC § § 171-177

Copiez en mettant les verbes entre parenthèses à la forme voulue par le sens (soulignez ces formes) :

1. Apporte ton cahier, que je (voir) comment tu as rédigé ton exercice.
2. Parlez le moins possible, (savoir) écouter et (vouloir) toujours réfléchir avant d'agir.
3. En bon parent, j'examinerai de près sa situation, je (voir) ses besoins, je (pourvoir) à sa nourriture.
4. Ce qui est prêté est prêté, ce qui est (devoir) est (devoir).
5. Tel est son talent au violon, qu'il se ferait écouter des animaux, qu'il (émouvoir) un cœur de pierre.
6. Si tu (vouloir) être bien classé, tu prendras ton livre et tu (revoir) les principales questions ; si tu ignorais les éléments les plus simples, tu (décevoir) ton maître.
7. Timide, très (émouvoir), le nouveau (promouvoir) entre, (s'asseoir) sur le bord de la chaise, et resta là sans mot dire.
8. (Mouvoir) par la charité, il donnera à votre protégé autant qu'il le (pouvoir).
9. Il faut que l'avis de Paul (prévaloir).
10. Vous me demandez d'enlever la punition, mais le dois-je, et le (pouvoir)-je ?

568
CFC § § 171-177

Même exercice :

1. Il explique et (défendre) son opinion avec tant d'ardeur et de bon sens que je sens qu'il me touche et me (convaincre).
2. Il fut trop intransigeant : son adversaire (rire) de ses prétentions, (prétendre) qu'on se moquait de lui, et (rompre) l'entretien.
3. Il était si désireux de réussir qu'il (vaincre) sa timidité naturelle, parla net et (prendre) ses responsabilités.
4. Je n'ai ni dé ni aiguille et tu veux que je (coudre) ?
5. Tous les matins il se levait à six heures, (moudre) le café, (fendre) du bois et (mettre) le couvert.

6. L'hercule prend alors une énorme barre de fer, la (mordre) et la (tor-dre) avec ses dents.
7. Je souhaite que vous vous (détendre), et même que vous (rire) aux éclats.
8. Il faut que vous vous (résoudre) à user de contrainte : vous les obligerez peut-être à agir honnêtement, mais vous ne les (convaincre) jamais.
9. Après une nuit passée sur le plancher de la salle d'attente, je me relevai (rendre), (rompre), (moudre).
10. Tu (résoudre) une bonne part de ces difficultés et tu amélioreras sûrement ta situation si tu me (répondre) avec franchise.

569
CFC§§171-177

Même exercice :

1. Il lui conta ses malheurs, lui (peindre) sa triste situation ; son protecteur le (croire) et lui (redire) qu'il l'aiderait.
2. A tout instant vous me (contredire) ou vous vous moquez de moi.
3. Vous le trouvez autoritaire et vous (dire) qu'il est grincheux : c'est que vous (enfreindre) sans cesse sa volonté et qu'il déteste cela.
4. Couché sur son lit de douleurs, il soupirait, il (geindre), il se (plaindre).
5. Pour que vous vous (astreindre) à une complète obéissance, il faut, j'en ai bien peur, que vous (craindre) un peu le châtiment.
6. Vous voulez que le vous (croire) et vous (feindre) constamment de savoir ce que vous ne savez pas.
7. (Naître) dans un village perdu, il ignora toujours tout des villes, (vivre) ignoré et s'(éteindre) sans bruit.
8. Quand j'étais écolier, je (faire) mes devoirs de mon mieux ; quand je serai un homme, je (faire) mon possible pour mener à bien les missions qu'on me confiera.
9. Ma taille s'(accroître) de six centimètres au cours de l'an passé.
10. Dès que je (connaître) Jean-Pierre, aux dernières vacances, il me (plaire) et nous devînmes amis.

570
CFC§§171-177

Donnez les formes verbales suivantes :

1. *Se repentir :* ind. prés., 2e pers. sing.
2. *Croître :* ind. passé composé, 3e pers. sing.
3. *Coudre :* ind. prés., 2e pers. sing.
4. *Vaincre :* ind. prés., 3e pers. plur.
5. *Plaire :* ind. prés., 3e pers. sing.
6. *Survivre :* ind. fut. antér., 3e pers. sing.
7. *Vaincre :* subj. prés., 1re pers. plur.
8. *Résoudre :* ind. prés., 2e pers. sing.
9. *Coudre :* subj. prés., 2e pers. plur.
10. *S'asseoir :* subj. prés., 3e pers. plur.
11. *Ceindre :* ind. imparf., 1re pers. plur.
12. *Pouvoir :* subj. prés., 2e pers. plur.
13. *Acquérir :* subj. prés., 2e pers. plur.
14. *Assaillir :* ind. prés., 3e pers. sing.
15. *Prévaloir :* subj. prés., 3e pers. plur.

16. *Savoir :* subj. prés., 1re pers. plur.

17. *Résoudre :* ind. passé simple, 2e pers. plur.

18. *Surseoir :* ind. fut., 2e pers. plur.

19. *Fuir :* ind. imparf., 1re pers. plur.

20. *Émouvoir :* condit. prés., 2e pers. plur.

571
CFC § § 171-177

Copiez les verbes à l'infinitif dans le texte ci-après en les mettant :
1° à la 1re personne du singulier de l'indicatif présent ;
2° à la 2e personne du pluriel de l'indicatif futur ;
3° à la 2e pers. du pluriel de l'impératif.

Biscuit de Savoie.

Prendre 4 œufs et les rompre. Mettre dans une terrine les jaunes avec 125 g de sucre et un parfum (vanille ou fleur d'oranger) ; faire de ce mélange une pâte crémeuse. Fondre 50 g de beurre, battre les blancs en neige et répandre cette neige sur la pâte ainsi que 100 g de farine et le beurre, en mélangeant délicatement. Verser le tout dans un moule et cuire à feu très doux pendant 30 minutes.

572
CFC § 178

Copiez en mettant les verbes entre parenthèses à la forme voulue par le sens, si possible (attention, il y a deux pièges, que vous éviterez en modifiant la phrase) :

1. Écoute le bruit des ablettes qui (frire) dans la poêle !
2. Depuis qu'il a vu que je n'étais pas riche, j'ai (déchoir) dans son estime.
3. Cette connaissance de l'anglais pourra t'être utile, le cas (échoir).
4. Encore accablés de fatigue, ils (gésir) ici et là tandis que le soleil était déjà haut sur l'horizon.
5. Il alla au champ, le seau à la main, s'approcha de la vache et la (traire).
6. On disait que le Phénix (renaître) de ses propres cendres.
7. Le piège avait été habilement préparé ; le plan du général (faillir) réussir.
8. Les œufs de poule, dans le nid d'une bonne couveuse, (éclore) en général le vingt et unième jour.
9. A l'ombre d'un pin, le berger observait ses moutons qui (paître) tranquillement.
10. Le vent souffle ce soir et (bruire) dans la forêt.

573
CFC § 179

Écrivez les phrases suivantes en remplaçant le pronom sujet par le pronom entre parenthèses et en modifiant le verbe en conséquence :

1. A peine se reposèrent-ils (il). - 2. Quelle langue parlez-vous (on) ? - 3. Quand vont-ils (il) écrire ? - 4. Aussi gardons-nous (je) de Nice un bon souvenir. - 5. Sans doute rêvent-elles (elle). - 6. Reviendront-ils (elle) ?

TEMPS ET ASPECTS

574
CFC § 181

Dites si les verbes en *italique* expriment un procès conclusif qui se répète ou un procès non conclusif qui se prolonge :

1. Je lui *écrirai* jusqu'à ce qu'il me réponde.
2. Bébé *dormira* jusqu'à notre retour.
3. Pendant trois jours, il *a fait froid*.
4. Pendant trois jours, je *suis arrivé* en retard.
5. Mon oncle *habite* Versailles.
6. Cet acteur *joue* au Théâtre-Français.

575
CFC §§ 180, 182

Dites si les verbes *aller, devoir* et *venir* en caractères gras sont employés avec leur sens propre ou comme auxiliaires d'aspect :

1. Aufrère **venait** de se laisser choir sur les mains. (G. Duhamel)
2. « Néanmoins, notez-le, je ne vous **dois** plus rien. » (G. Bernanos)
3. Il paraît que les pionniers **vont** venir cette nuit, pour préparer les escaliers d'attaque. (R. Dorgelès)
4. Mon frère (...) s'en **allait** en excursion dans la montagne ou potassait quelque oral de bachot grâce auquel il **devait** obtenir, peu après, de se faire tuer avec les galons de maréchal des logis. (Jacques Perret)
5. Le pharmacien caporal dit que c'était une affaire réglée, qu'il ne **viendrait** plus personne, et qu'on allait **aller** aux informations. (Courteline)
6. Il vient de me **venir** une chance ! (J. Vallès)
7. « Vous n'avez rien à exiger, vous m'entendez. Vous **devez** vous en remettre à moi. » (J. Romains)
8. La chatte **venait** d'atteindre le plafond. (Colette)
9. Petit Georges, veux-tu ? nous **allons** tous les deux
Nous en aller jouer là-bas sous le vieux saule. (V. Hugo)
10. Le meurtrier prit la fuite à bicyclette ; on **devait** découvrir son cadavre hier matin sur le ballast de la voie ferrée Toulouse-Bordeaux. (Journal)

576
CFC §§ 180, 182

Dites à propos de chaque verbe en *italique* sous quel aspect est vue l'action qu'il exprime (action vue dans son début, dans son cours ou dans sa fin, action accomplie, récemment accomplie, ou imminente) et grâce à quel auxiliaire :

1. Nous sommes à table ; on va bientôt *servir* le dessert. La lune *s'est levée.* (Tristan Derème)
2. On vient de *servir* le café. Le ministre se met à *bourrer* une pipe, en riant pour le plaisir de rire. (L. Frapié)

3. Aux murs, des gravures coloriées évoquaient des batailles navales, où des vaisseaux et des frégates de chez nous étaient en train de *s'expliquer* sévèrement avec leurs petits camarades d'outre-Manche. (P. Benoît)

4. Comme il achevait de *parler*, onze heures trois quarts sonnèrent. (Stendhal)

577
CFC §§180, 182

Même exercice :

1. Janvier va *remplacer* Décembre,
   Et, de l'horloge qui bruit,
   Les douze larmes de minuit
   Viennent de *rouler* dans la chambre. (Jacques Normand)

2. Le voici qui vient... je l'*ai vu* par la fenêtre... il est en train de *payer* son taxi. (Tristan Bernard)

3. Le docteur se prit à *chantonner* d'une voix légère la Déesse et le Berger. (G. Duhamel)

4. J'ajoute au bout de chaque livre le temps auquel j'ai achevé de le *lire*. (Montaigne)

578
CFC §§183, 184

Dites à quel mode et à quel temps simple sont les verbes suivants ; puis mettez-les au temps composé correspondant (à la même personne pour les modes personnels) en indiquant le nom de ce temps :

1. Nous lisons
2. Sortant
3. Vous naissiez
4. Je prendrais
5. Savoir
6. Que tu viennes
7. Reviens
8. Il mentit
9. Ils prêteront
10. Que je partisse
11. J'arrivai
12. Mangeant

579
CFC §§183, 184

A quel mode et à quel temps sont les verbes en caractères gras ?

1. — Betty ! l'omnibus de la gare **n'est pas** encore **arrivé** ? (Tristan Bernard)

2. Il le pria avec une froideur insoutenable de rentrer chez lui, cinq minutes à peine après qu'il **fut arrivé**. (E. Charles-Roux)

3. O mon fils ! il **eût fallu** voir un jeune sauvage et un vieil ermite à genoux l'un vis-à-vis de l'autre. (Chateaubriand)

4. Il a pleuré quand il **a eu pétri** l'écuelle. (Balzac)

5. Elle **sera descendue** tout exprès pour moi. (Labiche)

6. Elle **était montée** sur l'estrade et avait ôté ses gants. (Mme de Sévigné)

7. Il semblait **être entré** tout à coup dans la nuit. (H. de Régnier)

8. J'avais agi avec sang-froid, comme si j'**avais eu préparé** mon coup de longue date. (Blaise Cendrars)

580
CFC §184

Justifiez l'emploi des auxiliaires *avoir* et *être* dans les phrases suivantes par des raisons de sens ou de style :

1. J'**ai** descendu l'escalier et me suis approché de lui. (Vercors)

2. « Quand j'm'**ai** installé à Marcoussis avec ma famille, ça a fait moins d'chichi. » (H. Barbusse)

3. J'**ai** resté six mois entiers à Colmar sans sortir de ma chambre. (Voltaire)

4. « Je jure que le soleil **est** déjà disparu depuis une grande heure. » (Gobineau)

5. « Oui, Ors'Anton', j'étais couchée dans la fougère quand il **a** passé. » (P. Mérimée)
6. « Ce n'est rien, Madame ; c'est seulement M. de Salligny qui disait que j'**étais** engraissée. » (P. Mérimée)
7. « Comment j'suis rev'nu, je pourrais pas le dire. J'étais assommé. J'**suis** marché en trébuchant comme un maudit. » (H. Barbusse)
8. J'**avais** monté les marches de ces trois étages, le cœur aussi lourd que le ciel de cette fin d'automne. (Vercors)

581
CFC § 185
PAE § 56

Dans les phrases suivantes, dites si le présent en caractères gras exprime une action répétée, une action présente unique, une vérité durable, une action passée ou une action future :

1. Une nébuleuse **est** une fourmilière d'étoiles. (V. Hugo)
2. « Tu ne te **demandes** même pas ce que les enfants vont en penser. » (M. Aymé)
3. **Bonaparte** : Pour commencer, dès 1793, il **dresse** un plan de conquête de l'Italie. (R. Grousset)
4. Mais, si vous refusez, Madrid **sait** tout demain. (V. Hugo)
5. Chacun passa à sa place avec la docilité des chevaux qui **connaissent** leur chemin. (R. Dorgelès)
6. **Les vieux** : Les soirs où il ne pleut point, ils **arrivent**, traînant un banc. (J. Giraudoux)
7. « Je te **défends** de toucher à cette petite bête !... » (Colette)
8. Nous **déménageons** dans trois jours. (F. Mallet-Joris)
9. Il arriva à l'heure du dîner... J'**entre**, je l'**aperçois**. (Diderot)
10. Je ne fais de mal à personne. Je **passe** les journées à l'atelier. (Musset)

582
CFC § 185
PAE § 56

Même exercice :

1. « Je **connais** mon métier aussi bien que ces gens de province. » (G. Bernanos)
2. — Où **vas**-tu, Patachou ? (T. Derème)
3. Le concert est bien pour ce soir. Suarès **joue** deux petits morceaux de sonate de Beethoven. (R. Rolland)
4. Tu faisais des émeutes autrefois ; tu **fais** des majuscules aujourd'hui. (J. Vallès)
5. Je vous le **promets**. (J. Renard)
6. La musique souvent me **prend** comme une mer ! (Baudelaire)
7. La façon de donner **vaut** mieux que ce qu'on donne. (Corneille)
8. Mais hier il m'**aborde**, et me serrant la main :
« Ah ! Monsieur, m'a-t-il dit, je vous **attends** demain. » (Boileau)
9. Le chef des Gaulois aperçut Mérovée dans ce repos insultant et superbe. Sa fureur **s'allume**. (Chateaubriand)

583
CFC § 185
PAE § 56

Dans ce texte, quels sont les passages au présent de narration (indiquez les limites exactes) ? Expliquez pourquoi l'auteur abandonne le passé pour le présent de narration.

L'ami Plince.
Nous prîmes querelle au jeu ; nous nous battîmes et, durant le combat, il me donna, sur la tête nue, un coup de mail si bien appliqué que,

d'une main plus forte, il m'eût fait sauter la cervelle. Je tombe à l'instant. Je ne vis de ma vie une agitation pareille à celle de ce pauvre garçon, voyant mon sang ruisseler dans mes cheveux. Il crut m'avoir tué. Il se précipite sur moi, m'embrasse, me serre étroitement en fondant en larmes, et poussant des cris perçants. Je l'embrassais aussi de toute ma force, en pleurant comme lui. (J.-J. Rouseau)

584
CFC § 185
PAE § 56

Dites le sens et la valeur de style du présent de l'indicatif dans ce texte :

Souvenir d'enfance.
Mon frère était à Saint-Malo lorsque M. de La Morandais m'y déposa. Il me dit un soir : « Je te mène au spectacle : prends ton chapeau. » Je perds la tête ; je descends droit à la cave pour chercher mon chapeau qui était au grenier. Une troupe de comédiens ambulants venait de débarquer. J'avais rencontré des marionnettes ; je supposais qu'on voyait au théâtre des polichinelles beaucoup plus beaux que ceux de la rue.
J'arrive, le cœur palpitant, à une salle bâtie en bois, dans une rue déserte de la ville. J'entre par des corridors noirs, non sans un certain mouvement de frayeur. On ouvre une petite porte, et me voilà avec mon frère dans une loge à moitié pleine.
Le rideau était levé, la pièce commencée : on jouait *le Père de famille*. J'aperçois deux hommes qui se promenaient sur le théâtre en causant, et que tout le monde regardait. Je les pris pour les directeurs des marionnettes, qui devisaient devant la cahute de Madame Gigogne, en attendant l'arrivée du public.
(Chateaubriand, *Mémoires d'outre-tombe*)

585
CFC §§ 185, 187

Les textes suivants contiennent des exemples d'emploi du présent dans une proposition relative dépendant d'une principale à un temps du passé.
1° Pour chaque verbe en caractères gras, vous direz s'il exprime une vérité durable (présent justifié) ou une action passée (présent injustifié).
2° L'emploi du présent dans ce dernier cas se rencontre presque uniquement en poésie ; pourquoi ?

1. Les mâts se balançaient sur le flot qui **chavire**,
L'aquilon remuait l'eau que rien ne **corrompt**.
(V. Hugo)

2. Le soleil regardait le vieillard qui se **meurt**.
(V. Hugo)

3. Jadis plus d'un amant, aux jardins de Bourgueil,
A gravé plus d'un nom dans l'écorce qu'il **ouvre**.
(Heredia)

4. La cinquantaine atteinte, il possédait encore cette jeunesse de visage qu'**entretient** l'activité intellectuelle. (L. Frapié)

5. Elle avait trois enfants, ce qui n'empêchait pas
Qu'elle ne se sentît mère de ceux qui **souffrent**.
(V. Hugo)

6. Mon pied, qui s'imprimait sans bruit dans le gazon,
Ne retentissait pas, dans l'herbe où je l'**appuie**,
Plus que l'oiseau qui **pose** (= se pose), ou la goutte de pluie.
(Lamartine)

586
CFC § 187

Soit la phrase d'A. France :
Roussin (...) répondit qu'il pensait que le cheval *était* le roi de la création.
1° Serait-il correct, du point de vue de la syntaxe, d'écrire *est* au lieu d'*était* ?
2° Si oui, quelle est la différence de signification des deux énoncés ?

587
CFC §§186, 188

Toutes ces phrases, rédigées au passé par les auteurs, ont été mises au présent de narration ; rétablissez-les dans leur forme première, en mettant à l'imparfait ou au passé simple, selon le sens, les verbes à l'indicatif (soulignez tous ces verbes) :

1. **Un peintre habile :** Il arrive même un jour qu'un jeune ours, mis en présence d'un de ses tableaux qui représente un sapin, s'y trompe si bien qu'il essaie de grimper dans les branches. (M. Aymé)
2. Désespéré, il va reprendre la route de Beaumont, quand une idée le ramène une quatrième fois. (É. Zola)
3. Sur l'ordre de l'évêque, on apporte des biscuits et du vin de Malaga auxquels Julien fait honneur, et encore plus l'abbé de Frilair, qui sait que son évêque aime à voir manger gaiement et de bon appétit. (Stendhal)
4. Il s'élève une grande dispute sur une loi de Zoroastre qui défend de manger du griffon. (Voltaire)
5. **Un visiteur :** Il nous dit son nom et ses desseins. C'est un journaliste qui vient solliciter une interview. Il pense la publier dans Paris-Journal dont il est l'un des rédacteurs. (G. Duhamel)
6. Un matin, le docteur, qui revient en toute hâte à Paris, n'ayant pas dit au précédent relais quelle route il veut prendre, est conduit à son insu par Nemours. (Balzac)
7. **Mauvaise nouvelle :** Il raccroche l'appareil d'une main tremblante. Sa tête est vide. Ses oreilles bourdonnent. Il se lève et se met à marcher en rond dans la chambre. (H. Troyat)
8. Comme il va tourner l'angle de la rue Plumet, il entend qu'on dit tout près de lui : « Bonsoir, Monsieur Marius. » Il lève la tête, et reconnaît Éponine. (V. Hugo)

588
CFC §§186, 188

Même exercice :

1. Tout à coup nous entendons de grands cris du canal : on y court, ce sont nos trois baigneurs qui sont tout simplement en train de se noyer. Heureusement Hippolyte est là, et Hippolyte nage comme un poisson. En un tour de main il est à l'eau, et quand mon père arrive au bord du canal, il est déjà en bonne voie de sauver le premier. Mon père, admirable nageur des colonies, se jette à l'eau à son tour et sauve le second. Hippolyte sauve le troisième. (A. Dumas)
2. Il reçoit en mariage la fille de l'empereur, avec un château qu'elle tient de sa mère. (G. Flaubert)
3. Vers une heure, aucun des messagers envoyés par Colomba n'étant encore revenu, elle rassemble tout son courage et force ses hôtes à se mettre à table... Au moindre bruit sur la place, Colomba court à la fenêtre, puis revient s'asseoir tristement... (P. Mérimée)
4. Le jour est déjà fort avancé lorsqu'une triste procession entre dans le village. (P. Mérimée)
5. Sur-le-champ, le général Victor envoie dire au Premier Consul que l'armée autrichienne s'avance tout entière.... (Thiers)
6. Bientôt le majordome paraît, annonçant la visite du duc de Vallombreuse. Il entre sur les pas du valet et salue sa captive avec la plus parfaite courtoisie. Il est vraiment d'une beauté et d'une élégance suprêmes. (Th. Gautier)
7. **Zeus se porte au secours de Déméter :** Alors je convoque mon frère Hadès pour un pénible entretien. Je lui parle longuement ; je lui peins l'état de Déméter et la condition où se trouve la nature depuis l'enlèvement de Koré. (M. Druon)

8. Tout à coup un tumulte se fait entendre à l'autre bout du pont, et la foule court au bruit. Ce sont des bretteurs qui s'escriment sur le terre-plein au pied de la statue. (Th. Gautier)

589
CFC § 187
PAE § 56

Dites si les imparfaits en caractères gras ont le sens propre des imparfaits ou sont des imparfaits flashes. Dans le second cas, copiez la proposition en remplaçant l'imparfait par le passé simple et en soulignant les mots qui indiquent la date avec précision :

1. L'acte fut signé. Un mois après, Ramon **partait** pour les Amériques. (A. Lichtenberger)
2. Un matin, mon parrain, M. Danquin, vint déjeuner à la maison. Le jour **était** radieux. Les moineaux **piaillaient** sur les toits. (A. Lichtenberger)
3. Tous deux se saluèrent. L'instant d'après, le Dr Velpeau **quittait** la cellule, le gardien **rentrait**, et le condamné **s'étendait**, résigné, sur son lit de camp pour dormir ou songer. (Villiers de l'Isle-Adam)
4. Le vent du matin entra dans la prison ; **il faisait petit jour ;** la grande place, au loin, **s'étendait,** cernée d'un double cordon de cavalerie. (Villiers de l'Isle-Adam)

590
CFC § 187
PAE § 56

Même exercice :

1. Il devina, malgré la nuit, que la voiture **traversait** la cour et le jardin, **franchissait** la grille et **sortait** du Domaine, pour entrer dans les bois. (Alain-Fournier)
2. Quelques secondes après, devant la porte vitrée, **s'arrêtait** l'étrange équipage. (Alain-Fournier)
3. Le 27 janvier, vers dix heures du matin, Havercamp **arrivait** à Saint-Cyr, où il s'était fait conduire en carriole de Dourdan, et, à un kilomètre au sud du village, il **trouvait** sans peine l'établissement des Pères Jésuites. (J. Romains)
4. Elle arriva ainsi à une cabane de chasseurs, située en lisière d'un petit bois de bouleaux. La cabane **était** propre, solide, bien que désaffectée depuis près de dix ans. (H. Troyat)

591
CFC § 187
PAE § 56

Dans certaines des phrases ci-dessous, le passé simple en caractères gras peut être remplacé par l'imparfait ; vous recopierez ces phrases en pratiquant la substitution :

1. Quelques minutes plus tard, l'auto **fit** halte et Salavin mit pied à terre, serré de près par les deux brutes. (G. Duhamel)
2. **Normalien :** Lorsque je fus admis, en 1891, je me **félicitai** moins de mon mérite que de ma bonne fortune. (E. Herriot)
3. Le 15 octobre 1688, Guillaume d'Orange et ses fidèles **débarquèrent** à Torbay. Deux mois plus tard, Jacques II se **vit** forcé de fuir son royaume. Et le 13 février 1689, le prince d'Orange **fut proclamé** roi d'Angleterre sous le nom de Guillaume III. (Jacques Boulenger)
4. **Déméter et le Soleil :** Celui-ci, reconnaissant la grande déesse qu'elle était, la **fit** monter à ses côtés sur son char d'où il voit tout. Et là, tout en conduisant ses chevaux, il lui **révéla** où était Koré et par qui elle avait été enlevée. Il lui **apprit** aussi que Koré en descendant aux Enfers avait perdu son nom. (M. Druon)

592
CFC § 187

Recopiez les imparfaits qui expriment une action répétée :

1. Il imagina de réunir leurs amis communs une fois la semaine. Ils arrivaient le samedi, vers neuf heures. (G. Flaubert)
2. **Au café :** De nouveaux clients poussaient de temps à autre la porte de Baratte. Il n'y restait plus guère de tables libres. (A. Billy)

3. « Ton petit précepteur m'inspire beaucoup de méfiance, lui disait quelquefois madame Derville. » (Stendhal)
4. Le travail reprit dès le lendemain matin. Nous étions tous fourbus, mais n'osions trop rien en dire. (G. Duhamel)
5. Le curieux homme passait d'ordinaire son mercredi, jour de repos, à marcher à travers la banlieue. (G. Duhamel)
6. Il demanda la permission de fumer, alors que nous fumions presque tous, alluma sa pipe Jacob et jeta les yeux sur un papier que lui passait Testevel. (G. Duhamel)
7. Le caporal se redressait lorsqu'une fusée siffla. (R. Dorgelès)
8. Elle entrait à toute heure dans ma chambre, toujours ouverte, et s'asseyait sur la chaise au pied de mon lit. (Lamartine)

593
CFC § 187

Même exercice :

1. **Mondanités :** Il rassemblait chez lui les plus honnêtes gens de Babylone et les dames les plus aimables ; il donnait des soupers délicats, souvent précédés de concerts. (Voltaire)
2. **Émeute :** Les gardes nationales de la banlieue accouraient en hâte et en désordre. Un bataillon du 12e léger venait au pas de course de Saint-Denis ; le 14e de ligne arrivait de Courbevoie. (V. Hugo)
3. Marius ne pénétrait dans le jardin que la nuit. (V. Hugo)
4. Au milieu du tapis, un grand panier de voyage restait ouvert. Des ceintures, des voiles, des pendeloques d'orfèvrerie en débordaient confusément. La jeune fille, par intervalles, se penchait vers ces choses, et les secouait en l'air. (G. Flaubert)
5. Sémire était à la campagne depuis trois jours. (Voltaire)
6. **Aigrettes apprivoisées :** Le soir, Arthur et Blanchette se hissaient sur les tuiles de la maison. (A. Demaison)

594
CFC §§ 187, 188

Les verbes en caractères gras expriment une action répétée ; expliquez d'après ce texte la différence entre l'imparfait et le passé simple, indiquant la répétition :

Au collège.
Quant à Daunis, son calme et la blancheur de son teint lui valurent le surnom de « Pain-au-lait » par lequel on le **désigna** beaucoup ensuite. Il avait la passion du dessin au point de négliger ses devoirs pour crayonner en étude ; on **trouvait** des croquis jusqu'en marge de ses cahiers. (A. Lafon)

595
CFC §§ 187, 188

Pour chaque forme verbale en caractères gras, dites si l'action est prolongée ou répétée, et justifiez le choix de l'imparfait ou du passé simple :

Cloche.
L'estropié **allait** lentement, déplaçant ses supports l'un après l'autre d'un effort pénible... De temps en temps, il **s'asseyait** sur le fossé et se reposait quelques minutes... Il n'**avait** qu'une idée : « manger », mais il ne savait par quel moyen.
Pendant trois heures, il **peina** sur le long chemin ; puis quand il aperçut les arbres du village, il hâta ses mouvements.
Le premier paysan qu'il rencontra, et auquel il demanda l'aumône, lui répondit :
— Te r'voilà encore, vieille pratique ! Je s'rons donc jamais débarrassé de té !

Et Cloche s'éloigna. De porte en porte on le **rudoya**, on le **renvoya** sans rien lui donner. Il **continuait** cependant sa tournée, patient et obstiné. Il ne recueillit pas un sou.
Alors il **visita** les fermes... On le **chassa** de partout. C'**était** un de ces jours froids et tristes où les esprits s'irritent... (G. de Maupassant)

596
CFC § 188

Montrez comment l'emploi du passé composé se justifie dans les textes suivants par les conséquences présentes du fait énoncé :

1. Il a gelé blanc ; les dahlias sont fripés comme après une nuit de bal. (J. Renard)
2. Depuis un instant, les machines se sont mises à ronfler et le paquebot tremble de toute sa carcasse. (R. Dorgelès)
3. Dans les villages, dans les fermes, tout est prêt : les outils sont en état, les liens sont préparés, les attelages ont été passés en revue et on s'est approvisionné pour nourrir les moissonneurs et les moissonneuses, loués et retenus d'avance. (A. Theuriet)
4. **Voyage en Italie du Sud et en Sardaigne :** Il est peu question de religion dans ce livre mais c'est ainsi : je n'ai pas constaté que la religion jouât de rôle important. (D. Fernandez)
5. **Retour à Châteauroux** *(où l'auteur a fait ses études) :* Malgré tout, la Grande-Rue seule m'attire. Sur ce trottoir tous mes pas ont marqué. (J. Giraudoux)

597
CFC § 188

Même exercice :

1. **Mademoiselle Hémingot :** Brune, petite, fine, elle a un visage uni, rosé, qui n'a pas changé depuis dix ans ; depuis la trentaine, elle a le même air jeune, difficile à chiffrer. (L. Frapié)
2. **Sagon :** Je le revois avec précision, couché dans son lit d'hôpital. Son genou a été accroché et brisé par l'empennage de l'avion, au cours du saut en parachute, mais Sagon n'a pas ressenti le choc. Son visage et ses mains sont assez grièvement brûlés, mais, tout compte fait, il n'a rien subi qui soit inquiétant. (Saint-Exupéry)
3. Une caresse effleure son coude et le retient. C'est la Mine, la vieille Mine, qui s'est levée et qui, curieuse, s'approche. (A. Lichtenberger)
4. **Refus de parrainage** (au général Dumas) : Mon cher général, un préjugé que j'ai m'empêche de me rendre à tes désirs. J'ai été parrain cinq fois, mes cinq *filliots* sont *morts*. Au décès du dernier, j'ai promis de ne plus nommer d'enfants. (Général Brune)
5. Nous avons dîné. De belles bûches emplissent la cheminée de flammes qui dansent et qui se reflètent dans les yeux de Castor. Castor, c'est mon chien. Il est couché devant les chenets, les pattes croisées, et nous regarde. Sur la grande table, j'ai traîné une montagne de livres. J'ai débouché mon encrier. Je voudrais bien travailler. (Tristan Derème)

598
CFC § 188

Dites pour chaque phrase si le passé composé a une valeur de temps ou d'aspect ; dans le premier cas, vous recopierez la phrase en remplaçant le passé composé par le passé simple :

Une ville surpeuplée : Où loge-t-on ? Il n'est plus un taudis où l'on ne couche, en rangs de sardines pressées, sur des paillasses ; les habitants **ont loué** jusqu'aux celliers, jusqu'aux caves ; l'on **a réquisitionné** dans les environs jusqu'aux hangars, et des débarqués errent, une valise à la main, en quête d'un gîte. (J.-K. Huysmans)

2. La vieille sommeillait sur son fauteuil, cassée en deux, le nez à la hauteur de l'estomac. Trois poules qui picoraient dans la pièce **se sont apeurées** et le bruit de leur fuite **a réveillé** la dormeuse. (F. des Ligneris)
3. Les Turcs **ont passé** là : tout est ruine et deuil. (V. Hugo)
4. En arrivant, j'**ai jeté** sur une chaise chapeau et pardessus. Ah ! ce soir-là, je **ne me suis pas mis** à la fenêtre pour regarder mes deux tours et ma belle porte. Je n'arrivais pas à dénouer la ficelle tant j'étais impatient. J'**ai éparpillé** toutes les enveloppes sur la table et, du premier coup, je **suis tombé** en arrêt sur mon timbre. (Frédéric Lefèvre)
5. **La mer :** Elle rayonne sous le soleil et chaque soir semble mourir avec lui. Et quand il **a disparu**, elle continue à le regretter, à conserver un peu de son lumineux souvenir. Quand la nuit **est presque venue** et que le ciel est sombre sur la terre noircie, elle luit encore faiblement, on ne sait par quel mystère. (M. Proust)
6. Les ombres sont courtes dans les rues. Les passants s'y **sont faits** rares. Le soleil pique. (A. Lichtenberger)

599
CFC§§185-188

Expliquez le temps de tous les verbes à l'indicatif en précisant, pour les verbes au passé composé, s'ils ont une valeur de temps, ou une valeur d'aspect dans laquelle ils ne peuvent pas être remplacés par des passés simples.

Promenade au bord de la Seine.
J'ai marché tout près d'elle, sur la berge, dans son odeur un peu marine...
Elle avait la teinte glauque et changeante de certaines prunelles...
La flotte parisienne, deux bateaux mouches, s'apprêtait à appareiller.
Au cours de mes vacances de l'été dernier, je me suis offert une croisière sur « L'Hirondelle », du pont de Solférino à Suresnes et retour.
J'en ai gardé un bon souvenir ; je recommencerai peut-être.
On avançait parmi une population oisive, peu pressée. Des étrangers, des étudiants, des chômeurs, des retraités, des chiens...
Les pêcheurs, en grand nombre, étaient très entourés. J'ai eu la surprise d'assister, près du pont de la Concorde, à côté d'une bouche d'égout, à la capture d'un tout petit poisson. L'événement a provoqué un certain émoi chez les spectateurs.
De cent mètres en cent mètres, une vieille dame dessinait, assise sur un pliant. Elles se ressemblent un peu toutes, de même que le « motif » qu'elles tâchent à reproduire patiemment.
Il devait être tard. C'était le crépuscule du soir. Je suis rentré par les quais en m'arrêtant parfois à l'étalage d'un bouquiniste.
J'ai encore quelque peu musardé devant les boutiques du quai de Gesvres ; j'ai admiré des tortues. Il doit exister quelque lien entre ces animaux et moi ; je les ai follement aimés étant enfant. Est-ce leur lenteur, leur mutisme, leur aspect mystérieux et préhistorique qui m'attirait ? Et qui m'attire encore ? Je n'en sais rien.

(Henri Calet)

600
CFC§188R

Dans chacun des textes suivants, le passé simple et le passé composé sont employés à bref intervalle ; ce mélange des temps n'y produit cependant aucune incohérence, parce qu'ils sont employés dans un sens différent. Vous montrerez qu'il ne s'agit pas de faits envisagés dans leur succession, et qu'ils situent la pensée à des époques très différentes :

1. « J'aimais trop jouer à la paume, c'est ce qui m'a **perdu** (...). Un jour que j'avais gagné, un gars de l'Alava me **chercha** querelle... » (P. Mérimée)

2. **Le cheval d'Abou-el-Marsch :** ...En arrivant et en jetant son maître sur le sable aux pieds de sa femme et de ses enfants, le cheval **expira** de fatigue. Toute la tribu l'**a pleuré**, les poètes l'**ont chanté** et son nom est constamment dans la bouche des Arabes de Jéricho. (Lamartine)

3. Qui vous **mit** dans ce temple ? — Une femme inconnue
Qui ne **dit** point son nom et qu'on **n'a point revue**. (Racine)

4. **Le film de la Flûte enchantée :** Messieurs les distributeurs ne croyaient pas à un tel succès. (...) Or, Mozart **fit** éclater les pronostics. (...) Qui **a gagné** ? Mozart ou Bergman ? (P. Guth)

601
CFC§188
PAE§56R

Les formes de passé simple en caractères gras sont-elles employées en vue de produire un effet de style ? En cas de réponse affirmative, vous expliquerez l'effet produit :

1. **Le nez de Cyrano :**
...Aimez-vous à ce point les oiseaux
Que paternellement vous vous **préoccupâtes**
De tendre ce perchoir à leurs petites pattes ? (E. Rostand)

2. — Ce jeune homme, impatient de découvrir la destinée de son père, passa chez vous à Pylos, et vous le **reçûtes** avec tous les soins qu'il pouvait attendre d'un fidèle ami de son père ; vous lui **donnâtes** même votre fils pour le conduire. (Fénelon)

3. Capitaine, il est vrai que de votre vivant vous **jurâtes** comme un païen, **fumâtes** comme un Suisse et **bûtes** comme un sonneur. (A. France)

4. Philaminte, hélas, vous **osâtes**
Ne pas rester ce que vous êtes.
Un jour, vous **rendîtes** visite
Au coiffeur de la rue Cazotte,
Et c'est le grand tort que vous **eûtes**.
(Jean Nohain, *Pourquoi t'es-tu teinte ?*)

602
CFC§§182, 189

Figurez sur un graphique :
1° par deux traits verticaux sur la ligne du temps les limites de la « dernière semaine » (de classe) ;
2° par un rectangle en pointillé le moment où se place la pensée ;
3° par deux traits sinueux les deux actions exprimées par les verbes en caractères gras :

Juillet.
La dernière semaine commençait ; les entrepreneurs **étaient venus** reconnaître sous les arbres la place de l'estrade où les prix **devaient** nous **être** officiellement **décernés**. (A. Lafon)

603
CFC§189

Représentez sur la ligne du temps les actions exprimées par les verbes en caractères gras :

Première coquetterie.
Un jour, Delphine et Marinette **dirent** à leurs parents qu'elles ne voulaient plus mettre de sabots. Voilà ce qui s'était passé. Leur grande cousine Flora, qui avait presque quatorze ans et qui habitait le chef-lieu, **venait de faire un séjour** d'une semaine à la ferme. Comme elle **avait été reçue** un mois plus tôt à son certificat d'études, son père et sa mère lui **avaient acheté** un bracelet montre, une bague en argent et une paire de souliers à talons hauts. (Marcel Aymé)

604
CFC § 189

Justifiez les deux emplois du passé antérieur que présente ce texte :

Le loup apprivoisé : Après qu'il **eut raconté** beaucoup d'histoires, les petites lui proposèrent de jouer avec elles.
— Jouer ? dit le loup, mais c'est que je ne connais pas de jeux, moi.
En un moment, il **eut appris** à jouer à la main chaude, à la ronde, à la paume placée et à la courotte malade. (Marcel Aymé)

605
CFC § 189

Remplacez les points de suspension par l'auxiliaire *avoir* ou *être* à la forme voulue, selon que le verbe doit être au plus-que-parfait ou au passé antérieur :

1. Dès qu'elle ... reconnu la bizarre créature, Isabelle se remit de l'émotion que lui ... fait éprouver cette apparition inattendue. (Th. Gautier)
2. Quand on lui ... ouvert sa porte, le cochon fit un signe d'amitié aux petites et fila. (M. Aymé)
3. Ils burent de l'eau comme le Phrygien ... fait. (La Fontaine)
4. **Épluchage :** Quand la pomme de terre ... devenue toute jaune, elle la jetait dans un seau d'eau. (G. de Maupassant)
5. Après qu'il ... terminé son roulement, le crieur public lança d'une voix saccadée : ... (G. de Maupassant)

606
CFC § 189

Même exercice :

1. Jusque-là je n'... pas su combien j'aimais la campagne. (G. Sand)
2. Dès les premières maisons, ma mère me fit prendre une rue oblique par laquelle nous ... vite gagné la campagne. (A. Lafon)
3. Tous deux sortaient de table et ... bien déjeuné. (E. Hello)
4. Les comédiens accoururent à leur aide et les ... bientôt dégagées. (Th. Gautier)
5. Je n(e) ... point revenu à Virelogne depuis quinze ans. (G. de Maupassant)
6. **Effraction :** Un fumeur tira un briquet phosphorique de sa poche, tordit une moitié de journal, et m'éclaira avec ce phare improvisé.
En quatre tours de mains, j'..., à l'aide de mon tournevis, déchaussé la serrure. (A. Dumas)

607
CFC § 189

Expliquez l'emploi du passé antérieur dans chacune des deux phrases suivantes. Quel sens aurait le passé simple ? Quelle nuance de sens ou de style apporte le passé antérieur ?

1. Enfin l'écureuil *eut mangé.* (M. Genevoix)
2. **Une improvisation laborieuse :** Le 21 avril 1825 elle *eut improvisé* son poème. (Article d'A. Beaunier sur Delphine Gay)

608
CFC § 189

Quelle nuance de style vous paraît résulter de la différence de temps des deux verbes en caractères gras ?

Une tête près du bonnet.
— Oh ! c'te tête ! dit la voix.
Il paraît que l'apostrophe était des plus comiques, car, à peine **eut-elle été lâchée**, que les éclats de rire redoublèrent. Il est vrai qu'à peine ce redoublement d'éclats de rires **s'était-il fait entendre**, que j'envoyai un vigoureux soufflet au railleur. (A. Dumas)

609
CFC §§ 186-189

Expliquez le temps des formes verbales en caractères gras :

Un repas au Canada.
A midi Maria **sortit** sur le seuil et **annonça** par un long cri que le dîner **était** prêt. Les hommes se **redressèrent** lentement parmi les souches,

essuyant d'un revers de main les gouttes de sueur qui leur coulaient dans les yeux et **prirent** le chemin de la maison.
La soupe aux pois **fumait** déjà dans les assiettes. Les cinq hommes **s'attablèrent** lentement, comme un peu étourdis par le dur travail ; mais à mesure qu'ils **reprenaient** leur souffle, leur grande faim **s'éveillait** et bientôt ils commencèrent à manger avec avidité. Les deux femmes les **servaient**, remplissant les assiettes vides, apportant le grand plat de lard et de pommes de terre bouillies, versant le thé chaud dans les tasses. Quand la viande **eut disparu**, les dîneurs remplirent leurs soucoupes de sirop de sucre dans lequel ils trempèrent de gros morceaux de pain tendre ; puis, bientôt rassasiés parce qu'ils **avaient mangé** vite et sans un mot, ils repoussèrent leurs assiettes et se renversèrent sur les chaises avec des soupirs de contentement, plongeant leurs mains dans leurs poches pour y chercher les pipes et les vessies de porc gonflées de tabac. (Louis Hémon, *Maria Chapdelaine*)

610
CFC§190

Mettre les verbes en *italique* au présent de narration et modifier en conséquence le temps des autres verbes :

1. J'*entrai* au café du Roi, je m'assis à une table ; je calculai ce qui pourrait me coûter le moins cher à prendre ; je pensai que ce serait un petit verre. (A. Dumas)
2. Et il se *laissa* conduire, en face de l'Hôtel de Ville, dans un petit restaurant où l'on serait bien. (G. Flaubert)
3. Je *froissai* les télégrammes et continuai de manger, l'esprit préoccupé parce qu'il faudrait trouver la force de prendre le train du soir. (F. Mauriac)
4. Un pressentiment me *disait* vaguement sans doute qu'après m'avoir rendu un grand service, cet homme deviendrait un de mes meilleurs amis. (A. Dumas)
5. L'or des rayons du soleil couchant *brunissait*. Son poudroiement de plus en plus cuivré allait bientôt transposer les bleus du paysage en violets instables ; plus près, sur les sommets des arbres, il déploierait un nimbe flamboyant. (Marie Dujardin)
6. Les enfants eux-mêmes, sans s'en douter, *recevaient* des enseignements profitables dont ils remercieraient plus tard leur oncle Ferdinand, quand ils auraient augmenté en sagesse. (M. Aymé)

611
CFC§§186-190

Rapportez au passé les verbes à un mode personnel en les mettant au temps voulu par le sens (imparfait, plus-que-parfait, futur et futur antérieur du passé) à moins qu'il ne s'agisse d'un présent de vérité durable ; la première modification à faire est indiquée entre parenthèses :

1. J'en suis *(étais)* là, et j'ai trouvé dans ce lycée la tranquillité de l'asile, le pain du refuge, la ration de l'hôpital. (J. Vallès)
2. Elle ne ferme *(ferma)* pas la porte, et se décide enfin à me dire qu'à défaut de Villemessant son gendre est à la maison, que si je veux donner mon nom elle le fera passer, et que, même, elle remettra ce que j'apporte. (J. Vallès)
3. Il aperçoit *(aperçut)* tout à coup que le visage de son ami prend une nouvelle forme : les rides de son front s'effacent, comme les ombres disparaissent, quand l'Aurore, de ses doigts de rose, ouvre les portes de l'Orient. (Fénelon)
4. Heureusement — nous le savons *(savions)* bien — on ne tiendra aucun compte de nos renseignements. Nous ne pourrons les transmettre. Les routes seront embouteillées. Les téléphones seront en panne. L'État-Major aura déménagé d'urgence. (Saint-Exupéry)

612 CFC§§186-190

Imaginez que le récit suivant est situé dans le passé et recopiez les formes verbales personnelles en les mettant au temps voulu (présent, imparfait, passé simple, plus-que-parfait, futur et futur antérieur du passé). Vous les disposerez en deux colonnes de huit verbes :

Cratères en feu *(L'auteur est un ingénieur géologue qui explore les volcans du Congo belge ; au mépris des bombes volcaniques qui tombent tout autour de lui, il se penche sur le cratère du Kituro).*

Fini ! Un dernier coup d'œil au gouffre merveilleux et terrible. Je m'apprête à repartir pour achever ce brûlant circuit de deux cents mètres, quand un coup subit me frappe le dos... Une bombe attardée ! Le souffle coupé, je m'arrête.

Un instant se passe. Je me demande pourquoi je ne suis pas mort... Mais rien, aucune douleur, aucun changement. J'ose lentement tourner la tête : à mes pieds, une espèce de grosse miche rouge s'assombrit.

J'étends les bras, remue le dos. Rien ne fait mal, tout semble à sa place ! Plus tard, examinant ma veste, j'y découvrirai une brûlure, grande comme la main. Et j'en tirerai une conclusion précieuse pour mes explorations à venir : à condition de ne pas toucher de plein fouet, les bombes volcaniques qui retombent à l'état encore pâteux, mais enveloppées déjà d'une sorte de peau élastique très mince, glissent sur l'obstacle sans avoir le temps de le brûler profondément.

(Haroun Tazieff)

613 CFC§§186-190

Même exercice (4 colonnes de 8 verbes) :

Victor Hugo aux Feuillantines.

Un jour, elle rentre radieuse. Elle a trouvé !

Elle parle tellement de sa trouvaille qu'il faut la montrer. Le lendemain, dès le matin, Eugène et Victor y vont avec elle. C'est à quelques pas seulement ; ils entrent dans l'impasse des Feuillantines ; au numéro 12, une grille s'ouvre, ils traversent une cour, puis sont dans un rez-de-chaussée. C'est là. Leur mère veut leur faire admirer la salle à manger et le salon, vastes, hauts de plafond, hauts de fenêtres, pleins de lumière et de chants d'oiseaux, mais elle ne peut les retenir dans la maison, ils ont vu le jardin !

Ce n'est pas un jardin, c'est un parc, un bois, une campagne. Ils s'en emparent à l'instant même, courant, s'appelant, ne se voyant plus, se croyant égarés, ravis ! Ils n'ont pas d'assez grands yeux ni d'assez grandes jambes. Ils font à chaque instant des découvertes. « Sais-tu ce que j'ai trouvé ? Tu n'as rien vu ! Par ici ! Par ici ! » Il y a une allée de marronniers qui serviront à mettre une balançoire. Il y a un puisard à sec qui sera admirable pour jouer à la guerre et pour donner l'assaut. Il y a des fleurs autant qu'on en peut rêver, mais il y a surtout des coins qu'on n'a pas cultivés depuis longtemps et où pousse tout ce qui veut : herbes, plantes, buissons, arbustes, une forêt vierge d'enfant. Il y a tant de fruits qu'on ne ramasse pas ceux qui tombent des branches. (Mme Victor Hugo)

614 CFC§§13-14, 187-190

Ces énoncés au discours indirect libre, rédigés au passé par les auteurs, ont été modifiés de manière à être rapportés au présent ; rétablissez-les dans leur forme première en mettant à l'imparfait, au plus-que-parfait ou au futur du passé, selon le sens, les verbes à un mode personnel :

1. **Vocation d'Armand Barbentane :** Voilà ce qu'il veut être ! Acteur. Plus il y songe, et plus ça lui paraît lumineux. Il a toujours voulu être acteur... Il sera jeune premier, il ira en tournées par le monde. (L. Aragon)
2. **Fureur des bêtes sauvages contre Jaunissard, le furet qui chasse pour les hommes :** Ah ! il ose revenir par la Montagne des Longues-Oreilles, il y est revenu ! Il reviendra encore voler ses frères libres et sauvages ! Un tel défi à la race ne passera pas ! On le saignera ! (L. Pergaud)

615
CFC § § 13-14, 187-190

1° Indiquez, dans le texte suivant, les limites exactes des passages au discours indirect libre.
2° Ce texte, rédigé par l'auteur au passé, a été modifié de manière à être rapporté au présent ; rétablissez-le dans sa forme première en mettant à l'imparfait, au plus-que-parfait, au passé simple, au futur du passé ou au futur antérieur du passé, selon le sens, les verbes à un mode personnel.

Détresse *(Le soldat prussien Walter Schnaffs, pour échapper à des francs-tireurs français, s'est caché dans un ravin).*
La nuit vient, emplissant d'ombre le ravin. Et le soldat se met à songer. Que va-t-il faire ? Que va-t-il devenir ? Rejoindre son armée ?... Mais comment ? Mais par où ? Et il lui faudra recommencer l'horrible vie d'angoisse, d'épouvantes, de fatigues et de souffrances qu'il mène depuis le commencement de la guerre ! Non ! Il ne se sent plus ce courage ! Il n'aura plus l'énergie qu'il faut pour supporter les marches et affronter les dangers de toutes les minutes.
Mais que faire ? Il ne peut rester dans ce ravin et s'y cacher jusqu'à la fin des hostilités. Non, certes. S'il ne fallait pas manger, cette perspective ne l'atterrerait pas trop ; mais il faut manger, manger tous les jours.
Et il se trouve ainsi tout seul, en armes, en uniforme, sur le territoire ennemi, loin de ceux qui le peuvent défendre. Des frissons lui courent sur la peau.
Soudain il pense : « Si seulement j'étais prisonnier ! » Et son cœur frémit de désir, d'un désir violent, immodéré, d'être prisonnier des Français. Prisonnier ! Il sera sauvé, nourri, logé, à l'abri des balles et des sabres, sans appréhension possible, dans une bonne prison bien gardée. Prisonnier ! Quel rêve !
Et sa résolution est prise immédiatement :
— Je vais me constituer prisonnier. (G. de Maupassant)

MODES

616
CFC § 193

L'action exprimée par les impératifs en *italique* porte-t-elle, dans les textes suivants, sur le futur immédiat (I, 4 exemples), sur une durée plus ou moins longue (D, 4 exemples) ou sur une époque plus ou moins lointaine (L, 5 exemples) :

1. *Fais* énergiquement ta longue et lourde tâche
Dans la voie où le sort a voulu t'appeler,
Puis, après, comme moi, *souffre* et *meurs* sans parler.
(Vigny)

2. *Sonnez,* sonnez toujours, clairons de la pensée.
(V. Hugo)

3. « *Fermez* la fenêtre. Attention ? *Regardez*-moi bien. Et *posez*-moi votre question. » (M. Pagnol)

4. « Alors, *fais* bien mes amitiés à ton mari, et *dis*-lui que je n'ai pas voulu le réveiller pour ne pas le déranger. — Je le lui dirai. » (M. Pagnol)

5. Le monsieur tira de sa poche un billet de cinq francs et le tendit à Charles.
   — *Tiens ! Continue* à bien travailler avec monsieur, qui te donne le bon exemple. (J. Romains)
6. **Courte lettre d'un malade :** Mon petit Gribouille, *prie* bien le bon Dieu, et *viens* me voir la semaine prochaine. (G. Bernanos)

617
CFC § 194

Dites si l'action exprimée par le verbe à l'infinitif (en *italique*) est antérieure, simultanée ou ultérieure à l'action exprimée par le verbe dont il dépend (en caractères gras) :

1. L'homme **écoutait** sans rien *dire*. (G. de Maupassant)
2. Et tout le monde **descendit** pour *assister* à l'opération. (G. de Maupassant)
3. A la fin, il **crut** s'*être abusé*, il retourna vers l'obstacle. (J.-H. Rosny aîné)
4. Ils **feignirent** d'abord de le *prendre* en riant. (A. Gide)
5. Il **vendit** des serins et des chardonnerets sur le quai aux Oiseaux, après *avoir tenu* un petit estaminet avec billards. (G. Sand)
6. Ce soir, avant de me *coucher*, je **compte** les étoiles du ciel. (J. Renard)

618
CFC § 194

Dites si l'action exprimée par le verbe au subjonctif (en *italique*) est antérieure, simultanée ou ultérieure à l'action exprimée par le verbe principal (en caractère gras) :

1. Parfois l'heure de son arrivée habituelle aux Champs-Élysées **était passée** sans qu'elle *fût* encore là. (M. Proust)
2. Quoi qu'en *dît* maître Pangloss, je **me suis** souvent **aperçu** que tout allait mal en Westphalie. (Voltaire)
3. Il vous **étonne**, je le sais, que votre race *ait pu* passer de l'Age d'Or à cette obscurité misérable. (M. Druon)
4. Elle **attendit** pendant quelque temps que Jean-Jacques *reprît* la parole. (Balzac)
5. **A. Dumas fils :** Témoin de cette gloire éclatante, il **souhaitait** des triomphes qui lui *fussent* personnels. (A. Maurois)
6. Il **s'étonna** que je ne l'*eusse* pas *appelé* plus tôt. (A. Gide)
7. Elle parlait comme pour elle-même, et je **doutai** de nouveau qu'elle *eût* conscience que je fusse là. (J. Gracq)
8. **Un clerc coupable :** Thomas **réclamait**, suivant l'usage du temps, qu'il *fût jugé* par la cour ecclésiastique. (R. Pernoud)
9. « Je ne **veux** pas que vous soyez soupçonné de m'aider de vos conseils, quoique Desroches m'*ait dit* de vous les demander. » (Balzac)
10. Il n'**avait pu** lire ce qui était chiffré, quoiqu'il *eût* tous les chiffres nécessaires pour cela. (J.-J. Rousseau)

619
CFC § 194

Expliquez le rapport entre les temps des verbes en *italique* :

1. Plus tard, instruit par l'expérience, on *saura* tracer directement la route, avant même que les véhicules ne l'*aient essayée.* (A. de Cayeux)
2. Ne *vaudrait*-il pas mieux que nous *devinssions* frères ?
   (V. Hugo)
3. Je *vais* chercher quelque coin où je *puisse* dormir. (Th. Gautier)
4. Je *demeurerai* donc aux champs jusqu'à ce que les pluies de novembre *aient cousu* le ciel à la terre. (P. Drouot)

5. Il *déguerpissait* toujours avant qu'on *se fût aperçu* de sa présence. (G. de Maupassant)
6. « Comment *voulez*-vous qu'on *croie* à une affaire pareille ? » (J. Husson)
7. « Cependant, il *eût été* juste que je *me mariasse* avant Éléonore. » (F. Jammes)
8. Bien que cette soirée *eût été* un minable fiasco, Zaza quelques jours plus tard m'en *remercia* d'un ton ému. (S. de Beauvoir)

620
CFC § 194

Même exercice :

1. Il *semble* bien que ce *soit* la seule conviction qu'il *ait jamais eue.* (J. Audiberti)
2. Elle ne *pouvait* comprendre qu'ils ne se *fussent pas rencontrés.* (P. Mérimée)
3. S'il était bruit d'une pièce nouvelle, quelque temps qu'il *fît*, il *fallait* fureter dans tous les greniers de Paris jusqu'à ce que j'en *eusse trouvé* l'auteur. (Diderot)
4. Quoi qu'il *ait proclamé*, Victor Hugo n'*a* pas « *mis* le bonnet rouge au vieux dictionnaire » et Jean Valjean, quoi qu'il *fasse*, ne lui *mettra* pas davantage le bonnet de forçat. (R. Peyrefitte)
5. Le vieux Lalouette *offrit* de prêter un peu d'argent à Pierrotte pour qu'il *pût* entreprendre un commerce à son idée. (A. Daudet)

621
CFC § 194

Dans les phrases suivantes, remplacez le verbe principal par la forme indiquée entre parenthèses et relevez le verbe au subjonctif, mis au temps que réclame la règle de concordance :

1. Pourtant il faut *(fallut)* bien que je reste là. (Courteline)
2. La question jaillit *(avait jailli)* de moi en flèche, avant que je songe à la retenir. (J. Gracq)
3. Il n'a *(avait)* souvenir de quoi que ce soit. (G. Flaubert)
4. C'est ce qu'elle peut *(pouvait)* le moins supporter, que Pierre remette son œuvre en question. (S. de Beauvoir)
5. Il faut *(fallait)* bien que les concierges aient leur pourcentage. (J. Dutourd)
6. Il advient *(advenait)* fréquemment qu'en franchissant son seuil ils se dérident. (J. Dutourd)
7. Ce sont *(étaient)* les seuls moyens qu'il ait pu inventer de retarder la mort de Fabrice. (Stendhal)
8. Celui-là, le soir, en rentrant de son bureau, doit *(devait)* exiger, les pieds sous la table, que sa femme lui serve le bœuf gros sel. (P. Guth)
9. Sans que je m'en sois aperçu, ma lampe s'est éteinte *(s'était éteinte).* (A. Gide)
10. Les quelques liaisons ébauchées tournent *(tournaient)* court, soit que mon esprit soupçonneux interprète mal la plus innocente demande, soit que je me rende odieux par ces manies. (F. Mauriac)

622
CFC §§ 188-194
PAE § 56

Certaines formes du subjonctif, surtout à l'imparfait, sont tellement insolites aujourd'hui qu'il est préférable de les éviter, en tournant la phrase autrement qu'elle ne s'est d'abord présentée ; ainsi, pour ne pas dire : *« Foch obtint que les alliés* **envoyassent** *des troupes de renfort »*, **on dira :** *« Foch obtint des alliés l'envoi de troupes fraîches. »* **Vous modifierez les phrases suivantes de manière à supprimer les formes de subjonctif en caractères gras :**

1. Ils tombèrent du haut de cette butte et peu s'en fallut qu'ils ne se **fracassassent** le crâne sur les rochers.
2. Si tu es un tapissier honnête, il convient que tu ne **surfasses** pas tes rouleaux de papier.
3. Cette latte présente des aspérités ; il aurait été prudent que tu la **limasses**.
4. Personne ne se trouvait là ; rien ne s'opposait à ce que les voleurs **filassent** dans la campagne.
5. Quoiqu'ils m'**embrassassent** à toute occasion, je me défiais de leur affection.
6. Elle apporta de l'eau afin qu'ils se **lavassent**.
7. Pendant que maman s'occupait du rôti, il aurait été bien simple que toi, tu **râpasses** le fromage, et que toi, tu **moulusses** le café.
8. Il aurait fallu, avant que vous **fissiez** cuire le poulet, que vous le **vidassiez**.
9. Je souhaitais que vous **accélérassiez** dans la descente pour que vous **pussiez** gravir plus facilement la montée.
10. Le public pouvait visiter les artistes dans leurs loges, en attendant qu'ils **revêtissent** leurs costumes et qu'ils se **grimassent**.

623
CFC§194R
PAE§56

Dans les phrases suivantes, vous relèverez les infractions, réelles ou apparentes, à la « règle de concordance des temps » ; puis vous expliquerez ces infractions soit par des raisons de sens (emploi logique des temps), soit par des raisons de style (archaïsme de l'imparfait et du plus-que-parfait du subjonctif, appel de la rime dans les vers) :

1. J'ai cru que des présents calmeraient son courroux,
   Que ce Dieu, quel qu'il soit, en deviendrait plus doux.
   (Racine)
2. Le Nubien lâcha sa hache et sa torche qui grésilla dans le sang, la ressaisit avant qu'elle s'éteigne, la tint haut. (A. Arnoux, auteur contemporain)
3. Elle détestait les résignés, ceux qui prennent trop aisément parti de leur mauvais sort. Et cela ne signifie pas qu'elle ne vît que le succès. (J. Hougron)
4. Elle s'en fut sans qu'ils aient parlé ensemble, très vite. (L. Aragon, auteur contemporain)
5. Jour et nuit les clairons, les sistres, les hautbois,
   De crainte que le Dieu farouche ne s'endorme,
   Chantaient dans l'ombre. (V. Hugo)
6. « Je crois que je l'ai aperçue avenue des Champs-Élysées. — Je ne crois pas que ce fût elle. » (M. Proust)
7. Ils n'ont pas laissé dans mon souvenir une silhouette assez distincte pour que je les puisse décrire. (Th. Gautier)
8. « Il y a plus de quarante ans que je dis de la prose, sans que j'en susse rien. » (Molière)
9. J'accompagnais parfois Thibaud à l'hôpital de la Charité, et je faisais un peu de physiologie et d'anatomie, quoique je n'aie jamais pu surmonter ma répugnance pour les opérations et pour les cadavres. (A. Dumas)
10. Il a fallu que je fusse chassé d'auprès de Mlle Cunégonde, que j'aie passé par les baguettes, et il faut que je demande mon pain jusqu'à ce que je puisse en gagner. (Voltaire)

624
CFC § 194
PAE § 29

Justifiez le temps des verbes au subjonctif imparfait en caractères gras ; quel effet de style est produit par ces formes dans les deux phrases ?

Frères ennemis.

... Et vous me concédez
Que revivre avec vous serait un sacrifice
Trop grand pour qu'au bonheur de mon fils, je le **fisse** !
(Ed. Rostand)

Belle-mère et gendre.
— Quand je vous dis, Madame, qu'il pleut partout ! Tenez... mon gendre m'écrit de chez lui que ça n'arrête pas !
Je ne veux pas dire — du moins tout à fait — qu'il **plût** à cette dame, qu'il plût chez son gendre... (Pierre Daninos, écrivain contemporain)

625
CFC §§ 195-196

Indiquez l'auteur de l'action qu'exprime chaque infinitif en *italique* :

1. Ma fille, plaignez-moi de vous *avoir quittée.* (Mme de Sévigné)
2. **Le chien perdu** : Elle se réveilla et crut l'*entendre japper* encore. (G. de Maupassant)
3. Il fallait quelqu'un pour lui *donner* la réplique et elle me fit *apporter* un Racine en cérémonie par un académicien. (P. Mérimée)
4. « N'entends-tu pas *hennir* des chevaux ? » (P. Molaine)
5. Lui aussi la chassait, l'injuriait, en sentant *remonter* à ses joues le sang des gifles qu'il avait reçues. (E. Zola)
6. « Colonel, vous voudrez bien m'*excuser*, mais je ne pourrai *avoir* l'honneur de *dîner* avec vous, aujourd'hui. » (P. Mérimée)

626
CFC §§ 195-196

Indiquez la fonction des verbes à l'infinitif et au subjonctif en caractères gras :

1. **Dire** d'un homme célèbre, inégal, querelleur, chagrin, pointilleux, capricieux : « C'est son humeur », ce n'est pas l'excuser, mais **avouer**, sans y **penser**, que de si grands défauts sont irrémédiables. (La Bruyère)
2. Les dents lui poussèrent sans qu'il **pleurât** une seule fois. (G. Flaubert)
3. Landry n'osait point **bouger**, car de **retourner** sur ses pas n'était pas le moyen de **faire fuir** le follet. (G. Sand)
4. Il n'y avait personne dont le costume n'**offrît** une singularité risible. (Balzac)
5. Le capitaine, ne voulant pas que je **mourusse** à son bord, ordonna de me **descendre** sur le quai. (Chateaubriand)
6. Il s'est emparé de la mairie ; qu'il en **reste** le prisonnier ! (J. Vallès)
7. Faut-il vraiment que tu les **libères** ? (M. Druon)

627
CFC § 197
PAE § 56

1° Définissez la valeur modale du conditionnel en prenant ce texte pour exemple.
2° Exprimez par le même mode en quelques lignes les rêves d'un enfant qui voudrait être invisible, d'un poisson qui voudrait être oiseau, ou d'un soldat qui voudrait être capitaine.

Un rêveur.
C'est bien vrai que ce serait charmant de vivre ensemble... Je me promènerais avec Cosette... Nous cultiverions chacun un petit coin. Elle me ferait manger ses fraises, je lui ferais cueillir mes roses. Ce serait charmant. (V. Hugo)

628
CFC§§197-194Rd, 244, 257, 262, 2°
PAE§56

1° Quelle est la valeur modale des premiers conditionnels : *voudrais, serait* **?**
2° Quelle est la valeur modale et temporelle des conditionnels en caractères gras ?
3° Expliquez le temps et le mode des verbes : *il fût, eût jamais porté.*

Une rêveuse.

— Oh ! ce que je *voudrais*, ce que je *voudrais*, ce *serait* d'épouser un prince... Un prince que je **n'aurais jamais vu**, qui **viendrait** un soir, au jour tombant, me prendre par la main et m'emmener dans un palais... Et ce que je voudrais, ce serait qu'il *fût* très beau, très riche, oh ! le plus beau, le plus riche que la terre *eût jamais porté* ! Des chevaux que j'**entendrais** hennir sous mes fenêtres, des pierreries dont le flot ruissellerait sur mes genoux, de l'or, une pluie, un déluge d'or, qui tomberait de mes deux mains, dès que je les ouvrirais... Nous **serions** très jeunes, très purs et très nobles, toujours, toujours ! (E. Zola, *Le Rêve.*)

629
CFC§§197-198

Dites si l'action exprimée au conditionnel, à l'imparfait ou au plus-que-parfait de l'indicatif est imaginée dans le passé, dans le présent ou dans l'avenir :

1. Que *serait-il arrivé* si le directeur alerté par une rumeur insolite n'*était intervenu* ? (Léon Frapié)
2. — Ma mignonne, ma chère mignonne... C'est bien cruel, je le sais. Mais si tu *attendais*, ce *serait* plus cruel encore. Arrache donc tout de suite le couteau de la blessure. (E. Zola)
3. Si j'*avais* vingt et un ans, je ne *serais* pas ici (J. Vallès)
4. « Faut pas laisser le Rouge partir demain matin. C'est trop dur pour son âge ; il y *resterait.* » (R. Frison-Roche)
5. Je te l'*aurais donné*, moi ! Pourquoi ne m'as-tu rien dit ? (E. Zola)
6. Il promène autour de lui ses regards, comme s'il *attendait* quelqu'un. (E. Hello)
7. Si je n'*étais* pas là demain, a-t-elle dit, revenez vendredi à la même heure. (Alain-Fournier)
8. Écoute, tu nous crois heureux, père et moi. Nous le *serions*, si un tourment n'*avait pas gâté* notre vie. (E. Zola)

630
CFC§§197-198

Dites si le conditionnel, l'imparfait ou le plus-que-parfait de l'indicatif est employé dans les phrases suivantes avec une valeur modale (action imaginaire) ou comme temps de l'indicatif :

1. Si la solitude **avait** une couleur, je **dirais** qu'on en a peint les murs de ma chambre. (Paul Drouot)
2. Je me **demandais** si cela **durerait** la soirée entière. (F. des Ligneris)
3. — J'**avais mis** de côté pour vous une aile et une cuisse, que vous **auriez mangées** ce soir, dit leur maman. Mais puisque vous répondez à vos parents, vous serez encore au pain sec. (M. Aymé)
4. Au bas de la Montée-Rouge, Déodat se fit observer : « Quand j'aurai monté la côte, ce sera encore ça de fait. » Et il rit, parce que c'était la vérité : quand il **aurait monté** la côte, ce serait encore ça de fait. (M. Aymé)
5. — Ah ! si vous **aviez laissé** entrer quelqu'un... Petites malheureuses ! Il vaudrait mieux pour vous... Il vaudrait mieux je ne sais pas quoi. (M. Aymé)

631
CFC § § 197-198

Même exercice :

1. Il me **restait** à fournir une explication à Christine, quand j'**irais** lui porter le courrier. (B. Beck)
2. « Si seulement on **pouvait** lui insuffler un peu de volonté » pensa Françoise. (S. de Beauvoir)
3. Je me demande si je ne **ferais** pas mieux d'arrêter cette histoire. (S. de Beauvoir)
4. Les conjurés, liés entre eux par un serment solennel, avaient arrêté leur plan (...) Ceux qui **seraient parvenus** à limer leurs fers devaient commencer l'attaque. (P. Mérimée)
5. Je recommandai au garçon de me réveiller à neuf heures, si à neuf heures je **n'avais pas donné** signe d'existence. (A. Dumas)
6. J'**aurais pris** du goût pour l'astronomie si j'**avais eu** des instruments. (J.-J. Rousseau)

632
CFC § 198

1° Quelle différence de sens est marquée par la différence de mode des formes verbales en *italique* et des formes verbales en caractères gras ?
2° Pourquoi la personne qui parle revient-elle au futur dans la dernière phrase ?

Contrat d'adoption *(M. et Mme d'Hubières, n'ayant pas d'enfant, désirent adopter le petit garçon du fermier Tuvache).*

— Nous voulons l'adopter ; mais il reviendra vous voir. S'il *tourne* bien, comme tout porte à le croire, il *sera* notre héritier. Mais s'il ne **répondait** pas à nos soins, nous lui **donnerions**, à sa majorité, une somme de vingt mille francs, qui sera immédiatement déposée en son nom chez un notaire. (G. de Maupassant)

633
CFC § 198

Vous montrerez qu'en raison du contexte les conditionnels peuvent ici être compris :
1° comme des futurs du passé ;
2° comme des irréels du présent.

Le puits aux mirages *(il s'agit d'un faux puits, sans profondeur).*

Tante Mathilde a proposé de mettre une glace ronde au fond du puits. On *pourrait* s'y mirer. Rameline a déclaré que, sur la glace, il *suffirait* de vider quelques arrosoirs et de lâcher dans cette onde un poisson rouge ; on en *aurait* aussitôt deux, à cause du reflet ; et puis, le vrai poisson ne se *sentirait* pas trop seul : en contemplant le miroir, il *croirait* avoir un compagnon. (Tristan Derème)

634
CFC § § 198-187Ra
PAE § 56

1° Quel est le sens des imparfaits en caractères gras ? Par quelle autre forme verbale la même idée est-elle ordinairement rendue ?
2° Quelle nuance de style apporte ici l'emploi de l'imparfait de l'indicatif ?
3° Rédigez deux phrases sur un sujet de votre choix où vous emploierez l'imparfait de l'indicatif avec la même valeur.

1. **Poum chasseur :** — Tiens ton fusil bas, Poum ! Si tu avais accroché cette branche, tu m'**envoyais** la charge dans l'œil. (P. et V. Margueritte)
2. **Péril en mer :** Un essai restait à tenter... mais qui oserait saisir le gouvernail et se charger du salut commun ? Un faux coup de barre, nous **étions** perdus. (Chateaubriand)

635
CFC§§198-199

Quels sont dans les phrases suivantes les subjonctifs employés avec la valeur d'irréel ? Pour les reconnaître, essayez de les remplacer par le conditionnel passé ou le plus-que-parfait de l'indicatif (que vous donnerez entre parenthèses si la substitution est possible) :

1. A grand-peine je lui persuadai d'attendre que nous *eussions revu* notre ami. (Alain-Fournier)
2. **Lamennais** : Sans ce nez disproportionné, son visage *eût été* beau. (G. Sand)
3. Alors je me sentais transporté et j'*eusse désiré* qu'il continuât. (J. de Lacretelle)
4. Mérindol trouva Jacquemin Lampourde ronflant comme la pédale d'un tuyau d'orgue, bien que toutes les horloges des environs *eussent sonné* quatre heures de l'après-midi. (Th. Gautier)
5. Mais mon siège, avant que je l'*eusse atteint*, se renversa comme si on *eût fui* devant moi. (G. de Maupassant)
6. L'ombre des rideaux elle-même me gênait, et pour rien au monde je ne *me fusse approché* du miroir. (A. Lafon)
7. La seule musique que j'*eusse* jamais *entendue* était celle que nous faisions, à l'église du village, pour les offices... (H. Vincenot)
8. Un cavalier entra dans la prison, sans que les portes *se fussent ouvertes*. (A. France)
9. **La tante Lucile** : Un petit portrait d'elle que j'ai gardé me la montre telle qu'elle était alors, l'air si jeune qu'on l'*eût prise* pour la sœur aînée de ses filles. (A. Gide)

636
CFC§199R

Expliquez l'emploi de l'imparfait du subjonctif dans les deux phrases suivantes :

1. « J'ai de l'amitié pour vous, Berville ; il n'y a rien que je ne *fisse* pour vous obliger. » (A. de Musset)
2. « Entre elle et le peu que je suis, trouvez-vous une telle disproportion qu'une démarche de ma part *risquât* d'apparaître blessante, ridicule ou incongrue ? » (A. Lichtenberger)

637
CFC§194, 199
PAE§51

Montrez que Courteline cherche ici un effet de comique en transportant dans la langue familière un emploi du subjonctif et une manière d'accorder les temps particuliers à la langue écrite.

Le coup de fusil *(Monsieur vient de rentrer chez lui très ému ; après avoir effrayé sa femme en lui disant qu'il a reçu « un coup de fusil », il lui explique qu'un chasseur l'a heurté dans le tramway avec son arme).*
Madame : C'est tout ?
Monsieur *(vexé)* : Alors non ! tu ne comprends pas qu'elle eût pu être chargée, cette arme ? que chargée, elle eût pu partir ? que, partant, elle eût pu me ravager la face, me priver de l'usage si précieux de mes yeux ?... *(Ironique)* — Ah ! que voilà donc bien les femmes ! Sans doute il eût fallu, sale bête, pour que tu daignasses t'émouvoir, que l'on me rapportât infirme, estropié à tout jamais, sur un brancard municipal !

638
CFC§§200-201

A propos de chacun des mots en *italique,* **vous indiquerez :**
1° sa nature : gérondif, participe présent, participe passé avec ou sans auxiliaire ;
2° s'il exprime une action antérieure ou simultanée à l'action qu'exprime le verbe principal (citez ce verbe) ;

3° si l'action exprimée par le verbe principal est passée, présente ou future.
Vous disposerez vos réponses en tableau comme il est fait pour l'exemple suivant : Il marchait en *sifflant*.

Mot en italique	Forme grammaticale	Action antérieure ou simultanée	Verbe principal	Époque du verbe principal
sifflant	gérondif	simultanée	*marchait*	passé

1. Aussi, vous me voyez souvent *parlant* tout bas. (V. Hugo)
2. Si elle vous trouve encore là, elle va se remettre à parler, elle est déjà très fatiguée, elle arrivera au dîner *morte*. (M. Proust)
3. Et vous ne lirez plus ceci qu'en *frémissant*. (V. Hugo)
4. J'entre, et remets debout les colonnes *brisées*. (V. Hugo)
5. De vos bienfaits je n'aurai nulle envie,
Tant que je trouverai, *vivant* ma libre vie,
Aux fontaines de l'eau, dans les champs le grand air.
(V. Hugo)
6. Philippe, *ayant bien bu,* l'estomac gonflé d'eau, rend la bouteille à sa femme qui la cache au frais, par terre, sous le gilet. (J. Renard)
7. Elle monta l'escalier *descendu* tout à l'heure, en *retenant* son souffle et sur la pointe du pied. (Th. Gautier)

639
CFC § 201

Dans le texte 1, les participes présents expriment diverses actions répétées par habitude, et dont l'ensemble constitue la vie de la chatte, exprimée par le verbe principal *elle vivait* (imparfait de l'action prolongée dans le passé sans indication de limites). Vous referez sur ce modèle les textes 2 et 3, en conservant seulement les formes verbales en caractères gras :

1. **Une chatte familière** : Elle vivait avec nous dans une intimité tout à fait conjugale, dormant sur le pied de notre lit, rêvant sur le bras de notre fauteuil pendant que nous écrivions, descendant au jardin, pour nous suivre dans nos promenades, assistant à nos repas, interceptant parfois le morceau que nous portions de notre assiette à notre bouche. (Th. Gautier)
2. **Le candidat au brevet** : Il **restait** le soir après la classe et, pendant que nous nous **dispersions** par les chemins, il **travaillait** avec l'instituteur, calculait des intérêts composés, extrayait des racines carrées, récitait les sous-préfectures, faisait des dictées avec participes, des narrations sur des proverbes...
(D'après J. Marouzeau)
3. **Le bon serviteur** : Denis **sauva** son maître. Il **passa** les nuits et les jours sans sommeil, ne **quitta** point la chambre du malade, lui prépara les drogues, les tisanes, les potions, lui tâta le pouls, compta anxieusement les pulsations, le mania avec une habileté de garde-malade et un dévouement de fils. (D'après G. de Maupassant)

640
CFC § 201

Dans ce texte, l'emploi du participe présent permet de présenter simultanément diverses conséquences du fait énoncé par les verbes à un mode personnel. Vous direz, en employant le participe présent de la même façon, plusieurs conséquences simultanées d'un autre fait : chute d'un encrier, éboulement en montagne, ou bruit d'éclatement d'un pneu.

Danger de la chimie : Tout à coup, avec un bruit d'obus, l'alambic éclata en vingt morceaux qui bondirent jusqu'au plafond, crevant les marmites, aplatissant les écumoires, fracassant les verres. (G. Flaubert)

641
CFC§§201-202
PAE§56

1° Dans le texte 1, les participes en caractères gras expriment-ils une action simultanée à l'action exprimée par le verbe principal ?
2° Quel est dans ces emplois l'avantage du participe présent sur les modes personnels du point de vue du style ?
3° Récrivez le texte 2 en remplaçant deux des verbes à l'indicatif (choisissez bien) par le participe présent :

1. **Au gouffre de la Henne-Morte (1943) :** Un éclat de roche, **se détachant** du sommet de ce puits vertical, s'abattit sur un autre de mes coéquipiers, Marcel Loubens, qui se trouvait sur une plate-forme au pied de l'échelle de quarante-cinq mètres. Blessé à la tête, à l'épaule et au dos (l'omoplate et quatre côtes cassées), il s'écroula sans connaissance, comme mort. A la longue, il revint à lui, **divaguant, geignant** et **souffrant** beaucoup. (Norbert Casteret)
2. **Voltige :** L'acrobate monte à la force des bras au sommet du chapiteau, libère son trapèze, lui imprime un mouvement de va-et-vient, s'élance dans le vide, se rattrape à la barre qu'il saisit au vol.

642
CFC§202

Dites si les mots en *italique* sont participes présents (PP) ou adjectifs verbaux (AV), en justifiant votre réponse par le sens et la construction, éventuellement par l'accord pratiqué dans le texte :

1. En insistant, il romprait le charme de ces plaisanteries *piquantes* et inoffensives. (H. Troyat)
2. « Représentons-nous cet homme, *jouissant* d'un luxe mal gagné. » (M. Pagnol)
3. « Il existe peut-être des gens qui, dès qu'ils sont débarrassés des soucis particuliers et positifs, sont envahis infailliblement par une suite d'idées *riantes*... » (J. Romains)
4. Elle faisait l'enfant (...), *levant* le coude à la mémoire de Mister Mac chaque fois qu'elle passait devant son portrait. (E. Charles-Roux)
5. Mon homme se montra plus *causant* que je ne l'avais espéré. (P. Mérimée)
6. Notre chambre donnait sur une galerie, *surmontant* une verrière, elle-même couverte d'un treillis de fer. (P. Guth)
7. Ils dépassèrent, sur la route jonchée de fleurs d'acacia, des carrioles *zigzagantes*. (F. Mauriac)
8. Les yeux ronds et la bouche ouverte, ils regardaient leur cochon qui volait en rond au-dessus de la cour, tantôt les ailes *battantes, s'élevant* plus haut que les cheminées de la maison, tantôt *planant* et descendant jusqu'à effleurer les cheveux blonds des deux petites. (M. Aymé)
9. **Huguenots français en exil :** Leurs récits ne constituaient pas, pour les protestants anglais, un exemple *encourageant*. (A. Maurois)
10. En face, au-delà des toits, le grand ciel pur s'étendait, avec le soleil rouge *se couchant*. (G. Flaubert)

643
CFC§202

Faites l'accord, s'il y a lieu, des mots entre parenthèses :

1. Tu n'as pas couvert la plinthe du palais d'inscriptions ou de dessins (offensant) ? (J. Giraudoux)
2. Je me sens plus (vivant) que jamais. Je suis heureuse. (M. Achard)
3. (Vivant) dans une famille provinciale qui avait peu de relations (...), elle s'était grisée, dans la solitude de son manoir, à ralentir, à précipiter la danse de tous ces couples imaginaires... (M. Proust)
4. Après le départ de Léontine, elle resta un moment indécise, comme (cherchant) à retrouver sa place dans le monde. (H. Troyat)

5. J'ai fréquenté des gens (intéressant). (M. Pagnol)
6. Les fils de milliardaires étaient de bons et braves enfants, honnêtes, francs comme l'or, (aimant) rire, travailler parfois... (M. Aymé)
7. Il frissonna en entendant les bottes de Savinien (craquant) sur le parquet de la galerie. (Balzac)
8. **Les escargots :** Mangez-les (brûlant) avec de la purée d'orties judicieusement salée et poivrée. (H. Vincenot)
9. J'étais destinée à finir dans la paix de la campagne anglaise, avec la seule consolation des cloches (sonnant) l'heure de mes prières. (M. Achard)
10. « Je n'y vois plus guère, Madame de la Follette. — Que vous dites ! s'écria-t-elle, encore (méfiant). » (G. Bernanos)

644
CFC§202

Faites avec chacun des verbes suivants deux phrases (soit 10 phrases en tout) où il sera employé : 1° comme participe présent ; 2° comme adjectif verbal :

frapper, peser, offenser, vivre, intéresser.

645
CFC§202

Même exercice :

irriter, bouillir, médire, tomber, toucher.

646
CFC§202

Mettez les verbes entre parenthèses à la forme de participe présent ou d'adjectif verbal selon le sens (observez l'orthographe et l'accord convenables) :

1. Énoncez le principe des vases (communiquer).
2. (Différer) sur les principes mêmes, nous ne saurions nous accorder.
3. Vos motifs ne me paraissent pas (convaincre).
4. L'objectif réunit les rayons (diverger).
5. Georges et André, (fatiguer) leur mère par leurs caprices continuels, ont fini par la rendre malade.
6. Ils veulent quatre mois de congé ? Je les trouve (exiger).
7. Les classes (vaquer) deux jours, ne revenez pas avant mercredi.
8. (Intriguer) sans cesse auprès des puissants du jour, il croit arriver rapidement.
9. Au bout de trois heures, l'atmosphère de la salle devint (suffoquer).
10. Votre silence (équivaloir) pour moi à un refus, permettez-moi de me retirer.

647
CFC§202Rb

Généralement de sens actif, l'adjectif verbal a parfois le sens passif, parfois un sens qui n'est ni actif ni passif. Copiez les adjectifs verbaux en *italique* en les faisant suivre de l'indication A (= actif), P (= passif) ou N (= ni actif ni passif) :

1. Cette couleur est trop *voyante*.
2. C'était un étudiant *brillant*.
3. Paul a été invité à un thé *dansant*.
4. Adresse mon courrier au bureau de Longueville, poste *restante*.
5. La peur la rendait toute *tremblante*.
6. Me Laloy était l'avocat *consultant* de cette société.
7. Un chemin *glissant* conduisait à la cabane.
8. Il y a sur le fleuve des établissements de bains *flottants*.

648
CFC § 203

A l'aide de chacun des verbes suivants, faites deux phrases, la première utilisant le participe passé composé (auxiliaire *ayant*), la seconde le participe passé simple (sans auxiliaire) :

graver, interdire, jeter, observer, poser.

649
CFC § 203

Employez sans auxiliaire dans une phrase le participe passé de chacun des verbes suivants ; a-t-il le sens actif ou passif ? Dites pour chaque verbe avec quel auxiliaire de temps il se conjugue :

demeurer, détruire, éclore, nettoyer, partir, publier, revenir, suspendre.

650
CFC § 203

Dites si les participes passés sans auxiliaire en *italique* expriment une action antérieure ou simultanée à l'époque du verbe principal ; dans le second cas, vous préciserez s'il s'agit d'une action prolongée ou d'une action répétée :

1. Ma douleur d'estomac, presque *oubliée*, se faisait sentir de nouveau... (G. Bernanos)
2. Une lampe de cuivre, *retenue* par un cordon de soie rose, vacillait imperceptiblement au milieu de la masure. (Xavier Forneret)
3. Ainsi doivent dormir nos sentiments *éteints*. (Musset)
4. Le temps s'écoulait. Il était là depuis une heure et demie au moins, *déchiré,* maltraité, *moqué* sans relâche, et presque lapidé. (V. Hugo)
5. Cela *dit,* le brave homme sort et rentre bientôt *accompagné* de trois frais moutards. (R. Töpffer)
6. Je voyais la mer, transparente comme une source, *traversée* de soleil jusqu'au fond. (A. Daudet)

« TOURNURES » DU VERBE

651
CFC § 204

Relevez les verbes passifs en indiquant le mode et le temps :

1. Le fait m'a été confirmé par le commissaire de police. (A. France)
2. L'un des délinquants fut chassé sur l'heure. Celui-ci avait été pardonné. (F. Mauriac)
3. Il jette un coup d'œil rapide derrière la porte et autour de lui, comme un homme qui chercherait ou qui serait cherché. (E. Hello)
4. A certains moments, l'odeur de trottoir était dominée par une odeur de chaussures. (J. Romains)
5. Le diable les vit venir avant d'être aperçu par eux. (V. Hugo)
6. Nous serons toujours battus. Ils auront toujours le dessus. (Ch. Péguy)
7. C'est assez pour que je ne sois pas haï par ce monde de jeunes prisonniers. (J. Vallès)

652
CFC § 204

1° Relevez dans ce texte les verbes passifs ; indiquez, s'il y a lieu, le complément d'agent ; remplacez la forme passive par la forme active en modifiant le texte en conséquence.

2° La langue administrative, n'ayant pas le souci de l'élégance et de l'expressivité, emploie volontiers la forme passive, qui permet plus d'économie et de souplesse dans l'organisation de la phrase. Vous relèverez un exemple analogue d'emploi du passif dans les informations administratives des journaux, et vous essaierez de montrer pourquoi le passif y a été préféré à l'actif.

> **Chauffage de guerre.**
> Pas de nouvelle carte, mais validation de l'ancienne. Les cartes non validées n'auront plus de valeur et ne seront pas servies par les négociants.
> Une fiche de contrôle sera remise aux chefs des foyers utilisant le gaz ou l'« électricité cuisine ». Cette fiche devra être conservée pour présentation aux services de contrôle compétents. (Journal du 10.5.1944)

653
CFC§204Rc

Faites avec chacun des verbes symétriques ci-dessous deux phrases où ils seront employés 1° transitivement avec un sens actif, 2° intransitivement avec un sens passif. Exemple : *cuire ; je cuis du pain - Le pain cuit.*

baigner	brûler	fatiguer	ouvrir
boutonner	casser	fermer	sécher
briser	déposer	fondre	tremper

654
CFC§204
PAE§§60-66

Dans les phrases suivantes les auteurs ont préféré le tour passif au tour actif (qui dans toutes serait possible). Vous essaierez d'indiquer les raisons, très variées, de ce choix : facilité de construction, souci d'éviter une confusion ou une cacophonie, de respecter la succession logique des idées, ou de produire une impression particulière :

1. **Un canon qui a rompu ses amarres :** Il vit d'une vie sinistre qui lui vient de l'infini. Il a sous lui son plancher qui le balance. Il est *remué* par le navire, qui *est remué* par la mer, qui *est remuée* par le vent. (V. Hugo)
2. **Le vent de sable :** Mon regard *fut bloqué*, très près de l'avion, par un nouvel élément que je ne pus tout d'abord définir. (J. Kessel)
3. **En « tortillard » :** Même en deuxième classe, on *était cahoté, guimbardé, jeté* à chaque instant l'un contre l'autre. (M. Aymé)
4. Ici, je ne puis passer sous silence, au risque d'*être moqué*, l'action de la lune sur les liens et les pousses. (J. de Pesquidoux)
5. **Des rideaux fripés :** Ils ont l'air d'*avoir été pendus* par autorité de justice, et d'être morts dans d'atroces convulsions. (J. Romains)
6. **Jeux d'enfants :** Quand mon ami rapportait de ses courses un œil poché, un habit déchiré, il *était plaint, caressé, choyé, rhabillé :* en pareils cas, j'*étais mis* en pénitence. (Chateaubriand)
7. **Un effet de brouillard :** Je *fus ébloui* par le plus merveilleux, le plus étonnant spectacle qu'il soit possible de voir. (G. de Maupassant)
8. En un instant le groupe de cavalerie qui couvrait la personne du grand-vizir *fut criblé* et *dispersé* par la mitraille et les obus. (Général Desvernois)

655
CFC§205

Récrivez les formes verbales en *italique* **en les faisant suivre des lettres P ou A, selon qu'il s'agit d'un verbe passif ou d'un verbe actif intransitif employé à une forme composée (5 exemples de chaque sorte) :**

1. Le 22 octobre 1721 (...), un nouveau Te Deum *est célébré* en l'église de la Trinité. (H. Troyat)
2. — Monsieur, elle *est morte*, à l'instant même. (É. Zola)

3. « Si vous m'aviez blessé, je *serais* déjà *parti.* » (G. Duhamel)
4. « C'est là que j'*ai été lancé* à la mer », disait-il. (V. Hugo)
5. Quelque malheur devait *être arrivé.* (P. Mérimée)
6. Elle voulait *être rassurée* contre elle ne savait quel péril. (F. Mauriac)
7. Il *est nommé*, sur ce, professeur à Oxford. (J. Audiberti)
8. Combien d'heures *était*-elle *demeurée* en face de cette porte ? (F. Mauriac)
9. Ils ne *furent condamnés* qu'à augmenter le trésor public. (Voltaire)
10. Lethierry *était devenu* quelqu'un. (V. Hugo)

656
CFC§205

Dites si les formes verbales composées dans les phrases suivantes sont des verbes passifs ou des participes passés attributs précédés du verbe *être* :

1. Tous les rouges-gorges *sont* maintenant *éveillés.* (J. Delamain)
2. **Le serpent charmé** : A mesure qu'il *est frappé* de l'effet magique, ses yeux perdent leur âpreté. (Chateaubriand)
3. Chaque jour, les combats de gladiateurs *furent relevés* par des supplices de chrétiens. (E. Renan)
4. — Oui, mon petit, elle *est prise*, la tranchée, elle est prise ! (R. Bazin)
5. **Timidité** : Chaque fois que je *suis regardé* en face par qui est plus vieux, plus riche ou plus faible que moi, j'ai des peurs d'enfant. (J. Vallès)
6. Les prix *étaient donnés* depuis la veille. (A. Lafon)
7. Heureusement, nos précautions *avaient été prises* à l'avance. (J. Gérard)
8. Jamais un désir ne *sera formé* par vous, que je ne vous aide à le réaliser. (C. Baudelaire)
9. Pendant qu'autour de vous, comme autour d'un ami,
   S'éveilleront Paris, et la France, et le monde,
   Vous *serez endormi.* (V. Hugo)
10. **Fadinard** (lui offrant le verre) : Voilà... (Le voyant vide) Ah ! tiens ! il *est bu*... (E. Labiche)

657
CFC§§204-205

Remplacez le verbe passif à l'infinitif par un nom (ex. : *Le capitaine exigeait d'être aidé. — ... exigeait de l'aide*) :

1. Le maestro était ravi d'être applaudi.
2. Ce père ne supporta pas d'être trahi par les siens.
3. Ce chef difforme gagna par sa conduite d'être respecté de tous ses hommes.
4. Être obéi de ses élèves, c'était l'essentiel pour ce maître.
5. Nous voulions être récompensés de notre travail.
6. Ce malfaiteur a bien mérité d'être emprisonné.
7. Je souhaite d'être aimé de mes enfants.
8. Après son crime, la crainte d'être châtié ne lui laissa pas de repos.

658
CFC§§204-205

Remplacez l'auxiliaire *être* par un verbe actif intransitif de sens plus riche (ex. : *Les nuages noirs étaient emportés par le vent. — ... fuyaient, emportés par le vent*) :

1. Ney fut tué en 1815 par des balles françaises.

2. Un cri de joie fut lancé par cent poitrines.
3. Il fut jeté à terre d'un direct du gauche.
4. Pierre était ravi de sa victoire.
5. Le vin était répandu dans toute la cave.
6. Le nez de notre homme était rougi par de trop copieuses libations.
7. Il fut sauvé par sa robuste constitution.
8. Placé entre un seau d'eau et une botte de foin, l'âne était attiré dans deux directions contraires.

659
CFC § § 204-205

Remplacez le verbe passif par le verbe *être* suivi d'un nom attribut, et faites les modifications nécessaires dans la phrase sans toutefois en bouleverser l'ordre (ex. : *Le malheureux commerçant fut accablé par ses créanciers. — ... fut la proie de ses créanciers*) **:**

1. Ce progrès a été réalisé grâce à vos efforts.
2. Pierre a été perdu par ses propres mensonges.
3. Qu'est-ce qui est visé par toute cette activité ?
4. Sur chaque kilo, quinze francs sont gagnés par le revendeur.
5. L'épave était ballottée par les vagues.
6. Platon fut instruit par Socrate.
7. Les Français d'alors étaient gouvernés par un roi.
8. Paul est maltraité par tous ses camarades.

660
CFC § § 204-205

Remplacez le verbe passif par un verbe actif suivi ou non d'un complément, et modifiez s'il y a lieu le reste de la phrase sans en bouleverser l'ordre (ex. : *Le vainqueur fut félicité par le Président. — Le vainqueur reçut les félicitations du Président*) **:**

1. Hugues Capet fut élevé au trône en 987.
2. Cet homme sans méfiance a été pris à ce piège.
3. Opposé au Stade français, le Racing a été battu.
4. En pleine maturité, Henri IV fut assassiné par Ravaillac
5. Les vélocipèdes ont été remplacés par les bicyclettes.
6. Ce parvenu se vante trop : il est exposé à la jalousie.
7. Pierre fut violemment frappé à l'épaule.
8. Sa famille a été exilée avec lui.

661
CFC § 207

Relevez dans les phrases suivantes les verbes pronominaux et dites s'ils ont le sens réfléchi (Réf.), réciproque (Réc.), passif (Pas.) ou lexicalisé (Lex.) ; 4 ex. de chaque sorte :

1. Loupé s'était offert une sorte de veston dont les manches trop longues l'empêchaient de mettre commodément ses deux mains dans les poches. (F. Carco)
2. Il y a des oiseaux, la pie, le geai, le merle, la grive, avec lesquels un chasseur qui se respecte ne se bat pas. (J. Renard)
3. Le jour mourait. Le bruit des hommes ne s'entendait plus aux champs. (E. Pérochon)
4. Nous nous adorons les uns les autres. Qui ose prétendre que nous sommes à l'ère de l'égoïsme, que les humains entre eux se haïssent ? (P. Guth)

5. Jusque-là notre plan s'était exécuté comme une planche lisse où glisse le rabot, sans rencontrer un nœud. (R. Rolland)

6. **Toilette du dimanche :** Pas moyen de tricher en se contentant comme chaque jour d'aller à l'auge et de s'y mouiller les cheveux et les oreilles, en s'ébrouant comme une pouliche, pour faire croire. (H. Vincenot)

7. Des hommes en blouse ou en sale redingote (...) causaient par groupes distincts ou se hélaient tumultueusement. (G. Flaubert)

8. Mais comme il étendait la main, la porte s'ouvrit doucement. (G. Bernanos)

9. « Je n'ai pas changé de vie, je continue de m'aimer et de me servir des autres. » (A. Camus)

10. « Les cols marins se portent beaucoup plus ouverts. » (A. Gide)

11. Il prenait pour aller chaque jour à Paris le même train que mon père. On s'évitait. (M. Tournier)

662
CFC § 207

1° Relevez dans ce texte les verbes pronominaux qui ont le sens réfléchi.
2° En employant des verbes pronominaux réfléchis, dites comment un vaniteux s'estime et se fait valoir, ou exprimez les remords d'un enfant qui a commis une faute.

Éloge des habitudes.
Pour moi, je n'ai jamais compris qu'on mît son amour-propre à s'en garantir ou bien ses efforts à s'en débarrasser, ni qu'on se crût moins libre pour avoir une méthode. (E. Fromentin)

663
CFC § 207

1° Relevez dans ce texte les verbes pronominaux qui ont le sens réciproque.
2° En employant des verbes pronominaux réciproques, décrivez une exhibition de lutte (en précisant, si possible, les prises et leurs effets) ou décrivez les rapports de couleurs et de lignes dans un tableau ou dans une décoration de tissu ou de papier peint.

Dans la forêt de Fontainebleau.
Il y avait des chênes rugueux, énormes, qui se convulsaient, s'étiraient du sol, s'étreignaient les uns les autres, et, fermes sur leurs troncs, pareils à des torses, se lançaient avec leurs bras nus des appels de désespoir, des menaces furibondes comme un groupe de Titans immobilisés dans leur colère.
... Les roches se multipliaient de plus en plus, et finissaient par emplir tout le paysage, cubiques comme des maisons, plates comme des dalles, s'étayant, se surplombant, se confondant, telles que les ruines méconnaissables et monstrueuses de quelque cité disparue. (G. Flaubert)

664
CFC § 207

Relevez dans ce passage les verbes pronominaux de sens passif. Pour quelles raisons Victor Hugo les a-t-il employés ici de préférence à la forme passive, ou à la forme active transitive avec sujet indéfini *on* ?

Comment lutter, sur le pont d'un navire, contre un canon qui a rompu ses amarres ?
Une tempête cesse, un cyclone passe, un vent tombe, un mât brisé se remplace, une voie d'eau se bouche, un incendie s'éteint ; mais que devenir avec cette énorme brute de bronze ? De quelle façon s'y prendre ? (V. Hugo)

665
CFC § 207

Avec chacun des verbes suivants :

creuser, dresser, élever, ennuyer, étendre

faites deux phrases où ils seront employés : 1° transitivement à la forme active ; 2° intransitivement à la forme pronominale de sens

lexicalisé (ex. : *Les Grecs ont battu les Perses. — Les Grecs se sont battus vaillamment***).**

666
CFC§207

Même exercice avec les verbes suivants :

étirer, intéresser, passer, produire, tenir.

667
CFC§§207, 87, 148
PAE§52

Vous montrerez qu'ici l'emploi du suffixe *age (battage),* **celui du pronom** *ça* **et celui du verbe pronominal de sens passif** *(se bat)* **concourent à produire un même effet de style (lequel ?) :**

Puériculture.
— Quand on a beaucoup d'enfants il faut bien taper dessus, affirme la mère Fondant... ou alors faudrait être très riche...
De là une dissertation sur la façon de « corriger » les enfants ; le **battage** des enfants étant assimilé à une nécessité domestique, telle que le battage des tapis :
— **Ça ne se bat guère** avant cinq ou six mois. (L. Frapié)

668
CFC§207Rb

Relevez dans les phrases suivantes les verbes pronominaux dont le pronom n'est pas exprimé et donnez la raison de ce fait :

1. Elle m'envoya coucher. (G. Sand)
2. Réfugié dans une cabane, je n'ai de ressource que ma pêche. (Voltaire)
3. Le vieux mène son chien promener. (A. Camus)
4. Un bruit me fit retourner. (R. Boylesve)
5. Que ton vers soit la chose envolée
   Qu'on sent qui fuit d'une âme en allée
   Vers d'autres cieux à d'autres amours.
   (Verlaine)
6. Il subit l'horrible épreuve sans laisser échapper un gémissement. (P. Mérimée)
7. « Les gens bien portants sont des malades qui s'ignorent. » (J. Romains)
8. Ils répondent à coups d'arquebuse et abattent quelques-uns des plus acharnés. (P. Mérimée)
9. Le défiant Jean-Jacques n'a jamais pu croire à la perfidie et à la fausseté qu'après en avoir été la victime. (J.-J. Rousseau)

669
CFC§208

Dites si les verbes *faire* **et** *laisser* **ont leur sens propre ou sont auxiliaires :**

1. « Mes parents, que j'ai perdus très jeune, m'avaient laissé quelque bien en héritage. » (H. Troyat)
2. Madame Bourdieu se faisait quereller par mon oncle, parce qu'elle avait laissé mettre dans la sauce quelques parcelles de muscade de plus ou de moins. (G. Sand)
3. En France, les pommiers feront toujours des fleurs. (J. Audiberti)
4. « Je n'ai montré aucun courage : je me suis laissé emporter. » (G. Bernanos)
5. Il cherchait des araignées qu'il faisait battre ensemble. (L. Larguier)
6. Les affaires publiques le laissèrent indifférent, tant il était préoccupé des siennes. (G. Flaubert)
7. Le poisson d'eau douce, qui est fade, se fait cuire le plus souvent avec ses écailles. (Rubrique gastronomique d'un journal)

670
CFC§208
PAE§60

La phrase suivante :

Ce pauvre homme, modeste et humble, s'était vu, en effet, refuser la seule joie qu'il eût demandée à la vie. (Courteline)

équivaut à celle-ci :

A ce pauvre homme, modeste et humble, avait été refusée, en effet, la seule joie qu'il eût demandée à la vie.

L'emploi du verbe *voir,* **auxiliaire de voix, permet, dans la 1re phrase, de faire du groupe nominal** *« Ce pauvre homme »* **le sujet.**

Vous referez sur ce modèle les phrases suivantes, en leur donnant pour sujet le nom ou pronom en caractères gras :

1. Cette décoration **lui** fut enfin accordée. *(Il se...)*
2. Son rival Lavigne **lui** fut préféré.
3. Deux jours après on portera **Alexandre** en triomphe.
4. A sa grande surprise, on **le** remercia chaleureusement.
5. Le prix d'excellence fut décerné à **Gérard.**
6. On remettait bien vite à leur place **ceux** qui essayaient d'être impertinents.

671
CFC§209

Relevez les verbes ou locutions verbales à la tournure impersonnelle en disant chaque fois :
1° quelle est la marque morphologique de cette tournure ;
2° si le verbe est impersonnel par essence ou par accident :

1. Il vint chez nous pour nous deux, trois fois par semaine, un maître d'écriture, un maître de danse, une maîtresse de musique. (G. Sand)
2. Il y aura aussi toute la jeune opposition. (J. Vallès)
3. D'un square qu'on arrose, il monte une buée, qui donne un flottement doux à la tour Saint-Jacques. (Paul Fort)
4. — Pourvu qu'il fasse beau demain !
   — Le vent tourne au nord, dit Philippe. Il fera sec, et si nous avons la chance qu'il gèle cette nuit, ce sera le meilleur temps pour tuer un cochon. (J. Renard)
5. Il s'est tué depuis mon arrivée ici deux ou trois parachutistes. (Saint-Exupéry)
6. « Mieux vaut rentrer. Faut être dispos demain. » (E. Dabit)
7. « Ça doit être en 83, l'année qu'il a crevé deux vaches chez Corenpot. » (M. Aymé)
8. Est-ce tout ? Il viendra me demander peut-être
   Un grand homme sec, là, qui me sert de témoin. (Racine)

672
CFC§209
PAE§51

Montrez que le verbe *palpiter* **est mis à la tournure impersonnelle. Quel effet de style est produit ?**

Et je porte avec moi cette ardente souffrance
Comme le ver luisant tient son corps enflammé
Comme au cœur du soldat il palpite la France
Et comme au cœur du lys le pollen parfumé

(G. Apollinaire, *Calligrammes*)

673
CFC§210

Dites la classe grammaticale (participe, verbe, adverbe, présentatif) et la fonction syntaxique (épithète, complément du verbe, base de la proposition) des mots en gras :

1. Sur la route, **voici** encore le pensionnat des dindes. (J. Renard)
2. **Vive** les nouilles, malgré tout ! (R. Martin du Gard)
3. Vous devinez pour qui est la lettre **ci-incluse.** (B. Constant)

4. Toits superbes ! froids monuments !
Linceul d'or sur des ossements !
Ci-gît Venise. (Musset)

5. Je crains que ce ne **soit** une fille. (H. Bazin)

6. **Ci-joint** la liste des personnes. (P. Claudel)

7. Dis, qu'as-tu fait, toi que **voilà**,
De ta jeunesse ? (Verlaine)

8. On n'apercevait âme qui **vive** dans la plaine. (P. Loti)

9. **Soit** maintenant deux vecteurs équipollents. (G. Foulon)

10. J'ai l'honneur de vous envoyer **ci-inclus** la déclaration que vous me demandez. (V. Hugo)

11. **Vivent** donc les enterrements ! (A. Camus)

12. Ces pièces, il les renvoyait **ci-jointes**. (R. Boylesve)

674
CFC § § 147-148, 210-223

D'après les exemples suivants, conformes aux usages de la langue écrite traditionnelle, expliquez la différence entre *voici* et *voilà* :

1. Mon oncle prit un gros dé à coudre de cuivre, fixé au bout d'un petit manche de bois noir. « Voici la jaugette pour mesurer la charge, me dit-il. » (M. Pagnol)

2. « Voilà, continua l'aîné, deux heures que nous marchons. » (V. Hugo)

3. **Automne** : Feu ! Feu divin ! te revoici. (Colette)

4. On a tenté d'esquisser un portrait. Est-il fidèle ? Voilà la vraie question. (A. Decaux)

5. — Ma pensée, la voici : c'est qu'il est impossible que Dieu veuille nous séparer. (V. Hugo)

6. « Ça va très bien. Mais j'ai chaud. Voilà tout. » (B. Clavel)

7. Voici huit mois que je n'ai écrit une seule ligne de ce journal. (O. Mirbeau)

8. **Un guide compétent** : Il disait : « Ceci est bien ; cela est détestable. Voici de la sculpture amusante ; voilà qui est bêtement fait. » (E. About)

675
CFC § § 210-223

L'emploi de *voilà* dans les phrases suivantes est-il conforme à l'usage défini pour *cela* au § 148 ? Qu'en déduisez-vous sur l'usage courant du mot ?

1. « Dites-moi le sujet de votre roman (...) — Eh bien ! voilà : c'est une étude de mœurs populaires. » (A. France)

2. « Seulement voilà : c'est devenu très difficile de recruter des physionomistes. » (P. Daninos)

3. Voilà mon excuse : l'intérêt, le plus bas intérêt personnel. (Th. Maulnier)

Cinquième section

La phrase

(CFC §§ 211-274, PAE §§ 57-69)

ÉQUIVALENCES SYNTAXIQUES

676
PAE§59

Remplacez les mots en *italique* par un verbe simple de même sens (ex. : Cette misère *fait éprouver de* la pitié : excite la pitié) **:**

1. Ce bateau-mouche me *fait penser à* notre traversée du lac Léman.
2. Le château *se dresse au-dessus de* la plaine, une mauvaise route y *fait accéder.*
3. Depuis que le gouvernement a *mis en circulation* de nouveaux billets, les commerçants *ne veulent plus accepter* les anciens.
4. Ce peintre *a mis* ma maison *dans le plus triste état* ; je l'ai prié d'aller *mettre* ses talents *en pratique* ailleurs.
5. Je le *considérais comme* mon ami, parce qu'il *faisait semblant d'éprouver* une grande admiration pour moi.
6. Cette initiative *va au-delà des limites de* vos attributions ; je *trouve* que vous *auriez tort* de la prendre ; la prudence *est de rigueur.*

677
PAE§59

Même exercice :

1. Les hêtres *poussent en grande quantité* dans cette région ; leurs faînes *sont utiles pour* la nourriture des porcs.
2. M. Mouleron *était très habile* à faire les tartes, dont son épouse *était friande.*
3. Si le procureur *dit que* votre témoignage *n'est pas valable*, cela ne va pas *rendre facile* ma défense.
4. Le chien des voisins m'*est très hostile* ; heureusement qu'une barrière solide *s'élève entre* nous.
5. Pourquoi toujours *dire du mal des gens* ? Vos victimes vous le *feront payer* de quelque manière.
6. L'appartement *était privé* de soleil, mais une pièce d'eau *donnait de la gaieté au* jardin.

678
PAE§59

Même exercice (ex. : Le chat *a détruit entièrement* nos souris : a exterminé nos souris) **:**

1. Elle *observe secrètement* les voisins.
2. Cette opinion *me plaît vivement*.
3. Il a *avalé gloutonnement* ses cinq tartines.
4. Il a *traité complètement* le sujet.
5. Grand-père *satisfait entièrement* mes désirs.
6. Le surveillant *s'était endormi légèrement.*
7. La pile de livres *est tombée lourdement.*
8. Un camion *est arrivé brusquement* devant nous.

679 PAE§59

Même exercice :

1. J'*étudierai profondément* la question.
2. Ce cordial *a coloré vivement* votre teint.
3. Vous *regretterez vivement* vos fautes.
4. Il *passe brusquement* d'une idée à l'autre.
5. Le délinquant *avait disparu furtivement.*
6. Je suis *privé injustement* de mon bien.
7. Vous *louerez hautement* le talent de l'auteur.
8. Ce bruit m'*irrite au plus haut point.*

680 PAE§59

Remplacez chaque groupe de mots en *italique* par un adjectif :

1. Le 29 août 1952, un parachutiste *âgé de quatre-vingts ans* s'est jeté au-dessus de la Seine.
2. Contre les oreillons, il n'y a pas de remède *à administrer d'avance.*
3. Ce visiteur *qui venait mal à propos* fut vite éconduit.
4. Le président est *susceptible d'être réélu* une seule fois.
5. Les graines *qui donnent de l'huile.*
6. Les plantes *utilisées en pharmacie.*
7. J'ai des pêchers *qui mûrissent tôt* et d'autres *qui mûrissent tard.*

681 PAE§59

Même exercice :

1. On respire sur cette côte un air *qui donne de la vigueur.*
2. Les ennuis *relatifs à l'argent* ne sont pas les pires.
3. Les revenus sont frappés d'un impôt *qui croît avec la somme.*
4. Un milliardaire *ami des hommes.*
5. Une région *où il pleut souvent.*
6. Une pauvre femme *qui se sert difficilement de ses membres.*
7. Une haie très *fournie de feuilles* abrite les convives du regard des passants.
8. Une fête *qui a lieu tous les cinq ans.*

682 PAE§59

Remplacez les mots en *italique* par un adverbe :

1. Il faut soigner ce malade, mais *d'une manière qui puisse amener la guérison.*
2. L'écrivain a fait un séjour à Cannes *sans se faire connaître.*
3. Nous avons vu tout le spectacle *sans rien débourser.*
4. Parlez donc *de manière à vous faire comprendre.*
5. Ce devoir sera fait *en collaboration par tous les élèves.*
6. Le flot des spectateurs sortants s'écoulait *par les côtés.*

683 PAE§59

Même exercice :

1. Vos bons soins m'ont sauvé, *cela ne fait aucun doute.*
2. Il avait achevé son œuvre *en travaillant beaucoup.*
3. La charrette surchargée atteignit enfin le village, *en ballotant de droite et de gauche.*
4. J'irai avec les pêcheurs et, *si l'occasion s'en présente,* je leur donnerai un coup de main.

5. Un chapeau melon est posé *d'une manière comique* sur sa tignasse frisée.
6. Le singe s'accrochait *d'un air désespéré* à son maître.

684

PAE§59

Quel nom convient à chacun des récipients suivants ?

1. boîte qui sert à recueillir les bulletins de vote.
2. vase à anse, à large ventre, à col étroit, où l'on met de l'eau.
3. vase demi-sphérique, utilisé surtout pour le petit déjeuner.
4. vase de métal utilisé pour faire bouillir l'eau.
5. bouteille de verre ou de cristal utilisée aux repas.
6. vase dans lequel on sert la soupe.
7. vase à boire, à anse, en faïence ou en porcelaine.
8. vase en terre ou en métal où l'on fait bouillir les viandes dont on fait du potage.
9. grand vase de grès pour conserver l'eau, l'huile, les olives, etc.
10. récipient métallique utilisé pour frire et faire fricasser.

685

PAE§59

Donnez l'adjectif exprimant les caractères définis ci-dessous :

1. (une possession) qui dure depuis cent ans.
2. (des exercices) pratiqués en vue de prononcer des discours.
3. (de l'eau) qui ne s'écoule pas.
4. (un tissu) qui ne laisse pas passer l'eau.
5. (un juge) qui ne peut se tromper.
6. (une sanction) qui fait perdre l'honneur.
7. (un visage) d'une laideur à faire frémir.
8. (une plante) qui vit dans l'eau.
9. (une plaisanterie) qui pèche contre les règles du savoir-vivre.
10. (un entraînement) qui est conduit par degrés.

686

PAE§59

Donnez le nom désignant les métiers, fonctions ou titres définis ci-dessous :

1. celui qui taille et vend des pierres précieuses.
2. celle qui confectionne et vend des chapeaux de femme.
3. celui qui cherche des gisements d'or ou de diamant.
4. le savant qui étudie les médailles et les monnaies.
5. l'employée de cinéma qui conduit les spectateurs à leur place.
6. le jeune garçon chargé des commissions dans un hôtel.
7. le jeune médecin logé et nourri dans un hôpital.
8. celui qui remplace un souverain pendant sa minorité.
9. le fils du roi destiné à régner.
10. le chef administratif d'un département.

687
PAE§59

Quels mots simples pourraient remplacer les mots suivants (mots relatifs au cheval) ?

(Solutions, par ordre alphabétique : *alezan, bai, broncher, se cabrer, chopper, s'ébrouer, isabelle, jument, piaffer, pie, pommelé, poney, poulain, pouliche, ruer.***)**

Noms :

— un jeune cheval,
— un cheval femelle,
— un jeune cheval femelle,
— un cheval de petite taille.

Adjectifs :

— dont la robe est couverte de taches rondes, grises et blanches,
— dont la robe est blanche et noire,
— dont la robe et les crins sont jaune rougeâtre,
— dont la robe est rouge brun et les crins noirs,
— dont la robe est jaune pâle.

Verbes :

— faire un faux pas qui rompt l'allure de la marche,
— se dresser sur les pattes de derrière,
— heurter du sabot contre un obstacle,
— souffler de frayeur,
— frapper la terre du sabot par impatience,
— jeter les pieds de derrière en l'air.

688
PAE§59

Quels mots simples correspondent aux définitions suivantes (mots relatifs au commerce) ?

(Solutions, par ordre alphabétique : *bilan, commanditer, crédit, dispendieux, escompter, faillite, falsifier, gratuit, inventaire, lucratif, marchander, solder, solvable, tarif, usuraire.***)**

Noms :

— réputation d'avoir de quoi payer,
— tableau des prix,
— compte de l'actif et du passif,
— dénombrement, fait par écrit, des divers articles à vendre,
— état d'un commerçant qui cesse ses paiements.

Adjectifs :

— qui ne coûte rien,
— qui apporte de l'argent,
— qui comporte un intérêt supérieur au taux fixé par la loi,
— qui a de quoi payer,
— qui occasionne beaucoup de dépenses.

Verbes :

— altérer pour tromper,
— demander le prix d'une chose et le débattre,
— payer un effet avant l'échéance, moyennant une retenue,
— vendre à bon marché le reliquat d'un stock quelconque,
— avancer les fonds nécessaires à une entreprise commerciale.

689
PAE§60

Modifiez les phrases suivantes en faisant du mot mis entre parenthèses le sujet :

1. Dans ce lac, on voit les pics neigeux des Alpes. *(Ce lac...)*
2. Il y a dans ce journal une page entière sur la réforme de l'orthographe. *(Ce journal...)*

3. En prenant ce couloir vous iriez au bureau du directeur. *(Ce couloir...)*
4. Il a acquis cette résistance par un entraînement quotidien. *(Un entraînement...)*
5. Il y a de la haine sous cette amabilité forcée. *(Cette amabilité...)*
6. Le conseil des ministres ne s'est pas accordé sur cette question. *(Cette question...)*
7. On a fait fortement opposition à ce projet. *(Ce projet...)*
8. Devant cet accueil il perdit contenance. *(Cet accueil...)*

690
PAE§60

Même exercice :

1. La colère s'empara de Suzanne et la rendit rouge comme une pivoine. *(Suzanne...)*
2. Le char était suivi d'une troupe de nymphes couronnées de fleurs, qui nageaient en foule. *(Une troupe...)*
3. Une balle avait atteint au bras le chef arabe, Abou-el-Marsch, pendant le combat. *(Le chef arabe...)*
4. Son poids faisait fléchir et se redresser les branches élastiques. *(Les branches élastiques...)*
5. La première flèche, en sifflant, fit tourner la tête à tous les cerfs à la fois. *(Tous les cerfs...)*
6. Grâce aux alignements réguliers du vignoble, on n'a pas de peine à surveiller la récolte. *(Les alignements...)*
7. **Pommiers en fleurs :** Sous cet azur, les bouquets rougissants tremblaient légèrement à la brise légère, mais froide. *(Une brise...)*
8. Hier encore éclatantes de chaudes nuances et d'orgueilleux parfums, les fleurs sont devenues noires des brûlures hâtives de la gelée. *(La gelée...)*

691
PAE§60

Albert Thibaudet, dans son livre sur Flaubert, cite ce passage pour la variété de la syntaxe. Vous montrerez en détail comment Flaubert a évité les répétitions de tours, en changeant continuellement le sujet grammatical de ces phrases et sa construction.

Abandon.
De la clématite embarrassait les charmilles, les allées étaient couvertes de mousse, partout les ronces foisonnaient. Des tronçons de statue émiettaient leur plâtre sur les herbes. On se prenait en marchant dans quelque débris d'ouvrage en fil de fer. Il ne restait plus du pavillon que deux chambres au rez-de-chaussée avec des lambeaux de papier bleu. Derrière la façade s'allongeait une treille à l'italienne, où, sur des piliers en brique, un grillage de bâtons supportait une vigne.

692
PAE§60

Comme il a été demandé pour le texte de Flaubert à l'exercice précédent, vous montrerez comment l'auteur de cet article a varié la construction, la présentation de ses phrases.

Londres en 1953.
Londres et ses habitants sont redevenus ce qu'ils étaient avant les malheurs de la guerre. Modes, manières, habitudes, tout est rentré dans l'ordre. Reste, hélas ! la trace des bombardements encore visible en maint endroit. Mais ces ruines de brique rouge, où le lierre a grimpé, évoquent aussi, à leur façon, la vieille Angleterre. On dirait que, surmontant héroïquement son deuil, elle s'est remise à faire du Walter Scott.

Ce qui a été reconstruit dans la ville ne jure pas avec les vieilles façades épargnées. Je ne sais quel a été le plan d'urbanisme ni même s'il y en eut un, mais aucun excès de modernisme n'a défiguré le labyrinthe des rues. Oh ! cette topographie londonienne, qui complique à plaisir l'enchevêtrement du tracé par l'homonymie des appellations ! Les taxi-cabs eux-mêmes ont renoncé à s'y reconnaître et conduisent leurs clients au petit bonheur. (Jacques de Lacretelle)

693
CFC§211

Relevez les mots non verbaux bases de phrase en disant leur forme grammaticale et si cette phrase est de modalité déclarative, interrogative, exclamative ou impérative :

1. — Pouah ! s'écria-t-elle en français (car c'est la langue qu'elle parlait avec Otto). (D. Lesueur)
2. **Adèle :** — Assez !
   Boubouroche : — Tu m'imposes le silence, je crois ? (Courteline)
3. Un grand coup de sifflet, l'ébranlement bruyant des roues, la grand-mère passa. (P. Loti)
4. Sa machine a eu quelque chose, alors il a été retenu.
   — Grave ? demande l'oncle François. (H. Vincenot)
5. « Quel branle-bas ! » disait-il enthousiasmé, pour ajouter tout de suite après, presque désespéré :
   « Quel bouleversement ! » (H. Vincenot)
6. — Un dernier verre ? suggère le Père Paul. (F. Mallet-Joris)
7. Ils criaient et gesticulaient tous les deux, je croyais qu'ils allaient en venir aux coups. « Du calme, du calme, cabo », lui dis-je. (L. Bodard)
8. Un jour je trouvai la cage ouverte et mon friquet disparu. De là, cris, douleurs, trépignements, et enfin intervention maternelle. (A. Dumas)
9. — Il a retrouvé son... Il a retrouvé le contact... chuchota-t-il. Non ?
   — Si, dit le Père Paul sérieusement, presque douloureusement. (F. Mallet-Joris)

694
CFC§211

Les groupes de mots en *italique* sont des phrases non propositionnelles ; divisez chacun en thème et propos :

1. *« Pauvres gens, ces Anglais,* soupirait-il, ils n'ont rien ! » (H. Vincenot)
2. *Après la pluie, le beau temps.* (Proverbe)
3. Devant le mutisme de Jacques, Antoine se découragea : *impossible d'amorcer aucune conversation.* (R. Martin du Gard)
4. Une nouvelle Vie de Stendhal. *Écrire la vie de Stendhal, quelle délicate entreprise !* (P. Arbalet)
5. **Escalade :** On rit de l'embarras, mais en attendant on a des sueurs d'effroi. *Redescendre, affreux ; monter, impossible.* (R. Töpffer)
6. — Allô, c'est vous Nemo ? Oui, *ici Spartacus* ! Merci, tout va bien. (P. Mac Orlan)
7. « Vous n'êtes pas bien chauds pour la grève, parce que vous êtes des priviligiés. Avoue-le !
   — *Privilégié, moi ?* » (H. Vincenot)
8. **Au pénitencier :** Lorsque la petite colonne eut disparu dans le casernement, dont l'escalier de bois résonna longtemps avec un rythme sourd, Antoine se tourna vers M. Faîsme qui semblait l'interroger :
   — *« Tenue excellente »,* constata-t-il. (R. Martin du Gard)

9. *« Mauvais, ça »,* murmura Mazel. (J. Romains)

10. Anne-Marie, Elsa, Pauline et la « fan de Compiègne » se retrouvèrent dans un dortoir lugubre, mais enfin, c'était un toit. Plus de lits.
— *En avant les sacs de couchage,* soupira Anne-Marie.
(F. Mallet-Joris)

695
PAE§§60-61

Remplacez le verbe ou le groupe verbal en *italique* par un nom ou un groupe nominal de même fonction :

1. *En voyant* son genou saignant, Claudette poussa des cris.
2. *Après s'être d'abord émue,* elle voulut retourner au jeu.
3. Ouvrez la boîte *en poussant simplement* au centre du couvercle.
4. Le patron m'a mis à pied *en prétextant fallacieusement* des économies.
5. Ils ont toujours lutté *pour faire reconnaître* leurs droits.
6. Il acheva *de se ruiner en achetant* une écurie de courses.
7. Je vous conseille *de vous faire examiner de nouveau à la radio.*

696
PAE§61

Remplacez les verbes ou les propositions subordonnées en *italique* par un nom ou un groupe nominal dont vous ferez le sujet de la phrase au moyen des modifications nécessaires (ex. : *En vous taisant* vous paraissez avouer. — Votre silence ressemble à un aveu) **:**

1. *En avouant votre faute* vous ne serez pas puni.
2. *Si le maire intervenait,* ces querelles de paysans pourraient être apaisées.
3. *Bien que nous bavardions sans arrêt,* le surveillant prépare son examen.
4. *Parce que j'ai eu confiance en ses conseils,* j'ai eu bien des déboires.
5. *En regardant attentivement* l'image, vous trouverez la solution.
6. Il n'éprouvait aucun regret *quand il se rappelait sa jeunesse.*
7. *Pour que notre entreprise réussisse,* il faut d'abord que nous soyons loyaux l'un avec l'autre.
8. *Comme la nuit tombait,* ils ne purent terminer le match.
9. On ne peut toucher un mandat *sans présenter une pièce d'identité.*
10. *Quand on lit trop,* on se fatigue la vue.

697
PAE§61

Même exercice :

1. *S'il est connu,* c'est grâce à sa naissance plutôt qu'à son mérite.
2. *En augmentant les prix,* les producteurs gagnent plus.
3. *Bien que j'aie été battu,* j'espère encore vaincre un jour Kid Johnson.
4. *Chaque fois qu'on demande un changement d'adresse,* on doit joindre deux francs et une bande d'abonnement.
5. *Cet immeuble achevé,* de nouveau Pierre fut sans travail.
6. Il a senti naître sa vocation de marin *en étudiant la géographie.*
7. *Pour bien conduire les opérations,* il faut un commandement unique.
8. *Quand on mélange un acide avec une base,* il se produit un sel et de l'eau.
9. *Après s'être baigné,* on joue immédiatement au volley-ball.
10. *Parce que l'examen approche,* il ne dort plus.

698
PAE§61

Vous remplacerez chacun des verbes en *italique* **par une locution de même sens composée d'un verbe et d'un nom et vous y ajouterez une qualification quelconque au moyen d'une épithète (ex. :** Il *salue* tous les supérieurs — Il *adresse* à tous ses supérieurs *des saluts cérémonieux*) **:**

1. Il m'*a conseillé* de me reposer.
2. Je vous *remercie.*
3. A cette nouvelle, elle *a pleuré.*
4. L'empereur *exila* Victor Hugo.
5. Le prix des pierres à briquet va *baisser.*
6. Un vétérinaire *contrôle* les viandes de boucherie.
7. Mon cousin m'*a servi* en cette occasion.
8. Nous *vaincrons.*

699
PAE§61

Même exercice :

1. Il sut *profiter* de cette leçon.
2. L'enfant *défia* le géant.
3. L'écrivain *s'est intéressé* à mes vers.
4. Il *parle* à ses voisins de palier.
5. Mon frère m'*a regardé.*
6. Depuis trois ans la ville *résistait* à tous les assauts.
7. Mon camarade *se taisait.*
8. J'ai *résolu* d'apprendre mes leçons.

700
PAE§61

Transformez les phrases ci-dessous en titres d'articles de journaux ayant la forme de groupes nominaux où les verbes en caractères gras auront disparu ou seront remplacés par des noms (ex. : *Un train* **a déraillé** *en gare des Aubrais. — Déraillement d'un train en gare des Aubrais*) **:**

1. Les Alpinistes français **ont remporté** une victoire dans les Andes.
2. A Genève l'atmosphère **est** amicale, mais **il n'y a pas** de résultats pratiques.
3. La neige **est tombée** à Nice.
4. Un médecin parisien **est poursuivi** pour **avoir enfreint** la loi sur les pharmacies.
5. Les syndicats **se consultent** entre eux.
6. Il **est** possible que les prix du sucre et de l'huile **soient réduits** de 10 p. 100.

701
PAE§61

Dans les phrases suivantes, la langue scientifique se caractérise par un abus du « style substantif » ; vous les récrirez de façon plus élégante en les modifiant de manière à supprimer les noms abstraits en caractères gras, qui pourront être remplacés par des verbes (ex. : *La structure de la neige est sous la* **dépendance** *du climat. — La structure de la neige dépend du climat*) **:**

1. La **chute** de la neige est subordonnée à un **abaissement** de la température suffisant pour provoquer la **congélation** en fins cristaux des gouttelettes dues à la **condensation** de la vapeur d'eau.
2. En juillet a lieu la **moisson** du blé, suivie d'**égrenage** immédiat.
3. **Grains de glace :** Il se produit simultanément une **expulsion** progressive de l'air et un **accroissement de taille** des grains, avec **perte** de la forme originelle.

4. En été, l'**échauffement** de la mer, moins rapide que celui de la terre, a pour **conséquence** la **conservation** de sa **fraîcheur.**
5. La terre obéit à un **mouvement** de **rotation** sur elle-même dont l'**accomplissement** se fait en un jour et à un **mouvement** simultané de **déplacement** autour du soleil dont l'**accomplissement** se fait en un an.

702
PAE§61

Toutes les phrases ci-dessous sont caractérisées par l'emploi du style substantif (noms en caractères gras) ; pour chacune, vous direz pour quelle raison de style on a préféré l'emploi du nom à celui d'un verbe ou d'un adjectif (simplification de la phrase par l'élimination d'une subordonnée, brièveté expressive, inutilité ou impossibilité d'indiquer le sujet, « impressionnisme ») :

1. **Aube en forêt :** Maintenant, la rumeur s'augmentait de tous les bruits des nids. Un **frémissement** ailé battait le bois. Des **jacassements** attachaient d'un arbre à l'autre des traînées sonores. (C. Lemonnier)
2. Les gardes obéissent, la chapelle se vide. **Étonnement** du roi, qui arrive et ne voit personne. (G. Lacour-Gayet)
3. **Bain en rivière :** Elle voit, devant le **tremblement** de ses jambes, s'enfuir les reflets blancs des ablettes effarouchées. Elle frissonne peu à peu à entrer tout entière dans la **fraîcheur** verte et liquide où remue l'ombre des aulnes. (F. Jammes)
4. **Souvenir d'enfance :** Ce que je n'ai pas oublié, c'est la **croyance** absolue que j'avais à la **descente**, par la cheminée, du petit père Noël, bon vieillard à barbe blanche, qui, à l'heure de minuit, devait venir déposer dans mon petit soulier un cadeau que j'y trouvais à mon réveil. (G. Sand)

703
PAE§61

Même exercice :

1. **La pieuvre :** Brusquement une large **viscosité** ronde et plate sortit de dessous la crevasse. (V. Hugo)
2. **Information de Dieppe :** La **mort** tragique, à quelques jours d'intervalle, des deux frères L..., l'un noyé, l'autre écrasé sur la route aux environs d'Arques, constitue une étrange coïncidence. (Journal)
3. **Dans les tranchées :** La pluie redouble. Second **arrêt** subit. Il y en a un qui est tombé ! **Brouhaha.** Il se relève. On repart. (H. Barbusse)
4. **Bal costumé :** Les danses s'arrêtèrent et il y eut des **applaudissements**, un **vacarme** de joie, à la vue d'Arnoux s'avançant avec son panier sur la tête. (G. Flaubert)

704
PAE§61

Même exercice :

1. Au milieu de cette ombre, par endroits, brillaient des **blancheurs** de baïonnettes. (G. Flaubert)
2. Pendant une heure, ce sont des **piaffements**, des **roulements**, des **bruits** de portières mêlés à des **ruissellements** d'eau. (A. Daudet)
3. **A la kermesse aux Étoiles :** Deux pélicans échappés d'un stand se sont avisés d'aller faire la chasse aux poissons rouges dans le grand bassin. **Émotion.** Après une énergique **intervention** des gardes, les oiseaux ont été reconduits à leur propriétaire. (Journal)
4. Cette nouvelle **orientation** de la politique de la construction permettrait d'obtenir une réelle **baisse** des prix. (Journal)

705
PAE§61

1° Quelles sont les phrases écrites en « style substantif » ? Recopiez-les en les modifiant de manière que toutes les phrases aient un verbe.
2° Quel effet est produit par le style substantif dans ce passage ?

Les oncles et papa jouent au meccano.
...C'est à ce moment-là que, manipulée avec une rare maladresse, la manivelle 32 P échappa des mains de l'oncle Émile et alla se blottir sous le divan. Une taloche au gosse qui riait bêtement et nous voilà partis à la recherche de cette satanée manivelle, précédant l'oncle Paul, qui profite hardiment de l'occasion pour abattre un vase sous les yeux nuageux des épouses. Arrivée sous le divan des mains ratissantes de l'oncle Paul et retrait de l'oncle Émile, qui prétend qu'on peut chercher une manivelle sous un divan sans donner des coups de poings dans la figure d'autrui. Ricanage collectif des femmes et découverte de la manivelle. Extraction laborieuse de l'oncle Paul et retour au chantier.
La grue fut terminée vers 20 h 30. (Robert Lamoureux)

706
PAE§61

Vous copierez les passages de ce texte écrits en « style substantif ». Quelle raison, parmi celles qui font préférer le style substantif à la phrase normale, a dû jouer principalement ici ?

Charlot à Cherbourg (22-9-1952).
A 13 h 30, le paquebot se rangeait lentement le long du quai, tiré par les remorqueurs. Bientôt la passerelle s'abaissait et c'était la ruée vers le célèbre artiste de *La Ruée vers l'or.*
Devant la porte de la cabine 89 du pont A, le secrétaire de Charlie Chaplin, Harry Crocker, dresse sa haute taille. Très calme, il nous dit : « Allez au jardin d'hiver du pont-promenade, M. Charlie Chaplin va s'y rendre dans un instant. »
Et c'est la nouvelle galopade éperdue, une escalade record des escaliers aux rampes nickelées. Enfin, l'arrivée dans le « garden-lounge », dont les larges baies ouvrent sur la mer. Fauteuils d'osier, bordures de géraniums, de chrysanthèmes et d'orchidées.
Soudain, une clameur, des acclamations et des bravos, voici « Charlot », ou du moins Charlie Chaplin. (H. Neel)

707
PAE§61

Même exercice :

Aube printanière.
Petit à petit, le ciel se lama de tons d'argent neuf.
Alors il y eut un chuchotement vague, indéfini dans la rondeur des feuillages. Des appels furent sifflés à mi-voix par les pinsons. Les becs s'aiguisaient, grinçaient. Une secouée de plumes se mêla à la palpitation des arbres ; des ailes s'ouvraient avec des claquements lents ; et tout d'une fois, ce fut un large courant de bruits qui domina le murmure du vent. Les piaillements des moineaux se répondaient à travers les branches ; les fauvettes trillèrent ; les mésanges eurent des gazouillis ; des ramiers roucoulèrent ; les arbres s'emplirent d'un égosillement de roulades. Les merles s'éveillèrent à leur tour, les pies crièrent et le sommet des chênes fut raboté par le rauquement des corneilles.
Toute cette folie salua le soleil levant. (C. Lemonnier)

708
PAE§61

Même exercice :

Tempête.
Les blancheurs de la mer sous l'averse éclairent des lointains surprenants ; on voit se déformer des épaisseurs... Tout est livide, des cris désespérés sortent de cette pâleur. Au fond de l'obscurité inaccessible, de grandes gerbes d'ombre frissonnent. Par moments... la rumeur devient tumulte... L'horizon, superposition confuse de lames, oscillation sans fin, murmure en basse continue ; des jets de fracas y éclatent bizarrement ; on croit entendre éternuer des hydres. (Hugo)

SYNTAXE DE LA PROPOSITION

709
CFC § 213

Relevez les sujets des verbes en *italique* et précisez leur forme (N = nom, P = pronom, I = verbe à l'infinitif, SR = subordonnée relative, SC = subordonnée conjonctive) :

1. Manger lui *est* une fatigue. Tout l'*ennuie.* (G. Duhamel)
2. « Personne ne *pouvait* prévoir ce qui *arrive* ! *intervint* Hendrik. » (J.-H. Rosny aîné)
3. N'*est* pas roturier qui *veut.* (P. Daninos)
4. Que ce personnage *fût* réel ne l'*intimidait* pas, bien au contraire. (M. Déon)
5. Ceux qui *revenaient* de Francfort *étaient* deux, dont un plus gros que l'autre. (F. Sonkin)
6. Le pis *est* qu'il faut faire la cuisine ici, dans l'alcôve. (G. Bernanos)
7. Mais, entre-temps, *aura pris place* un autre événement qui, lui aussi, *était* lourd de conséquences. (R. Pernoud)
8. Que Francesca nous *voie*, nous *parle*, nous *aide*, hors de sa présence, la *bouleverse.* (D. Fernandez)
9. Qui *s'ennuie* de ses tracas *perd* le droit de s'en plaindre. (H. Bazin)
10. Mentir aux malades *est* une nécessité de notre état. (G. Bernanos)

710
CFC § 214

Expliquez l'accord des verbes en italique :

1. Nous sommes une dizaine de camarades, sergents et soldats, qui *vivons* à la ferme en popote. (R. Dorgelès)
2. C'*étaient* de bons et tranquilles serviteurs. (G. de Maupassant)
3. Tant de disgrâces n'*ont pu* éteindre la flamme de jeunesse qui éclairait cette âme. (A. Lichtenberger)
4. En bas, derrière les élèves, Maman et moi *étions* assises en grande tenue. (Marie Noël)
5. Ni l'un ni l'autre n'y *est* pour rien. (R. Rolland)
6. Mais, dit Machiavel, peu *sont corrompus* par peu. (Montesquieu)
7. Son vrai désespoir *était* ses mains aux doigts trop courts et trop larges. (J. Roy)
8. L'un et l'autre me *semblaient* identiques. (J. Romains)

711
CFC § 214

Même exercice :

1. C'*étaient* des costumes de jeunes gens d'il y a longtemps. (Alain-Fournier)
2. Une demi-douzaine de paquets d'eau bien ajustés *avaient mis* en pièces les frêles cloisons de planches. (J. Perret)
3. Je t'aime, ô beau secret qui *parfumes* ma vie. (H. de Régnier)
4. La plupart *étaient* très contents de jouer à l'Arche de Noé. (M. Aymé)

5. Ni lui ni moi ne *savions* ce que c'est que le collège. (G. Sand)
6. Je crois être l'un des Pères de Jersey qui *ont* le plus connu et le plus aimé notre Paul. (René Bazin)
7. — Ne poussez pas ! *criait* le veau ou l'âne ou le mouton ou n'importe qui. (M. Aymé)
8. Le plus grand nombre *voulait* partir. (P. Mérimée)

712
CFC§214

Expliquez l'accord des verbes en *italique*, dites si l'on pourrait les accorder autrement :

1. Le peu de cheveux qui me *reste* grisonne allégrement. (G. Duhamel)
2. Le peu d'observations que je fis se *sont* effacées de ma mémoire. (J.-J. Rousseau)
3. A leur insu, elles ont un peu de la confiance, de la considération qui s'*attache* à quelqu'un d'instruit dans les livres. (L. Frapié)
4. Elle ou lui *devait* disparaître. (E. Estaunié)
5. En elle se *développait* une espèce de mélancolie méditante, un vague désenchantement de vivre. (G. de Maupassant)
6. Vers trois heures, un troupeau d'automobiles s'en *vint* meugler devant la porte. (G. Duhamel)
7. Une partie des domestiques *avaient* quitté l'hôtel. (M. Maindron)
8. Ce ne *sont* pas le genre de héros qu'on croit. (H. Barbusse)
9. Plus d'un *sacrifie* la toilette matinale à trois minutes supplémentaires de repos. (A. de Cayeux)
10. Plus d'une parmi elles *sont* sorties du monastère comme j'en sors aujourd'hui. (A. de Musset)

713
CFC§215

Relevez les compléments d'objet en indiquant leur forme grammaticale et le verbe auquel ils se rapportent :

1. Sa vertu gardait tant d'aisance et de grâce qu'elle semblait un abandon. (A. Gide)
2. **Pierre le Grand à Paris :** Le maréchal de Tessé, que le Régent lui a donné comme guide, n'est tranquille que pendant les heures où Sa Majesté tsarienne garde la chambre après s'être purgée. (H. Troyat)
3. Et voyez comme vont les choses, pour peu que le bon vent veuille franchement les pousser. (H. Vincenot)
4. « Si tu n'as pas beaucoup d'épaules, tu as du cœur, tu mérites de servir dans l'infanterie. » (G. Bernanos)
5. Ce portier, malgré la nonchalance de son attitude, réussissait à se donner des airs de sentinelle. (E. Charles-Roux)
6. Pour prix de son enthousiasme elle attendait mieux. (J. Renard)
7. Anxieux, nous attendîmes que le nuage s'écartât. (R. Dorgelès)
8. « Tu n'imagineras jamais, ripostait le bœuf blanc, quel plaisir ce peut être de connaître les voyelles, les consonnes, de former des syllabes, enfin. » (M. Aymé)

714
CFC§215

Quelles remarques de grammaire ou de style appelle la construction des verbes en *italique* dans les phrases suivantes :

1. A présent j'*ai senti*, j'*ai vu*, je *sais*. (V. Hugo)
2. Dieu sait si j'ai rêvé ! Toute ma vie est rêve. J'*ai rêvé* mes amours, mes actions, mes idées. (R. Rolland)
3. Et pourtant j'ai voulu être un homme et me *vivre*. (H. de Régnier)

4. Hélas ! qui donc *pleurait* ces larmes formidables ? (V. Hugo)
5. Inlassable causeur, il *a bavardé* ses idées dans la boutique de Péguy. (H. Clouard)
6. D'effrayante précocité, ils *savent*, ils *peuvent*, ils *feraient.* Mais ils ne font rien ; ils meurent. (J. Michelet)
7. Il me souvient de ce chant funèbre que l'haleine de la mer *soufflait* dans les encordellements de la flotte. (J. Giono)
8. J'*aime*, et je veux pâlir ; j'aime, et je veux souffrir. (A. de Musset)

715
CFC§216

Les 5 phrases suivantes contiennent 4 compléments d'agent. Pour chacun d'eux, dites comment s'explique l'emploi de la préposition *de*. Pour la phrase qui ne contient pas de complément d'agent, précisez la nature du complément :

1. Maître Hauchecorne fut pris d'une sorte de honte d'être vu ainsi... (G. de Maupassant)
2. **Montaigne** : Les monologues de celui-ci n'ont pas été ignorés du prince Hamlet. (P. Valéry)
3. La maxime est sortie de la tête du poète, comme Minerve de la tête de Jupiter. (Diderot)
4. Mazarin était fort détesté des Parisiens. (A. France)
5. Les Horseguards en tuniques d'or, précédés du grand timbalier aux bras croisés, se rendaient de leur caserne à Buckingham Palace, les jours de gala. (P. Morand)

716
CFC§216

Dans le texte suivant *(Francs-Jeux, n° 642)*, les verbes en *italique* sont à la forme passive. Lesquels sont suivis d'un complément d'agent ? Pour chacun des 4 verbes, vous direz si la tournure passive a été choisie
— parce que l'indication de l'agent était inutile ;
— pour placer l'agent après le verbe (et pour quelles raisons ?).

Centrales nucléaires.
L'électricité *est produite* par trois types de « centrales » :
— les centrales hydrauliques (...) ;
— les centrales thermiques (...) ;
— les centrales nucléaires qui sont des centrales thermiques où la chaleur provient de la « fission » des noyaux d'uranium. Le principe est simple : la chaleur dégagée *est captée* par un fluide « caloriporteur » qui *est utilisé* pour transformer l'eau en vapeur ; la pression de cette vapeur actionne une turbine qui entraîne elle-même un alternateur qui produit l'énergie électrique.
C'est à Chinon, sur la rive gauche de la Loire, qu'*a été mise en service* en 1963 la première centrale nucléaire française.

717
CFC§217

Dans les phrases suivantes, relevez les verbes ou locutions verbales (10 en tout) construits avec un nom ou un pronom complément d'objet indirect (indiquez ce complément) :

1. Et les hivers avaient succédé aux étés ; son corps s'était accoutumé aux intempéries. (C. Lemonnier)
2. Il aimait d'ailleurs à jardiner. (La Varende)
3. Je me soumis aveuglément à ce supplice. (G. Sand)
4. Il s'avisa, de plus, d'une finesse de sauvage assez ingénieuse. (P. Mérimée)
5. Au bas de la côte de Sourdun, il s'aperçut de l'endroit où l'on était. (G. Flaubert)

6. Elle n'essayait pas non plus de se rappeler quoi que ce soit, comme si, vaguement, elle avait eu peur de la réalité reparue en sa tête. (G. de Maupassant)
7. Il a eu affaire à moi pour une question de passeport. (J. Romains)
8. M. Gé tira d'une poche de son veston un objet qui ressemblait à un étui à cigarettes en or extra-plat. (R. Barjavel)

718
CFC§217

Relevez dans les phrases suivantes les verbes qui ont pour complément d'objet indirect un infinitif (indiquez ce complément). Avec chacun d'eux, faites ensuite une phrase où ils auront un nom pour complément d'objet direct :

1. Seul, dans un coin, un gros homme feignait de lire un journal, mais épiait les gestes et les propos des autres clients. (M. Arland)
2. Il y a des gens malintentionnés ou malicieux qui affectent de ricaner à chacun des progrès de Mlle Lucette. (A. Lichtenberger)
3. Elle lui apprenait à faire des « paumettes » avec des primevères assemblées en boule et retenues par un fil. (E. Moselly)
4. La vie est une série de cibles, où il faut essayer de mettre dans le mille. (P. Guth)
5. « J'oubliais de vous dire que nous eûmes un procès. » (P. Mérimée)
6. Arnoux lui reprocha de n'être pas venu dîner avec eux, à l'improviste. (G. Flaubert)
7. Je vous enseignerai à pêcher les écrevisses. (J. Audiberti)
8. Pierre tente en vain de relier Saint-Pétersbourg à Moscou par une voie carrossable. (H. Troyat)

719
CFC§217

Faire avec chacun des verbes suivants deux phrases où ils seront employés : 1° comme transitifs directs, 2° comme transitifs indirects :

applaudir	croire	mordre	suppléer
atteindre	jouer	regarder	tenir
changer	manquer	souscrire	veiller

720
CFC§217

Relevez les verbes construits avec un double complément d'objet et indiquez pour chacun d'eux les deux objets et leur forme grammaticale :

1. Jeanne préfère les pralines aux dragées. (E. Lavisse)
2. **Charlemagne :** On ne peut pas soupçonner ce prince d'avoir voulu affaiblir la discipline militaire. (Montesquieu)
3. « J'ai tendance pour ma part à subordonner les termes militaires aux termes politiques. » (J. Romains)
4. « Je ne voudrais pas te priver d'une chose qui t'amuse. » (A. Maurois)
5. Mais je ne l'invitai pas non plus à revenir sur une décision qu'elle regrettait déjà. (M. Druon)
6. Je me suis forgé exprès cent sujets légitimes d'un départ si précipité, pour vous justifier du crime dont ma raison vous accusait. (Molière)
7. Une douleur à l'épaule le contraignit à changer de position. (J. Green)
8. Henri fut chargé d'empêcher les chèvres d'approcher un nid de caille. (H. Pourrat)
9. « Appelez-le, oh ! je vous en prie, courez ! » (E. Zola)

721
CFC§218

Construisez trois phrases contenant chacune un nom complément d'attribution qui ne soit pas complément d'objet.

722
CFC§218

Dites si les pronoms en *italique* sont de simples compléments d'objet (O), si ce sont des compléments d'attribution (A), ou s'ils sont employés en fonction de datif éthique (D) ; 5 exemples de chaque sorte :

1. — L'on ne *vous* fait pas de difficultés pour *vous* laisser naviguer ainsi d'un camp à l'autre ? (J. Romains)
2. Regardez-*moi* dans quel état ils sont, tous les deux. (M. Aymé)
3. — Mais crois-*moi* : nous ne sommes pas nés pour le bonheur. (A. Gide)
4. L'autre, qui s'en doutait, *lui* lâche une ruade
   Qui *vous lui* met en marmelade
   Les mandibules et les dents.
   (La Fontaine)
5. « Moi, je *te vous lui* aurais coupé la margoulette en quatre pour commencer. » (V. Hugo)
6. — Je *vous* préviens donc que le premier mois, payé d'avance (...), est, comme on dit, écoulé, depuis près d'une semaine. Reprenez-*moi* si je m'exprime mal. (G. Bernanos)
7. — Je vais *vous* mettre en rapports avec Félix, Maman, et il *vous* prêtera ce que vous voulez. (A. Maurois)
8. — Il n'y a rien comme ces vieilles masures, lorsqu'on les arrange... Ça *vous* prend un chic ! (E. Zola)

723
CFC§218

Expliquez l'emploi particulier du complément d'attribution dans les phrases suivantes :

1. **Souci** : Deux ou trois fois, tout en parlant, il *se* passa même le bout des doigts de la main droite sur le front... (J. Romains)
2. **Alphonse** : Je ne *lui* connaissais pas d'autre nom... (A. France)
3. **Patience** : N'essayez pas de *lui* faire commencer trop de choses à la fois. (A. Maurois)

724
CFC§§219-222

En disposant vos réponses selon le tableau ci-dessous :

N° de la phrase	Attribut	Construc. directe ou indir.	Forme grammat. de l'attribut	De quel mot est-il attribut ?	Forme grammat. de ce mot	Verbe attributif
1	*pénétré*	**dir.**	**part.**	*Tout*	**pron.**	*semblait*

vous étudierez les attributs (au nombre de 12) dans les phrases suivantes :

1. Tout semblait pénétré d'azur. (A. Gide)
2. Le plus difficile fut d'acheter des meubles. (G. Sand)
3. Les aliénés ont le meurtre encore plus facile que les hommes ordinaires. (L.-F. Céline)
4. D'ailleurs, son ambition secrète était que Frédéric fît un officier de cavalerie. (M. Aymé)
5. Je trouve très remarquable qu'un animal se laisse mourir de nostalgie. (J.-H. Fabre)
6. Le plancher a l'air d'un champ de bataille. (A. Lichtenberger)
7. — Quelquefois, vraiment, elle exagère ! A part ça, elle est bien. (H. Troyat)
8. La vérité est que le pauvre homme sentait sa fin prochaine. (F. Mauriac)

9. Qui est-elle donc ? (H. Bazin)

10. Aussi tous les Tarasconnais le reconnaissaient-ils pour leur maître. (A. Daudet)

11. L'escalier est de bois. (G. Duhamel)

725 CFC § § 219-222

1° Relevez dans le texte les attributs en disant quelle est leur forme grammaticale et de quel mot ils sont attributs (précisez la fonction de ce mot).
2° Comment l'auteur a-t-il essayé de varier l'expression dans cette suite de phrases attributives ?

En voyant l'Acropole.
Le monde entier alors me parut barbare. L'Orient me choqua par sa pompe, son ostentation, ses impostures. Les Romains ne furent que de grossiers soldats ; la majesté du plus beau Romain, d'un Auguste, d'un Trajan, ne me sembla que pose auprès de l'aisance, de la noblesse simple de ces citoyens fiers et tranquilles. Celtes, Germains, Slaves, m'apparurent comme des espèces de Scythes consciencieux, mais péniblement civilisés. Je trouvai notre moyen âge sans élégance ni tournure, entaché de fierté déplacée et de pédantisme. Charlemagne m'apparut comme un gros palefrenier allemand ; nos chevaliers me semblèrent des lourdauds, dont Thémistocle et Alcibiade eussent souri.

(Ernest Renan, *Souvenirs d'enfance et de jeunesse.*)

726 CFC § 220

Expliquez l'accord des attributs dans les phrases suivantes :

1. « Vous avez un sergent-major qui est une canaille. » (M. Barrès)
2. Des amis, nous le fûmes bientôt en effet. (F. Ambrière)
3. Elle savait bien que l'ennui et la solitude étaient de mauvais conseillers. (E. Fromentin)
4. « C'est la musique qui vous met dans cet état-là ? murmurait-elle. Nous sommes donc si sensible ? » (J. Green)
5. C'est en ce sens que la nature est le maître des maîtres. (A. Maurois)
6. « On a l'air malins, tous les deux, sans elle ! » (H. Troyat)

727 CFC § § 219-222

Lorsque Jean Moréas écrit, s'adressant à la lyre d'Apollon :

Tu sonnes chaque fois plus savante et plus pure,

les qualités indiquées par les adjectifs *savante* **et** *pure* **se révèlent dans l'action exprimée par le verbe** *sonner* **; aussi peut-on dire que ce verbe ici prend une valeur attributive et que** *savante* **et** *pure* **sont attributs du pronom** *tu*.
Des constructions semblables se rencontrent assez souvent dans la langue littéraire. Vous relèverez les attributs dans les phrases suivantes en disant de quel mot ils sont attributs et par l'intermédiaire de quel verbe :

1. Sa voix sortait pénible et rauque. (E. Zola)
2. Brisquet, d'un coup de sa bonne hache, renversa le loup raide mort. (Ch. Nodier)
3. Justin débarqua seul à Bièvres. (G. Duhamel)
4. Dans la même allée d'un parc où les pigeons et les merles se croisent familiers, deux dames sont assises côte à côte. (J. Renard)
5. Elle était entrée somnambule dans la cage et, au lourd fracas de la porte refermée, soudain la misérable enfant se réveillait. (F. Mauriac)
6. **Toby-Chien voit arriver l'automne :** « Le ciel est inquiet, et le vent grandit assez pour soulever droits les pavillons de mes oreilles. » (Colette)

7. Mais parfois, à certains matins, on se relève du sol allégé, étonné, mué. (J. Giraudoux)
8. « Il faut, s'il vous plaît, venir avec nous ; nous vous arrêtons prisonnier. » (J.-J. Rousseau)
9. La rue d'Ulm s'allonge bien droite et bien sage. (J. Romains)
10. **Le Français :** Puis-je même dire qu'il naît méfiant, grandit méfiant, se marie méfiant... ? (P. Daninos)

728
CFC§§219-221
PAES§§66,68

Dans les phrases suivantes, certains mots ont la valeur d'attribut par rapport à d'autres mots placés après ; pourtant il n'y a pas de verbe attributif.
1° Vous rétablirez chaque phrase sous la forme régulière : Sujet + Verbe + Attribut.
2° Des phrases avec verbe ou des phrases sans verbe, vous direz lesquelles sont les plus expressives, et pourquoi.
3° Vous composerez à votre tour 4 phrases attributives sans verbe que vous donnerez avec un contexte expliquant leur sens :

1. **Le cri du merle :** Bizarre, ce bruit ! (L. Pergaud)
2. Fini et anéanti, tout cela. (P. Loti)
3. **Les oreilles du lièvre :**
   Le Grillon repartit :
   « Cornes cela ? Vous me prenez pour cruche ;
   Ce sont oreilles que Dieu fit. »
   (La Fontaine)
4. Bien obscure, ma description. (J. Romains)
5. Je frappais du pied la terre en maugréant tout bas : « Bête de fée ! » (A. Theuriet)
6. Impossible de se rendormir. (P. et V. Margueritte)
7. Oh ! l'utile secret que mentir à propos.
   (Corneille)
8. « Quelle enfant étrange, votre Elisabeth ! » (H. Troyat)

729
CFC§223

Relevez les régimes des verbes et locutions impersonnels et de *voici (voilà)* **en indiquant leur forme grammaticale (nom, pronom, adverbe, verbe à l'infinitif, proposition conjonctive) :**

1. Il n'y a plus que la lune dehors. (J. Renard)
2. Il fait une chaleur de four ; le soleil est à la verticale. (M. Herzog)
3. Voici que, de Dunkerque à l'Alsace, je les vois qui brûlent. (Saint-Exupéry)
4. Le Loup reprit : « Que me faudra-t-il faire ? » (La Fontaine)
5. Enfin ! il faut qu'il y ait quelqu'un de décoré pour cette affaire-là. (A. Capus)
6. Chez nous, à la campagne, il n'y avait jamais de feu. (F. Crommelynck)
7. Voilà bien longtemps que je n'ai eu de tes nouvelles. (E. Manet)
8. Dis, qu'as-tu fait, toi que voilà,
   De ta jeunesse ? (P. Verlaine)
9. « Alors faut pas nous en faire un plat avec ton chemin de fer à roulettes. » (R. Benjamin)

730
CFC § 223

Dans ce début d'un poème des *Calligrammes*, Apollinaire, qui est au front, dit ce qu'il voit et ce qu'il pense. Montrez comment la locution *il y a* lui permet de présenter des choses, des personnes, et des procès. Quelle idée son emploi (répété) ajoute-t-il à cette présentation ?

> **Il y a**
> Il y a un vaisseau qui a emporté ma bien-aimée
> Il y a dans le ciel six saucisses et la nuit venant on dirait des asticots dont naîtraient les étoiles
> Il y a un sous-marin ennemi qui en voulait à mon amour
> Il y a mille petits sapins brisés par les éclats d'obus autour de moi
> Il y a un fantassin qui passe aveuglé par les gaz asphyxiants
> Il y a que nous avons tout haché dans les boyaux de Nietzsche de Goethe et de Cologne
> Il y a que je languis après une lettre qui tarde
> Il y a dans mon porte-cartes plusieurs photos de mon amour
> Il y a les prisonniers qui passent la mine inquiète
> Il y a une batterie dont les servants s'agitent autour des pièces
> Il y a le vaguemestre qui arrive au trot par le chemin de l'Arbre isolé...

731
CFC § 223

Quels sont dans les phrases suivantes les compléments présentés par *voici* et *voilà* ? Indiquez leur forme grammaticale (nom, pronom, proposition...) et, s'il y a lieu, leurs propres compléments :

1. Ah ! cette fois, voici que le sol résonnait ! (E. Estaunié)
2. Je me dis : voilà le coucou qui chante, c'est le mois de mars et nous allons avoir du chaud. (Lamartine)
3. Allons ! — Et le voilà qui part. L'air matinal
   Ne souffle pas encor. (V. Hugo)
4. Notre politique est franche et tout au grand jour : l'intérêt de Sa Majesté et de l'État, voilà tout. (A. de Vigny)
5. « Me v'là », dit-il. (V. Hugo)
6. J'ai lu mon Balzac, et je me rappelle que Lucien de Rubempré demeurait rue des Cordeliers, hôtel Jean-Jacques-Rousseau. M'y voici. (J. Vallès)
7. Voilà trois mois que je me suis séparée de mon fils. (A. Billy)
8. Et voilà comme il se trouvait que Tartarin de Tarascon n'avait jamais quitté Tarascon. (A. Daudet)

732
CFC § 223

Alexandre Dumas raconte ainsi une mésaventure du peintre Delacroix enfant :

> En passant d'un bâtiment à l'autre, le domestique qui porte l'enfant fait un faux pas, se laisse choir, et voilà Delacroix qui se noie !

1° L'auteur aurait pu écrire simplement : « ...et Delacroix se noie. » **Quelle nuance de style ajoute ici l'emploi du tour *voilà... qui* ?**
2° Modifiez, en employant cette construction, la fin des phrases suivantes :

— Hélène est très nerveuse en ce moment ; à la moindre observation de son père, elle éclate en sanglots.
— L'avion a disparu derrière le bois, mais bientôt on l'aperçoit de nouveau : il s'élève comme happé entre deux nuages.

733
CFC § 223

Guy de Maupassant raconte ainsi une chasse au loup :

> Ils allaient ainsi, ventre à terre, crevant les fourrés, coupant les ravins (...). Et voilà que soudain, dans cette course éperdue, mon aïeul heurta au front une branche énorme qui lui fendit le crâne.

1° L'auteur aurait pu écrire simplement : « Et soudain, dans cette course..., etc. » **Quelle nuance de style ajoute ici l'emploi du tour *voilà que...* ?**

2° Modifiez, en employant cette construction, la fin des phrases suivantes :

— Nous n'avons pas de chance : notre fils aîné Pierre n'a pas terminé sa coqueluche, et son cadet Paul commence une rougeole.
— Triste promenade ! Il faisait froid, l'un de nous s'était blessé à la jambe, nous nous étions égarés, et il se mettait à pleuvoir.

734
CFC§223

Dans *Du côté de chez Swann*, **M. Proust fait dire à la tante du narrateur :**

« Voilà-t-il pas que je rêvais que mon pauvre Octave était ressuscité et qu'il voulait me faire faire une promenade tous les jours ! »

L'auteur aurait pu écrire simplement : *« Je rêvais que..., etc. »* **Quelle nuance de style ajoute l'emploi du tour familier :** *« Voilà-t-il pas que...* **?**

735
CFC§224

Relevez dans l'exercice 671 les régimes des verbes impersonnels (s'ils en ont un) en disant leur forme grammaticale (nom, verbe à l'infinitif).

736
CFC§224
PAE§§60, 66

Dans certaines phrases de l'exercice 671, les auteurs auraient pu employer la tournure personnelle au lieu de la tournure impersonnelle. Quelles phrases ? Quelles raisons de style ont pu guider leur choix ?

737
CFC§224

Récrivez les phrases suivantes en remplaçant la construction personnelle des verbes en caractère gras par la construction impersonnelle :

1. Rien ne pèse tant qu'un secret :
   Le porter loin **est** difficile aux dames. (La Fontaine)
2. Lire, parler même, nous **deviennent** impossibles. (J. des Vallières)
3. Retourner à Paris m'**était** odieux, rester loin de mes enfants m'**était** devenu impossible. (G. Sand)
4. Râper le sol de la semelle, non plus, n'**était** pas désagréable. (P. et V. Margueritte)
5. Admirer la pensée de Proust et blâmer son style **serait** absurde. (J. Cocteau)
6. Vaincre les êtres et les conduire au désespoir **est** facile. (A. Maurois)

738
CFC§§223-224

Modifiez la phrase de manière à remplacer la proposition subordonnée sujet par un verbe à l'infinitif (ex. : *Il est difficile que Jean se lève plus tôt. — Il est difficile à Jean de se lever plus tôt*) **:**

1. Il importe que les marins sachent nager.
2. Il serait très utile que nous réussissions à cet examen.
3. Il est bon pour vous que vous perdiez quelquefois.
4. Il nous est pénible qu'on nous traite ainsi.
5. Il convient que tu sois attentif en classe.
6. Il est nécessaire que la patrie soit défendue.
7. Il arriva que Pierre se trompa.
8. Il est rare que Maman puisse se reposer.
9. Il est mauvais qu'un enfant ne joue jamais.
10. Il faudra que tu m'obéisses.

739
CFC§§223-224

La langue familière ou populaire emploie peu la construction impersonnelle ; au pronom personnel neutre archaïque *il* **elle préfère les pronoms démonstratifs neutres** *ce, ça, cela* **:**

C'est peut-être vrai que je suis un lâche. (J. Vallès)

Vous donnerez un ton plus littéraire aux phrases familières ou populaires ci-dessous, en remplaçant les tours avec *ce, ça* ou *cela* par la construction impersonnelle avec *il* :

1. Que tu aies menti si effrontément, cela m'est très pénible.
2. Ça ne sert à rien de se battre.
3. Quelle heure est-il ? — C'est dix heures et demie.
4. Manger sur ses genoux, ça n'est pas toujours commode.
5. C'est bien dommage qu'elle soit devenue si laide.
6. Quand on vous prie de vous taire, cela n'est jamais agréable.

740
CFC§§223-224

Vous étudierez le sujet des 8 verbes en caractères gras en vous conformant au tableau ci-dessous :

N° de la phrase	Verbe	Construction personnelle ou impersonnelle	Sujet	Forme grammaticale (nom, pronom, verbe, proposition)
1	*voyage*	**pers.**	*on*	**pronom**

Le voyage à pied.
On ne **voyage** pas, on erre. A chaque pas qu'on fait, il nous **vient** une idée. Il **semble** qu'on sente des essaims éclore et bourdonner dans son cerveau...
Et puis, tout **vient** à l'homme qui marche. Il ne lui **surgit** pas seulement des idées, il lui **échoit** des aventures ; et, pour ma part, j'aime fort les aventures qui m'**arrivent**. S'il **est** amusant pour autrui d'inventer des aventures, il est amusant pour soi-même d'en avoir. (V. Hugo)

741
CFC§§223-224

Même exercice :

1. **Brigands de Grèce :** Leurs mains, leurs figures et jusqu'à leurs moustaches **étaient** d'un gris rougeâtre comme le sol qui les portait. (Ed. About)
2. Il leur **est** interdit de circuler du côté des lignes. (R. Dorgelès)
3. On était gai. Il **se versait** des petits verres. (G. Flaubert)
4. Qu'il fût plus vieux que moi n'**importait** guère. (Fr. Carco)
5. Lui-même **était** receveur général à l'époque où il épousa ma grand-mère. (G. Sand)
6. Lui renverser son bock sur son pantalon **fut** pour moi l'affaire d'un instant. (G. Courteline)
7. De te sentir vaillant me **permet** de quitter sans regrets la vie. (A. Gide)
8. Il **arriva** que Toine eut une attaque et tomba paralysé. (G. de Maupassant)

742
CFC§§223-224

Quelles remarques de grammaire et de style peut-on faire sur l'emploi des verbes en caractères gras ?

1. Les feuilles brunies par les premières gelées **pleuvent** autour des arbres au moindre souffle de l'air. (Lamartine)
2. Dieu **pleut** sur les justes et sur les injustes. (Bossuet)
3. Je reviendrai quand il **neigera** des roses rouges et quand il **pleuvra** du vin frais. (Catulle Mendès)

4. Il **pleure** dans mon cœur comme il pleut sur la ville. (Verlaine)

5. La lune **neige** sa lumière sur la couronne gothique de la tour du tombeau de Métella. (Chateaubriand)

743
CFC § § 225-226

Relevez dans les phrases suivantes, en fonction de complément circonstanciel, 5 adverbes, 6 noms (ou groupes nominaux) et 1 pronom précédés de préposition, 2 noms sans préposition, 1 adjectif employé adverbialement, 1 infinitif, 1 gérondif, 2 groupes solidaires non verbaux :

1. Cavette, le visage presque rose, le regard presque affectueux, promit qu'on le verrait arriver à 10 heures tapant. (J. Romains)
2. Patiemment, tendrement, il essaya de raisonner. Quelquefois elle semblait comprendre et disait en souriant : « Oui, vous avez raison, chéri. » (A. Maurois)
3. Ricardo ne lui était rien mais, sans faillir, il s'acquittait auprès de lui de tâches qui, en d'autres pays, auraient fait rougir de honte un garçon de sa trempe. (E. Charles-Roux)
4. J'ai trouvé, après de longues recherches, rue de Vaugirard, une pension Vigeolas où j'ai logement et nourriture pour cinq cents francs. (A. Maurois)
5. Le soir enfin, devant une montagne de linge à repasser, c'est une femme excédée qui soupire long... (H. Bazin)

744
CFC § 225

Relevez dans les phrases suivantes 6 noms compléments d'objet direct (C. O. D.) et 6 noms compléments circonstanciels directs (C. C. D.) en indiquant à quels verbes ils se rapportent :

1. Il venait tous les soirs maintenant pour causer chasse. (G. de Maupassant)
2. « Arrange-toi pour finir tranquillement un jour dans le fossé sans avoir débouclé ton sac. » (G. Bernanos)
3. « Venez causer avec moi dix minutes. » (Balzac)
4. Parfois deux ou trois sangliers descendent de la montagne et causent quelques dommages aux récoltes. (H. Bosco)
5. Remplissez une salle de spectacle avec des anguilles, poussez brusquement un cri d'alarme quelconque... (A. Allais)
6. Mme d'Hocquinville habitait un hôtel ravissant et délabré, qui était situé rue Damiette, entre Saint-Ouen et Saint-Maclou. (A. Maurois)
7. — Tu travailles un 14 juillet ? dit Elisabeth. (H. Troyat)
8. Les Péruviens savaient travailler l'or. (Buffon)

745
CFC § § 225-226

Remplacez le groupe verbe + adverbe par un verbe simple de sens équivalent (ex. : ***La musique de Mozart lui plaît énormément. — La musique de Mozart le ravit*****) :**

1. Les résultats de cette compétition m'ont beaucoup étonné.
2. Le grand air l'a beaucoup changé.
3. La perspective de passer un an dans cette pension l'effrayait beaucoup.
4. Quand il revient du stade, Jacques mange énormément.
5. Napoléon battit complètement les Prussiens à Iéna.

6. Sa classe de cinquante élèves fatigue extrêmement ce malheureux maître.
7. Ce marchandage éhonté l'a profondément dégoûté.
8. La mort de ses deux fils l'a profondément atteint.

746
CFC §§225-226

Même exercice :

1. L'alcoolisme a complètement détruit sa santé.
2. Un incendie dû à la négligence d'un valet détruisit complètement la récolte.
3. Il a beaucoup crié pour encourager l'équipe de France.
4. L'auteur du film a indûment modifié le sens du roman dont il s'est inspiré.
5. Robinson examinait attentivement l'horizon.
6. Ce pays nous donne abondamment des preuves d'amitié.
7. Ce monarque était flatté servilement par une foule de courtisans avides de pensions.
8. Vivement pressé par ses créanciers, il ne savait plus que faire pour se procurer de l'argent.

747
CFC §§225-226

Remplacez l'adverbe en *italique* par un verbe, le verbe en italique passant à l'infinitif (ex. : Il *nage excellemment* le crawl. — *Il excelle à nager* le crawl**) :**

1. Pierrot *refuse obstinément* de prendre son remède.
2. Pris de crampes, ce coureur cycliste *suivait péniblement* le peloton.
3. Il *a presque réussi* à battre le record.
4. Le prisonnier *refusa d'abord* toute nourriture, puis il céda.
5. Il *a répondu* à ma lettre bien *tardivement.*
6. Toby-Chien *respire délicieusement* l'odeur du sol humide.
7. Pressé par le temps, il *prit rapidement* son café.
8. *Audacieusement* le chevalier *se porta* à l'attaque du géant.

748
CFC §§225-226

Remplacez le verbe en *italique* par un nom et l'adverbe par un adjectif qui s'y rapporte ; modifiez en conséquence le reste de la phrase (ex. : Pour prendre l'air et se détendre, il faut qu'il *se promène longuement* tous les dimanches. — *...il lui faut de longues promenades...***) :**

1. Il arriva beaucoup trop tôt à la gare, ce qui lui valut *d'attendre interminablement.*
2. Après qu'on *eut longuement discuté,* le président fit triompher son opinion.
3. *S'appliquer régulièrement,* telle est la condition de tout progrès.
4. Il exigeait qu'on *répondît exactement* à chaque question.
5. Lorsqu'on cherche une situation, il est très utile de *se présenter correctement.*
6. On le remarquait parce qu'il *marchait lourdement* et *lentement.*
7. Après *avoir un peu hésité*, il répondit.
8. *Manger trop copieusement* est néfaste aux vieillards.

749
CFC § § 225-226

Remplacez le verbe par un autre verbe suivi de son objet, l'adverbe cédant sa place à un adjectif épithète de cet objet ; modifiez la phrase en conséquence (ex. : Nous *nous sommes entretenus amicalement*, votre père et moi. — *Nous avons eu un entretien amical...*) :

1. Pressé de se mettre au lit, il *dîna frugalement.*
2. Le camelot *expliquait abondamment* le mode d'emploi d'un « éplucheur » perfectionné.
3. Comme la bise soufflait, il *s'habilla chaudement.*
4. S'il nous attaque, nous *nous défendrons farouchement.*
5. Pourquoi *menacer vainement* vos voisins quand ils vous gênent avec leurs appareils de radio ? Portez plainte.
6. Il *s'est excusé bien maladroitement* de son retard.
7. Vous *vous êtes trompé doublement.*
8. Saint Louis *écoutait attentivement* les braves gens qui venaient lui conter leurs embarras.

750
CFC § § 218, 225-226

Dites si les prépositions *à, de, par, pour,* **en** *italique*, **introduisent des compléments d'attribution, de lieu, de temps, de cause, de but, de moyen, de manière, d'agent :**

1. Et j'ai, *du* souffle d'un roseau,
   Fait chanter toute la forêt.
   (H. de Régnier)
2. Je ne suis plus seulement capable de faire mal *à* une mouche. (G. Bernanos)
3. Elle cherchait l'endroit sans le retrouver, errant *par* les petits chemins. (G. de Maupassant)
4. — Priserais-tu *par* chagrin ? (J. Renard)
5. Tout ce qu'on pouvait lui dire encore était inutile, il n'en ferait qu'*à* sa tête. (M. Aymé)
6. Tous les après-midi, l'oncle Julien s'isolait *pour* lire ou pour écrire. (H. Troyat)
7. Pour délirer *de* joie, il me suffisait de contempler les gravures en couleurs qui ornaient les couvertures. (J.-P. Sartre)
8. Mais le coq ne voulait pas descendre. Il disait qu'il aimait mieux être mangé *par* ses maîtres que par le renard. (M. Aymé)
9. « On m'a révoqué *pour* avoir dit tout haut ce que je pensais. » (E. Zola)
10. *Par* instants, on entendait aboyer la meute. (Alain-Fournier)
11. Je suis comme un père *pour* cet enfant. (J. et J. Tharaud)
12. Carpaccio, nous disent les historiens, fut pleuré *de* ses concitoyens. (M. Barrès).

751
CFC § § 225-226

Dans les textes suivants, relevez les compléments circonstanciels de lieu (au nombre de 12) en indiquant leur forme grammaticale (nom ou adverbe), le verbe auquel ils se rapportent, et en disant s'ils marquent le lieu où l'on est, le lieu où l'on va, le lieu d'où l'on vient, le lieu par où l'on passe (disposez les réponses en tableau) :

1. Il aurait voulu être déjà là-bas, de l'autre côté des coteaux bleus, dans la plaine. (R. Dorgelès)
2. **A l'assaut du volcan :** Repoussé d'abord vers la gauche par des exhalaisons de gaz chauds, je trouvai une zone moins hostile et, à toute allure, me mis à grimper, souvent à quatre pattes, parmi l'instable amoncellement de blocs. (H. Tazieff)

3. Diane était de ces beautés qui ont besoin d'être éclairées de l'intérieur. (P. Morand)
4. Il m'avait présenté à sa femme et à son fils comme un archéologue illustre, qui devait tirer le Roussillon de l'oubli où le laissait l'indifférence des savants. (P. Mérimée)
5. Dehors, déjà, la foule s'amassait, la rumeur courait la ville comme une onde maléfique. (R. Frison-Roche)
6. Le soleil disparu, longtemps, la montagne refléta une lumière rose venue de l'au-delà des horizons. Puis les Aiguilles, les premières, sombrèrent dans l'ombre. (R. Frison-Roche)

752
CFC §§225-226

Dans les textes suivants, relevez les compléments circonstanciels de temps (au nombre de 12) en indiquant leur forme grammaticale (nom ou adverbe), le verbe auquel ils se rapportent, et en disant s'ils marquent la date ou la durée (disposez les réponses en tableau) :

1. Mon cher ami,
   Cette fois tout espoir est perdu. Je le sais depuis hier soir. La douleur, que je n'avais presque pas sentie tout de suite, monte depuis ce temps. (Alain-Fournier)
2. J'attends encore, sans le moindre espoir, par folie. A la fin de ces froids dimanches d'automne, au moment où il va faire nuit, je ne puis me décider à rentrer, à fermer les volets de ma chambre, sans être retourné là-bas, dans la rue gelée. (Alain-Fournier)
3. **Un café, le 14 juillet** : En 1923, on avait fait quatre mille deux cents francs de recette en quarante-huit heures. Cette année, il fallait essayer d'atteindre les cinq mille. (...) Élisabeth, qui était en vacances depuis la veille, essayait de se maintenir au comptoir. (H. Troyat)

753
CFC §227

Classez en deux colonnes de quatre éléments chacune les noms, groupes nominaux ou pronoms en *italique*, selon qu'ils sont 1° compléments d'objet direct, 2° compléments marquant l'odeur, le poids, la longueur ou le prix :

1. « Quand il est né, il pesait *quatre kilos.* » (M. Pagnol)
2. Pesez *votre réponse* avant de la faire. (J.-J. Rousseau)
3. Le cigare du lieutenant empestait *la salle*. (F. Mauriac)
4. Tartarin trouva le dîner délicieux, bien que la soupe à l'oignon empestât *la fumée*. (A. Daudet)
5. Le boisseau de pommes de terre (...) coûte en ce moment *6 francs*. (F. Sarcey)
6. L'on ne saurait vraiment récompenser que de ce qui a coûté *quelque peine*. (A. Gide)
7. Pour tout peindre, il faut *tout* sentir.
   (A. de Lamartine)
8. L'échelonnement des haies
   Moutonne à l'infini, mer
   Claire dans le brouillard clair
   Qui sent bon *les jeunes baies*.
   (P. Verlaine)

754
CFC §227

Même exercice :

1. Ce n'est que plus tard, bien plus tard, qu'il mesura *l'importance* de cette journée-là. (E. Charles-Roux)
2. **Le sépulcre d'Absalon** : C'est une masse carrée mesurant *huit pas* sur chaque face. (Chateaubriand)

3. « Ça vaut *cinq francs*, me dit-il en me tendant l'agate. » (A. Lafon)
4. J'ai travaillé jusqu'à mes derniers jours ; cela m'a valu *des ennemis*. (Voltaire)
5. On nous fait rire en nous montrant (...) deux charmantes vieilles dames qui s'amusent à empoisonner *leurs invités* avec de l'arsenic. (J. Green)
6. — Clémence ! insistait la chipie, votre mouton empoisonne *le suif*. (A. Allais)
7. Quelle paix, les soirs, quand la campagne embaume *les fenaisons de la Saint-Jean*. (H. Pourrat)
8. Les émouvantes odeurs orientales embaumaient *l'ombre*. (P. Benoît)

755
CFC§228

Expliquez l'accord des huits participes en *italique* **:**

1. J'avais *glissé* quatre billets de mille dans l'enveloppe. (H. Bazin)
2. Le silence est la chose que nous aurons le mieux *partagée*. (F. Mallet-Joris)
3. Les premiers jours de novembre étaient *venus*. (G. Duhamel)
4. Je conçois que votre éducation, à Megève, ait *développé* en vous le goût du changement. (H. Troyat)
5. Jean Lépée était un des plus grands philosophes que j'aie jamais *connus*. (H. Vincenot)
6. Voyez (...) quelles haines il a *soulevées* ! (M. Druon)
7. Anna s'émerveillait aux plantes nouvelles, en reconnaissait qu'elle n'avait encore jamais *vues* à l'état sauvage, et j'allais dire : en liberté — comme ces triomphants daturas qu'on nomme des « trompettes de Jéricho », dont sont *restées* si fort gravées dans ma mémoire, auprès des lauriers-roses, la splendeur et l'étrangeté. (A. Gide)

756
CFC§228

Expliquez l'accord des principes dans les verbes pronominaux en *italique* :

1. Les paupières lentement se *sont soulevées* sur ses yeux troubles. (Vercors)
2. Sa fiancée *s'était cassé* le pied en descendant de diligence. (T. Derème)
3. Il en est de même de ce bal... que ma mémoire s'est longtemps *obstinée* à placer du temps de ma grand-mère. (A. Gide)
4. Les maîtres de Germaine *s'étaient plu* à lui montrer ce bonhomme. (G. Flaubert)
5. Comment vous y *êtes-vous prise* ? (A. de Musset)
6. Les races les plus diverses, depuis l'homme fossile de Cro-Magnon, au crâne fuyant, jusqu'aux Indo-Européens, *se sont succédé, se sont croisées,* amalgamées en Europe. (A. Dauzat)
7. On ne *s'était* jamais *séparés*. (G. Chérau)

757
CFC§228

Mettez les verbes entre parenthèses au participe passé en les accordant comme il convient :

Minutes d'angoisse *(Quelques hommes, au retour d'une patrouille, ont été entendus par l'ennemi, qui aussitôt a lancé une fusée éclairante).*
Alors une mitrailleuse placée de l'autre côté du ravin a (balayer) la zone où nous étions. Le caporal Bertrand et moi avons (avoir) la chance de trouver devant nous, au moment où la fusée montait,

rouge, avant d'éclater en lumière, un trou d'obus où un chevalet cassé trempait dans la boue ; on s'est (aplatir) tous les deux contre le rebord de ce trou, on s'est (enfoncer) dans la boue autant qu'on a pu et le pauvre squelette de bois pourri nous a (cacher). Le jet de la mitrailleuse a (repasser) plusieurs fois.
...Enfin, la mitrailleuse s'est (taire), dans un énorme silence. Un quart d'heure après, tous les deux, nous nous sommes (glisser) hors du trou d'obus en rampant sur les coudes et nous sommes enfin (tomber), comme des paquets, dans notre poste d'écoute. (H. Barbusse)

758
CFC§228

Même exercice :

1. La levrette de Mme Bovary s'était (enfuir) à travers champs. (G. Flaubert)
2. Des sociétés avaient été (créer) pour exploiter l'invention. (A. Maurois)
3. **Les vieillards de Troie :** Ils ont (imaginer) que c'était Vénus qui nous donnait Hélène, pour récompenser Pâris de lui avoir (décerner) la pomme à première vue. (J. Giraudoux)
4. Je l'instruisis en peu de mots des horreurs que j'avais (essuyer). (Voltaire)
5. Elle avait (voir) une forme humaine accroupie, s'était (baisser) vers cette pauvresse et, l'ayant (reconnaître), l'avait (prendre) dans ses bras... (F. Mauriac)
6. **Des époux précautionneux :** « Par contrat de mariage nous nous sommes tout (passer) au dernier vivant. » (A. Dumas)
7. **Carmen :** Elle était infiniment plus jolie que toutes les femmes de sa nation que j'aie jamais (recontrer). (P. Mérimée)
8. **L'alchimiste :** Son fourneau mangeait beaucoup de bois. La rampe de l'escalier y avait (disparaître). (V. Hugo)

759
CFC§228

Même exercice :

Clélia Conti à Fabrice del Dongo.
« Il faut, mon ami, que vous sachiez la vérité : bien souvent, depuis que vous êtes ici, l'on a (croire) que votre dernier jour était arrivé. Il est vrai que vous n'êtes (condamner) qu'à douze années de forteresse ; mais il est, par malheur, impossible de douter qu'une haine toute-puissante s'attache à vous poursuivre, et vingt fois j'ai (trembler) que le poison ne vînt mettre fin à vos jours ; saisissez donc tous les moyens possibles de sortir d'ici... Nous nous serons (rencontrer) dans notre jeunesse, nous nous serons (tendre) une main secourable dans une période malheureuse ; le destin m'aura (placer) en ce lieu de sévérité pour adoucir vos peines... mais j'ai (perdre) la paix de l'âme par la cruelle imprudence que j'ai (commettre) en échangeant avec vous quelques signes de bonne amitié. » (Stendhal)

760
CFC§228

Expliquez l'accord des participes en caractères gras :

1. J'ai vu des mortels fort au-dessous de nous ; j'en ai **vu** de fort supérieurs. (Voltaire)
2. Quatre fins violons, que Nesmond a **fait** venir, commencent un air de Rameau. (A. Daudet)
3. Belles espérances de mes jours qui m'avez trompé, je vous ai **vues** partir l'une après l'autre. (Ch.-Louis Philippe)
4. Mais, partout ailleurs que chez l'homme, la conscience s'est **laissé** prendre au filet dont elle voulait traverser les mailles. Elle est **restée** captive des mécanismes qu'elle avait **montés**. (H. Bergson)

5. **Stalactites :** Je décidai de constituer une collection de ces œuvres d'art que la nature s'est **complu** parfois à ciseler dans ses mystérieux et ténébreux laboratoires souterrains. (N. Casteret)
6. On voulait faire les malins, et dans le fond tout le monde regrettait de ne s'être pas **rabattus** sur les lignards qui tenaient les hauteurs de Bellechaume. (M. Aymé)

761
CFC§228

Même exercice :

1. La procureuse vit qu'elle s'était **laissé** entraîner trop loin. (A. Dumas)
2. Ses camarades se sont **réparti** entre eux le contenu de son sac. (R. Töpffer)
3. Après tant de sacrifices ardents, de soupirs et de vœux que j'ai **faits** à ses charmes ! (Molière)
4. Elle est pourtant bavarde, Mme Thilorier ; Thérèse dit qu'elle l'est comme une douzaine de pies. Eh bien ! maman l'a **fait** taire. (A. Lichtenberger)
5. En ai-je **traversé**, naguère, de ces cimetières de campagne où les chèvrefeuilles nouaient leurs branches sur les tombes oubliées ! (R. Dorgelès)
6. Des qualités que ma première éducation avait **laissées** dormir s'éveillèrent au collège. (Chateaubriand)
7. Je vous ai **entendue** raisonner mieux que de vieux derviches à longue barbe. (Voltaire)
8. Après tous les ennuis que ce jour m'a **coûtés**,
   Ai-je pu rassurer mes esprits agités ? (Racine)

762
CFC§229

Copiez les mots en *italique* en disant s'ils sont compléments de manière, ou attributs, ou les deux à la fois :

1. Elle tombait si *épaisse*, la neige, qu'on y voyait tout juste à dix pas. (G. de Maupassant)
2. Quoi d'étonnant à ce qu'un Japonais découvre que la Joconde sourit *jaune* ? (P. Guth)
3. **Les flocons de neige :** Ils devinrent si *pressés* qu'ils formaient comme une obscurité blanche à quelques pas des piétons aveuglés. (Th. Gautier)
4. Ce critérium-là permit au cher Marcel L'Herbier de ressortir des cinémathèques les films qu'il aimait ; et il les aime généralement *bons*. (G. Verdot)
5. Hubertine répondait à peine, ne quittant pas du regard la jeune fille, qui mangeait d'un gros appétit, mais *inconsciente*, sans paraître savoir qu'elle portait la fourchette à sa bouche, toute à son rêve. (E. Zola)
6. Quand ses amis arrivèrent, ils le crurent tout à fait *mal*, tant il paraissait drôle et gêné. (G. de Maupassant)
7. L'émaillage des dents, procédé américain, supprime l'or disgracieux dans les couronnes et les bridges. Souriez *jeune*. (Placard publicitaire)
8. **Les haies :** Par leurs trouées, on aperçoit des pommiers en fleur, des champs de colza qui font chanter *canari* le printemps. (H. Bazin)
9. Certains naissent *orphelins*. Je le suis devenu à plus de quarante ans. (P. Jardin)
10. Ce qu'on aurait dû faire, c'était le conduire dans une cellule et l'y laisser *tranquille* en attendant de décider de son sort. (G. Simenon)

763
CFC§230

Relevez les verbes compléments circonstanciels en indiquant s'ils sont à l'infinitif ou au gérondif, à quel verbe ils se rapportent et quelle circonstance ils marquent (temps, cause, moyen, manière, but, conséquence, concession) :

1. Becquet est mort de boire et est mort en buvant. (A. Dumas)
2. En achetant cet établissement sur le conseil d'un agent immobilier (...), Amélie avait réalisé son rêve de jeunesse. (H. Troyat)
3. Mon affreux rire de souris, après avoir glissé, en me chatouillant, tout le long de mes entrailles, a éclaté. (F. des Ligneris)
4. **Les trous des anguilles :** Elles les font plus larges que leur corps afin de s'y mouvoir à l'aise, elles leur donnent deux issues pour pouvoir entrer ou sortir ou fuir au besoin par deux portes. (J. de Pesquidoux)
5. Les fossés ont des fleurs à remplir vingt corbeilles.
(Th. Gautier)
6. La viande elle-même doit être découpée sans délai ; sinon, en gelant, elle deviendrait dure comme de la pierre. (A. de Cayeux)
7. La visibilité était nulle, à tel point que nous ne pouvions avancer autrement qu'en tâtant préalablement le sol à chaque pas. (H. Tazieff)
8. Tout en me souhaitant du génie, elle se réjouissait que je fusse sans esprit. (A. France)
9. — Oh ! Je vous aurais demandé d'aller donner un coup de téléphone pour moi... (J. Romains)
10. Mais, sans changer de sujet, Gabrielle glisse. (H. Bazin)

764
CFC§230

Même exercice :

1. **Échappé à la fournaise :** Je savais à présent ce qu'il y avait à l'intérieur du cratère. Évidemment, je le savais déjà avant d'y aller, mais c'était fondamentalement différent : maintenant je le savais pour l'avoir vu. (H. Tazieff)
2. Leur curiosité, pour se repaître, devait recourir à des procédés anciens. (J. Romains)
3. — Ne bois pas en mangeant ! dit Gab, doctorale. (H. Bazin)
4. Lors d'une récréation de quatre heures, je le vis venir vers mon camarade, lui enlever, sans presque le demander, le morceau de pain que le petit mangeait lentement, et retourner au jeu en doublant les bouchées. (A. Lafon)
5. En lui permettant de conduire des généraux au feu (ou tout près) et de porter le pantalon, la guerre a créé la femme-homme. (P. Daninos)
6. Tout en protestant, Lemoine le suivit dans l'escalier. (R. Dorgelès)
7. En s'interrogeant longuement sur la nature et le cheminement de ces dernières traces, Herbeleau était arrivé à conclure qu'elles ne pouvaient provenir que d'un écoulement sanguin... (J. Husson)
8. Je suis descendue rejoindre Geneviève sur la plage. (F. des Ligneris)
9. — Votre article de l'*Aurore nouvelle*, par exemple, a fait trop de bruit pour être loué. (G. Bernanos)
10. Seigneur, pour être sage, on n'est pas un félon
(V. Hugo)

765
CFC§§196, 200, 230

Expliquez quelle maladresse est commise dans les phrases suivantes : refaites chaque phrase en supprimant la maladresse :

1. Je l'ai vu avant de mourir.
2. Il y avait des stores baissés et des ventilateurs qui donnaient une fraîcheur agréable en mangeant. (Copie d'élève)

3. Après avoir mangé les hors-d'œuvre, le garçon nous servit la spécialité de la maison. (Id.)
4. **Le menuisier** : Tous les habitants de l'endroit s'adressaient à lui pour leur fournir des parquets, des portes, des volets. (Id.)
5. Avant de nous séparer, il me dit qu'il espérait revenir à Cannes aux vacances prochaines. (Id.)

766
CFC § § 226, 230

Relevez les compléments circonstanciels en indiquant leur forme grammaticale, le mot auquel ils se rapportent, et la circonstance qu'ils indiquent.

Halage de la senne *(Les habitants de Nazaré, petite ville de la côte portugaise, pratiquent la pêche à la senne).*
Cela dure deux heures et plus, car il s'agit de ramener un filet de cent brasses de long et qui se trouve noyé très loin du rivage. Trois ou quatre hommes, à chacun des deux halins séparés par deux cents mètres de plage, commencent à tirer, en remontant la pente de sable où leurs pieds nus s'incrustent puissamment. De la digue ou de la dune qui la prolonge, descendent peu à peu des hommes, des femmes, jeunes et vieilles, des adolescents, des vieillards barbus, les uns comme les autres placidement, sans se presser... A mesure qu'ils arrivent, ils s'attachent à la fune. Après avoir essuyé de la main l'eau qui ruisselle sur le cordage, ils le posent sur l'épaule, à même un châle plié et, courbés en avant, le bras droit pendant, le gauche ramené en arrière et tirant sur le halin, ils gravissent l'arène, d'un pas lent et régulier, dans un mouvement d'ensemble d'une telle beauté qu'on en vient à s'atteler avec eux pour participer au rythme. Quand ils parviennent au haut de la file, où un garçonnet love le câble, ils quittent leur travail et redescendent paisiblement.

(A. t'Serstevens)

767
CFC § § 226, 230

Même exercice :

La tâche d'une secrétaire commerciale.
Je prends dès le matin le courrier des deux gérants. Sauf dans les cas d'urgence, j'ai généralement jusqu'à cinq heures du soir pour en préparer la transcription. J'y procède tout en répondant au téléphone. Je prépare, d'après les données de mes patrons, des circulaires, des tarifs que la dactylographe tape, puis tire au Ronéo sous ma direction et ma responsabilité. C'est encore moi qui, suivant les instructions que j'ai reçues, arrête les prospections auxquelles il convient de procéder en établissant, à l'aide de tel Annuaire ou de tel Bottin, des listes d'adresses d'après lesquelles ma jeune compagne tape des milliers d'enveloppes. (S. F. Cordelier, *Femmes au travail*)

768
CFC § § 226, 230

Remplacez le gérondif par une préposition suivie d'un nom ; modifiez la phrase en conséquence sans en bouleverser l'ordre (ex. : *Il échappa au boa en fuyant rapidement. — ... par une fuite rapide***) :**

1. Il se trompa en partageant.
2. Elle accueillit son mari en criant.
3. En voyant le Parthénon, il fut pris d'un bel enthousiasme.
4. Tu embelliras ta vie en choisissant judicieusement tes amis.
5. En tirant adroitement, ce joueur de boules a fait marquer trois points à son équipe.
6. En recevant la lettre attendue, il fut rassuré sur le sort de son fils.
7. En frappant sans cesse du gauche, il éprouva durement son adversaire.
8. En apprenant son succès au baccalauréat, il sauta de joie.

769
CFC§§230, 234

Remplacez le gérondif par un nom en apposition ; modifiez s'il y a lieu la phrase sans en bouleverser l'ordre (ex. : *En flattant les puissants du jour, il s'éleva rapidement. — Flatteur des puissants du jour...) :*

1. En défendant les lois sociales, il a prouvé sa générosité.
2. En improvisant toujours, il n'est arrivé à rien.
3. En haïssant les lois, il a fini par devenir un voleur.
4. En jouant avec une rare sensibilité, il déchaîna les applaudissements des spectateurs.
5. En détenant le pouvoir, Auguste put faire d'utiles réformes.
6. En briguant la députation, il promit à ses électeurs de défendre leurs intérêts.
7. En gardant une arme, il risquait la prison.
8. En rabaissant son mérite, tu t'en es fait un ennemi.

770
CFC§§230, 234

Remplacez le gérondif et l'adverbe par un nom en apposition et un adjectif épithète ; modifiez la phrase en conséquence sans en bouleverser l'ordre (ex. : *En flattant maladroitement Louis XIV, le maréchal de Gramont se rendit ridicule. — Flatteur maladroit de Louis XIV...*) :

1. En voyageant inlassablement, Cook parvint à explorer presque toute l'Océanie.
2. En contant naïvement de vieilles légendes, il tenait sous le charme les enfants qui l'écoutaient.
3. En écrivant délicatement, il séduit les âmes sensibles.
4. En écoutant attentivement le conférencier, il apprit de curieux détails sur les mœurs des Vandales.
5. En provoquant involontairement cet accident, il s'est vu retirer son permis de conduire.
6. En enseignant avec patience, il fait comprendre à tous les textes les plus ardus.
7. En louant impudemment Néron, le Sénat perdit toute dignité.
8. En poussant odieusement à ce complot, il a montré la noirceur de son âme.

771
CFC§230

Dans le texte suivant :

La route partit de Saint-André... Puis elle entra dans la vallée étroite **pour** grimper en lacets vers les hautes crêtes. (A. Chamson)

la préposition *pour* **n'exprime pas le but ; elle permet d'énoncer en une seule phrase enchaînée deux faits qui se sont succédé et pourraient être énoncés en deux propositions coordonnées.**
A l'imitation de cette phrase, vous enchaînerez les phrases suivantes :

1. **A la mine :** Un grand puits tout droit s'enfonce jusqu'à vingt mètres sous terre et aboutit à une série de longues galeries de mines. (D'après G. de Maupassant)
2. **Bain :** L'oncle entrait dans le caldarium, sitôt pris le petit déjeuner, et en sortait vers les onze heures. (D'après J. Perret)
3. **Femme d'officier :** Elle s'était promenée dans toute la France, de garnison en garnison, de Bayonne à Strasbourg, de Dunkerque à Toulon, et était venue enfin reposer sa vieillesse dans la province natale. (D'après P. Acker)
4. **Le pouvoir personnel à Rome :** L'oligarchie ne se réveillera plus qu'aux ides de mars, et périra bientôt après sous le poignard qu'elle aura inutilement ensanglanté. (D'après P. Mérimée)

772
CFC § 231

Relevez 16 compléments du nom dans les phrases suivantes ; vous numéroterez chacun d'eux (de 1 à 6) conformément au classement présenté par le paragraphe 231 du CFC :

1. Les bras ballants, elle aspire avec délices le vent glacé qui lui rafraîchit les idées. (F. Ponge)
2. Une bouche verdâtre se colle à la vitre arrière d'une carrosserie d'automobile. (J. Husson)
3. Les jeunes filles que je rencontrais à cette séance ressemblaient de façon regrettable à mes anciennes compagnes du cours Désir. (S. de Beauvoir)
4. Elle a pris l'habitude d'être obéie. (H. Troyat)
5. J'avais la conviction intérieure — pour ainsi dire une certitude — que rien n'était modifié. (R. Martin du Gard)

773
CFC § 232

Recopiez les adjectifs en *italique* et les noms auxquels ils se rapportent ; faites suivre ces groupes des lettres U ou S selon que la place de l'adjectif correspond à l'usage habituel ou à une valeur stylistique (6 exemples de chaque sorte) :

1. La Terre était riante et dans sa fleur *première*.
(A. de Vigny)

2. Bientôt nous plongerons dans les *froides* ténèbres.
(Baudelaire)

3. Tu seras du passant
Bénie,
Pleine lune ou croissant.
(Musset)

4. Attache à ce *vieux* tronc *moussu* la brebis *pleine*.
(J.-M. de Heredia)

5. Et ton *tremblant* regard est près de s'effacer. (Musset)

6. Un Ennui, désolé par les *cruels* espoirs,
Croit encore à l'adieu *suprême* des mouchoirs !
(St. Mallarmé)

7. Les *hauts* talons luttaient avec les *longues* jupes.
(P. Verlaine)

8. Heureux ceux qui sont morts dans les *grandes* batailles.
(Ch. Péguy)

774
CFC § 232

Même exercice :

1. Leurs dents *blanches* claquaient sous leurs *rouges* babines. (Leconte de Lisle)

2. O mon *second* berceau, Paris, tu dors encore.
(J. Moréas)

3. Vous fîtes de cet homme une maison de pierre,
Une *lisse* façade *aveugle* nuit et jour. (J. Supervielle)

4. **Le kaléidoscope :** Une sorte de lorgnette qui, dans l'extrémité opposée à celle de l'œil, propose au regard une toujours *changeante* rosace, formée de mobiles verres de couleur emprisonnés entre deux feuilles *translucides*. (A. Gide)

5. Un *long* cri de douleur traversa l'Italie.
(Musset)

6. Heureuse ! A la hauteur de tant de gerbes *belles,*
Qui laissais à ma robe obéir les ombelles...
(P. Valéry)

7. J'ai fait la *magique* étude
Du bonheur, que nul n'élude.
(A. Rimbaud)

8. Un *petit* roseau m'a suffi...
(H. de Régnier)

9. L'agneau cherche l'*amère* bruyère.
(P. Verlaine)

775
CFC§232
PAE§66

1° Étudiez du point de vue du style les épithètes du nom *rochers* (anticipation, accumulation, sens).
2° Décrivez de même, en anticipant et en accumulant les épithètes, le désordre d'un marché, les constructions d'un quartier très moderne, ou les bateaux d'un port vu de nuit.

Chaos en Corse.
Hauts jusqu'à trois cents mètres, minces, ronds, tortus, crochus, difformes, imprévus, fantastiques, ces surprenants rochers semblaient des arbres, des plantes, des bêtes, des monuments, des hommes, des moines en robe, des diables cornus, des oiseaux démesurés, tout un peuple monstrueux, une ménagerie de cauchemar pétrifiée par le vouloir de quelque Dieu extravagant. (G. de Maupassant)

776
CFC§232
PAE§21, 36, 37, 66

Étudiez dans cette phrase les épithètes du point de vue du style (accumulation, place, alliances de mots, effets sonores).

Bartholo.
C'est un beau, gros, court, jeune vieillard, gris pommelé, rusé, rasé, blasé, qui guette, et furète, et gronde et geint tout à la fois.
(Beaumarchais)

777
CFC§232
PAE§66

1° Vous relèverez les épithètes en indiquant leur forme grammaticale et en expliquant leur place.
2° Vous rédigerez, en employant de nombreuses épithètes, dont certaines seront mises en valeur par leur place, la description d'un menu de repas familial, ou d'un costume régional, ou d'un site célèbre.

Gavage familial *(La grand-mère d'André Gide, quand elle recevait ses enfants à Uzès, les soumettait à un régime de suralimentation qui effrayait leur mère ; celle-ci s'opposait et censurait le menu ; mais la grand-mère ne l'entendait pas ainsi).*
Par manière de protestation, elle se levait, allait quérir dans une petite resserre, au fond de la salle à manger, pour parer à la désolante insuffisance du menu, quelque mystérieux pot de conserves, préparé pour notre venue. C'étaient le plus souvent des boulettes de porc, truffées, confites dans de la graisse, succulentes, qu'on appelait des « fricandeaux ». Ma mère naturellement refusait.
...Une bonne façon d'échapper à la censure de ma mère, c'était de commander à l'hôtel Béchard quelque tendre aloyau aux olives ou, chez Fabregas le pâtissier, un vol-au-vent plein de quenelles, une floconneuse brandade, ou le traditionnel croûtillon au lard. (A. Gide)

778
CFC§232

1° Expliquez le sens des épithètes ; valeur de style de leur disposition.
2° Énumérez de la même façon, en faisant suivre ou précéder chaque nom d'une épithète, les personnages qui se sont succédé à une table de classe, à une escarpolette, ou devant une table de cuisine.

Histoire condensée d'un fauteuil français *(Un parachutiste américain, tombé du ciel chez une Française, s'est assis dans un très vieux fauteuil ; il rêve aux personnages qui s'y sont assis avant lui).*
Venaient successivement marquer leur empreinte des cuirassiers scintillants, des mousquetaires encombrants, des croisés hiérati-

ques, des corsaires salissants, des évêques moelleux, des marquises pâmées, des barons remuants, des cacochymes précaires, des enfants à pirouettes, des culottes de peau, des pantalons à pont, des chausses, des cottes, des langes mouillés, des crinolines et des basques. (J. Perret, *Objets perdus*)

779
CFC§232

Remplacez le participe passé avec auxiliaire par un participe passé sans auxiliaire, en faisant les modifications nécessaires sans bouleverser l'ordre de la phrase (ex. : *Ayant pris son passeport, il se présenta à la frontière. — Muni de son passeport...*) **:**

1. Ayant appris à temps le danger qui le menaçait, il put y échapper.
2. Ayant souffert de son échec, il n'osa plus affronter l'examen.
3. Ayant perdu tout appui, il ne pouvait réussir.
4. Ayant subi une perte cruelle, je ne pourrai me rendre à votre invitation.
5. Ayant décidé de combattre, Sempronius disposa son armée.
6. Ayant reçu la balle de l'intérieur droit, il la logea dans les filets.
7. Ayant mis son écharpe tricolore, le maire les maria.
8. Ayant mis son chapeau neuf, M. Durand s'avançait fièrement.

780
CFC§232

Remplacez le participe passé avec auxiliaire par un nom, en faisant les modifications nécessaires (ex. : *Ayant eu dix enfants, elle n'eut pas, malgré son veuvage, une vieillesse solitaire. — Mère de dix enfants...*) **:**

1. Ayant traduit Théophraste, La Bruyère s'était fait la main pour écrire ensuite sans modèle.
2. Ayant peint d'abord des scènes antiques, David se tourna plus tard vers l'actualité.
3. Ayant chanté dans sa jeunesse la joie et les amours, Ovide exilé n'écrivit plus que des poèmes mélancoliques.
4. Ayant écrit les *Satires*, Boileau n'en devint pas moins le grave législateur du Parnasse.
5. Ayant participé à ce crime, il sera condamné.
6. Ayant précédé l'actuel ministre dans ces fonctions, il connaît bien la situation.
7. Ayant suivi les mêmes cours que Jacques, il avait lié amitié avec lui.
8. Ayant accueilli une foule de proscrits, ce pays passa pour la terre de la liberté.

781
CFC§232

Remplacez le participe présent par le participe passé d'un autre verbe en faisant les modifications nécessaires, sans bouleverser l'ordre de la phrase (ex. : *Ayant peur du tonnerre, le chat resta sous le lit. — Effrayé par le tonnerre, le chat...*) **:**

1. Dormant, il ne vit pas s'approcher l'ennemi.
2. Après la course, ayant soif, il se dirigea vers la fontaine.
3. Recevant de nombreux coups tous les jours, Cadichon décida de s'enfuir.
4. Remarquant la maigreur du pauvre homme, Paul lui proposa une bonne soupe.
5. Prenant plaisir au babillage de Martine, son grand-père l'écoutait en souriant.
6. Ayant son manteau, il ne craignait ni le vent ni la pluie.

7. Se serrant dans les bras de sa mère, il se sentait encore un tout petit enfant.
8. Reprenant courage à l'annonce de ce premier succès, il se remit à son dur travail.

782
CFC§ 232

Les phrases ci-dessous pèchent par l'emploi « en cascade » de plusieurs participes ; vous les referez de façon plus élégante :

1. Cette maison est **entourée** d'un jardin **bordé** d'un petit mur **surmonté** d'une grille.
2. J'ai remarqué une affiche des Magasins du B.H.V. **faite** par le dessinateur Peynet, **représentant** un couple, les bras **encombrés** de paquets, la mine **réjouie**, se **présentant** devant la caisse et « **payant** content ».
3. Les tables sont **ornées** de nappes à carreaux rouges et blancs **assortis** aux rideaux et aux abat-jour des lampes **placées** deux à deux sur les murs autour de la salle.
4. **Désirant** apprendre une langue **donnant** des avantages à un garçon **voulant** faire une carrière commerciale **offrant** des possibilités de voyage en Amérique du Sud, j'étudierai l'espagnol.

783
CFC§§232, 57-58

Transformez les attributs en épithètes, en faisant disparaître les verbes en italique et en modifiant, s'il y a lieu, l'ordre des mots :

1. **Un bobo :** Le sparadrap *était* collé sur sa joue ; il en tirait obliquement la peau ; celle-ci *était* tendue. (D'après G. Flaubert)
2. **Aix-les-Bains :** La ville d'Aix, en Savoie, *est* petite ; elle *est* toute fumante, toute bruissante et toute odorante des ruisseaux de ses eaux ; celles-ci *sont* chaudes et sulfureuses ; elle est assise par étages sur un coteau de vignes, de prés, de vergers ; ce coteau *est* large et rapide. (D'après A. de Lamartine)

784
CFC§§232, 57-58

Même exercice :

1. **Le château de Chaumont :** Il *est* construit sur une colline ; c'*est* la plus élevée du rivage ; il encadre ce sommet avec ses murailles et ses tours ; le sommet *est* large, les murailles *sont* hautes, les tours *sont* énormes. (D'après A. de Vigny)
2. **Un vieux salon :** Le salon *était* décoré de grands rideaux en soie rouge ; celle-ci *était* mangée par le soleil ; le salon était garni d'un meuble de bois ; ce meuble *était* peint en blanc et couvert en vieille tapisserie de Beauvais à couleurs effacées. (D'après H. de Balzac)

785
CFC§§232, 57-58

Transformez les verbes en italique en participes épithètes, de manière à ne faire qu'une proposition principale pour chaque phrase complexe :

1. **L'abbé de Gondi :** Le petit abbé de Gondi, qui avait la vue très basse, se promenait parmi la foule ; il *fronçait* les sourcils, *fermait* à demi les yeux pour mieux voir, et *relevait* sa moustache, car les ecclésiastiques en portaient alors. (D'après A. de Vigny)
2. **Un grand dîner :** Chaque trimestre, les du Ronceret donnaient un grand dîner à trois services ; on le *tambourinait* dans la ville ; on le *servait* dans une détestable vaisselle ; mais on le *confectionnait* avec la science qui distingue les cuisinières de province. (D'après H. de Balzac)

786
CFC § § 232, 57-58

Même exercice :

1. **Une jeune Égyptienne :** Le voile de gaze dont elle s'enveloppait *retombait* en arrière ; il découvrait les masses opulentes de sa chevelure ; une étroite bandelette blanche *nouait* celle-ci. (D'après Th. Gautier)
2. Tous les jours, j'allais m'asseoir sur ce banc ; je *guettais*, je *réfléchissais,* j'*espérais* malgré tout. (D'après Alain-Fournier)
3. **Les chaînes de Maurienne :** Les deux hautes murailles granitiques s'élèvent ; seul les *sépare* le torrent qui rugit dans ses cascades ; des sapins à noir feuillage et des hêtres de cent pieds les *tapissent*. (D'après H. de Balzac)
4. **Gaîté de soldats :** Puis tous ensemble partirent à rire, d'un rire énorme qu'ils forçaient encore : ils *étouffaient*, ils *gesticulaient*, ils *échangeaient* de lourdes claques sur les épaules comme des caresses de battoirs. (D'après R. Dorgelès)

787
CFC § 233

Recopiez les épithètes entre parenthèses, correctement accordées, et faites-les suivre des noms auxquels elles se rapportent :

1. **Livres :** Ils m'offraient alors un sens, une émotion (inconnu). (M. Arland)
2. — Donc, Goedele Poelman, vous affirmez que vous ne possédez pas d'écharpe jaune à fleurs (noir) (semblable) à celle que l'inspecteur prétend avoir remarquée chez vous. (Ch. Exbrayat)
3. Autour de cinq dindes sauvages tuées par Charles et son ami, d'une soupe d'huîtres et de quelques gâteaux de maïs (cuit) par Rosa, on se rassembla comme au bon vieux temps. (M. Denuzière)
4. Il racontait avec un charme et une facilité vraiment (délicieux). (A. Maurois)
5. **Petits théâtres :** « A mon retour, si vous voulez bien, nous explorerons d'autres endroits de plaisir mal (aéré). » (Colette)
6. **Fénelon :** Ses protestations de soumission (futur) avaient été nombreuses et catégoriques. (F. Mallet-Joris)
7. Ils donnent aux deux minorités (juif) et (protestant) un traitement de faveur. (M. Barrès)
8. Entre-temps, le concierge, qui avait un gros ventre et une longue moustache (tombant) comme nos ancêtres les Gaulois, était venu avec une brouette pour emporter les sacs pleins. (H. Troyat)
9. Tout le long de la maison court un trottoir de carreaux (rouge) très (commode) quand il pleut. (Vercors)
10. Il y avait là, (appuyé) tout au long au revers de la maison, un petit pré naturel, chevelu, exubérant, et une mare où nageaient quelques canes dans un brasillement de soleil. (M. Genevoix).

788
CFC § § 234-235

Relevez les noms compléments de nom en disant à quel nom ils se rapportent, et s'ils sont compléments de qualité ou de relation ; dans ce dernier cas, précisez quelle relation est exprimée (auteur de l'action, objet de l'action, lieu, cause, matière, prix) :

1. **A mon cher pékinois :** Elle l'enterra au fond du parc, commanda pour lui un monument de marbre blanc de quatre mille francs. (M. van der Meersch)
2. Jules devint tout à coup un honnête homme, un garçon de cœur. (G. de Maupassant)
3. L'opération devait s'inscrire entre deux battements de cœur. (M. van der Meersch)

4. **Don José :** C'était un jeune gaillard, de taille moyenne, au regard sombre et fier. (P. Mérimée)
5. La vue de la petite Bretonne qui faisait son humble ménage éveillait en elle des regrets désolés et des rêves éperdus. (G. de Maupassant)
6. Pendant quatre années encore, ce ménage, harcelé par la misère, ne connut d'autres distractions que la promenade aux Champs-Élysées. (G. de Maupassant)
7. Elle ne voit que l'âne, qui la regarde, de ses pauvres yeux de tristesse. (H. Pourrat)
8. Géraudin gardait encore l'orgueil de sa grandeur passée. (M. van der Meersch)

789
CFC§234

Remplacez les adjectifs par les compléments prépositionnels équivalents :

Des signes abréviatifs	Une maladie pulmonaire
La rentrée scolaire	L'Europe septentrionale
Une célébrité régionale	Les instruments aratoires
Un arbre résineux	Une rigueur impitoyable
La faveur populaire	Une résolution immuable
Les notes hebdomadaires	Des mets insipides

790
CFC§234

Remplacez les compléments prépositionnels par les adjectifs équivalents :

Un bruit d'enfer	La fête du saint patron
Un appel des noms	Un juge sans parti pris
Des règles de grammaire	L'avis de tous
Le ton des orateurs	La bénédiction du mariage
La carrière de soldat	Une supposition sans fondement
Une statue à cheval	La race du chien

791
CFC§234

Relevez les noms en apposition (au nombre de 10) en disant à quel mot ils se rapportent :

1. On ne voyait sur les murs que des copies de Gros, de David, de Raffet, de Detaille, représentant Bonaparte, maigre, dodu, lieutenant, consul, empereur. (Princesse Bibesco)
2. — C'est, dit-il, le phénomène du dérapage. (G. Duhamel)
3. C'est moi qui suis Guillot, berger de ce troupeau. (La Fontaine)
4. Un être, mi-gouvernante, mi-cuisinière, vint m'ouvrir. (F. Vernet)
5. En face, le village d'Argenteuil semblait mort. (G. de Maupassant)
6. C'est lui, l'universitaire bien en cour, qui parle ainsi ! (J. Vallès)
7. Par instants, le mouchoir d'un haut nuage essuyait le soleil sur sa face. (L. Durtain)

792
CFC§234

Même exercice :

1. Dès le mois de juin les vaches partent pour les hauteurs. (R. Töpffer)
2. **Départ du paquebot :** Des inconnus, la tête renversée, échangent les suprêmes paroles avec ceux de là-haut, pauvres mots inutiles où l'on met tout son cœur. (R. Dorgelès)
3. Pour le poète, les mots ont en eux-mêmes et en dehors du sens qu'ils expriment une beauté et une valeur propres... Il y a des mots diamant, saphir, rubis, émeraude. (Th. Gautier)

4. Je vous dis qu'elle aime cet infâme de Buckingham. (A. Dumas)
5. Les citernes, les bassins, les viviers, tout était infecté. (A. Daudet)

793
CFC § 234

Relevez les noms en « apposition » en disant à quel mot ils se rapportent et s'ils ont une valeur explicative (E), appréciative (A) ou déterminative (D) :

1. Saint François (...) composa un cantique plein d'allégresse pour bénir le splendide frère Soleil, et notre sœur l'Eau. (A. France)
2. Les lettrés de l'île Maurice publient une excellente revue, les *Cahiers Mauriciens*. (G. Duhamel)
3. Une tête énorme de dogue d'Ulm apparut. Ses larges yeux, des veilleuses brûlant sur une huile jaune, se tournèrent vers du Breuil. (P. et V. Margueritte)
4. Hérode, roi des Juifs, gouvernait sous Pilate. (V. Hugo)
5. **Infirmières bénévoles :** De telles bouches prononçaient avec autorité les mots de « désarticulation de l'épaule » ou de « gangrène de la jambe ». (G. Duhamel)
6. Dans toute sa personne svelte, il y avait quelque chose de fier, de grave aussi un peu, qui lui venait des hardis marins d'Islande, ses ancêtres. (P. Loti)
7. Dehors j'entendais le filet d'eau qui s'épanchait dans l'abreuvoir, le sabot des bêtes à l'écurie et le petit chant des crapauds, trois bruits archimillénaires qui venaient encore élargir le domaine de la nuit (J. Perret)
8. Porte ouverte sur l'éternité, la phrase commencée ne s'acheva pas. Terrassé par une apoplexie, Marcel Clerabault venait de s'affaisser. (E. Estaunié)
9. Il nous fait voir les travaux qui amènent le fer à l'état de marchandise travaillée. (R. Töpffer)

794
CFC § 234

A l'imitation de ce texte, composer deux phrases commençant par un nom construit en apposition au sujet et dont le sens sera justifié par le reste de la phrase :

Un chercheur.
Assez bon physicien et botaniste distingué, il avait fait des observations météorologiques curieuses, et possédait un herbier où il avait réuni et classé par familles à peu près toutes les plantes des Alpes. (A. Dumas)

795
CFC § 234

Dans ces trois textes, des mots (lesquels ?) sont construits en apposition à toute la phrase. Vous composerez trois phrases en imitant cette construction :

Le commandant Genestas : Sa vie était si pure, que nul homme de l'armée, fût-il général, ne l'abordait sans éprouver un sentiment de respect involontaire, avantage incontesté que peut-être ses supérieurs ne lui pardonnaient point. (H. de Balzac)

Roland et Olivier :
Ils se battent — combat terrible — corps à corps. (V. Hugo)

La piqûre des scorpions : Chose à retenir, les poches à venin ne se vident pas entièrement, comme le font celles de la plupart des serpents. (M. Roland)

796
CFC § § 234
PAE § 25

Vous montrerez en quoi la construction des noms en gras se rapproche de l'apposition, et en quoi elle en diffère ; puis vous composerez deux textes sur le même modèle :

1. Je remets sans cesse au lendemain l'exécution du petit programme que je me suis tracé. **Défaut** de méthode, évidemment. (G. Bernanos)
2. Quelques-uns admirent, d'autres se rebellent. **Enthousiasme** ou **révolte** également injustifiés. (L. Maury)

797
CFC § § 232, 234, 111

1° Relevez les épithètes en disant à quel mot elles se rapportent et si elles sont liées ou détachées.
2° Relevez les noms compléments de nom en disant : a) **à quel mot ils se rapportent ;** b) **s'ils sont apposition, complément de relation ou de qualité ;** c) **s'ils sont déterminatifs (§ 111).**
3° Appréciez, du point de vue du style, la description de la *main* **et du** *geste* **dans la dernière phrase. Décrivez à votre tour une main et un geste en employant les mêmes moyens grammaticaux.**

Composition de calcul.
Debout sur l'estrade, avec la gravité qui convient aux proclamations publiques, le maître commença la dictée du problème :
— Tandis qu'un train de marchandises...
Ce début fit excellente impression sur le petit Fernand Ballavoine, le rouquin du sixième banc près de la fenêtre. On n'est pas arrivé jusqu'à la classe du certificat sans savoir que l'expression *tandis que* est plutôt favorable au développement narratif, poétique même, et c'est pourquoi, démarrant de la sorte, le train de marchandises avait une chance de folâtrer dans la campagne, sans souci d'horaire ni d'aiguillage, avec une désinvolture de véhicule romantique. Le maître d'ailleurs avait attaqué le récit comme du Hugo et sa main droite elle-même, sa belle main crayeuse aux longs doigts instructifs, avait esquissé un geste ailé, déclamatoire, bien assorti au style de cette locution conjonctive. (J. Perret)

798
CFC § 234

Dans les groupes de mots ci-dessous, un nom est employé comme complément d'un autre nom sans l'intermédiaire d'une préposition ; vous rapprocherez les groupes qui vous paraissent appartenir à un même type, de façon à obtenir 4 séries de 5 groupes :

Un monsieur soupe au lait
Un film genre Far-West
Le code Napoléon
Un nœud papillon
Un teint citron
Un fusil nouveau modèle
Un oncle gâteau
La tour Eiffel
Un veston moutarde
Le procédé Solvay
La balance Roberval
Une locomotive type Pacific
Une robe corail
Le ministère Daladier
Des rideaux réséda
Un médecin vieux style
Un roman fleuve
Un Utrillo première manière
Un pantalon puce
Une manche gigot

799
CFC § § 234-235

Relevez les verbes compléments du nom (ou du pronom) en disant à quel mot ils se rapportent et s'ils ont une valeur d'apposition :

1. **Hauts fourneaux :** C'est une chaleur à brûler la moustache, rien qu'en y regardant de loin. (R. Töpffer)
2. L'exercice de marcher dans la campagne, dont j'avais perdu l'habitude, et l'air printanier me grisaient. (G. Sand)
3. Cette lenteur de penser, jointe à cette vivacité de sentir, je ne l'ai pas seulement dans la conversation, je l'ai même seul et quand je travaille. (J.-J. Rousseau)
4. La peur d'être rejoint me fit hâter la marche. (A. Lafon)

5. J'ai trop de défauts, sans compter celui de n'avoir plus ton âge. (Colette)
6. — Voulez-vous me faire la grâce de vous ôter de là, s'il vous plaît. (A. de Musset)

800
CFC§234
PAE§60

Remplacez la proposition relative par un nom en apposition suivi d'un complément (ex. : *Cet agriculteur, qui possède un vaste champ de blé. — ... propriétaire d'un vaste champ de blé*) **:**

1. Ce gourmet, qui aime les bons vins.
2. Socrate, qui corrompait la jeunesse, disait-on.
3. Un gros nuage qui annonce la pluie.
4. Un trafiquant qui a profité de la guerre.
5. Un industriel qui construit des avions.
6. Paul, qui a signé ces déclarations.
7. Ganelon, qui trahit Charlemagne.
8. Un financier malhonnête, qui a pillé l'épargne publique.

801
CFC§234
PAE§60

Même exercice :

1. Le général, qui rédigea cette proclamation.
2. Pline le jeune, qui loue l'empereur Trajan.
3. Jacques, qui me précéda dans cet emploi.
4. Cet homme ignoble, qui a dépouillé un enfant.
5. Cet agitateur, qui a favorisé des troubles.
6. Diogène, qui méprisait toute mollesse.
7. Jean, qui a envoyé cette lettre.
8. Ce fonctionnaire, qui recueille les impôts.

802
CFC§234
PAE§60

Même exercice :

1. Corneille, qui a écrit de nombreuses tragédies.
2. Télémaque, qui demeurait alors chez Nestor.
3. Pierre, qui est du même pays que moi.
4. Cet élève, qui se présente au baccalauréat.
5. Ces abus, qu'a entraînés une simple négligence.
6. L'extrême pauvreté, qui seule s'oppose à son bonheur.
7. La sympathie, qui fait naître l'indulgence.
8. Le docteur Roux, qui travailla avec Pasteur.

803
CFC§234
PAE§§59-60

Dans les phrases suivantes vous remplacerez l'adverbe de quantité par un nom en modifiant la construction à votre gré, sans changer le sens (ex. : *Combien d'élèves y a-t-il dans cette classe ? — Quel est l'effectif de cette classe ?*) **:**

1. *Trop* de sport est dangereux.
2. Les ouvriers réclament des salaires *plus* forts ; les patrons demandent des impôts *moins* lourds.
3. Dans notre classe, les garçons sont en *plus* grand nombre.
4. Bien que les Grecs eussent des troupes *moins* nombreuses, leur intelligence leur donnait *autant* de forces, et leur courage leur acquit la victoire.
5. La vente terminée, il avait cinq mille francs de *plus* qu'avant.

6. Son échec est seulement dû à ce qu'il n'était pas *assez* préparé.
7. Nous avions *plus* de plaisir à le voir du fait qu'il nous rendait *moins* souvent visite.
8. Le séjour de Paul à Paris a rendu notre amitié *plus* étroite.

804
CFC § 236

Relevez dans les textes suivants les groupes solidaires non verbaux en disant s'ils se rapportent plutôt à un nom ou pronom (lequel ?) ou à un verbe (lequel ?) ou aux deux (lesquels ?) :

1. C'était une belle mule noire mouchetée de rouge, le pied sûr, le poil luisant. (A. Daudet)
2. Il aurait fallu qu'il s'arrête un moment, qu'il s'asseye dans un de ces fauteuils, face à la mer, au milieu de ces gens, et qu'il regarde à son tour, et qu'il respire, tête renversée, bouche ouverte, qu'il engouffre des litres et des litres d'air, d'air frais, calme. (J.M.G. Le Clézio)
3. Les mains nues, les cheveux au vent, la plaisanterie aux lèvres, votre boucher vient de découper votre beefsteack ou votre roastbeef. (P. Guth)
4. **Le condamné :** Taciturne, il s'accoudait au dossier de sa chaise, les yeux fixes. Sur la table, une chandelle éclairait la pâleur de sa face froide. A deux pas, un gardien, debout, adossé au mur, l'observait, bras croisés. (Villiers de l'Isle-Adam)
5. Le long des fenêtres s'étendait une longue table de hêtre, les jambes en X, avec un banc de chaque côté. (Erckmann-Chatrian)
6. Il était bossu, la face de travers, les cheveux ébouriffés, avec un grand tablier bleu à bavette. (E. Zola)
7. Le front dans les deux mains, il pleura longuement. (G. Flaubert)
8. Quand les étrangers se présentèrent devant le tamouchi, celui-ci reposait avec grâce, une jambe pendante et le bras replié sous la nuque. (J. Perret)

805
CFC § 236

Comment l'auteur a-t-il évité ici l'emploi du verbe *être* dans le portrait ? Rédigez un portrait de la même manière.

Cécile.
Cécile ressemblait à l'un des anges de Van Eyck. L'œil éclairé d'un large blanc nourri d'azur ; le front bien construit, découvert, des bandeaux sombres (...) finalement résolus en deux tresses vigoureuses ; un nez droit, un peu hautain ; une bouche d'un dessin puéril, avec sa lèvre supérieure courte, une bouche, pourtant, toujours prête à se refermer sur quelque pensée secrète ; un col animé du plus gracieux élan. (G. Duhamel)

806
CFC § 236

Remplacez le groupe participe présent + complément d'objet par un complément du type décrit au paragraphe 236, composé d'un nom et d'un participe ou d'un adjectif (ex. : *joignant les talons, il le salua réglementairement. — Les talons joints...*) :

1. Écarquillant les yeux, il montrait un visage stupéfait.
2. Déployant l'étendard, la petite troupe défila dans le village reconquis.
3. Raidissant son visage, il ne paraissait pas entendre.
4. Croisant les bras, il attendait que son adversaire se calmât.
5. Baissant les yeux, il avoua sa faute.
6. Fermant les yeux, il attendit la mort.
7. Médor regagna sa niche, baissant la queue.
8. Otant son chapeau, il s'inclina devant le corps de son ami.

807
CFC§236

Remplacez le participe présent suivi ou non d'un objet par un complément du type décrit au paragraphe 236, composé d'un nom et d'un complément de nom (ex. : *Il se promenait dans le jardin, tenant sa canne. — ... la canne à la main*) **:**

1. Fumant un cigare, il écoutait le rapport de son caissier.
2. Levant les yeux, il prenait Jupiter à témoin.
3. Ce soldat faisait ses vingt kilomètres sans fatigue, portant son sac.
4. Regardant le livre, vous pouvez plus facilement répondre.
5. Cet élève mal élevé est entré bruyamment dans la classe, gardant son béret.
6. Il avança, souriant.
7. Le hérisson trottait doucement, flairant le vent.
8. Le lièvre était arrêté, guettant tout bruit.

808
CFC§§232-236
PAE§63

Modifiez chaque phrase complexe de manière à faire disparaître les verbes en italique ou à les remplacer par des compléments de nom de différentes sortes (épithètes, appositions, compléments avec ou sans préposition) :

1. **Une singulière visite :** Un homme noir vint conjurer M. André de lui donner à souper ; il *était* assez mal mis, il *avait* le dos voûté, il *avait* la tête penchée sur une épaule, son œil *était* hagard, ses mains *étaient* fort sales. (D'après Voltaire)
2. **Un médecin très écouté :** Claire leva ses yeux sur le médecin ; ils *étaient* craintifs ; elle *avait* les regards attachés aux siens ; son oreille *était* attentive ; et elle n'*osait* respirer de peur de ne pas bien entendre ce qu'il allait dire. (D'après J.-J. Rousseau)
3. **Découragement :** Il s'affaissa sur l'escabeau ; il *mordait* son poing ; il *retenait* sa colère ; le sentiment de son impuissance le *suffoquait*. (D'après G. Flaubert)

809
CFC§§232-236
PAE§63

283. Même exercice :

1. **Une alerte :** Il *avait* le doigt sur la détente, son œil *était* fixé sur le mur, son oreille *était* attentive au moindre bruit ; il demeura immobile pendant quelques minutes. (D'après P. Mérimée)
2. **Grotesque apparition :** Ils *furent* éblouis ; ils ne virent pas d'abord Mme Pédebidou ; elle *était* en camisole ; deux bigoudis *armaient* son front. (D'après F. Mauriac)
3. **M. Homais :** Un homme se chauffait le dos contre la cheminée ; il *avait* des pantoufles ; celles-ci *étaient* en peau verte ; il *était* coiffé d'un bonnet ; celui-ci *était* en velours et s'*ornait* d'un gland d'or. (D'après G. Flaubert)

810
CFC§§232, 237, 252
PAE§§59-60

Remplacez la proposition relative par un adjectif ou un participe suivi de complément (ex. : *Jean, qui aime le calme. — Jean, ami du calme*) **:**

1. Un petit animal qu'on ne peut voir à l'œil nu.
2. Pierre qui est né à Toulouse.
3. Ce recul, que l'œil d'un observateur attentif pouvait percevoir.
4. Cet homme, qui se dit journaliste de talent.
5. Le roi, qui se fie à votre loyauté.
6. Un général qui a commis la faute d'être indécis.
7. Son jeu, qui a atteint à la perfection.
8. Un ton qui manque de douceur.

811 CFC§§232, 237, 252 PAE§§59-60

Même exercice :

1. Un élève qui peut faire le meilleur et le pire.
2. Un homme qui ne donne pas facilement sa sympathie.
3. Le prix qui doit récompenser le meilleur élève.
4. La bataille qui eut lieu près de Cannes.
5. Une viande qui ne peut être consommée.
6. La valeur de l'argent, qui n'atteint jamais celle de l'or.
7. Ce roi d'Asie, sur qui la flatterie avait prise.
8. Un homme qui a abandonné ses illusions.
9. Alexandre le Grand, qui s'irritait vite.
10. Ce député, qui ne voulait pas d'une augmentation des impôts.

812 CFC§232, 237, 252 PAE§§59-60

Remplacez les mots *qui est* **ou** *qui sont* **par un participe ou un adjectif suivi d'un complément (ex. :** *Ce paresseux, qui était sur son lit. — Ce paresseux, étendu sur son lit*) **:**

1. Le champion, qui était sur sa bicyclette.
2. Le professeur, qui était au milieu de ses élèves.
3. Le sommet de la Tour Eiffel, qui est au-dessus des toits de Paris.
4. Le vigneron, qui était dans sa cave.
5. Les bottes de l'explorateur, qui étaient dans la neige.
6. Ces deux frères, qui étaient à cent kilomètres l'un de l'autre.
7. Les divers échantillons qui étaient sur la table.
8. Le Groenland, qui est près du pôle Nord.

813 CFC§232, 237, 252 PAE§59-60

Remplacez les mots *qui a* **ou** *qui ont* **par un participe ou un adjectif suivi d'un complément (ex. :** *Une qualité que les deux frères avaient l'un et l'autre. — ... commune aux deux frères*) **:**

1. Son ami, qui avait le dos contre le mur.
2. Son fiancé, qui avait une bonne situation.
3. Un commerçant qui a eu de la chance.
4. Une avenue qui a de beaux arbres.
5. L'ouvrier, qui avait ses outils.
6. L'égoutier, qui avait ses bottes.
7. Un enfant qui a des dons pour la peinture.
8. Le professeur, qui a une légère indisposition.

814 CFC§237

Relever dans les phrases suivantes les compléments d'adjectif ou d'adverbe (au nombre de 12) en indiquant leur forme grammaticale et le mot auquel ils se rapportent :

1. **Les machines sont-elles vivantes ?** L'homme aime à croire que, devant les machines qu'il fabrique, les animaux sont dupes de cette illusion flatteuse pour son pouvoir créateur. (J. Romains)
2. Combien sommes-nous de diables dans la classe ? (G. Sand)
3. J'étais si heureuse d'aller voir ma mère que j'étais presque insensible à tout le reste. (G. Sand)
4. Le maître d'écriture s'appelait M. Lublin. C'était un professeur à grandes prétentions et capable de gâter la meilleure main avec ses systèmes. (G. Sand)

5. Janine est ma petite-fille ; mais, serait-elle ma fille, je ne la verrais pas moins telle qu'elle est. (F. Mauriac)
6. Votre Altesse ne peut avoir eu d'autre dessein que celui de s'égayer un instant. (A. de Musset)
7. Le regard éternellement réprobateur du vieux buraliste a pesé sur nous comme une ombre supplémentaire. (F. des Ligneris)

815
CFC § 237

Même exercice :

1. Les gens sont contents que M. Alain soit revenu. (A. Lichtenberger)
2. Court, large, il avait des yeux d'un bleu étonnamment clair. (L. Hémon)
3. Je fis ainsi la demi-lieue qu'il y a du Temple à la rue Plâtrière, choisissant et suivant mon chemin tout aussi bien que j'aurais pu faire en pleine santé. (J.-J. Rousseau)
4. Ce monsieur, clair et précis dans ses explications comme un Français, a au plus charmant degré cette obligeance hospitalière qui gagne les cœurs. (R. Töpffer)
5. **Chute d'un arbre :** Une rumeur pareille à une lamentation court à travers la forêt brumeuse. (A. Theuriet)
6. Les remèdes étaient presque impossibles à se procurer. (G. Sand)
7. Enfin il n'aimait qu'elle au monde, et n'ambitionnait d'autre bonheur que de lui offrir sa main et sa fortune. (A. de Musset)

816
CFC § 237

Expliquez la différence de construction des adjectifs *certain* et *sûr* dans les phrases suivantes :

1. ...Ce matin,
Quand vous êtes venu, je ne suis pas certain
S'il faisait jour déjà. (V. Hugo)
2. Je suis sûre que parfois elle soupe avec les arêtes du poisson qu'on lui achète, et qu'elle retrouve dans la rue. (J. Renard)

817
CFC §§ 196 237

L'infinitif complément d'un adjectif peut avoir le sens actif *(ex. : désireux de gagner,* « qui gagne volontiers »*)* **ou passif** *(ex. : facile à ouvrir :* « qui est ouvert facilement »*).* **Pour chacun des infinitifs en** *italique,* **vous direz si le sens est actif (A) ou passif (P) :**

1. Mon voisin était toujours plus prompt que moi à *répondre.*
2. L'énigme est apparemment impossible à *résoudre.*
3. En cas de grève, nous les appelés nous étions bons à *vider* les poubelles.
4. Toute vérité n'est pas bonne à *dire.*
5. Quand on a vingt ans, toute langue étrangère est déjà difficile à *apprendre.*
6. Votre fils a été jugé apte à *sauter* une classe.
7. Nous sommes prêts à *manger.*
8. Le repas est prêt à *manger.*
9. Vous êtes long à *lire* ce roman.
10. Ce roman est trop long à *lire.*

818
CFC § 237
PAE § 59

Remplacez dans les phrases suivantes le groupe verbe *être* + adjectif par un verbe simple ou pronominal de sens équivalent. Écrivez ce verbe, mais ne donnez le complément que s'il est modifié dans sa forme :

1. Les gestes du matelot *étaient suffisants* pour qu'il comprît le sens général de la harangue. (E. Peisson)

2. — Je *suis enchanté*, capitaine, que vous trouviez ce vin à votre goût. (A. de Musset)
3. — Mon cher Panisse, il ne *serait* guère *convenable* que je vous donne une réponse si brusquement. (M. Pagnol)
4. — Ah ! que je *suis malheureux* que tu ne puisses pas me comprendre ! (G. Sand)
5. C'était cette grandeur et cette beauté unies qu'il fallait comprendre pour *être digne* de gouverner ce pays. (A. Maurois)
6. — Il n'*est* pas *ennuyé* que je vienne ? (A. Gide)
7. Quand une mère n'*est* plus *capable* de reconnaître son fils, c'est que son rôle sur la terre est fini. (A. Camus)
8. Le Poète *est semblable* au prince des nuées.
(Ch. Baudelaire)
9. **Au théâtre :** Candide *fut* très *content* d'une actrice qui faisait la reine Élisabeth dans une assez plate tragédie que l'on joue quelquefois. (Voltaire)

819
CFC § § 123, 237

Relevez les compléments du comparatif et du superlatif (noms, pronoms, adjectifs, adverbes, propositions), en vous conformant au tableau suivant :
(Exemple : *Pierre est plus fort que Paul.***)**

Complément	Forme gram. du complém.	Mot auquel il se rapporte	Adjectif ou adverbe ?	Comparatif ou superlatif ?
que Paul	**nom**	*plus fort*	**adjectif**	**comparatif**

1. Alors, du plus loin qu'ils le voient, ils le signalent. (J. de Pesquidoux)
2. Le pasteur Couve, qui me préparait, était certes le plus digne homme du monde. (A. Gide)
3. Mais le bruit des voitures, les cris de Paris, bien plus fréquents et plus variés à cette époque qu'ils ne le sont aujourd'hui, les orgues de Barbarie et le passage des visiteurs me dérangeaient. (G. Sand)
4. Votre royaume est plus riche et plus puissant que celui de mon père. (Fénelon)
5. C'était un grand garçon, fort efflanqué, fort fluet, aussi doux d'esprit que faible de corps. (J.-J. Rousseau)
6. Il y avait à la maison un âne, le meilleur âne que j'aie jamais connu. (G. Sand)
7. **La grotte du Mas d'Azil :** C'est une des plus belles, une des plus importantes de France. (N. Casteret)
8. Monsieur de Marcellus, plus bon que méchant dans le fond, profita mal du conseil. (Mme de Boigne)

820
CFC § § 217, 238

Modifiez chaque phrase de manière à éviter la répétition des mots en *italique* **en conservant les verbes dont ils dépendent ; vous observerez les précautions indiquées au paragraphe 238 :**

1. Il a appris *sa leçon* et se souvient de *sa leçon.*
2. Il comprend *le turc* et parle *le turc.*
3. César assiégea *Alésia* et s'empara d'*Alésia.*
4. Il a *ses habitudes* et tient à *ses habitudes.*

5. Commence tout de suite *ton devoir* et termine vite *ton devoir.*
6. Pense à *ton avenir* et sache préparer *ton avenir.*
7. Parle à *cet ami* et fais confiance à *cet ami.*
8. Il courut vers *son fils* et rejoignit bientôt *son fils.*

821
CFC§§237-238

Remplacez les points de suspension par la préposition que demande l'adjectif qui précède. Modifiez chaque phrase de manière à éviter la répétition du mot en italique, tout en observant la règle du paragraphe 238 (ex. : *Il est toujours prêt ... répondre et heureux ... répondre : prêt à répondre et heureux de répondre. Il est toujours prêt à répondre et heureux de le faire*) **:**

1. Il est capable ... *résoudre* ses problèmes, mais il est long ... *résoudre* ses problèmes.
2. Il est très gentil ... *son neveu* et fier ... *son neveu.*
3. Il est malhabile ... *écrire des vers* et pourtant désireux ... *écrire des vers.*
4. Il est avide ... *alpinisme*, mais inapte ... *l'alpinisme.*

822
CFC§§237-238

Même exercice :

1. Il est curieux ... *littérature japonaise*, mais très ignorant ... *littérature japonaise.*
2. Appliqué ... *parler correctement*, il se révèle incapable ... *parler correctement.*
3. Il est amoureux ... *son métier*, mais novice ... *son métier.*
4. Il est attaché ... *ses employés*, mais maladroit ... *ses employés.*

823
CFC§238

Montrez que les phrases suivantes contiennent des coordinations incorrectes, illogiques, en expliquant pour chacune d'elles par où elle pèche ; refaites-les ensuite correctement :

1. Alors la boutique fut repeinte, les stores et les vitres changés et nettoyées toutes les semaines. (Copie d'élève)
2. Pour cacher ma joie, je me mis — ou du moins je fis semblant — de pleurer. (Id.)
3. Un jour qu'il tombait de l'eau et ne sachant que faire, j'ai regardé les photos de notre album. (Id.)
4. Au plafond se trouve un fil qui sert en même temps pour l'électricité et de câble pour accrocher les vêtements. (Id.)
5. Alors je pensai aux petits enfants qui vivaient heureux dans cette maison autrefois et maintenant l'endroit était délaissé pour toujours. (Id.)
6. On entend dehors le vent siffler dans les branches et faisant grincer les portes des écuries mal fermées. (Id.)
7. Tout à coup je me sentis enlever dans les airs et entrer dans quelque chose de noir. (Id.)
8. Que l'Académie des Sciences ait accueilli et fait les honneurs d'un compte rendu à de tels « canards » pourra surprendre. (Un écrivain contemporain)
9. Les journées de grève ne seront pas payées et la liberté du travail assurée. (Journal)
10. Et, chose étrange, ces deux têtes, qui s'étaient joyeusement souri et tendrement embrassées, là se suivaient d'un œil avide. (E. Sue)

824
CFC § 239

Relevez les mots répartiteurs de portée en disant pour chacun avec précision quelle est la fonction dont il circonscrit la portée :

1. **En Touraine** : Votre vue charmée s'étend tout à coup à quatre ou cinq lieues au-delà sur les vallées de deux rivières, l'une bleue : la Creuse, qui vient du Berry ; l'autre, plus éloignée, d'opale laiteuse : la Vienne, courant vers la Loire immense. (R. Boylesve)
2. **Le Crédit agricole** : D'où la structure particulière de la banque verte : à la base, des caisses locales, gérées par leurs sociétaires, tous agriculteurs, et fédérées en quatre-vingt-quatorze caisses régionales. (Ph. Frémeaux, *Le Monde,* déc. 81.)
3. Les invités arrivèrent, qui en voiture, qui à cheval ou à mulet. (M. Tinayre)
4. Nous avions chacun devant notre assiette une petite carafe d'eau rougie. (Ch. Vildrac)
5. Que Dieu vous ait tous deux en sa garde. (H. Béraud)
6. Ils demandaient les uns la suppression d'un personnage, les autres d'une scène, ceux-ci de l'épisode central, ceux-là des anecdotes incidentes. (G. Duhamel)
7. Elle aime tous les animaux, veut tous les caresser. (G. Chevallier)

825
CFC § 239

Même exercice :

1. Les médecins ont raisonné là-dessus, et ils n'ont pas manqué de dire que cela provenait, qui du cerveau, qui des entrailles, qui du foie. (Molière)
2. Nos soldats t'accusent, les uns d'être blanc, les autres d'être un faux frère. (V. Hugo)
3. Les officiers de la Bastille étaient la plupart officiers par la grâce du lieutenant de police. (J. Michelet)
4. Je trouvai à Nohant les contes de madame d'Aulnoy et de Perrault (...). Je ne les ai jamais relus depuis, mais je pourrais tous les raconter d'un bout à l'autre. (G. Sand)
5. Ce sont pour la plupart des êtres, ceux-ci grotesques, ceux-là répugnants. (O. Mirbeau)
6. Dans ces bois qu'on exploitait alors, on remarquait des chênes, les uns abattus, les autres debout. (Chateaubriand)
7. Ils se regardaient les uns les autres avec étonnement. (Fénelon)
8. Le compartiment est complet : deux femmes, dont moi, et quatre officiers, dont un anglais. (M. Prévost)

826
CFC § 241

Relevez dans chaque phrase toutes les inversions du sujet (il y en a 10) en disant pour chacune si elle est caténale (C), morphologique (M) ou les deux confondus (CM) :

1. Ah ! quand donc cessera mon tourment ? (T. Klingsor)
2. As-tu bien travaillé ? me disait Jacques ; ton poème avance-t-il ? (A. Daudet)
3. Peut-être le chagrin provoqué par la mort de Jacques était-il arrivé à son terme. (J. Giraudoux)
4. Ainsi les raisins se sucrent-ils au soleil. (M. Proust)
5. Combien de temps supposez-vous que durera son absence ? demandai-je à tout hasard. (E. Estaunié)
6. Ton cœur bat-il toujours à mon seul nom ? (P. Verlaine)

827
CFC§241

Dans les phrases suivantes, on a rétabli l'ordre normal des termes de la proposition ; restituez ces phrases sous leur forme originelle en pratiquant l'inversion du sujet par anticipation du terme en *italique* :

1. La guitare en vibrant s'échappe *de ses doigts*. (D'après V. Hugo)
2. Des meubles rares, des chaises incrustées de nacre ou des fauteuils drapés de robes si légères que l'on distingue à travers elles les pivoines couleur de chair qui s'épanouissent aux dossiers, sont *çà et là*. (D'après F. Jammes)
3. Des galeries souterraines aux accès perdus se prolongent *sous les ruines*. (D'après Villiers de l'Isle-Adam)
4. Le procès de Pierre A..., 37 ans, négociant à Albi, a commencé aujourd'hui *devant la cour d'assises du Tarn*. (D'après un journal)
5. Le village était encore loin, dont le son angélique des cloches parvenait *faiblement* jusqu'à nous. (D'après A. Gide)
6. La parole est *sublime*, le propos *mince*, le bagout *vulgaire*. (D'après H. Bazin)
7. Des vaches, des génisses, des veaux, des taureaux débouchent *soudain* de toutes les portes (...). L'escadron des porcs, qui ressemblent à des sangliers et qui grognent, *suit,* en caracolant. (D'après Chateaubriand)

828
CFC§241

Même exercice :

1. L'affection qui les unit jusque dans la mort date *de cette époque*. (D'après P. Benoît)
2. Les courants verdis, les ophidiens glauques se ruaient *autour.* (D'après La Varende).
3. De larges carreaux de pavage pour salles de bains et cabinets de toilette étaient dressés *contre les murs*. (D'après G. Flaubert)
4. Le vol du camion 123 viendra s'ajouter *à l'accusation*. (D'après D. Decoin)
5. L'attitude générale de Charles-Quint envers l'Italie est *plus lourde de conséquences*. (D'après R. Grousset)
6. Un lion boiteux survit *d'une ménagerie en carton-pâte*. (D'après A. Lichtenberger)
7. La ville était *en bas de la colline*. (...) Une plaine d'herbe jaune, tachée de grandes plaques de rouille, s'élevait *au-delà de la ville*. (D'après J. Giono)

829
PAE§66

Indiquez les raisons de l'inversion pour chacune des phrases suivantes (C = commodité de la construction, L = organisation logique du discours, E = ordre expressif des idées, T = tradition littéraire, S = sonorité et rythme ; 2 exemples de chaque sorte) :

1. Bien différent est le cas de Vautrin. (M. Tournier)
2. Peut-être Mme Legras s'aperçut-elle de ce changement. (J. Green)
3. Phonétique historique du français, Fr. 314. Sont admis définitivement : Mayet Paul, mention très bien, Dutreuil Sophie, mention très bien, Goarant Jacques, mention bien, Tripier Josette, mention bien... (Liste des reçus à un examen)
4. Vous épargne Borée et Zéphir vous seconde.
   (H. de Régnier)
5. Cucharès, le Salamanchino et Lucas Blanco marchaient les premiers. Derrière eux marchaient trois picadors. (A. Dumas)

6. Un roi chantait en bas, en haut mourait un dieu. (V. Hugo)

7. Elle était enfoncée dans un énorme pantalon de velours marron pareil à ceux que portent encore de vieux terrassiers. (J. Laurent)

8. Rien, ni les vieux jardins reflétés par les yeux
Ne retiendra ce cœur qui dans la mer se trempe
O nuits ! ni la clarté déserte de ma lampe...
(St. Mallarmé)

9. Il faisait laborieusement de toutes ces prescriptions un ensemble harmonieux qu'il voulait présenter aux âmes. (V. Hugo)

10. Alors se produisit en lui quelque chose d'étrange, d'inexplicable. (H. Troyat)

830
PAE§66

Même exercice :

1. Comprenné qui pourra ! (M. Proust)

2. Elle s'est approchée de Gilles, dont lui sourit humblement le visage transfiguré. (F. des Ligneris)

3. Jeudi 23 et vendredi 24 octobre comparaîtra devant le tribunal militaire de Lyon M. Roger H... (Journal)

4. Coupez le myrte blanc aux bocages d'Athènes,
A Nîmes le jasmin. (J. Moréas)

5. Sont promus au grade de Lieutenant d'Administration de réserve les Sous-Lieutenants désignés ci-après : Adgie (Jean), 1re Région ; Dezès (Maurice), 4e Région ; ... (J. O.)

6. L'intérêt extrême que je prenais à tout désormais venait surtout de ceci, que m'accompagnait partout Emmanuèle. (A. Gide)

7. Sur nos épaules repose toute la stratégie de l'armée française. (Saint-Exupéry)

8. Suivait un grand serin de capitaine de trente-cinq ans, Félix Baciocchi, qui venait d'épouser Élisa. (P. Guth)

9. Ah ! laissez-moi, mon front posé sur vos genoux,
Goûter, en regrettant l'été blanc et torride,
De l'arrière-saison le rayon jaune et doux ! (Baudelaire)

10. Sont dispensés de la tutelle : — Les personnes désignées dans les titres III, V, VI, VIII, IX et XI de l'acte du 18 mai 1804 ; — Les présidents et conseillers à la cour de cassation... (Code civil)

831
PAE§66

Justifiez l'inversion des sujets dans la 2e proposition. Racontez de même, avec inversion des sujets accumulés, un défilé civil ou militaire, le passage du gibier devant un chasseur aux aguets, ou les difficultés d'un enfant aux prises avec la vie scolaire.

Un matériel imposant.
Ils achetèrent le matériel d'un distillateur en faillite — et bientôt arrivèrent dans la maison des tamis, des barils, des entonnoirs, des écumoires, des chausses et des balances, sans compter une sébile à boulet et un alambic tête-de-maure, lequel exigea un fourneau réflecteur, avec une hotte de cheminée. (G. Flaubert)

832
PAE§66

Pourquoi l'auteur a-t-il pratiqué l'inversion du sujet dans la première phrase ? Pouvait-il le faire dans la seconde ?

Paysage méridional.
Par-derrière, vers les collines, grimpent des vignes et des champs de maïs. Dans le soleil, entre les oliviers rabougris, un cheval maigre tourne sans fin la roue d'une noria. (L. Aragon)

833
PAE§66

Dans ce texte, l'adverbe *surtout* aurait pu être placé avant *celles* et l'adverbe *négligemment* après *s'éparpillent* ; montrez que la place choisie par l'auteur est plus agréable à l'oreille.

Fusées.
J'aimais celles **surtout** dont les étincelles d'or pâle tombent si lentement et si **négligemment** s'éparpillent qu'on croit, après, tant les étoiles sont merveilleuses, qu'elles aussi sont nées de cette subite féerie. (A. Gide)

834
CFC§242

Relevez 7 mots ou groupes de mots anticipés (A) et 6 mots ou groupes de mots repris (R) et indiquez à quels pronoms ils se rattachent :

1. Mais ça ne m'arrange pas du tout, moi, cette histoire-là ! (J. Perret)
2. Les jurons, les râles, le canon, tous les bruits de notre pauvre vie de bêtes, cela ne pouvait pas endurcir notre âme. (R. Dorgelès)
3. Voilà le beau côté ; mais les charges, vous n'en dites mot. (Diderot)
4. **Sylvette :**
   Quand on n'a rien à dire, il le faut bien, se taire !
   Pasquinot :
   Rien à dire ! La folle ! Alors, vous croyez ça,
   Que tout se passe ainsi que cela se passa ?... (E. Rostand)
5. Quant au bœuf blanc, je ne crois pas qu'il soit possible de le vendre avant longtemps. (M. Aymé)
6. Faire voyager une poule, c'est toute une affaire. (T. Derème)
7. « Je te le dis, Jeanne, c'est pas une vie, la vie qu'on vit. » (Les Jeanne)

835
PAE§67

Dites pour chaque phrase si la dislocation a pour objet de placer en tête le thème de la phrase (Th.) ou de mettre en valeur son propos (Pr.) ; 3 exemples de chaque sorte :

1. Ah ! qu'elle était jolie, la petite chèvre de M. Seguin. (A. Daudet)
2. « Tout ce que j'ai fait, je l'ai fait parce que tu avais besoin de moi. » (R. Gary)
3. Ça cingle, le vent. (L. Aragon)
4. « Alors non ! tu ne comprends pas qu'elle eût pu être chargée, cette arme. » (G. Courteline)
5. « Vingt kilos à deux mains, tu peux les lever ? » (B. Clavel)
6. L'âme, c'est la tête et le cœur. (P. Verlaine)

836
PAE§67

Même exercice avec les phrases suivantes, tirées de *Fanny*, comédie de M. Pagnol :

1. Ce que je veux vous dire, César ne le sait pas.
2. Il est brave, Panisse.
3. Cet enfant, tu ne l'auras pas.
4. Alors, elle sera longue, cette permission ?
5. Tu le sais aussi bien que moi, qu'il va chavirer.
6. Ce bateau-là, Monsieur Brun ne l'a pas fait faire sur commande.

837
CFC§243

Dites à quel mot se rapportent les compléments en italique, et s'ils sont liés ou détachés :

1. Au milieu des ajoncs un sentier d'herbe *douce*
   Glisse, *miraculeux*. (C. Périn)

2. Une sentinelle allemande passe, *rarement*. (A. Malraux)

3. Les heures se succédèrent, *lourdes,* mornes, interminables, désespérantes. (G. Flaubert)

4. *Se glissant* dans la ville *avec leurs gens*, sans bruit,
Ils ont *dans Compostelle* enlevé par surprise
Le pauvre petit roi de Galice, Nuño. (V. Hugo)

5. Je m'abstins de l'aller voir, *par timidité,* et par crainte de me distraire de mon travail. (A. Gide)

838
CFC § 243

Même exercice :

1. **Provoqué en duel :** Il arriva jusqu'à désirer être malade, *gravement*. (G. Flaubert)

2. Au cours d'une guerre, un État-Major donne des ordres. Il les confie à de beaux cavaliers ou, *plus modernes,* à des motocyclistes. (A. de Saint-Exupéry)

3. Dine s'était arrêtée sur le petit pont à quelques mètres au-dessus de moi *immobile*, pelotonnée dans ma cape de laine. (F. des Ligneris)

4. *De son image* en vain j'ai voulu me distraire.
Trop présente à mes yeux, je croyais lui parler. (Racine)

5. *Adossé* au premier des chênes centenaires, le vieux pâtre jouait, sur une flûte de Pan, *des airs* graves. (E. Delbousquet)

6. Toujours *impassible*, Mademoiselle sentit qu'elle devait parler. (É. Estaunié)

839
CFC § 243

Les phrases suivantes, empruntées pour la plupart à des devoirs d'élèves, présentent des compléments détachés placés en tête, qui ne se rapportent pas au sujet. Montrez qu'elles sont équivoques, c'est-à-dire prêtent à une confusion de sens, et refaites-les de manière que le sens ne soit plus douteux :

1. Pris d'un mal de tête violent, mon nez se mit à saigner à flots.

2. J'attendais mon cousin devant la porte de l'école : il devait porter mon cartable, ayant été opéré de l'appendicite trois semaines plus tôt.

3. L'été dernier, étant invitée à l'anniversaire d'une amie, Maman m'a permis d'étrenner une robe légère.

4. Excessivement craintive, une araignée la jetait dans des transes.

5. Paisible et chétif, son frère le brutalisait continuellement.

6. A soixante ans, les jeunes gens la demandaient encore en mariage.

840
CFC § 243

Les phrases suivantes, empruntées à des écrivains de langue châtiée, présentent des compléments détachés placés en tête, qui ne se rapportent pas au sujet. Dans chaque cas vous direz si le sens est clair et pourquoi :

1. Soudain, sortant de sa rêverie, ses yeux s'animent, l'air retentit de sa voix sonore. (Lamennais)

2. Le temps le plus malheureux de ma vie fut celui du collège, parce que, devançant mes compagnons dans les études, ils étaient humiliés de se voir inférieurs à un plus jeune et me prenaient en haine. (A. de Vigny)

3. Enfant, son père était mort en le laissant pauvre. (J.-P. Sartre)

4. Chaque soir, espérant des lendemains épiques,
L'azur phosphorescent de la mer des Tropiques
Enchantait leur sommeil d'un mirage doré. (J.-M. de Heredia)

5. Debout près de moi sur la passerelle, le regard de Marino se rivait à l'avant du bateau. (J. Gracq)
6. **Un élève bien suivi** *(Bouvard et Pécuchet ont entrepris l'instruction d'un jeune garçon très mal doué)* : Un jour qu'il avait fait une addition sans faute, Bouvard cousit à sa veste un ruban qui signifiait la croix. Il se pavana dessous ; mais ayant oublié la mort d'Henri IV, Pécuchet le coiffa d'un bonnet d'âne. (G. Flaubert)

841
CFC § 242

Dites si le pronom *moi* en caractères gras est sujet anticipé ou sujet repris (à quel mot se rapporte-t-il ?) ; à quelle différence de caractère entre les deux femmes répond la différence de construction de ce pronom d'une phrase à l'autre ?

1. **Les pauvres gens** *(La femme du pêcheur a recueilli deux orphelins ; elle ne sait comment l'apprendre à son mari quand il rentrera)* :

   Est-ce lui ? — Non. — Tant mieux. — La porte bouge comme
   Si l'on entrait. — Mais non. — Voilà-t-il pas, pauvre homme,
   Que j'ai peur de le voir rentrer, **moi,** maintenant ! (V. Hugo)

2. **Incompatibles** *(L'auteur est sur le point d'épouser une belle et riche jeune fille, qui l'aime et qui le tirerait de sa misère)* :

   En revenant, elle m'a dit :
   « Quand nous serons mariés, vous ne me mènerez pas dans des quartiers tristes. — **Moi** d'abord, a-t-elle repris avec une mine de suprême dégoût, je n'aime pas les pauvres...
   Ah ! caillette ! à qui j'étais capable d'enchaîner ma vie ! (J. Vallès)

MODALITÉS DE LA PHRASE

842
CFC § 244

Quelles nuances de la déclaration sont exprimées dans les phrases ou membres de phrase en *italique,* et par quels procédés ?

1. J'étais en train de causer, et *cela aura augmenté sa mauvaise humeur*. (E. Delacroix)
2. *Peut-être faut-il craindre,* en voyage, de gâter par des lectures faites d'avance l'impression première des lieux célèbres. (G. de Nerval)
3. Cette fois, *je l'avouerai,* je ne pus contempler sans effroi son expression de méchanceté ironique. (P. Mérimée)
4. Ce maigre repas terminé, *le baron parut tomber dans des réflexions douloureuses*. (Th. Gautier)
5. *« La voiture a dû s'embourber une seconde fois »,* dit le maréchal-ferrant. (R. Vaillant)
6. Dickens rapporte cette idée très remarquable *qui aurait eu cours dans l'Angleterre victorienne*. (M. Tournier)
7. *Il pouvait être une heure du matin*. (Stendhal)
8. *Le taux d'inflation de la R.F.A. devrait atteindre 5,90 % cette année contre 5,5 % en 1980*. (Journal du 31.12.1981)
9. *Elle semblait m'attendre* et vint aussitôt vers moi. (A. Gide)

843
CFC § 244

Dans ce texte le conditionnel est employé deux fois pour nuancer la déclaration ; la nuance est-elle la même dans les deux cas ? Précisez-la.

Alerte au Cœur-Volant.
« Je m'appelle Palladion, dit-il, et j'apprends de source officieuse, monsieur le doyen, que la maison que j'habite, 8, rue du Cœur-Volant, dans le IVe arrondissement, **serait** comprise dans un îlot prétendu insalubre et, de ce fait, condamnée à la démolition...
« Voyez-vous, reprit-il avec sérieux, ma conviction **serait** plutôt qu'il règne dans cet îlot un climat subtil et vivifiant. » (J. Perret)

844
CFC § 244R

Recopiez les propositions à l'infinitif de narration, puis remplacez-les par des propositions indépendantes à l'indicatif. Dites si les conditions normales d'emploi de l'infinitif de narration sont remplies (montrez-le) :

1. **Une dame satisfaite de son sculpteur :** « Quel bonheur ! mon buste ! c'est moi ; je suis frappante ; je saute aux yeux ! Ah ! mon cher artiste, je veux aussi vous sauter au cou ! » Et d'embrasser Daniel qui ne s'y attendait guère. (E. About)
2. **Le cinéma au village :** L'on entendit un enfantelet gémir, angoissé d'une peur noire : « Paix ! Paix ! cria une grosse voix dans le fond de la salle, donnez-lui le biberon, à celui-là ! » Et l'enfant de hurler à pleine gorge, que c'en était stupéfiant. (P.-J. Hélias)

845
CFC § 244R

A l'imitation des textes ci-dessus, dites en employant l'infinitif de narration : Le succès d'un camelot distribuant des échantillons gratuits. Le rétablissement de l'ordre dans une étude à l'approche d'un surveillant. L'escapade d'un chien mal tenu en laisse par son maître.

846
CFC § 244

Dans ces deux textes, l'impératif exprime un fait affirmé et non commandé.
1° Vous récrirez ces phrases en substituant l'indicatif à l'impératif (au prix de toutes les modifications nécessaires) tout en respectant le sens.
2° Vous essaierez de dire quelle nuance de style apporte ici l'emploi de l'impératif.

La guerre : Elle vous a mis une pioche et un fusil entre les mains, et *creuse* bonhomme et *marche* bonhomme et *crève* bonhomme... (R. Dorgelès)

Dans la forêt canadienne : On se coupait un gros morceau de pâte avec son couteau, on se mettait ça dans le ventre, et puis *bûche* et *bûche* encore ! (L. Hémon)

847
CFC § 245

Relevez les propositions interrogatives ; dites si l'interrogation est totale (T) ou partielle (P) ; dans le second cas, relevez le mot interrogatif et précisez s'il est pronom (pr.), adjectif (adj.) ou adverbe (adv.) :

1. L'arrivant n'adressa-t-il pas un salut discret à Mlle Vernage ? (L. Frapié)
2. « J'ai de grands projets. — Tu ne veux pas me les dévoiler maintenant ? » (M. Déon)
3. — Comment diable veux-tu que nous allions à Paris avec cela ? (A. Dumas)
4. **Un morceau de musique inconnu :** Où le situer ? Dans l'œuvre de quel auteur étais-je ? (M. Proust)
5. « C'est vrai qu'il a démissionné ? s'enquit Pierre-Édouard. » (Cl. Michelet)
6. Quelqu'un l'a-t-il vu triste ? (E. Hello)

7. « Elle espérait quoi, au juste ? demanda Antoinette. » (F. Dorin)
8. — A quelle heure viendras-tu ? (H. Troyat)
9. Comment redresser les hommes et les femmes dévoyés ? (P. Guth)

848
CFC§245

Même exercice :

Deux optimistes.

« Hélas ! dit le misérable à l'autre misérable, ne reconnaissez-vous plus votre cher Pangloss ? — Qu'entends-je ? vous, mon cher maître ! vous, dans cet état horrible ! quel malheur vous est-il donc arrivé ? pourquoi n'êtes-vous plus dans le plus beau des châteaux ? Qu'est devenue Mlle Cunégonde, la perle des filles, le chef-d'œuvre de la nature ? — Je n'en peux plus, dit Pangloss. » Aussitôt Candide le mena dans l'étable de l'anabaptiste, où il lui fit manger un peu de pain ; et quand Pangloss fut refait : « Eh bien ! lui dit-il, Cunégonde ? — Elle est morte », reprit l'autre. Candide s'évanouit à ce mot : son ami rappela ses sens avec un peu de mauvais vinaigre qui se trouva par hasard dans l'étable. Candide rouvre les yeux. « Cunégonde est morte ! Ah ! meilleur des mondes, où êtes-vous ? Mais de quelle maladie est-elle morte ? Ne serait-ce point de m'avoir vu chasser du beau château de monsieur son père à grands coups de pieds ? » (Voltaire)

849
CFC§245

Dans les phrases suivantes, l'interrogation est-elle exprimée par l'inversion du sujet ou par la locution *est-ce que ?*
Recopiez chacune de ces phrases en remplaçant le tour employé par l'autre :

1. Pourquoi est-ce que le gigantesque Polyphème aboie si méchamment, quand Poum se défile, prudent, à vingt mètres ? (P. et V. Margueritte)
2. — Comment êtes-vous venu ? lui demandai-je. (G. Chevallier)
3. Et moi, moi qui ai perdu ma journée, de quel droit est-ce que j'ose appeler demain ? (Alain-Fournier)
4. — Oh ! un repas ! Qui attendais-tu ? (H. Bosco)
5. A chaque instant depuis des heures il se posait la question : « Qu'est-ce que j'ai comme remèdes ? Qu'est-ce qu'il faut faire ? » (J. Giono)
6. — Où est Léontine ? (H. Troyat)

850
CFC§245

Dites si l'interrogation, dans les phrases suivantes, est exprimée dans un style littéraire (L), familier (F) ou populaire (P) (3 exemples de chaque sorte) ; justifiez vos réponses :

1. Sont-ce des larves ? Non ; et sont-ce des statues ? (V. Hugo)
2. « Oh ! une simple grille, une grille avec une plaque de cuivre. C'est propre, tu sais, et puis ça fait moins ... — Moins quoi ? » (M. Arland)
3. — Alors, comment tu faisais ? (G. Chevallier)
4. — Elle finit quand, d'après vous, ma vie de petite fille ? (H. Troyat)
5. Ça, voyons, pars-je seul, ou partons-nous tous deux ? (E. Rostand)
6. — Pascal, ici, il n'y a pas de haies d'aubépines, comme à Sancergues. Tu te rappelles ? (H. Bosco)
7. « Alors, comment que je ferai pour servir le dîner de mes maîtres ? » (A. France)
8. Cherché-je à me dérober au devoir ? (G. Duhamel)
9. « Qui c'est qui a un briquet ? » (R. Dorgelès)

851 CFC§245

Relevez les formes de pronoms interrogatifs neutres, dites si elles sont simples ou renforcées, et indiquez leur fonction :

1. — Toi, que veux-tu, dit Charle, et qu'est-ce qui t'émeut ? (V. Hugo)
2. Que faut-il faire pour que toute une forêt s'envole ? Ah ! c'est trop difficile... Que faut-il être ? Il faut être incendie ! (A. de Saint-Exupéry)
3. — De quoi avez-vous souffert le plus ?... Qu'est-ce qui a contribué le plus à votre désarroi ? (J. Romains)
4. — Qu'est-ce qui lui est arrivé, mon bon monsieur ? (P. Loti)
5. — Que veux-tu qu'il lui soit arrivé ? (A. Daudet)

852 CFC§245

Quelles nuances de l'interrogation sont exprimées dans les phrases suivantes par l'emploi du conditionnel, du futur, de l'infinitif, par la forme négative de la phrase, par l'emploi d'auxiliaires ou d'adverbes ?

1. Elle ignorait même si elle avait encore des parents. Et où aller ? Comment vivre ? (É. Estaunié)
2. « Eh bien ! Est-ce que la bourrée ne vaut pas le fandango ? » (J. Vallès)
3. — Chère madame, oserai-je vous demander des nouvelles de votre précieuse santé ? (E. Labiche)
4. Connaissez-vous, peut-être, l'île de Ceylan ? Non ? Eh bien, c'est dommage. (L. Durtain)
5. — N'étais-je pas ton meilleur ami au collège ? (A. Dumas)
6. Où peut-il y avoir de l'eau dans ces collines ? (J. Giono)
7. — Voudriez-vous dire par là que mon neveu ait menti ? (J. Perret)
8. — Pascal, tu ne monteras pas sans moi à Micolombe ? (H. Bosco)

853 CFC§246

Quelles sont les marques de modalité impérative dans les textes suivants ?

1. On devrait bien aller goûter aux crus de notre ami de l'autre jour. (A. Allais)
2. « Si nous partions ? chuchota Arlette. » (H. Troyat)
3. « Mais il va me répondre qu'il ne connaît pas mon frère. — Tu dis merci, et tu t'en vas. » (J. Laurent)
4. « Mais voulez-vous me goûter ce camembert ! ordonna la serveuse, vexée de le voir rechigner. » (R. Ikor)
5. « Assez là-dessus ! a-t-elle dit. » (G. Bernanos)
6. « Assieds-toi. Maintenant, tu vas me répondre. » (F. Mallet-Joris)
7. Porter de la laine sur la peau et exposer les parties malades à la fumée de baies de genièvre. (G. Flaubert)
8. Et qu'il fasse ce qu'il veut. (Ch. Rochefort)
9. — Tu mettras le bois à tremper trois jours au trou du cyprès. (J. Giono)

854 CFC§§246-247

1° Étudiez en détail et avec précision les nuances de modalité des membres de phrase successifs.
2° Rédigez, en utilisant les mêmes procédés ou d'autres à votre choix, les paroles d'une maîtresse de maison qui s'affaire et se fait aider aux derniers préparatifs avant l'arrivée des invités. Aux phrases d'ordre et de défense, vous mêlerez des phrases de désir, de crainte et de regret.

Mobilisé.

— Tu vas m'aider, dit Laurent, à descendre ma cantine. Nous la prendrons par les poignées. Attends que j'attache dessus la pèlerine et le sabre, et quoi donc encore ? Ah ! que je n'oublie pas le ceinturon et le brassard. Que je n'oublie pas la sacoche. (G. Duhamel)

855
CFC§246

Quelles nuances de l'ordre ou de la défense sont exprimées dans les phrases suivantes, et par quels procédés ?

1. « Jeannette, mon chocolat. » (A. Daudet)
2. Daigne mettre, grand Dieu, ta sagesse en sa bouche ! (Racine)
3. Je vous prierai, Monsieur le Préfet maritime, de me dire s'il s'agit de mètres cubes. (Stendhal)
4. « Je te prie de le prendre avec moi sur un autre ton, espèce de sale gamin. » (M. Aymé)
5. « Veuillez entrer là, dans le pavillon. » (A. de Musset)
6. — Te tairas-tu ! (E. Labiche)
7. **Horace :** — Quand tu t'ennuieras, et si ça te fait plaisir, tu donneras un coup de main aux gens de la maison. (E. Labiche)
8. — Si vous lisiez moins haut, là-bas ! cria le caissier, on ne s'entend plus. (É. Zola)

856
CFC§246

Même exercice :

1. Je vous serais bien obligé si vous consentiez à avoir l'extrême bonté de me tenir au courant. (Stendhal)
2. « Arrière, monstre ! » (M. Pagnol)
3. — Toi, fais-moi le plaisir de t'asseoir. (M. Aymé)
4. « Silence ! elle dort. » (A. de Musset)
5. « Ayez la bonté d'exécuter les ordres que je porte. » (P. Mérimée)
6. « Que Monsieur descende vite, la pauvre Madame est en train de mourir ! » (A. Gide)
7. Tio, qui traînait, se fait rappeler à l'ordre :
   — Vous venez, Charles ? (H. Bazin)
8. « Voyons, vous n'allez pas croire cela... » (J. Giraudoux)
9. « Voudriez-vous accepter un compagnon de voyage ? » (Stendhal)
10. « Je ne vous retiens pas. » (E. Labiche)

857
CFC§247
PAE§62

Quelles sont les marques de modalité exclamative dans les textes suivants ?

1. En avons-nous gravi, des étages, dans des immeubles luxueux, dans des taudis ! (A. Gide)
2. Dire que j'ai aimé l'aube, que je l'ai vue sourire ! Celle-ci grimace. (É. Estaunié)
3. Pourvu qu'il fasse beau demain ! (J. Renard)
4. Ah ! que la vie est quotidienne... (J. Laforgue)
5. Et moi qui doutais de la véracité de ses livres, moi qui l'accusais d'outrance ! Il atténuait plutôt. (J.-K. Huysmans)
6. Comme nous sommes désarmés devant les hommes, la vie ! Quel absurde enfantillage ! (G. Bernanos)
7. — Y penses-tu, reprit Vallombreuse, une personne de condition se mêler à ces baladins, monter sur des tréteaux, se barbouiller de rouge, recevoir des nasardes et des coups de pied au derrière ! (Th. Gautier)

8. — Et voilà-t-il pas qu'un jour qu'on était entré au bazar, on voit une horloge, mais une horloge !... enfin cette horloge-là... (M. Achard)

9. **Téléférique :** — Ce fil tendu au-dessus de vide ! (H. Troyat)

858
CFC § 247
PAE § 68

Il y a inversion du sujet dans la 2e phrase, non dans la 1re. Par quelle raison de style pouvez-nous justifier cette différence ?

Veillée de Noël : Quels efforts incroyables je faisais pour ne pas m'endormir avant l'apparition du petit vieux ! (G. Sand)

Contes bleus : Ah ! quelles heures m'ont fait passer l'Oiseau bleu, le Petit Poucet, Peau-d'Âne, Belle-Belle ou le Chevalier fortuné, Serpentin vert, Babiole, et la Souris bienfaisante ! (G. Sand)

859
CFC § 247

Essayez de préciser le sentiment manifesté par l'exclamation devant un fait réel :

1. « Mon pauvre Jacques, dans quel état te mets-tu devant tes enfants ! » (H. Bazin)
2. Nous reprocher d'être vulgaires ! Les beaux experts en vulgarité que voilà ! (F. Cavanna)
3. Ensuite un grand verre d'eau fraîche. (Oh ! que ça fait du bien !) (F. Dorin)
4. « Quelle chiffe ! fit-elle d'un air méprisant. » (M. Denuzière)
5. Je ne pus m'empêcher de m'écrier avec trop de chaleur, sans doute : « Oh ! qu'il est beau garçon ! » (O. Mirbeau)
6. « Heureusement que Jef n'est pas sorti... On ne pourra pas le soupçonner ! » (Ch. Exbrayat)
7. Le maire était assommé. « Ce n'est pas possible ! » (P. Véry)
8. — Et dire qu'on se donne tant de mal pour que les clients abîment tout avec leurs grosses chaussures ! (H. Troyat)
9. « Vous aussi vous avez une espèce de Noël avec des lumières partout et des distributions de cadeaux. Ça alors, j'aurais jamais cru ! » (R. Ikor)
10. « Ce gaillac, Micky, disait-elle. Quelle splendeur ! » (Ph. Hériat)

860
CFC § 247
PAE § 62

Essayez de préciser le sentiment manifesté par l'exclamation devant un fait pensé :

1. « Dieu lui pardonne le mal qu'il m'a fait ! » (P.-J. Hélias)
2. « Et je manquerais à mes devoirs envers tous ces pauvres êtres ! » (V. Hugo)
3. Que Yolande n'était-elle là ! (A. Decaux)
4. « Ah ! quel musicien il aurait fait ! » (Ph. Hériat)
5. « Mon Dieu ! (...) si j'allais être laide ! » (H. de Balzac)
6. « Puisse celui à qui je vous laisse, à qui je vous donne, être digne de vous ! » (A. de Musset)
7. « Mais, vieux, être tutoyé par le premier venu, être fouillé par le garde-chiourme, recevoir des coups de bâton de l'argousin ! » (V. Hugo)
8. Fuir ! là-bas fuir ! (St. Mallarmé)
9. « Si seulement les inspecteurs de Nancy étaient là ! » (P. Véry)
10. Oh ! qu'une, d'Elle-même, un beau soir, sût venir
Ne voyant plus que boire à mes lèvres, ou mourir !
(J. Laforgue)

861
CFC § 247
PAE § 38

Dites si le désir et le regret dans les phrases suivantes sont exprimés en langue littéraire, ou commune, ou populaire ; justifiez vos réponses :

1. Plût au ciel qu'il me battît, et que tu fusses à sa place. (Voltaire)
2. **A l'hôpital** : Il rêvassait à voix haute et murmurait :
   — Si seulement elle était ici... Si seulement elle pouvait venir me voir. (G. Duhamel)
3. « Allez-vous-en, et pi, que j'vous revoie point par ici. » (G. de Maupassant)
4. Éblouissement pur, puisse ton souvenir, à l'heure de la mort, vaincre l'ombre ! (A. Gide)
5. Le pharmacien poursuivit :
   — Plût à Dieu que nos agriculteurs fussent des chimistes, ou que du moins ils écoutassent les conseils de la science ! (G. Flaubert)
6. Ah ! savoir ! Tout savoir ! Tout, et ne plus jamais rien craindre ! (Marie Noël)
7. Ô ma Julie ! disais-je avec attendrissement, que ne puis-je couler mes jours avec toi dans ces lieux ignorés. (J.-J. Rousseau)
8. — Qu'elle guérisse, Aufrère, qu'elle guérisse seulement ! Et je vous promets qu'on sera heureux. (G. Duhamel)

862
CFC §§ 246-247

Relevez les interjections et les adverbes soulignant la modalité (précisez laquelle) dans les phrases suivantes :

1. **L'âne :** Ah ! là, là, s'il n'y avait pas cette clôture ! (M. Aymé)
2. « Allons, qu'on me hisse cet homme. » (P. Mérimée)
3. — Ils ont sûrement l'intention de venir les jeter dans ce coin-là ce soir. (J. Giono)
4. Je ne plaisante pas, monsieur. Plaisanter un homme qui a déjeuné d'une chaise, ah fi !... (G. Courteline)
5. — Comment faire, Seigneur ! comment faire ? (L. Pergaud)
6. — C'est tout naturel, parbleu ! (G. Courteline)
7. — Allons, oust ! Enl'vez l'bœuf ! (G. Courteline)
8. — Ah ! par exemple, quel toupet ! (L. Pergaud)
9. — Ce serait vraiment pousser l'austérité trop loin. (Th. Gautier)
10. — Trouvez d'abord les ronds, hein, repartit le général ! (L. Pergaud)
11. — Zut ! j'ai cassé la sonnette. (G. Courteline)
12. Ah ! permettez, de grâce,
    Que pour l'amour du grec, Monsieur, on vous embrasse.
    (Molière)

LA PHRASE COMPLEXE

863
CFC § 249

Faites l'analyse logique des phrases suivantes selon la technique traditionnelle, c'est-à-dire en indiquant pour chaque proposition (il y en a 12) :
1° ses limites exactes (copiez-la) ;
2° sa nature (indépendante, principale, subordonnée) ;
3° pour toute subordonnée, sa forme (conjonctive, interrogative, relative, participiale) et sa fonction, avec le mot auquel elle se rapporte :

1. Seulement, comme nous entrions en automne, il me prévint qu'il serait bon que je prisse une couverture, attendu que les nuits commençaient à ne plus être chaudes. (A. Dumas)
2. Vous morts, elle mourrait. (Michelet)
3. Ils n'avaient pas eu besoin de s'expliquer pour savoir de quelle nature était la terreur de Nanette : puisqu'elle avait eu peur que Marcel Clerabault ne se tuât, celui-ci savait tout. (É. Estaunié)

864
CFC § 249

Même exercice :

1. J'ai dit à celui qui faisait la besogne avant vous de n'arriver que vers midi, pour voir comment vous vous en tirerez par vous-mêmes. (J. Vallès)
2. Mais crains que, l'avenir détruisant le passé,
   Il ne finisse ainsi qu'Auguste a commencé. (Racine)
3. Il était d'usage que celui qui se trouvait en tête vînt se placer en queue lorsqu'il avait rempli sa mission, afin que, chacun portant un ordre à son tour, les dangers fussent également partagés. (Général Marbot)

865
CFC § 249

Même exercice :

1. Marcel Clerabault allait revenir : cette façon brusque d'arrêter l'entretien aurait suffi à le prouver. J'en étais sûre encore parce que, lorsque Mademoiselle lui avait montré le placard, il avait jeté sur celui-ci un tel regard que, pour y fouiller à son aise, il ne devait pas remettre au lendemain. (É. Estaunié)
2. Je sentais confusément que, si je ne dirigeais pas la conversation, j'aurais du mal à m'en sortir. (L. Dumur)
3. Le loup, quelques jours écoulés,
   Revient voir si son chien n'est pas meilleur à prendre.
   (La Fontaine)

866 Même exercice (16 propositions) :

CFC § 249

1. Il semble qu'en voulant décrire la maison royale, je devais commencer par celui qui en est le chef, mais on ne saurait le dépeindre que par ses actions et celles que nous avons vues jusqu'au temps dont nous venons de parler étaient si éloignées de celles que nous avons vues depuis qu'elles ne pourraient guère servir à le faire connaître. (Mme de La Fayette)
2. Personne n'étant tenu de faire une comédie qui ressemble aux autres, si je me suis écarté d'un chemin trop battu, pour des raisons qui m'ont paru solides, ira-t-on me juger, comme l'ont fait messieurs tels, sur des règles qui ne sont pas les miennes ? (Beaumarchais)

867 **Relevez les propositions incises (P.I.), les mots en apostrophe (Ap.) et les compléments détachés (C.D.) pour lesquels vous indiquerez à quel mot ils se rapportent :**

CFC §§ 27, 63, 234, 243, 250

1. Mes chers enfants, dit-il (à ses fils il parlait),
   Voyez si vous romprez ces dards liés ensemble. (La Fontaine)
2. Maître Gouy entra dans le laboratoire, escorté de sa femme qui se tenait en arrière, timidement. (G. Flaubert)
3. Le bon La Fontaine, déjà... — et il n'était pas le premier — nous avait parlé d'un avare. (T. Derème)
4. — Calme-toi, Pascal, murmurait-elle. Je suis venue pour toi. J'étais malheureuse, sans toi, chez le bon Barthélemy. (H. Bosco)

868 **Même exercice (au total, 10 mots ou groupes à relever) :**

CFC §§ 27, 63, 234, 243, 250

1. « Eh bien ! Cosette, dit la Thénardier d'une voix qui voulait être douce et qui était toute composée de ce miel aigre des méchantes femmes, est-ce que tu ne prends pas ta poupée ? » (V. Hugo)
2. Frédéric l'interrompit, en lui disant, de l'air le plus naturel qu'il put :
   — Arnoux va bien ? (G. Flaubert)
3. **Les dindes** : Elles ne craignent ni la pluie, personne ne se retrousse mieux qu'une dinde, ni le soleil, une dinde ne sort jamais sans son ombrelle. (J. Renard)
4. Je me contente d'une pipe, affirma Louyot, impassible. (J. Perret)
5. Il me semble, Monsieur, que votre mission — bien pénible d'ailleurs — est terminée. (F. des Ligneris)

869 **Supprimer la proposition principale en la remplaçant :**
— soit par une proposition incise (ex. : *Je crois que voilà le seul moyen de salut. — Voilà, je crois, le seul moyen de salut*) ;
— soit par un complément détaché avec préposition (ex. : *Son livret scolaire indique qu'il a travaillé régulièrement. — D'après son livret scolaire, il a travaillé régulièrement*) :

CFC §§ 243, 250

1. N'oublie pas que tu risques de gros ennuis en te conduisant ainsi.
2. Je suis sûr que vous réussirez à vaincre votre timidité.
3. Aurait-on jamais cru qu'il deviendrait le grand homme de sa famille ?
4. Je trouve que vous êtes trop sévère.
5. Les témoins ont déposé qu'une traction avant est passée à dix heures.
6. Littré pense que cette tournure est incorrecte.
7. Il calculait qu'il deviendrait riche en dix ans.
8. Il se figurait qu'il suffisait d'assister aux cours pour devenir savant.

870
CFC § 251
PAE § § 63-64

Rétablissez l'enchaînement primitif du texte en remplaçant les mots en caractères gras par un pronom ou adverbe relatif à la forme voulue (avec toutes les modifications que cela peut entraîner dans la phrase) :

1. J'allai ensuite à la halle et je me disputai avec un inconnu, je **lui** donnai un rude soufflet. (D'après G. de Nerval)
2. Segonde me poussa vers la table ; je m'**y** assis, devant la tasse de lait fumant et les tartines grillées ; elle beurra **celles-ci** en affectant de m'envier. (D'après A. Lafon)
3. De ce lieu-ci je sortirai,
   Après **cela** je t'en tirerai. (D'après La Fontaine)
4. De loin en loin s'élevaient des massifs de peupliers, d'acacias et de pins ; au sein de **ces massifs** on entrevoyait des statues noircies par le temps. (D'après G. de Nerval)
5. Bientôt j'apprendrai qu'il a sauvagement assassiné un sergent prussien ; il s'étrangla ensuite avec le ceinturon de **celui-ci.** (D'après J. des Vallières)
6. **Liszt** était reçu avec bonté par M. Lamennais ; un jour, Liszt le fit consentir à monter jusqu'à mon grenier de poète. (D'après G. Sand)
7. — Bah, le bonheur n'existe pas, ma chérie, sans **cela** vous et moi nous l'aurions. (D'après F. des Ligneris)

871
PAE § § 63-64

Les phrases suivantes sont rédigées en style coupé ; vous les referez en enchaînant les propositions par des rapports de subordination :

1. En vacances, les semaines passent, on ne s'en aperçoit pas.
2. Je suis entré au lycée, j'avais dix ans.
3. Je sais, Pierre nage très bien, mais il ne traversera pas la Marne, je ne veux pas : il y a des courants dangereux.
4. Vous pouvez lui offrir une cigarette, il ne la prendra pas, le tabac lui est défendu.
5. J'attendais mon tour chez le coiffeur, il y a eu une panne d'électricité.

872
PAE § § 63-64

Même exercice :

1. Je connais un petit garçon. Il s'appelle Patachou. (T. Derème)
2. Voilà le pupitre noir devant lequel je m'asseyais, qui était si haut ; il fallait mettre des livres sur ma chaise. (J. Vallès)
3. Ma mère avait trop souffert, elle avait besoin souvent de ne plus souffrir ; et moi j'étais comme avide de souffrance. (G. Sand)
4. Avec des idées comme celle-là vous ferez votre chemin dans la vie ; j'ose vous le prédire hardiment. (G. Courteline)
5. Un jour, il venait de se mettre à table, il vit arriver son père. (H. Pourrat)

873
CFC § 251
PAE § § 63-64

Les phrases suivantes sont composées de deux propositions unies par un rapport de subordination ; vous en ferez deux propositions coordonnées, en exprimant la même relation par le moyen approprié.
(Modèle : *Si vous lui écrivez, il vous répondra. — Écrivez-lui, il vous répondra*) **:**

1. Chaque fois que nous tendions la main, les oiseaux s'envolaient.
2. Si j'avais votre talent, je préparerais le Conservatoire.
3. Quoique ses amis l'en détournent, Pierre veut être acteur.

4. La gomme est si mauvaise que j'ai déchiré mon dessin !
5. L'orage éclata aussitôt que nous fûmes rentrés.
6. Le livre est tel qu'a été la vie de l'auteur.
7. Elle a fait tant de fautes qu'elle pense être dernière.
8. Même si l'on m'offrait un pavillon en banlieue, je ne quitterais pas mon appartement place des Ternes.

874
CFC§251

Les phrases suivantes contiennent des propositions coordonnées ; pour chacune vous direz :
1° Quelle relation (temps, cause, conséquence, condition, concession, comparaison) existe dans la pensée entre les deux propositions.
2° Si cette relation est exprimée par un élément interpropositionnel (conjonction) ou par un élément propositionnel (mot, mode subjonctif ou conditionnel, marque de modalité interrogative, exclamative ou impérative).
3° Si les propositions coordonnées entre elles constituent un système corrélatif :

1. **Les sureaux** : Ah ! j'ai le cœur qui s'en va, tant cette odeur est douce ! (J. Vallès)
2. Il eut beau protester, on ne le crut pas. (G. de Maupassant)
3. On l'aurait faite sur mesures, on n'aurait pas mieux réussi ! (L. Aragon)
4. Approchait-elle du placard, elle le faisait sans hésitation ni répugnance. (É. Estaunié)
5. Haranguez de méchants soldats,
   Ils promettent de faire rage. (La Fontaine)
6. Telle j'ai souhaité ma vie, telle elle a été. (A. de Cayeux)
7. Bas-bleu n'aimait pas à aller seule, car elle avait peur des chiens. (E. Pérochon)
8. Il me demanderait une chopine, j'irais de la chopine. (J. Vallès)
9. A peine son sang coule et fait rougir la terre,
   Les dieux font sur l'autel entendre le tonnerre. (Racine)
10. **Aux arènes de Madrid** : Pourvu que l'on arrive, c'est tout ce qu'il faut, arrivât-on moulu, brisé en morceaux. (A. Dumas)

875
CFC§251
PAE§§63-64

Même exercice :

1. Mais à peine eurent-ils fait quelques pas, il baissa la voix tout à coup. (M. Genevoix)
2. Que des rochers se présentent, et la corde de halage s'y coince. (A. de Cayeux)
3. Je vous verrais tous manquer de pain, aller aux portes, je n'y toucherais pas. (A. Daudet)
4. Plus on est élevé, plus on court de dangers. (Racan)
5. J'embrasse mon rival, mais c'est pour l'étouffer. (Racine)
6. On a beau savoir qu'une chose existe, le contact de la réalité dépasse toujours l'attente. (É. Estaunié)
7. On résolut sa mort, fût-il coupable ou non. (La Fontaine)
8. Et moi je ne veux plus, tant tu m'es odieux,
   Partager avec toi la lumière des cieux. (Racine)

9. Vous voudriez un moment ralentir le mouvement, sauf à le presser plus tard, vous ne le pourriez pas. (J. Michelet)

10. Est-on sot, étourdi, prend-on mal ses mesures,
On pense en être quitte en accusant le sort. (La Fontaine)

876
PAE § § 63-64

Ce texte décrit une expérience de physique que tout le monde peut faire, prouvant que notre peau sécrète de la graisse. Mais le style n'est pas celui d'un livre savant ; il s'adresse aux lecteurs d'un journal littéraire. Montrez comment l'auteur intéresse son lecteur aux faits qu'il décrit, en l'y faisant participer ; notez surtout l'emploi de propositions coordonnées nuancées par la modalité, pour exprimer la condition.

Expérience à portée de la main.
Y a-t-il un peu d'écume à la surface du café noir qui vient de vous être servi ? Effleurez cette surface du bout du doigt, et l'écume va s'écarter aussitôt, comme chassée par un souffle, dessinant un cercle à quelque distance autour du point touché. (F. Lot)

877
CFC § § 249, 251
PAE § § 63-64

1° Faites l'analyse logique de cette phrase.
2° Exprimez les mêmes idées en style familier coupé, comme le ferait un instructeur d'auto-école s'adresssant à son élève *(Vous êtes sur le point de ?... Alors assurez-vous...,* **etc.***).*
3° Essayez d'expliquer pourquoi le style enchaîné convient particulièrement à la rédaction d'un règlement (pensez aux règles de grammaire ou de mathématiques).
4° Relevez dans un règlement quelconque (règle de jeu, information administrative lue dans un journal ou sur une affiche...) un exemple de phrase complexe en style enchaîné, que vous copierez en indiquant votre source avec précision.

Conducteurs, attention !
Tout conducteur qui s'apprête à apporter un changement important dans l'allure ou la direction de son véhicule ou de ses animaux doit s'assurer qu'il peut le faire sans danger et en avertir préalablement les autres usagers, notamment lorsqu'il va ralentir, s'arrêter, appuyer à gauche, traverser la chaussée, ou lorsque, après un arrêt, il veut reprendre sa place dans le courant de la circulation. (Code de la route, art. 7, § 6.)

878
PAE § § 63-64

Les phrases suivantes contiennent des compléments détachés dont l'idée est liée au sens du contexte par une relation. Vous relèverez ces compléments en indiquant la relation (temps : 3 compléments ; cause : 4 ; concession : 3) et en donnant pour chacun une proposition circonstancielle pouvant le remplacer :

1. L'agent, probablement intimidé, continuait de se taire. (É. Estaunié)
2. Ma mère, pourtant rien moins qu'agreste, manifestait en présence des mœurs champêtres des élans un peu conventionnels mais fortement exprimés et mon père, bien que né dans la culture betteravière, observait en face de la nature l'attitude polie et réservée d'un homme trop bien élevé pour s'immiscer dans les affaires d'autrui. (J. Perret)
3. Cependant un homme qui, simple soldat, avait eu assez d'énergie pour apprendre à lire, écrire et compter, devait comprendre que, capitaine, il fallait s'instruire. (H. de Balzac)
4. Ma besogne la plus difficile est d'enseigner la grammaire à Mlle Corneille, qui n'a aucune disposition pour cette sublime science. (Voltaire, 26-1-1761)
5. Parfaitement intelligent, il savait cacher son intelligence. (A. Dumas)

6. Jeune, Chabot avait été batailleur. (E. Peisson)
7. Heureux d'une solution qui accommodait sa distraction à ses habitudes, M. Le Pleynier se montra d'une humeur charmante. (J.-R. Bloch)
8. Le général ne pouvait venir à Madrid, occupé qu'il était à guerroyer sur les bords du Tage. (A. Dumas)

879
PAE§§63-64

Même exercice :

1. Ennemie de la poussière, elle époussetait, lavait, blanchissait sans cesse. (H. de Balzac)
2. Nos compagnons, tout pâles, tout verts, tout ruisselants qu'ils étaient, applaudissaient et criaient comme les autres. (A. Dumas)
3. Jeune, je n'étais pas gros. (J. Renard)
4. Moi, qui me sauve quand je vois un cuisinier prêt à tuer une poule, je ne pouvais détacher mes yeux de ce taureau qui avait déjà à peu près tué trois chevaux et blessé un homme. (A. Dumas)
5. **Esprit « sport » :** Sachant que son adversaire, qui souffre du diabète, a une résistance physique limitée, il cherchait seulement à durer. (Journal)
6. Une fois affalé seulement, il s'aperçut qu'elle avait quitté sa place pour venir à sa rencontre. (É. Estaunié)
7. Il regardait fixement Mademoiselle, quoique sans insistance apparente. (É. Estaunié)
8. Le drame de la création éclairé par le visage du créateur, voilà ce que sera, terminé, ce poème dans son ensemble. (V. Hugo, Préface de la *Légende des siècles*)
9. **Chevaux dans la mine :** Parfois la bête, saisie d'une telle épouvante, débarquait morte. (E. Zola)

880
CFC§61Rb
PAE§§63-64

En quoi la ponctuation des textes ci-dessous est-elle irrégulière ? Le style est-il enchaîné ou coupé ?

1. **Armand, fils cadet du docteur Barbentane :** Le docteur n'aimait guère ce petit bout d'homme renfermé et pas sportif pour un sou. Tout son amour allait à Edmond, fort, solide, adroit. Le gosse, lui, était maigre, comme brûlant. Dissimulé. Le visage asymétrique. Il ne regardait pas en face. Et ça valait mieux. Parce que, quand par hasard on surprenait ses yeux clairs, ce n'était pas lui qui était gêné. (L. Aragon)
2. **L'exode de 1940 :** J'ai vu des batteuses abandonnées. Des faucheuses-lieuses abandonnées. Dans les fossés des routes, des voitures en panne abandonnées. Des villages abandonnés... Tout à coup une absurde image me vient. Celle des horloges en panne. De toutes les horloges en panne. Horloges des églises de village. Horloges des gares. Pendules de cheminée des maisons vides. Et, dans cette devanture d'horloger enfui, cet ossuaire de pendules mortes. (A. de Saint-Exupéry)
3. **Simulacre de guerre :** Et chacun s'évertue, de son mieux, à faire que la guerre ressemble à la guerre. Pieusement. (A. de Saint-Exupéry)

881
CFC§§243, 262
PAE§§63-64

Ce texte est constitué d'une seule phrase, dont vous expliquerez l'enchaînement, en disant :
1° Quelles sont les propositions compléments d'objet du verbe *dire (je puis dire)* **;**

2° Quels sont les compléments détachés qui relancent la phrase en cascade à partir de : *la cheminée ;* pour chacun vous indiquerez sa forme grammaticale (nom, participe, proposition relative, proposition circonstancielle), sa fonction (épithète, apposition, complément de nom ou circonstanciel) et le mot auquel il se rapporte.

Au château des Fossés *(De ce château, où il a passé son enfance, Dumas se rappelle surtout la cuisine).*
Je puis dire que l'on descendait dans cette cuisine par une marche, qu'un gros bloc était en face de la porte, que la table de cuisine venait immédiatement après lui, qu'en face de cette table de cuisine, à gauche, était la cheminée, cheminée immense, à l'intérieur de laquelle était presque toujours le fusil favori de mon père, monté en argent, avec un coussinet de maroquin vert à la crosse, fusil auquel on me défendait, sous les peines les plus sévères, de toucher, et auquel je touchais éternellement, sans que jamais ma bonne mère ait, malgré ses terreurs, réalisé aucune de ses menaces à mon endroit. (A. Dumas)

882
CFC§§ 243, 262
PAE§§63-64

Le premier de ces textes est rédigé en style enchaîné, le second en style coupé.
1° Vous montrerez que cette différence de forme répond à une différence de pensée (importance accordée au fait décrit, appel aux sentiments, minutie de la description).
2° Vous referez ces deux textes, en rédigeant le premier à la manière du second (style coupé, description détaillée d'une quinzaine de lignes) et le second à la manière du premier (style enchaîné, 3 ou 4 lignes).

1. **Une chenille de moins :**
Une chenille tomba du prunier. Après un court étourdissement, elle se mit à anneler au travers de la nappe, jusqu'au précipice du bord où Vincent la recueillit délicatement entre ses gros doigts pour l'écraser ensuite à terre sous son soulier. (Louis Dumur)

2. **Résurrection de la mouche** *(Une mouche est tombée dans une tasse de lait ; le petit Trott l'a prise dans sa cuiller et déposée sur la table) :*
Rien ne bouge. Elle est morte. Non ! Est-ce bien possible ? Voilà une patte qui s'agite faiblement. Puis plus rien. Ah ! en voici deux ! Elle se les frotte l'une contre l'autre. Puis, tout de suite, elle s'essuie la figure. Ça, c'est propre, madame la mouche. Elle fait un grand effort, en dégage une troisième et se traîne à trois pattes. Oh ! mais ça va vite maintenant. Voilà la quatrième délivrée, et puis les deux dernières. Il n'y a que les ailes qui ne vont pas encore. Elle a beau se les lisser, se les lustrer, se les gratter avec ses pattes : elles ne veulent pas se décoller. Pourtant on dirait que l'une... Allons donc ! courage ! Ça y est. On entend un zzzon significatif. L'aile droite est libre. (A. Lichtenberger)

883
CFC§§252-253
PAE§59

Remplacez la proposition relative par un adjectif seul (ex. : *Une conduite qui s'écarte du bon sens. — Une conduite insensée*) **:**

1. Une revue qui paraît tous les semestres.
2. Un médecin qui a prêté serment.
3. Des conséquences qu'on ne peut calculer.
4. Un fleuve qui prend sa source non loin de la côte.
5. Un canot qui ne peut être submergé.
6. Une erreur qu'on peut excuser.
7. Des réponses qui heurtent la vraisemblance.
8. L'équipe de Lille, qui a gagné.

884
CFC§§252, 253
PAE§59

Même exercice :

1. Un cheval qui refuse d'obéir à son cavalier.
2. Des reproches qui ne finissent jamais.
3. L'affection qu'ils avaient l'un pour l'autre.
4. Une liqueur qui monte à la tête.
5. Un mur dont la maçonnerie présente des crevasses.
6. La soie qui n'a pas encore été débarrassée de ses impuretés.
7. Une inscription qui ne peut s'effacer.
8. Des pluies qui tombent par intervalles.
9. Un visage qui ne veut rien dire.
10. Un juge qui ne peut se tromper.

885
CFC§252
PAE§27

Dans chacune des phrases ci-dessous un antécédent (en *italique*) est répété sans nécessité absolue ; essayez de donner la raison de cette répétition (souci de clarté ou insistance) :

1. **Alexandre Dumas sollicite une place** : Je suis un ignorant, un paresseux, c'est vrai ; mais *ma mère*, qui compte sur moi, *ma mère,* à qui j'ai promis que je trouverais une place, *ma mère* ne doit pas être punie de mon ignorance et de ma paresse. (A. Dumas)
2. **Souvenirs d'un maître d'étude** : *La petite chambre* qui est au bout du dortoir, et où les maîtres d'étude peuvent, à leurs moments de liberté, aller travailler ou rêver, *cette chambre-là* donne sur une campagne pleine d'arbres et coupée de rivières. (J. Vallès)
3. **Une terre nouvelle** : Il n'y a pas de doute, ce ne sont pas des icebergs qui dressent là-bas leurs sommets pointus vers le ciel, mais *une terre ! une terre* nouvelle, *une terre* que l'on voit nettement à l'œil nu, *une terre* bien à nous ! (Dr J. Charcot)
4. **Un philologue** : Eh bien ! *Boudoux,* qui ne parlait aucune langue morte, et qui, parmi les langues vivantes, ne parlait que la sienne, et encore assez mal, *Boudoux* était à l'endroit des oiseaux le premier philologue, je ne dirai pas de la forêt de Villers-Cotterêts, mais encore, j'ose l'assurer, de toutes les forêts du monde. (A. Dumas)

886
CFC§252

Chacune des phrases suivantes contient une faute ou une maladresse de syntaxe ; dites laquelle et refaites la phrase plus correctement :

1. Au creux de la vallée, nous entendons le clapotis continu de la petite rivière qui s'élève dans l'espace. (Copie d'élève)
2. J'aime bien les murs sur lesquels on peut marcher ou sauter et les escalader joyeusement. (Id.)
3. Nous voyons un jeune homme assis à une petite table qui lit son journal. (Id.)
4. **Chacun son tour** : — Maintenant, c'est nous qui sont les princesses. (Madame *Sans-Gêne*, maréchale Lefebvre)
5. C'est un jardin « grand comme un mouchoir de poche », mais que les deux propriétaires ont l'air fiers, l'un de cultiver, l'autre de s'y promener. (Copie d'élève)
6. J'ai ouvert l'un des tiroirs qui contenait des affaires de poupée. (Id.)

887
CFC§§140, 144, 252

Récrivez ce texte en supprimant les équivoques :

Le devin mal inspiré.
Une grande dame d'Égypte fit venir un astrologue dans son palais, qu'elle interrogea sur ce qu'elle désirait apprendre. Il était orné de magnifiques tapisseries, de statues, de tapis multicolores. Il ne fut

pas troublé cependant, et commença un long discours. Traçant une figure astrologique compliquée, la dame n'en fut pas plus instruite, et elle jeta au savant, salaire dérisoire, une petite pièce de cuivre. Comme il restait absorbé dans la contemplation de sa figure, et lui demandait : « Avez-vous perdu quelque chose ? », elle répondit : « Oui, la petite pièce, faux prophète, que je te laisse. »

888
CFC§252R

Relevez dans chacune des phrases suivantes une proposition relative éloignée de son antécédent (que vous indiquerez) ; expliquez cette place inaccoutumée par des raisons de grammaire et de style :

1. Des douves entouraient l'ensemble, suffisamment larges et profondes, qu'alimentait l'eau détournée de la rivière. (A. Gide)
2. Il faut coller aux semelles des gens pour ne pas les perdre à l'occasion d'un embarras de charretons, d'un attroupement de commères enflées de filets et qui échangent des vues sur le renchérissement du cardon. (A. Arnoux)
3. Les jours furent bien tristes qui suivirent. (G. de Maupassant)
4. Les cheveux dans les yeux, une femme sanglotait, qui, dans la confusion de la fuite, avait perdu un enfant sur trois. (R. Benjamin)
5. Il était passé droit comme un I à côté de moi, qui montais quand lui descendait, sans me dire seulement un mot de politesse, et les yeux baissés, qu'il a pires, m'est avis, quand il les baisse que quand il les lève. (J. Barbey d'Aurevilly)

889
CFC§253

Dites si les relatives en *italique* sont déterminatives (D) ou explicatives (E) ; 3 exemples de chaque sorte :

1. Quels sont les gens *qui sortent le plus à Paris* ? (P. Guth)
2. Pauline, *qui interprète avec talent un crocodile,* vient de perdre toutes ses dents de devant. (F. Mallet-Joris)
3. On prit des photographies *qui furent publiées dans le monde entier.* (D. Fernandez)
4. Denise mêla sa voix à celle des paysans *qui l'entouraient* et chanta les cantiques de Noël. (A. Maurois)
5. **Pêche à la ligne :** Il reconstitua le matériel nécessaire *qu'il avait abandonné depuis son mariage.* (J. Husson)
6. — Ne te fais pas une montagne d'une chose *qui n'est peut-être pas vraie* ! (M. Pagnol)

890
CFC§254

Les phrases suivantes contiennent des propositions relatives complexes ; vous le prouverez en indiquant la fonction des pronoms en caractères gras (avec le mot auquel ils se rapportent) :

1. André épousera la femme **que** je voudrai qu'il épouse. (E. Brieux)
2. Je vais vous présenter quelqu'un **dont** il faudra que vous soyez aussi l'ami. (P. Bourget)
3. Cet enfant sans parents **qu'**elle dit qu'elle a vu. (Racine)
4. C'est une grande chance pour lui **dont** je ne sais pas s'il se rend compte. (J. Romains)
5. Je demande une grâce **que** je crains qu'on ne m'accorde pas. (Montesquieu)
6. Je ne puis rien être de ce **que** vous désirez que je sois. (G. Ohnet)

7. L'accent de son pays, **que** j'ai dit qu'il avait, n'était pas prononcé et presque barbare. (J. Barbey d'Aurevilly)
8. Encore des histoires **dont** ma femme a bien raison de ne pas vouloir qu'on s'occupe. (É. Zola)

891
CFC § 158, 255

Expliquez l'emploi du pronom *quoi* dans les propositions relatives ci-dessous :

1. Marivaux a donné son nom à quelque chose à quoi il n'a jamais pensé. (E. Jaloux)
2. — Oh ! ici, monsieur, j'ai de quoi m'occuper toute l'année. (G. de Maupassant)
3. Il arriva à cet élève de prononcer à mi-voix un mot très grossier, ce pourquoi M. Laurin l'appela à la chaire. (A. Lafon)
4. Il faut que je vous établisse comme quoi je suis M. La Brige ? (Courteline)
5. **Méfaits des termites :** Le fer-blanc des boîtes de conserves est scientifiquement attaqué : ils râpent d'abord la couche d'étain qui le couvre, étendent ensuite sur le fer mis à nu un suc qui le rouille, après quoi ils le percent sans difficulté. (M. Maeterlinck)
6. Si donc je décolle à l'aube, je connaîtrai ce pourquoi je combats encore. (A. de Saint-Exupéry)

892
CFC § 158, 255

Dans ces deux textes, les pronoms en caractères gras sont employés comme « relatifs de liaison » : ils n'introduisent pas de véritables propositions relatives, mais des propositions indépendantes qui pourraient aussi bien commencer par : *Là-dessus... — Voyant cela...*
Vous composerez deux courts textes où vous emploierez de la même manière :
1° le pronom *quoi* après une préposition quelconque *(à cause de, grâce à, en vue de...,* etc.*) ;*
2° le groupe pronominal *ce que* ou *ce qui*.

Civilités : Mais Vallombreuse, à qui sur un geste d'acquiescement de Sigognac Vidalinc remit l'épée en main, ne put la tenir et fit signe qu'il en avait assez. **Sur quoi,** Sigognac et le marquis de Bruyères saluèrent le plus poliment du monde. (Th. Gautier)

Désordre à la garde nationale : On l'écoutait autant que s'il n'eût rien dit. **Ce que** voyant, je mis le fusil en bretelle et je rentrai chez moi par le plus court. (Courteline)

893
CFC § 255

Indiquez l'antécédent et la fonction des pronoms *dont* et *lequel* :

1. Nous ne sortions de notre triste réduit que pour aller quelquefois au théâtre, **dont** ma mère avait un goût prononcé. (G. Sand)
2. Le soir du dîner **dont** j'ai parlé, il eut avec moi un entretien d'une demi-heure, **dont** il parut content et **dont** je fus enchanté. (J.-J. Rousseau)
3. A une heure, la porte de mon bureau s'ouvrit ; mais derrière cette porte étaient deux figures à l'expression **desquelles** je ne pouvais pas plus me tromper que la première fois. (A. Dumas)
4. Je suis pourtant celui **dont** vous aimiez le style,
Tout à l'heure !... le trop favorisé mortel
Dont le billet vous plut, et sur l'amour **duquel**
Vous comptiez. (E. Rostand)

894
CFC§§158, 255

Remplacez les points de suspension par le relatif *qui* ou *quoi* ou, si ce n'est pas possible, par *lequel* (à la forme voulue) ; expliquez votre choix :

1. Ensuite il maria Boca Vermeja avec le bachelier de Catalogne, pour... elle avait un penchant secret. (Voltaire)
2. Tous ces travaux à... j'avais pu m'assujettir n'avaient d'autre but que d'arriver un jour à ces bienheureux loisirs champêtres à..., en ce moment, je me flattais de toucher. (J.-J. Rousseau)
3. Il arrive très rarement qu'ils renoncent dans un moment à ce à... ils ont réfléchi pendant toute leur vie. (Montesquieu)
4. C'était un galant homme à... ne manquaient ni la fortune ni la naissance. (H. de Balzac)
5. J'étais représenté par une statue d'or devant... on brûlait nuit et jour les plus précieux parfums de l'Éthiopie. (Fénelon)
6. Ce contre... vous devez être plus en garde, c'est contre cet état de tiédeur et de négligence dans les fonctions qui en anéantit tout le fruit. (Massillon)
7. Les étoiles sont autant de soleils autour de... tournent d'autres mondes. (Voltaire)
8. Les dieux ont eu pitié des Phthiotes et des Dolopes sur... Achille devait naturellement régner après Pélée. (Fénelon)
9. Le général marchait alors de compagnie avec un homme pour... il paraissait avoir une sorte d'aversion quand il le rencontrait dans les salons. (H. de Balzac)

895
CFC§255

Justifiez l'emploi de *lequel* (et non *qui* ou *quoi*) :

1. **Le pilote grec :** Il tient la barre du gouvernail, **laquelle,** pour être de niveau avec la main qui la dirige, rase le plancher de la poupe. (Chateaubriand)
2. Le voyageur se sentait ému de pitié pour la petite race humaine, dans **laquelle** il découvrait de si étonnants contrastes. (Voltaire)
3. **Le château de Combourg :** Cette courtine liait ensemble deux tours inégales en âge, en matériaux, en hauteur et en grosseur, **lesquelles** tours se terminaient par des créneaux surmontés d'un toit pointu. (Chateaubriand)
4. Encore un air avec **lequel** j'ai été bercé. (G. de Nerval)
5. Jeannot épousa une sœur de Colin, **laquelle,** étant de même humeur que le frère, le rendit très heureux. (Voltaire)
6. Je partis de là, et à ma troisième journée, fus surpris par les soldats qui me menèrent d'Afrique en cette ville à mon maître, **lequel** aussitôt me condamna à mort. (Montaigne)
7. Gesner a fait un article particulier du lynx d'Asie ou d'Afrique, **lequel** article contient l'extrait d'une lettre au baron de Balicze. (Buffon)
8. **Un cavalier pressé :** Il ne songea donc qu'à piquer sa bête, qui n'était pas fort bonne, et à presser de la voix le cheval de Mademoiselle de l'Étoile, **lequel** était une puissante haquenée. (Scarron)

896
CFC§§158, 255

L'emploi du pronom *quoi* est-il très correct dans cet énoncé ? Expliquez-le par une raison d'euphonie.

Feuilles mortes : Les feuilles, immobiles et amassées, entre quoi l'eau coule. (P. Drouot)

897
CFC§§160, 162, 254

Remplacez les mots en *italique* par un pronom ou adverbe relatif, de manière à transformer la dernière proposition de chaque phrase en une proposition relative ayant pour antécédent le mot en caractères gras :

1. On lui donnait **les derniers rôles** ; il s'*en* acquittait mal. (D'après Scarron)
2. La caravane passa dans **le tripot** de la Biche ; quantité des plus gros bourgeois de la ville étaient assemblés à la porte *de celui-ci.* (D'après Scarron)
3. Il lui proposa d'épouser **la duchesse d'Alençon** ; le mari *de celle-ci* venait de mourir. (D'après Mme de La Fayette)
4. **Léandre** lui faisait pitié ; il voyait toutes les marques d'une extrême affliction sur le visage *de celui-ci.* (D'après Th. Gautier)
5. Deux tours rondes, coiffées de toits en éteignoir, flanquaient les angles d'**un bâtiment** ; deux rainures profondément entaillées trahissaient l'existence primitive d'un pont-levis sur la façade *de celui-ci.* (D'après Th. Gautier)
6. Il n'était attaché à rien, sinon **aux choses extraordinaires** ; il se dégoûtait *de celles-ci* bien vite. (D'après Voltaire)
7. Le brouillard s'étendit d'abord sur la ville et ensuite gagna l'esplanade et **les bastions** ; la grosse tour de la citadelle s'élève au milieu *de ceux-ci.* (D'après Stendhal)
8. Les dieux lui firent trouver ici **la vraie royauté** ; toutes celles de la terre n'*en* sont que de vaines ombres. (D'après Fénelon)
9. M. Freind se mit à sourire d'**un sourire** de bonté ; Jenni ne put comprendre le motif *de ce sourire.* (D'après Voltaire)
10. Julie avait fait lire ce manuscrit à **un homme** distingué de sa société intime ; elle avait une extrême déférence pour le jugement *de celui-ci.* (D'après Lamartine)

898
CFC§§135, 161-162, 254

Récrivez en français correct les phrases suivantes, recueillies dans des copies d'élèves :

1. Pour la centième fois mon dictionnaire vient de tomber de l'étagère où il est trop gros pour y tenir.
2. A gauche est placée la salle à manger dont au milieu il y a une table carrée.
3. Ils engloutissaient des bouchées énormes dont seule l'une d'elles m'aurait rassasié.
4. Nous jouions à deviner, d'après le numéro des autos, le département dont elles venaient.
5. Le buffet, dont on tire facilement son spacieux tiroir, est en chêne.
6. Le propriétaire a un chien de chasse, qu'il pratique dans le bois pendant tout l'automne.

899
CFC§§158-162, 252

Relevez dix propositions relatives en indiquant pour chacune :
1° sa fonction et son antécédent ;
2° la fonction du pronom relatif.
Vous disposerez les réponses en tableau :

1. **En bateau sur la Seine :** Autour de ce petit salon d'arrière où nous nous étions réfugiés régnaient une banquette et un dossier de velours rouge, au-dessus desquels se trouvaient de profondes fenêtres carrées qui allaient se rétrécissant jusqu'aux hublots, que l'eau parfois venait battre. Entre ces fenêtres étaient fixés d'étroits miroirs dans

l'un desquels je regardais se réfléchir notre groupe, avec l'étonnement de nous voir tenir tous deux dans une surface aussi resserrée. Ma mère était coiffée d'une capote de jais dont les brides de velours suivaient l'ovale de son visage, ses yeux fixes restaient sans regard, ses lèvres jointes se creusaient, à gauche, d'une profonde fossette. (A. Lafon)

2. **Souvenirs de Luna-Park :** Il y avait les miroirs déformants dans quoi nous nous trouvions drôles (cela ne coûtait rien) ; le waterchute, que je n'ai jamais utilisé (maintenant il est trop tard) ; le scenic-railway, qui me rendait un peu malade mais qu'il était fort agréable de regarder. (H. Calet)

900
CFC§§158-162, 252

Même exercice :

1. Malheur donc à celui qu'une affaire imprévue
Engage un peu trop tard au détour d'une rue !
(Boileau)

2. Oui, vraiment, une place étrange, sur laquelle les montagnes, accourues du fond de l'horizoin, penchent leurs têtes neigeuses pour regarder ce qui se passe. (J. et J. Tharaud)

3. Là où il y a erreur, il y a danger. (L. Frapié)

4. La quadrille, dans le même ordre qu'elle était venue, rentra en ville. (A. Dumas)

5. Vous êtes aujourd'hui ce qu'autrefois je fus. (Corneille)

6. L'année prochaine, le jour que j'aurai sept ans. (T. Derème)

7. **Un cœur d'or :** Mauvais administrateur, d'une bonté brusque avec ses ouvriers, il se laissait piller depuis la mort de sa femme, lâchant aussi la bride à ses filles, dont l'aînée parlait d'entrer au théâtre et dont la cadette s'était déjà fait refuser trois paysages au Salon, toutes deux rieuses dans la débâcle, et chez lesquelles la misère menaçante révélait de très fines ménagères. (É. Zola)

901
CFC§257

Expliquez le mode des propositions relatives :

1. Nous n'avions aucun médecin qui nous **inspirât** confiance. (G. Sand)

2. Je comprends fort bien que ce monde que nous **voyons** n'est pas un champignon, qui **soit venu** tout seul en une nuit. (Molière)

3. Y a-t-il une saison qu'on **doive** attendre pour croquer les bonbons ? (T. Derème)

4. Nous descendîmes d'abord à l'hôtel Nevet avant de chercher dans un quartier voisin un appartement meublé où nous **installer** pour l'hiver. (A. Gide)

5. Il jette un coup d'œil rapide derrière la porte et autour de lui, comme un homme qui **chercherait** ou qui **serait cherché.** (E. Hello)

6. J'étais le premier, peut-être, qui ne l'**eût pas blessée.** (F. Mauriac)

7. Son jeu ne rappelait rien que j'**eusse** jamais **entendu** ou que je **dusse** jamais entendre. (A. Gide)

8. Quant à son esprit, c'est un des plus cultivés que nous **ayons.** (Voltaire)

9. Aucune circonstance ne réveille en nous un étranger dont nous n'**aurions** rien **soupçonné.** (A. de Saint-Exupéry)

10. Je lui écrivais le jeudi et le dimanche, seuls jours où nous **fussions** autorisés à correspondre. (A. Lafon)

11. Il y avait à la maison un âne, le meilleur âne que j'**aie** jamais **connu.** (G. Sand)

902
CFC§257

Justifiez le subjonctif des propositions relatives ci-dessous :

1. Faute d'un ami qui **fût** à moi tout entier, il me fallait des amis dont l'impulsion surmontât mon inertie. (J.-J. Rousseau)
2. Avec l'esprit le plus pénétrant, avec le tact le plus fin qu'il **soit** possible d'avoir, il se laissa abuser quelquefois. (J.-J. Rousseau)
3. Restait à chercher un bonheur qui me **fût** propre. (J.-J. Rousseau)
4. Il était le seul homme à la cour qui **eût démêlé** cette vérité. (Mme de La Fayette)
5. Il conclut qu'il n'y avait d'autre parti à prendre pour remettre son fils dans le chemin des honnêtes gens que de le marier avec une personne bien née qui **eût** de la beauté, des mœurs, de l'esprit, et même un peu de richesses. (Voltaire)
6. Dans ses nombreux états il fallut donc chercher
   Quelque nouvel objet qui l'en **pût** détacher. (Racine)
7. Il n'avait été sensible ni à son acquittement, ni à son installation dans de belles fonctions, les premières qu'il **eût eu** à remplir dans sa vie. (Stendhal)

903
CFC§257

Montrez quelle différence de sens résulte de la différence des modes dans les propositions relatives opposées deux à deux :

1) a. Mon père cherchait de l'œil un sentier qui *menait* à l'une de ces maisons. (Lamartine)

   b. Maman cherchait quelque aliment réconfortant et qui me *tentât* comme une friandise. (Ch.-L. Philippe)

2) a. Le premier habitant que *rencontra* Genestas fut un pourceau vautré dans un tas de paille. (H. de Balzac)

   b. Sous ce hangar s'offrent à mes yeux ébaubis les premiers sauvages que j'*aie vus* de ma vie. (Chateaubriand)

3) a. — Oh ! tenez, vous êtes l'homme le plus bête que j'*ai* jamais *vu* ! (De Flers et Caillavet)

   b. Mon père me semblait être le plus bel homme qui *fût* au monde. (E. About)

4) a. Le seul d'entre nous pour qui la venue de Swann *devint* l'objet d'une préoccupation douloureuse, ce fut moi. (M. Proust)

   b. C'était la seule place qui *fût* verte ; tout le reste n'était que pierres. (G. Flaubert)

5) a. Nous avons tant de parents à qui nous *écrivons* !

   b. Nous possédons tant de parents à qui *écrire* ! (G. de Maupassant)

904
CFC§§252, 258

Construisez 6 phrases contenant chacune une proposition relative attributive en utilisant, à votre choix, 6 des verbes mentionnés au § 258.

905
CFC§259

Relevez les propositions relatives sans antécédent en indiquant leur fonction :

1. Quiconque flatte ses maîtres les trahit. (Massillon)
2. Ne lapidez pas qui vous ombrage. (V. Hugo)
3. Et l'on crevait les yeux à quiconque passait. (V. Hugo)
4. Pour qui observe du sommet de la vraie hauteur, il y a dans la nuée de l'horizon plus de rayons que de tonnerres. (V. Hugo)

5. **Le maquis :** C'est la patrie des bergers corses et de quiconque s'est brouillé avec la justice. (P. Mérimée)
6. Ce cabinet est misérable, mais je n'ouvrirai cette porte qu'à qui il me plaira, je la fermerai au nez de qui je voudrai. (J. Vallès)
7. Vous ne courez donc pas
   Où vous voulez ? (La Fontaine)
8. Pour moi, qui n'est pas bon n'est pas intelligent. (V. Hugo)
9. Voilà qui ôte un écu de la poche du médecin. (H. Pourrat)

906
CFC§259

Même exercice :

1. Qui l'eût vu pendant qu'il accomplissait ces divers actes (...) ne se fût pas douté de ce qui se passait en lui. (V. Hugo)
2. — Je lui ai dit (...) que, si tu l'aimais, tu vivrais avec lui où son métier l'appellerait. (A. Maurois)
3. Il méprise qui le craint, il insulte qui l'aime. (G. Sand)
4. A qui vit aux champs et se sert de ses yeux, tout devient miraculeux et simple. (Colette)
5. Quand je descendis dans la bibliothèque, mon maître y était établi, (...) digne de l'admiration de quiconque sait estimer les bonnes lettres. (A. France)
6. Et quiconque l'obsède, (...) elle le poursuit jusqu'à la mort. (G. Bernanos)
7. Quiconque est bon voit clair dans l'obscur carrefour.
   (V. Hugo)
8. Tout sentier, pourvu qu'il montât, me mènerait où la rejoindre. (A. Gide)
9. On dirait qu'elle craint de plaire à qui lui parle. (Stendhal)
10. Les anciens locataires nous ont laissé de quoi lire. (R. Dorgelès)

907
CFC§§252-258

Transformez en propositions relatives les propositions indépendantes dont le verbe est en italique :

1. **Frugal réveillon :** J'*avais vu* la veille égorger une dinde, je m'*étais intéressé* à la confection d'une pâtisserie ; cette dinde et cette pâtisserie ne devaient paraître qu'au déjeuner du lendemain. (D'après A. Lafon)
2. **Après-midi de Noël :** Je m'assis dans la cuisine ; Segonde y *réparait* le désordre du repas. Elle *avait mis* de l'eau chauffer sur le feu dans une lourde bouilloire ; elle la retira du feu et l'emporta au réduit ; là je l'*entendis* bientôt remuer les plats et les assiettes ; elle les *lavait.* (D'après A. Lafon)

908
CFC§§252-258
PAE§63

Même exercice :

1. **Un feu de bois vert :** L'écuyer couvrit le tison d'un fagot de ramées vertes et mouillées ; celles-ci *suaient* leur sève avec bruit, et leur flamme *mourait* et *renaissait* dans une grosse fumée. (D'après Chateaubriand)
2. **Pluie en forêt :** La forêt *répercutait* longtemps les grondements du tonnerre ; entre ces grondements, j'entendais ce bruissement nombreux et d'abord monotone de la pluie s'égouttant de feuille à feuille dans les branchages ; ce bruissement, l'oreille *apprend* à en percevoir les multiples variations. (D'après M. Aymé)

909

CFC§§252-258
PAE§63

Chacun des textes suivants est une phrase complexe par coordination. Vous ferez de chacun une phrase enchaînée, ne comportant qu'un verbe principal, en faisant disparaître les verbes en *italique* ou en les transformant en compléments de nom (cf. exercices 783-786 et 808, 809), ou encore en faisant de la proposition où ils figurent une proposition relative (cf. exercices 907, 908) :

1. **Paysage nocturne :** Entre ces deux blancheurs *s'étendait* la rive gauche de la Seine ; il *avait* les yeux fixés dessus ; elle projetait sa masse sombre. (D'après V. Hugo)
2. **A la mine :** Le machineur *était* debout à la barre de mise en train, il ne quittait pas des yeux le tableau indicateur ; le puits y *était* figuré, avec ses étages différents, par une rainure verticale ; des plombs pendus à des ficelles la *parcouraient*, ils *représentaient* les cages. (D'après É. Zola)

910

CFC§§252-258
PAE§63

Même exercice :

1. **Épuisé :** Claude resta stupidement debout sur la grève, il *regardait* devant lui et ne *percevait* plus les objets qu'à travers des oscillations grossissantes ; celles-ci lui *faisaient* de tout une sorte de fantasmagorie. (D'après V. Hugo)
2. **Désolée :** Hiver comme été, la comtesse demeurait dans sa maison de campagne ; elle *sortait* à peine de sa chambre : elle *était* servie par une mulâtresse ; celle-ci *connaissait* son affection pour Saint-Clair et la comtesse ne lui *disait* pas deux mots par jour. (D'après P. Mérimée)

911

CFC§§252-258
PAE§63

Même exercice :

1. **Un maître sot :** Bientôt du fourré déboucha un jars ; il *était* magnifique ; il *tendait* le col, *portait* la tête haute, et se *dandinait* avec une stupidité majestueuse sur ses larges pattes ; ces pattes *étaient* palmées. (D'après Th. Gautier)
2. **Un homme bien laid :** Il *était* fait comme un gorille ; il en *avait* la carrure, le facies et les longs bras ; ceux-ci *pendaient* à la hauteur des genoux ; il était chaussé de pantoufles. (D'après M. Aymé)

912

CFC§§252-258
PAE§63

Même exercice :

1. **Émigrants :** Mais cette vieille femme ne *pouvait* reposer ses yeux nulle part ; on *était* dans le tumulte et la confusion du navire en partance ; elle levait quelquefois les yeux vers cet étranger ; il était debout près d'elle, et il *pensait* sûrement à la maison de chez lui. (D'après R. Bazin)
2. **La harangue d'un crieur public :** Les illustres comédiens de la troupe déambulatoire dirigée par le sieur Hérode *ont eu* l'honneur de jouer devant des têtes couronnées et des princes du sang ; ils *se trouvent* de passage dans ce pays ; ils donneront pour cette fois seulement une pièce ; cette pièce *est* merveilleusement amusante et comique ; elle *est* intitulée « Les Rodomontades du capitaine Fracasse » ! elle *comporte* costumes neufs, jeux de scène inédits et bastonnades réglées ; celles-ci *sont* les plus divertissantes du monde. (D'après Th. Gautier)

913

CFC§§252-258
PAE§63

Même exercice :

1. **Le travail du ruisseau :** Il fait tourner une grande roue ; celle-ci en *fait* tourner une petite ; cette dernière *fait* tourner la meule. (D'après A. Karr)

2. **Yonville-l'Abbaye** : Yonville-l'Abbaye est un bourg à huit lieues de Rouen ; il *est* ainsi nommé à cause d'une ancienne abbaye de Capucins ; les ruines n'en *existent* même plus ; ce bourg *se trouve* entre la route d'Abbeville et celle de Beauvais, au fond d'une vallée ; cette vallée *est arrosée* par la Rieule ; c'*est* une petite rivière ; elle *se jette* dans l'Andelle, après avoir fait tourner trois moulins vers son embouchure ; et dans cette petite rivière *il y a* quelques truites ; les garçons, le dimanche, *s'amusent* à les pêcher à la ligne. (D'après G. Flaubert)

914
CFC§260

Donnez la fonction des subordonnées conjonctives pures dans les textes suivants :

1. La continuelle crainte de ma grand-mère était que nous n'eussions pas assez à manger. (A. Gide)
2. — Voici ma fille. Mieux vaudra que je l'aie avertie. (M. Genevoix)
3. — Vous devez apprendre à tous ces gens que ça ne durera pas. (D. Decoin)
4. — Il va falloir que ce soir je parle à Maman. (S. de Beauvoir)
5. Nous avions créé une fiction, c'était que nous avions vingt ans. (E. Jaloux)
6. Que, des uns et des autres, il ait laissé impunis les crimes, ne témoigne pas de sa duplicité ou de son incompétence, bien au contraire. (D. Fernandez)
7. Il est vrai que je suis un contribuable modèle. (P. Guth)
8. Élisabeth regretta qu'il ne fût pas plus âgé, ni plus séduisant. (H. Troyat)
9. — Mais, que tu doives cesser de m'aimer ou que tu doutes de mon amour, Alissa, cette pensée m'est insupportable. (A. Gide)
10. J'avais la conviction intérieure — pour ainsi dire une certitude — que rien n'était modifié. (R. Martin du Gard)

915
CFC§§261-262

Dans les deux phrases suivantes, quelle différence dans la présentation des faits résulte de l'emploi du subjonctif ou de l'indicatif ?

1. Qu'Alissa m'aimât, je n'en pouvais douter un instant. (A. Gide)
2. Qu'elle l'aimait, elle le savait depuis longtemps. (A. Billy)

916
CFC§§261-262

Retrouvez les phrases originales des auteurs en construisant impersonnellement le verbe du segment recteur. Justifiez ensuite le mode du verbe de la conjonctive :

1. Qu'ils étaient sur la Butte leur parut avec évidence. (D'après J. Romains)
2. Que ce que je voyais existât me semblait impossible. (D'après A. France)
3. Que ce pays ne s'était pas fait en un seul jour était visible. (D'après Ph. Hériat)
4. Qu'après cela vous m'ayez revu à Calèse est étrange. (D'après F. Mauriac)

917
CFC§§262, 265

Recopiez les propositions compléments d'objet et dites de quel verbe elles dépendent. Est-ce un verbe posant la réalité du fait (R), un verbe d'interrogation ou impliquant une question (I), de volonté (V) ou de sentiment (S) (2 de chaque sorte) ?

1. — Je voudrais que tu entendes le ton sur lequel elle me répond. (A. Maurois)
2. Elle s'est butée et ne sait plus comment revenir en arrière. (H. Troyat)

3. Aussitôt dite, ma phrase m'avait paru stupide ; et je me désolai surtout qu'elle pût faire croire à Ménalque que je me sentais attaqué par ses paroles. (A. Gide)
4. Elle ne songea pas que le danger pût venir de là. (H. de Balzac)
5. — Tu verras de quoi je suis capable. (H. Troyat)
6. **Un chien trop cher :** Il exigeait qu'on le lui payât deux francs, pour couvrir ses frais d'élevage. (G. de Maupassant)
7. Les serviteurs de Moloch s'étonnaient que le grand Hamilcar eût le cœur si faible. (G. Flaubert)

918
CFC§§262, 265

Même exercice :

1. Ma mère s'indignait qu'elle n'eût pas pris le deuil... (A. Gide)
2. — Voulez-vous que j'aille voir ? (E. Ionesco)
3. — Mais... tu dois bien savoir que c'est vrai, répondit la princesse des Laumes. (M. Proust)
4. Le commandant, fiévreux, se promenait dans la cuisine, collant son oreille à terre de temps en temps, cherchant à deviner ce que faisait l'ennemi, se demandant s'il allait bientôt capituler. (G. de Maupassant)
5. — Pourquoi penses-tu que je t'aie amené ici ? (J. Gracq)
6. Maria Giacobbe (...) s'étonna qu'on nourrît les enfants, dès le plus tendre âge, au café et au vin. (D. Fernandez)
7. Il lui demandait qu'elle lui ordonnât elle-même de partir (J. Guéhenno)

919
CFC§262

Expliquez le mode des verbes en caractères gras :

1. Croyez-vous qu'il n'y **ait** de poètes que ceux qui impriment des vers ? (H. de Balzac)
2. J'acceptai, pour faciliter l'ouvrage des bûcherons, qu'on **apportât** leur repas de la ferme. (A. Gide)
3. Je ne puis prendre mon parti que votre mère **se soit fait** si outrageusement rouler par ces paysans madrés. (A. Lichtenberger)
4. Un savant illustre, décoré jusqu'à droite, déclara qu'il **s'agissait** d'une fumisterie. « J'ai soixante-seize ans, dit-il, et je n'ai lu nulle part qu'il **ait existé** des juments vertes. » (M. Aymé)
5. Tu conviendras que, si tu t'étais montré moins indulgent, l'accident ne **serait pas arrivé** ? (M. Aymé)
6. Alors j'oubliais complètement que cette figure dansant dans la glace **fût** la mienne, et j'étais étonnée qu'elle **s'arrêtât** quand je m'arrêtais. (G. Sand)

920
CFC§262

Même exercice :

1. Il se plaignait qu'on le **bousculât**. (É. Zola)
2. Tout cela n'empêcha point que je n'**abordasse** avec une grande inquiétude le cabinet de Son Altesse sérénissime. (A. Dumas)
3. — Est-ce que tu crois, me demande-t-il, que, s'il y avait un nouveau déluge, les scaphandriers **seraient sauvés** ? (T. Derème)
4. Il m'apprit qu'il **s'appelait** Charlot et qu'il avait chez les Moyens un frère très fort en gymnastique. (A. Lafon)

5. **Sur la mort d'un poète octogénaire :**

   Ne dis plus que la faim **fasse** mourir les gens,
   Un poète a vécu plus de quatre-vingts ans. (J. de Tailly)

6. Jupiter même avait ordonné à Mercure de dire au roi des ombres qu'il **laissât** entrer le fils d'Ulysse dans son empire. (Fénelon)

7. Même quand j'avais l'air d'avoir raison, vous ne doutiez pas que ce ne **fût** à force de ruse. (F. Mauriac)

8. Je tremble à chaque instant que le nouveau convive
   Qui doit venir dîner ne **paraisse** et n'arrive. (A. de Musset)

921
CFC§262
PAE§§59-60

Remplacez le verbe de la principale et celui de la subordonnée complément d'objet par un verbe unique, de façon à éliminer la conjonction *que* **(ex. :** Le vol bas des hirondelles *fait penser qu'il va tomber une averse.* — *... annonce une averse*) :

1. Il pensa qu'il valait mieux se retirer de l'affaire.
2. Je pense que son succès n'est nullement assuré.
3. Je pense qu'il avait une bonne raison pour se taire.
4. Le ministre de Poldavie déclare qu'il ne peut accepter la proposition du roi de Prusse.
5. Je crois que vos arguments valent dans ce cas précis.
6. Au cas où le règlement serait transgressé, l'administration déclare qu'elle n'endosse aucune responsabilité.
7. Il dit qu'il conviendrait de prendre l'air.
8. Le ministre a voulu que je reçoive cette décoration.

922
CFC§262
PAE§§59-60

Remplacez la proposition conjonctive par un verbe à l'infinitif complément d'objet (ex. : Il désirait *qu'on lui servît un demi.* — Il désirait *boire un demi*) :

1. Cet élève prétend que la place de premier lui est due.
2. Il espère qu'on lui accordera bientôt les palmes académiques.
3. Le conspirateur ne voulut pas que sa femme connût par lui le complot.
4. Ce champion aimait qu'on le félicitât.
5. L'infirmière évite que le malade reste seul.
6. Devenu très riche, il veut que tu aies part à sa fortune.
7. Cet orateur maladroit s'étonne que l'auditoire murmure.
8. Ce caissier malhonnête craignait toujours que son patron pût le soupçonner.

923
CFC§§217, 262
PAE§§60-61

Remplacez la proposition subordonnée en *italique* **par un verbe ou par un nom ou groupe de nom de même sens en modifiant le verbe principal (ex. :** Le maître *dit toujours que je copie mes devoirs.* — Le maître *m'accuse toujours de copier mes devoirs*) :

1. Le chef veut *que nous préparions le départ*.
2. Je trouve *que tu devrais être indulgent*.
3. Le roi dit *que le général avait bien fait de battre en retraite*.
4. Le maître dit souvent *que Jacques ne fait pas assez attention*.
5. Ce premier succès fit *qu'il décida de continuer ses recherches*.
6. Je tiens pour certain *que vous viendrez bientôt me voir*.
7. Il dit *que son fils n'est pas coupable*.
8. Les témoins ont dit *qu'ils ne diraient rien de toute cette affaire*.

924
CFC§262
et Ra

Expliquez la différence de mode des verbes subordonnés dans les phrases groupées deux à deux :

a) 1. — Il dit qu'il **veut** parler à M. Yvoy personnellement. (J. Romains)

2. — Je voulais dire à M. Yvoy qu'il **reprenne** papa. (J. Romains)

b) 1. — Je suppose, dit-il enfin sans bouger, d'une voix neutre, que vous **avez** l'intention de me soigner, de me guérir, et de me ramener dans le siècle. (Vercors)

2. Ces messieurs ne connaissaient rien à mon mal, donc je n'étais pas malade : car comment supposer que des docteurs ne **sussent** pas tout ? (J.-J. Rousseau)

c) 1. La petite Alma-Rose entendit qu'on **distribuait** des louanges et vint chercher sa part. (L. Hémon)

2. — Jacques ! quand ta mère te parle, elle entend que tu lui **répondes.** (J. Vallès)

d) 1. Les deux frères reprirent leurs places en pensant qu'ils l'**avaient échappé** belle. (M. Aymé)

2. Les visiteurs non avertis pensaient que ce **fût** une enseigne de vétérinaire. (M. Aymé)

925
CFC§262
et Ra

Expliquez le mode des diverses propositions conjonctives dépendant du verbe ***criaient :***

Les soldats de Turenne.
Ils criaient qu'on les menât au combat ; qu'ils voulaient venger la mort de leur père, de leur général, de leur protecteur, de leur défenseur ; qu'avec lui ils ne craignaient rien, mais qu'ils vengeraient bien sa mort ; qu'on les laissât faire, qu'ils étaient furieux et qu'on les menât au combat. (Mme de Sévigné)

926
CFC§262Rc

Parmi les phrases suivantes, il y en a cinq qu'on peut alléger en remplaçant le groupe de mots en caractères gras par la simple conjonction ***que*** **; recopiez-les en faisant cette modification :**

1. Elle s'inquiétait **de ce que** son fils ne fût pas rentré.
2. Elle s'inquiétait **de ce que** son fils lui avait dit.
3. Attendons-nous **à ce qu'**on nous a promis.
4. Attendons-nous **à ce qu'**il pleuve le jour de notre sortie.
5. J'ai l'honneur de vous rendre compte **de ce que** j'ai observé au cours de ma mission.
6. J'ai l'honneur de vous rendre compte **de ce que** le colis de brodequins annoncé est arrivé ce matin.
7. Ne vous étonnez pas **de ce que** je m'adresse à vous.
8. Ne vous étonnez pas **de ce que** je vais vous apprendre.
9. Il ne consentira pas **à ce que** je l'accompagne.
10. Il ne consentira pas **à ce que** je lui demande.

927
CFC§262Rc

Dites dans quelles phrases le mot ***ce*** **est l'antécédent de** ***que*****, pronom relatif, et dans quelles phrases le groupe** ***ce que*** **fait partie d'une locution conjonctive :**

1. Elle ne faisait pas toujours attention à *ce qu'*il n'y eût personne dans la chambre voisine. (M. Proust)
2. **Tarente :** On était d'ailleurs enclin à la croire paresseuse, d'après *ce qu'*elle avait été à l'époque grecque et romaine. (D. Fernandez)

3. — Je ne me fie pas à *ce qu'*ils vous racontent quand on y va en visite, non. (J. Romains)
4. Je me félicitai d'abord de *ce qu'*on me laissait en paix. (J. Green)
5. Vous pouvez me dire tout *ce qu'*il vous plaira. (M. Arland)
6. C'était déjà trop que d'avoir consenti à *ce qu'*elle portât des robes blanches dans la semaine. (F. Mauriac)

928
CFC § 263

Relevez les subordonnées conjonctives attributs, au nombre de 4, et justifiez leur mode :

1. — Monsieur, nous avons raisonné sur la maladie de votre fille ; et mon avis, à moi, est que cela procède d'une grande chaleur de sang. (Molière)
2. L'ennuyeux est que je n'aie pas pu lui dire ce que j'avais décidé. (T. Bernard)
3. Je jugeais naturel qu'on se résignât mal à se changer en adulte (S. de Beauvoir)
4. Sa peur était qu'il ne se passât quelque chose d'effrayant. (É. Zola)
5. Le vrai est qu'il y a des abus. (F. Mauriac)

929
CFC § 264

Relevez dans les phrases suivantes les propositions conjonctives à valeur d'apposition (6 en tout) en indiquant leurs limites exactes et le nom ou le pronom auquel elles se rapportent :

1. Ils éprouvaient une sorte d'humiliation à l'idée que leur individu contenait du phosphore comme les allumettes. (G. Flaubert)
2. Ce curieux effet du hasard que le maître d'hôtel de Mme de Guermantes dît toujours « Madame la Duchesse » à cette femme qui ne croyait qu'à l'intelligence ne paraissait pourtant pas la choquer. (M. Proust)
3. Il jurait au père et à la mère qu'il épouserait leur fille. Ceux-ci haussaient les épaules, lui riaient au nez, lui disaient qu'il était fou, et je vis le moment que la chose était faite. (D. Diderot)
4. Le bois de vergne a cela de bon qu'il ne prend jamais l'eau. (H. Pourrat)
5. Qu'un ménage d'ouvriers recueille un enfant, le cas n'est pas rare. (L. Frapié)
6. Le titre de cet ouvrage annonce qu'il n'est pas destiné à voir le jour : c'est un recueil que j'ai fait pour mon seul usage. Il paraîtrait donc ridicule que je fisse ici un long détail du dessein que je me suis proposé en le composant. (J.-J. Rousseau)
7. A la réflexion une inquiétude me vint : la pensée que peut-être des choses graves se passaient. (Courteline)
8. C'est l'un des étonnements de Patachou que les arbres de Paris ne portent point de fruits. (T. Derème)

930
CFC § 264

Relevez les propositions conjonctives en apposition au nom *idée*, et expliquez pourquoi la première est à l'indicatif et la seconde au subjonctif :

1. L'idée que cet homme allait mourir déteignait sur mes pensées. (G. Duhamel)
2. La seule idée que je puisse être loué par reconnaissance ou pour désarmer ma critique, ou pour armer mon bon vouloir, enlève d'un coup tout prix à la louange. (A. Gide)

931
CFC§§262, 264

Dans les phrases suivantes, les propositions conjonctives compléments de nom n'ont pas la valeur d'appositions ; expliquez leur mode :

1. Votre lettre et votre procédé généreux, monsieur, sont des preuves que vous n'êtes pas mon ennemi ! (Voltaire)
2. Il venait me prier de manifester au duc d'Orléans le désir que ses enfants assistassent à la représentation de ma pièce. (A. Dumas)
3. **Scrupule de peintre** : Enfin, c'est ridicule, mais pendant tout le temps de la pose, je reste tourmenté par la crainte que le modèle ne se fatigue. (A. Gide)
4. Cette attente de la lettre inconnue et qui survit à tout, quel signe que l'espérance est indéracinable et qu'il reste toujours en nous de ce chiendent ! (F. Mauriac)
5. Je lisais dans les regards l'étonnement qu'un petit garçon qui lisait si bien eût tant de mal à apprendre à écrire. (Ch. Péguy)

932
CFC§§241, 265

Dites si les propositions en italique sont des propositions interrogatives directes ou indirectes :

1. — *Qu'est-ce que vous pensez du mal ?*
Il ne se doutait pas *quel point sensible atteignait la question*, puisque Ledur était malade. (E. Peisson)
2. Et qui sait *si le coche eût monté sans la mouche* ?
(E. Rostand)
3. — *N'as-tu pas vu passer un homme,* dis-moi ?
— *Si j'ai vu passer un homme ?* (P. Mérimée)
4. — *Mais pourquoi pleures-tu ?* demandèrent les parents. *Est-ce que tu as mal ? Est-ce que le chat t'a griffée ?* Voyons, dis-nous *pourquoi tu pleures*. (M. Aymé)
5. — *Que joues-tu donc là ?*
— *Ce que je joue ?* ...Mais je joue « le Fils de l'homme... » (A. Dumas)
6. Tu ne sais pas *ce que c'est qu'un gora* ? (Courteline)

933
CFC§§241, 265

Relevez les propositions subordonnées interrogatives (au nombre de 10) et donnez pour chacune une phrase interrogative directe équivalente :

1. — J'aimerais bien savoir quand Henry de Belleuse a quitté Haverkamp ; si c'est de son plein gré ; et ce qu'il fait maintenant. (J. Romains)
2. Je ne sais pourquoi ils disent ce qu'ils disent. (A. France)
3. — On se demande par quel côté vous prendre. (J. Giono)
4. Elle me demandait à mots pressés ce que j'avais contre elle ; à qui j'en voulais ; à quoi j'avais songé. (Sainte-Beuve)
5. Baptiste a trois enfants. Je lui demande où ils vont à l'école. (D. Fernandez)
6. Depuis lors, savez-vous, Messieurs, comment M. Tir-Pied l'appelle ? (Courteline)

934
CFC§§241, 265

Même exercice :

1. J'ignorais ce que Mademoiselle avait fait de la lettre, par quelle voie elle avait décidé de la remettre, à quelle heure celle-ci arriverait. (E. Estaunié)
2. — Comme vous ne me cherchiez sans doute pas pour recevoir le compliment que je viens de vous faire, dites-moi pour quoi c'était. (A. Dumas)

3. Quand le ciel est ainsi chargé de pluie et de brouillard, je ne sais que devenir. (A. de Musset)
4. Aucun de nous ne saurait affirmer où est le nord. (J.-H. Fabre)
5. — Papa, dit miss Lydia en anglais, demandez-lui donc si les Corses aiment beaucoup leur Bonaparte. (P. Mérimée)
6. — Si je soupçonne un seul instant comment diable vous vous y preniez, que je sois changé en ris de veau ! (Courteline)
7. Je ne sais pas du tout vers quelle vie cette décision nous conduira l'un et l'autre. (A. Maurois)
8. On ne peut jamais dire d'avance ce qui l'amusera. (G. Duhamel)

935
CFC § 265

Dites si l'interrogation dans les phrases suivantes est directe ou indirecte, puis indiquez pour chaque phrase la fonction du mot en caractères gras et le mot auquel il se rapporte :

1. — **Comment** veux-tu que le chat fasse trembler le buffet ? (M. Aymé)
2. — Et **par où** veux-tu donc qu'ils débutent ? (Molière)
3. — **Que** vouliez-vous qu'il fît contre trois ? (Corneille)
4. — **Quand** pensez-vous qu'il viendra ? (Voltaire)
5. — **Que** pensez-vous qu'il arriva ? (Voltaire)

936
CFC §§ 241, 265

Transformez les phrases interrogatives en propositions subordonnées interrogatives se rapportant au verbe en caractères gras :

1. Elle me **demanda** : « Qui êtes-vous ? » (D'après J.-J. Rousseau)
2. La dame **demanda** : « Pourquoi y a-t-il des tragédies qu'on joue quelquefois, et qu'on ne peut lire ? » (D'après Voltaire)
3. Souvent son mari, remarquant sa pâleur, lui **demandait** : « Ne te trouves-tu point malade ? » (D'après G. Flaubert)
4. L'homme au sabre, en me prenant par le bras, me **demanda** rudement : « Que fais-tu là ? » (D'après J.-J. Rousseau)

937
CFC §§ 241, 265

Même exercice :

1. Ils lui offrirent leurs services, en lui **demandant** : « Qui êtes-vous ? et où allez-vous ? » (D'après Voltaire)
2. Cacambo **demanda** à un grand officier : « Comment faut-il s'y prendre pour saluer Sa Majesté ? Se jette-t-on à genoux ou ventre à terre ? Lèche-t-on la poussière de la salle ? En un mot quelle est la cérémonie ? » (D'après Voltaire)
3. Un des auteurs présents **ayant demandé** à M. Victor Hugo : « Que ferez-vous si un club marche sur l'assemblée constituante ? », M. Victor Hugo réplique... (D'après V. Hugo)

938
CFC §§ 241, 265

Même exercice :

1. Il me **demanda** une fois : « Qu'y a-t-il de remarquable au Marché-Neuf ? » (D'après J.-J. Rousseau)
2. Candide, élevé en Allemagne, **demanda** : « Quelle est l'étiquette ? et comment traite-t-on en France les reines d'Angleterre ? » (D'après Voltaire)

3. Je me **demandais** : « Est-ce que la supériorité de beauté qu'il faut bien accorder à la statue ne tient pas, en grande partie, à son expression de tigresse ? » (D'après P. Mérimée)
4. Il **demanda** : « Vu le temps qu'il fait, l'exécution ne peut-elle pas être remise à demain ? » (D'après A. de Vigny)

939
CFC§§244-247, 262, 265
PAE§§59-60

Supprimez la proposition principale en exprimant par la modalité de la phrase simple l'idée du verbe principal *(***ex.** : *Je demande si tu sais ta leçon. — Sais-tu ta leçon ?)*

1. Je regrette beaucoup que mon père n'ait pas été là.
2. Je m'étonne de voir combien tu es maladroit.
3. Je veux que tu t'en ailles tout de suite.
4. Je crois que ma roue se dévisse.
5. Je me demande bien où tu as mis les pinces.
6. Je souhaite que vous réussissiez au concours.
7. J'imagine difficilement qu'il m'adresse la parole.
8. J'ordonne qu'on introduise l'accusé.

940
CFC§§13, 262, 265

Mettez au discours direct les propos introduits par les verbes en caractères gras :

Une prétention scandaleuse *(Employé dans l'Administration des forêts, Alexandre Dumas, pour pouvoir écrire des vers en silence à ses moments perdus, a demandé l'autorisation de travailler seul dans un petit cabinet de débarras où l'on déposait les bouteilles d'encre vide).*
Ce fut, à cette demande, une clameur qui s'éleva depuis le garçon de bureau jusqu'au directeur général. Le garçon de bureau **demanda** aux employés de la grande chambre où il mettrait désormais ses bouteilles vides. Les employés de la grande chambre **demandèrent** au sous-chef de bureau, celui-là même qui ne savait pas ce que c'était que Byron, si je me croirais déshonoré de travailler avec eux. Le sous-chef **demanda** au chef si j'étais venu à la direction des forêts pour y donner des ordres ou pour en recevoir. Le chef **demanda** au directeur général s'il était dans l'habitude qu'un employé à quinze cents francs eût un cabinet séparé comme un chef de bureau à quatre mille. Le directeur général **répondit** que non seulement ce n'était point dans les usages administratifs, mais encore qu'aucun précédent ne militait en ma faveur et que ma prétention était monstrueuse. (A. Dumas)

941
CFC§§261, 262, 265

Relevez les propositions à fonction de sujet ou de complément d'objet, dites leur nature (conjonctives ou interrogatives), leur fonction et le mot auquel elles se rapportent, et expliquez le mode de leur verbe.

A fond de cale : — Eh bien, je file. Si on vient pour le gaz, tu diras que j'irai payer... Ah ! il est également à craindre que l'on vienne de chez Dufayel ; tu diras qu'on repasse demain..., ou samedi... dans quelques jours, quoi ! Cré saleté de purée ! quand est-ce donc que ça finira ? J'ai écrit à Ferdinand pour lui emprunter vingt-cinq louis, mais je doute que ça réussisse. Enfin ! au revoir. (Courteline)

En toute simplicité : A la suite de cette entrevue, Bonaparte pensa à moi pour Rome ; il avait jugé d'un coup d'œil où et comment je pouvais lui être utile. Peu lui importait que je n'eusse pas été dans les affaires, que j'ignorasse jusqu'au premier mot de la diplomatie pratique ; il croyait que tel esprit sait toujours, et qu'il n'a pas besoin d'apprentissage. C'était un grand découvreur d'hommes, mais il voulait qu'ils n'eussent de talent que pour lui. (Chateaubriand)

942
CFC§§16, 25, 158, 247, 261-262

« Que de *que !* » dit Jules Vallès en commentant lui-même cette lettre qu'il prétend avoir écrite « en tirant la langue » dans sa jeunesse. Vous analyserez les 8 *que* en caractères gras.

Victime de l'instruction : « Monsieur, c'est avec un profond regret **que** je me vois obligé de vous dire **que** votre demande est de celles auxquelles je ne puis faire droit, **qu'**à des conditions **qu'**il serait impossible **que** vous acceptassiez, et **que**, pour cette raison, il serait inutile **que** je vous proposasse. »

943
CFC§§133, 158, 262, 264-265, 268

Analysez les propositions commençant par *que* en indiquant leurs limites, leur nature (conjonctive, interrogative, relative), leur fonction et le mot auquel elles se rapportent, et en justifiant leur mode :

1. Je voudrais me représenter le courage comme quelqu'un, et qu'il me sourît de ses lèvres carbonisées ! (P. Drouot)
2. Quand elle eut fini, le baron vit bien qu'elle ne divaguait pas, mais il ne savait que penser, que résoudre et que répondre. (G. de Maupassant)
3. Je croyais vivre une féerie, et que les anges allaient passer. (A. Lafon)
4. Il avait de bizarres principes ; celui-ci, par exemple, que le doigt sur la touche ne doit jamais demeurer immobile ; il feignait que ce doigt continuât de disposer de la note, comme fait le doigt du violoniste ou l'archet qui porte sur la corde vibrante elle-même. (A. Gide)
5. Elle me regarda, avec cette expression maussade et irritée de Geneviève lorsqu'elle ne comprend pas ce qu'on lui dit, qu'elle ne sait que répondre, qu'elle a peur de tomber dans un panneau. (F. Mauriac)

944
CFC§266

Étudiez la proposition infinitive en vous conformant au tableau suivant :

N° de la phrase	Nom ou pronom sujet de l'infinitif	Verbe à l'infinitif	Verbe auquel se rapporte la proposition infinitive

1. On entend le vent siffler dans la grange, la porte claquer, le chien tirer sur sa chaîne en hurlant. (G. Droz)
2. Je servais les idées que je savais être vitales. (Ch. Maurras)
3. Je goûtai pendant une semaine entière un plaisir calme et profond à voir, tout en songeant aux morts, les vivants accomplir leur travail quotidien. (A. France)
4. Parmi ces cailloux ramassés en chemin, il m'en montra de polis comme des dragées, d'autres translucides qu'il pensait être pleins d'une eau congelée. (A. Lafon)
5. Je sens ma pensée monter et ma poitrine s'élargir. (J. Vallès)

945
CFC§266

Même exercice :

1. On n'entendait même plus les obus rayer l'air. (R. Dorgelès)
2. Il abattit en passant quelques statuettes qu'il ignorait être de Praxitèle. (J. Lemaître)
3. Je n'avais jamais fait part à celui-ci de mon admiration pour notre camarade, mais il l'avait sentie à me voir m'arrêter afin de le regarder courir, jeter la balle, ou bondir légèrement. (A. Lafon)

4. M. Bergeret parvint (...) à toucher d'un doigt, puis de deux doigts, le dos d'un livre qu'il jugea être celui dont il avait besoin. (A. France)

5. Je sens en toi les mêmes choses très profondes
Qu'en moi-même dormir. (É. Verhaeren)

946
CFC§266

Dites si le nom en caractères gras est complément d'objet de l'infinitif ou s'il constitue avec l'infinitif une proposition infinitive :

1. On entendit crier **des ordres** et tout le monde porta la main au képi. (G. Duhamel)
2. Nous entendîmes s'arrêter **une voiture** devant le perron, puis pousser **de grands cris** dans la salle à manger. (A. Dumas)
3. Elle regardait battre **les cils** démesurés sur l'humide et vaste prunelle sombre. (Colette)
4. On entendait criailler les petits **valets** et jacasser les vieilles **servantes.** (H. de Régnier)
5. Ils regarderaient faire **le beurre**, battre **le grain**, tondre **les moutons**, soigner **les ruches.** (G. Flaubert)
6. On entend clapoter **la chanson** captive de l'eau. (G. Kahn)

947
CFC§266

1° Dans la première phrase, un pronom (lequel ?) est le sujet commun de 6 propositions infinitives, dont vous indiquerez les verbes ; la seconde phrase contient 3 propositions infinitives dont vous indiquerez les sujets et les verbes.
2° A l'imitation de la 1re phrase, vous énumérerez les différentes actions que vous entendez faire à une personne tandis que, malade, vous gardez la chambre.
A l'imitation de la seconde phrase, vous énumérerez les actions que vous avez vu faire à différents animaux d'un parc zoologique.

Soldats ennemis : On les voyait nettoyer la cuisine, frotter les carreaux, casser du bois, éplucher les pommes de terre, laver le linge, accomplir toutes les besognes de la maison, comme quatre bons fils autour de leur mère. (G. de Maupassant)

A la menuiserie : J'entends le rabot courir, la scie crier, le marteau résonner sous le grand toit de l'atelier. (Erckmann-Chatrian)

948
CFC§§58, 267

Recopiez les phrases suivantes en rétablissant la ponctuation qu'on a supprimée pour l'exercice, et en soulignant les propositions participiales (au nombre de trois) dans les phrases qui en contiennent :

1. Ce fut à peu près dans ce temps-là que la paix étant faite l'armée française repassa les monts. (J.-J. Rousseau)
2. Elle eut bien peur une fois, quand un homme se présentant tout à coup lui montra dans une boîte trois vipères. (G. Flaubert)
3. Cette tranquillité succédant pour eux au tumulte de Paris leur causait une surprise, un apaisement. (G. Flaubert)
4. Puis le jour commençant à baisser elle me quitta. (Lamartine)
5. Le ciel orageux chauffant l'électricité de la multitude elle tourbillonnait sur elle-même, indécise. (G. Flaubert)
6. Des archers à barbe pointue portant de larges chapeaux à plumes marchaient d'abord sur deux rangs. (A. de Vigny)

949
CFC § § 58, 267

Même exercice (5 propositions participiales) :

1. Le vent était tombé vers les huit heures du soir et la mer s'étant aplanie le vaisseau demeura immobile. (Chateaubriand)
2. Le repas déjà retardé ce jour-là se prolongeait plus que de coutume. (A. Lafon)
3. Et les enfants courbés se touchant de la tempe
   On voit des cheveux noirs mêlés aux cheveux blonds.
   (J. Aicard)
4. Dans la cuisine la chandelle allongeant sa flamme comme un cierge flambait. (É. Estaunié)
5. Les dernières maisons dépassées le maître donnait le signal et les rangs rompus nous allions groupés à notre gré. (A. Lafon)
6. Mon mari s'étant querellé violemment avec ce même jardinier résolut de transporter notre établissement à Paris. (G. Sand)

950
CFC § 267

Dans les phrases suivantes, relevez les propositions participiales et indiquez leur fonction (3 sub. part. de temps, 3 de cause) :

1. Son récit terminé, Benassis remarqua sur la figure du militaire une expression profondément soucieuse. (H. de Balzac)
2. Et lui, buvant coup sur coup des gorgées de bière, parlait quand même au milieu du tumulte. (É. Zola)
3. Un rail ayant été déboulonné sur la ligne de chemin de fer d'Abidjan à Bobodioulasso, un train de voyageurs a déraillé au sud de Banfora. (Journal)
4. Ce jour mémorable venu, le roi parut sur son trône, environné des grands. (Voltaire)
5. Le 10, l'empereur, du haut de son bivouac, aperçut, avec une indicible joie, l'armée russe commençant, à deux portées de canon de ses avant-postes, un mouvement de flanc. (Napoléon Ier)
6. Les témoins ayant déposé dans le même sens, le prévenu fut acquitté. (G. de Maupassant)
7. La lettre écrite, je m'habillai en hâte et courus d'un trait à la poste. (P. Verlaine)
8. Chacun, par respect, s'étant éloigné, personne n'avait rien entendu. (A. Dumas)

951
CFC § 267

Même exercice :

1. **L'arbre :** Ses pores se fermant, l'air lui manqua. (J. Michelet)
2. Le soir venu, trop tard au gré de Sandrine, ils avaient écaillé et vidé les poissons. (J. Husson)
3. Orléans étant très largement ravitaillé, rien ne presse. (M. Gasquet)
4. Mais les porions, avertis, venaient de hâter la remonte. (É. Zola)
5. — Moi croqué, ils ne feraient qu'une bouchée de toi, mauviette, qui as les os tendres. (Th. Gautier)
6. — D'ailleurs ces pièces, étant faites pour rouler, vu qu'elles sont rondes, s'ennuient de rester couchées à plat dans l'ombre de cette escarcelle. (Th. Gautier)
7. Albertine partie, je me rappelai que j'avais promis à Swann d'écrire à Gilberte. (M. Proust)
8. Mon état s'aggravant, on se décida à me faire suivre à la lettre les prescriptions de Cottard. (M. Proust)

952
CFC§267

Dans les phrases suivantes, relevez les subordonnées participiales et indiquez leur fonction (2 sub. part. de temps, 2 de cause, 2 de manière) :

1. La soupe mangée, les boutiques se remplissent et les rues s'animent. (R. Dorgelès)
2. Elle l'imagina en soldat, casqué, l'œil triste, un fusil sur l'épaule. (H. Troyat)
3. Son profil, un peu court, était très noble, le nez prolongeant la ligne du front avec une rectitude absolue, comme dans les visages grecs. (P. Loti)
4. **George Sand :** Elle ne pouvait ni se garder de la passion, ni s'y tenir, sa vraie pente étant à la pitié et à la tendresse maternelle. (J. Lemaître)
5. Mais, ce dernier élan ayant épuisé les forces de Lisette, cette pauvre bête s'affaissa tout d'un coup. (Général Marbot)
6. Questionné sur son titre : antibureaucrate et anti-européen, le Captain Cap a affirmé qu'il ne voulait rien dire. (A. Allais)
7. **Quatre orphelins :** Ils vont au hasard, l'aîné menant les autres. (V. Hugo)
8. La confession finie, on récite des psaumes. (J. et J. Tharaud)

953
CFC§267

Même exercice :

1. Je les ai encouragés tout doucement, et, en effet, le café aidant, j'ai vu qu'ils s'apprivoisaient peu à peu. (O. Feuillet)
2. Tout de noir vêtu, le pauvre homme avait les yeux rouges et reniflait sans arrêt. (H. Vincenot)
3. **Le building S-623 :** Les projecteurs éteints, il redevient un bâtiment comme les autres. (D. Decoin)
4. Il marchait bon pas, taillé pour la marche, ses jambes de faucheux portant son buste court. (J. Husson)
5. Des mules glissent et souvent sont tombées
   Les processions ayant répandu la cire sur les pavés.
   (P. Morand)
6. Florence, la vaisselle lavée, vient d'allumer la lampe. (A. Arnoux)
7. Il est tout rasé de frais, Jean-Louis, en casquette flambant neuf. (A. Chevrillon)
8. Elle était étendue entre les cierges, les mains jointes. (H. Béraud)

954
CFC§267

Faites les remarques que vous suggère, par sa construction ou par l'ordre des mots, chacune des propositions participiales figurant dans les phrases suivantes :

1. Plantée la graine, au large des terres noires, la voilà déjà victorieuse. (Saint-Exupéry)
2. On résolut d'attendre quelques minutes, lesquelles passées, on irait à sa recherche. (Th. Gautier)
3. Mais sitôt l'été venu, plus de neige, plus de traîneau à tirer. (A. de Cayeux)
4. Et quand, passée la demie d'onze heures, Devrigny manifesta l'intention de se retirer, Salavin le retint quelques minutes. (G. Duhamel)
5. Et Bocage une fois lancé, rien ne pouvait plus l'arrêter, si apparente que pût être ma lassitude. (A. Gide)

6. Dès le boulevard traversé, il avait pris la rue Championnet. (J. Romains)
7. S'agissant des sommes encaissées en 1962, la formule de déclaration devra être remplie en nouveaux francs. (Notice fiscale)

955
CFC §§ 236, 267

Relevez les groupes solidaires non verbaux à valeur de complément circonstanciel en disant la nature grammaticale du terme qui y joue le rôle de propos, et si un rapport de cause peut y être associé au rapport de temps exprimé :

1. L'onde tiède, on lava les pieds des voyageurs. (La Fontaine)
2. Rome victorieuse, elle (l'Auvergne) devint une province pacifique et laborieuse. (C. Jullian)
3. Les enfants dans le jardin, je verrouille la porte. (G. Duhamel)
4. Ses fils grands, M. Delobelle voyait maintenant dans les promenades du club un moyen de les surveiller jusque dans leurs loisirs. (L. Aragon)
5. L'empereur à Paris, on croyait tout sauvé, tout réparé. (G. Sand)
6. Monteil mort, Latour malade, Rey était allé droit au but. (E. Peisson)
7. Veuve, lui à Florac, Abel — toujours célibataire — à qui les coupes d'automne ne laissaient guère de répit, au large des bois du matin au soir, quand il n'y restait pas la nuit, dormant dans quelque baraquement forestier... en un rien de temps, elle s'était retrouvée quasi seule. (J. Carrière)

956
CFC § 268, 2°

Dans trois de ces phrases, *que* marque un rapport de « subordination inverse » (la proposition principale situant seulement dans le temps le procès subordonné qui constitue le propos de la phrase). Quelles sont ces phrases, et quels sont dans chacune les mots en corrélation avec *que* ?

1. Je n'ai pas eu le temps de me lever *que* je vois surgir au bord de mon hamac la grosse tête de Basile. (A. t'Serstevens)
2. Il y a une demi-heure environ *que* nos chevaux montent. (P. Loti)
3. A peine étais-je né *que* j'ouïs parler de mourir. (Chateaubriand)
4. Le moment est venu *que* je vous mette au courant de la situation. (H. de Montherlant)
5. Monseigneur fit imprimer notre mémoire, qui ne fut pas plus tôt rendu public, *qu'*il devint le sujet de toutes les conversations de Madrid. (Lesage)

957
CFC § 268, 3°

Dites pour chaque phrase si la conjonction *quand* ou *lorsque* marque la « subordination inverse » (répondez par oui ou non) :

1. La campagne me plaît encore, *quand* elle n'a plus de sourire. (A. France)
2. Je découpais tranquillement mon pain, *quand* un bruit très léger me fit lever les yeux. (Ch. Baudelaire)
3. Frédéric parlait encore, *quand* il s'aperçut qu'il était seul. (J. Chardonne)
4. — Après dîner, je vais voir des amis, *quand* j'en ai dans l'endroit. (J. Romains)
5. Il fut déçu, *lorsqu'*à quatre heures cinq, rentré dans sa cabine, il absorba gloutonnement l'eau tiède de sa carafe. (E. Peisson)
6. Satisfaite alors, Colomba rentrait dans le jardin, *lorsque* Orso ouvrit sa fenêtre et cria : « Qui va là ? » (P. Mérimée)

958
CFC§268, 3°

Composez ou relevez dans vos lectures deux phrases où la conjonction *quand* (ou *lorsque*) sera employée en subordination inverse.

959
CFC§§128, 134, 225, 267-268
PAE§63

Définissez avec précision les différents procédés grammaticaux (subordination, coordination, complément circonstanciel, épithète, etc.) par lesquels est exprimée la relation de temps dans les phrases suivantes (ex. : *Présente* je vous fuis, absente je vous trouve. **Racine.** — *Présente :* **adjectif épithète de** *vous* **; sens :** *quand vous êtes présente***) :**

1. Mon oncle Rondeaux, qui l'habitait *depuis la mort de ma grand-mère*, avec ma tante et leurs deux enfants, s'était converti *tout jeune encore*, longtemps même *avant d'avoir songé* à épouser la très catholique Mlle Lucile K. (A. Gide)
2. *Ce torrent de paroles écoulé,* j'appelai la femme de chambre. (Chateaubriand)
3. *Tout à coup,* une sorte de léger sifflement nous immobilise. Il cesse, *tandis que* nous restons l'oreille au guet, *puis* reprend à nouveau. (H. Tazieff)
4. A peine êtes-vous sorti du village *que* vous en apercevez un autre. (Chateaubriand)

960
CFC§§226, 268,
PAE§61

Remplacez les mots en italique par une préposition suivie d'un nom ; modifiez en conséquence le reste de la phrase sans en bouleverser l'ordre :

1. *Lorsque arriva* son fils, il ne cacha pas sa joie.
2. *Lorsqu'il vit* sa victime, il se troubla.
3. La bibliothèque est fermée *tant que durent* les vacances.
4. Si vous voulez tenir, alimentez-vous *tandis que vous courez*.
5. Elle promit de répondre *avant que* la semaine *se terminât*.
6. *Quand il est en colère,* il ne se connaît plus.
7. *Dès que* la cloche *sonnera*, mettez-vous en rangs.
8. *Lorsque vous cherchez* une situation, ne vous montrez pas, d'entrée, trop difficile.
9. *Quand* le jour *commença à paraître*, il se leva.
10. Les serviteurs font un mauvais travail *quand ils dépendent* d'un mauvais maître.

961
CFC§§267-268,
PAE§§61, 63

Substituez à la subordonnée circonstancielle un participe passé épithète ou une subordonnée participe ; faites toutes les modifications utiles dans la phrase, de manière à obtenir un texte correct et clair :

1. Quand il fut arrivé devant la gare, il pressa le pas.
2. Quand on l'eut débarrassé de sa canne et de son chapeau melon, il pénétra dans le salon.
3. Quand il eut terminé son devoir, Jacques apprit ses leçons.
4. Quand il aura rempli sa mission, ce diplomate rentrera par avion.
5. Quand Pierre aura fini son déjeuner, il fera une bonne sieste.
6. Quand ton frère aura franchi cet obstacle, on pourra envisager pour lui une amélioration rapide de sa situation.
7. Quand elle fut à l'école, elle apprit à lire en quelques jours.
8. Quand il fut pourvu des livres et des cahiers nécessaires, on le conduisit au lycée.

9. Quand il eut fini de parler, l'orateur regagna sa place.
10. Lorsqu'il fut arrivé bon premier, son entraîneur lui présenta ses félicitations.

962
CFC§§134, 226, 230, 243, 267, 269

Définissez avec précision les différents procédés grammaticaux (subordination, coordination, complément circonstanciel, épithète détachée, etc.) par lesquels est exprimée la relation de cause dans les phrases suivantes :

1. Et *rien qu'en regardant* cette vallée amie,
   Je redeviens enfant. (A. de Musset)
2. Deux boucs sauvages regardaient l'abîme. *Comme* il n'avait pas ses flèches (*car* son cheval était resté en arrière), il imagina de descendre jusqu'à eux. (G. Flaubert)
3. Et moi, je la salue, *elle étant l'innocence.* (V. Hugo)
4. *Pour n'avoir pas fait cette remarque,* on perdit beaucoup de temps et de travail. (Chateaubriand)
5. Le cochon faillit la renverser, *tant il mit de hâte à sortir.* (M. Aymé)
6. Tout le monde souffrait *de la chaleur*. (J. Michelet)
7. Frédéric, *ne sachant* que répondre, ferma les yeux en baissant la tête. (G. Flaubert)

963
CFC§§226, 269, PAE§61

Remplacez les mots en italique par une préposition (ou locution prépositive) suivie d'un nom ; modifiez en conséquence le reste de la phrase sans en bouleverser l'ordre :

1. *Parce qu'il a été négligent,* il a laissé passer une occasion unique de montrer son habileté.
2. Il n'a pu se classer honorablement *parce qu'il est étourdi*.
3. *Parce que* sa famille *s'y oppose*, il renonce à devenir équilibriste.
4. *Parce qu'ils ont promis* d'être sages, je les ai laissés seuls tous les trois.
5. *Comme il est jeune,* on ne peut pas trop lui reprocher son bouillant caractère.
6. Obèse et hypertendu, il a pu éviter une congestion *parce qu'il a suivi un régime* strict.
7. *Comme il espérait* faire mieux que les autres, il se résolut à tenter l'aventure.
8. *Comme il avait mal,* il ne savait plus que gémir.

964
CFC§§267, 269, PAE§§61, 63

Retrouvez les phrases originales des auteurs en substituant à la subordonnée circonstancielle de temps ou de cause un participe épithète ou une subordonnée participiale et en faisant les modifications utiles dans la phrase :

1. Quand elle eut lu cette lettre, elle la déchira très doucement. (D'après A. France)
2. Mais, quand la ville eut été prise et que Louis XIV fut reparti, Luxembourg resta avec une soixantaine de mille hommes devant des forces très supérieures. (D'après J. Boulenger)
3. Les cours d'immeubles, tandis que murs et vitres vibraient, résonnaient de lumière. (D'après J. Romains)
4. Les Bédouins, comme ils sont pressés d'en finir, partent au petit trot. (D'après R. Dorgelès)

5. Parce que le siècle passé a instruit le siècle présent, il est devenu si facile d'écrire des choses médiocres qu'on a été inondé de livres frivoles. (D'après Voltaire)
6. Cependant, comme les idées de fraîcheur qu'avait évoquées en mon esprit ce maudit nom des Cressonnières me hantaient, j'éprouvais le besoin de voir un peu d'eau. (D'après P. Arène)
7. Comme le vent était tombé vers les 8 heures du soir, et que la mer s'était aplanie, le vaisseau demeura immobile. (D'après Chateaubriand)
8. Et le commandant Viaud n'aimait pas beaucoup l'enseigne Bargone (...), parce qu'il lui croyait le cœur sec et l'âme égoïste. (D'après Cl. Farrère)

965
CFC§§230, 270-271

Relevez les infinitifs et les propositions subordonnées compléments de but et de conséquence (précisez la nuance) en expliquant le mode des subordonnées.

Coiffure à la chinoise.
Ma mère tourmenta si bien ma bonne maman qu'il fallut la laisser s'emparer de ma pauvre tête pour me coiffer *à la chinoise*.
On vous rebroussait les cheveux en les peignant à contre sens jusqu'à ce qu'ils eussent pris une attitude perpendiculaire, et alors on en tortillait le fouet juste au sommet du crâne, de manière à faire de la tête une boule allongée surmontée d'une petite boule de cheveux. Il fallait huit jours d'atroces douleurs et d'insomnie avant qu'ils eussent pris ce pli forcé, et on les serrait si bien avec un cordon pour les y contraindre, qu'on avait la peau du front tirée et le coin des yeux relevé comme les figures d'éventail chinois. (G. Sand)

966
CFC§§225-226, 230, 251, 257, 270, PAE§63

Définissez avec précision les différents procédés grammaticaux (subordination, coordination, corrélation, complément circonstanciel) par lesquels est exprimée la relation de conséquence dans les phrases suivantes :

1. Je pense, donc je suis. (Descartes)
2. — Plus nous nous montrerons résolus, plus on hésitera à nous attaquer. (H. Troyat)
3. Il n'en parle jamais, tant le seul fait qu'on y fasse allusion lui cause de malaise. (Ch. du Bos)
4. Bovary devint pâle à s'évanouir. (G. Flaubert)
5. Cette voix était si douce, qu'Élisabeth se sentit engourdie de bien-être. (H. Troyat)
6. Plus je dors, moins je veux me lever le matin. (E. Delacroix)
7. C'était une maladie nerveuse : on devait la changer d'air. (G. Flaubert)
8. Ces vieilles histoires me touchaient aux larmes. (A. France)

967
CFC§§270-271

En réfléchissant au sens des phrases suivantes, dites si les propositions subordonnées expriment le but ou seulement la conséquence. Expliquez le mode des verbes en italique :

1. **Rousseau évite une correction à son frère :** Je le couvris ainsi de mon corps, recevant les coups qui lui étaient portés, et je m'obstinai si bien dans cette attitude, qu'il *fallut* enfin que mon père lui fît grâce. (J.-J. Rousseau)

2. Je résolus un jour de faire si bien ma page d'écriture que le maître n'y *trouvât* rien à redire. (Ch. Péguy)

3. Non, non, mon argent m'a coûté trop cher pour que je vous en *abandonne* un centime avant le dernier hoquet. (F. Mauriac)

4. Les oncles de Vivien l'entouraient, pour qu'il *pût* tenir sa promesse. (J. Lemaître)

5. Au cours des mois précédents, tout cela m'avait été une distraction suffisante pour que j'*oubliasse* de suivre la leçon. (A. Lafon)

6. — Vous pourriez aussi, lui disons-nous, faire creuser la cave si profondément qu'elle *touchât* au feu central. (T. Derème)

7. N'y aurait-il point moyen de tirer des choses plus de bien que de mal, et de disposer son imagination de sorte qu'elle *séparât* les plaisirs d'avec les chagrins et ne *laissât* passer que les plaisirs ? (Fontenelle)

8. **La cathédrale d'Ulm :** Les bas-côtés se partagent en deux voûtes étroites soutenues par un seul rang de piliers, de manière que l'édifice intérieur *tient* à la fois de la cathédrale et de la basilique. (Chateaubriand)

9. Il n'a qu'à montrer cette petite mine triste pour qu'aussitôt je *veuille* tout ce qu'il veut. (T. Derème)

10. Tout l'art de la vie est d'organiser nos sentiments de telle sorte que nous nous *accommodions* de ce qui nous est donné et que nous le *trouvions* agréable. (T. Derème)

968
CFC §§ 226, 270

Remplacez les mots en italique par *à, jusqu'à, au point de, assez... pour* **et l'infinitif ; vous ferez les modifications utiles dans la phrase, de manière à obtenir un texte correct et clair :**

1. Le père Goriot aimait *tant* ses filles *qu'il se dépouilla* complètement pour elles.
2. Il est *si* ignorant *qu'il prendrait* le Pirée pour un homme.
3. Alceste prit *tellement* en grippe la société *qu'il voulut* finir sa vie dans un désert.
4. Le vent souffle *si* fort aujourd'hui *qu'il déracine* les arbres.
5. Vous êtes *si* courageux *que vous recevrez* sans faiblir de mauvaises nouvelles.
6. Il lisait *tellement qu'il en avait* mal aux yeux.
7. Gargantua avait un *tel* appétit *qu'il eût dévoré* un bœuf tout entier.
8. Les gardiens laissèrent les visiteurs *si* libres de leurs allées et venues *qu'il en résulta* un encombrement extraordinaire.

969
CFC §§ 259, 268-271

Relevez les propositions circonstancielles en indiquant la circonstance exprimée et le subordonnant employé, et en expliquant le mode de leur verbe :

1. Après que nous eûmes admiré ce spectacle, nous commençâmes à découvrir les montagnes de Crète. (Fénelon)

2. Marinette fit venir à Calèse sa jument et, comme personne ne pouvait l'accompagner, elle montait seule. (F. Mauriac)

3. Son âge était un problème : on ne pouvait pas savoir s'il était vieux avant le temps, ou s'il avait ménagé sa jeunesse afin qu'elle lui servît toujours. (H. de Balzac)

4. Je revins à moi dans une petite pièce qui avait été la salle d'attente avant que j'eusse renoncé au barreau. (F. Mauriac)

5. Le chien tout noir montre ses dents si blanches qu'une femme en serait fière. (J. Renard)
6. — Ce n'est pas difficile, dit la souris, je vous conduirai où vous voudrez. (M. Aymé)
7. A ce moment, soit qu'il eût bu son eau un peu trop foncée de vin, soit que la fumée du tabac l'engourdît, ses idées devinrent vagues. (P. et V. Margueritte)
8. Le clown sauta si haut, si haut,
Qu'il creva le plafond de toiles. (Th. de Banville)

970
CFC§§259, 268-271

Même exercice :

1. Le malaise qui était en lui annihilait son énergie au point que la situation du navire lui était indifférente. (E. Peisson)
2. Tu seras privé de dessert jusqu'à ce que tu aies changé d'avis. (M. Aymé)
3. Où finissait la ville, la campagne aussitôt commençait. (A. Gide)
4. — Puisque vous le prenez ainsi, n'en parlons plus. (Courteline)
5. Lorsque Frédéric leur eut rapporté que le commandant n'avait manifesté aucune appréhension à manger des conserves, les hommes ont encore discuté. (E. Peisson)
6. Le roi de Pologne joue tous les soirs à colin-maillard : on le fait jouer, de peur qu'il ne s'endorme. (Racine)
7. Le terrible grognon, toujours emporté dans un vent de violence, avait la passion des misérables, leur donnait tout, son argent, son linge, ses habits, à ce point qu'on n'aurait pas trouvé, en Beauce, un prêtre ayant une soutane plus reprisée. (É. Zola)
8. Je vous attends debout, non qu'une excessive fatigue ne me commande de m'asseoir. (P. Drouot)

971
CFC§§226, 230, 243, 251, 272, PAE§63

Définissez avec précision les différents procédés grammaticaux (subordination, coordination, corrélation, complément circonstanciel, épithète détachée, etc.) par lesquels est exprimée la relation de concession dans les phrases suivantes :

1. — J'*ai eu beau* chercher, je n'ai pas trouvé la solution. (F. Sagan)
2. *Eussé-je* mille raisons de me croire dans mon droit, il suffit d'un rien pour me troubler. (F. Mauriac)
3. *Quand tu serais* femelle ayant pour nom la Mort,
J'irai ! J'égorgerai Nuno dans la campagne !
(V. Hugo)
4. Il commença par le plaindre de son mal, *tout en déclarant* qu'il fallait s'en réjouir, puisque c'était la volonté du Seigneur. (G. Flaubert)
5. *Défendez-vous* par la grandeur,
Alléguez la beauté, la vertu, la jeunesse :
La Mort ravit tout sans pudeur.
(La Fontaine)
6. *Si* fâcheux *que fussent* ces contretemps, en vain les accuserais-je. (A. Gide)
7. Avant 14, *malgré nos angoisses,* nous étions parcourus d'espérances indéfinies. (J. Romains)
8. *Célèbre* à Moscou, à Londres, à New York, il est suspect à Paris. (D. Fernandez)

9. Occupé à raboter ses planches, il ne pouvait ni me voir ni m'entendre. Il s'est *pourtant* retourné brusquement. (G. Bernanos)

10. Comment donc avait-elle fait (*elle qui* était si intelligente !) pour se méprendre encore une fois ? (G. Flaubert)

11. Cendrillon, avec ses méchants habits, *ne laissait pas* d'être cent fois plus belle que ses sœurs, *quoique vêtues* très magnifiquement. (Ch. Perrault)

12. J'aurais disparu du jour au lendemain *que* leur existence aurait continué au même train fou. (M. Déon)

972
CFC§272

Par quels moyens (quels mots ? quel mode ?) est exprimée la concession dans les phrases suivantes ? Faites une phrase sur le modèle de chacune d'elles :

1. Alors, quelque inquiétude que j'eusse à libérer leurs terribles puissances, je décidai d'engager les Cyclopes. (M. Druon)
2. — Il faudra que tu donnes un dîner une fois la semaine. C'est indispensable, quand même la moitié de ton revenu y passerait. (G. Flaubert)
3. Bien que Bertrand conduisît très vite, Élisabeth n'éprouvait aucune crainte à son côté. (H. Troyat)
4. Si loin qu'il remontât, seuls apparaissaient autour de lui son frère et sa mère. (É. Estaunié)
5. Faites donner à dîner à Lekain, tout laid qu'il est. (Voltaire)
6. Pour suffocante que soit sa maison, elle en adore la pénombre. (D. Fernandez)
7. Mais, comme dans un cauchemar, où que nous allions, les mêmes ombres casquées surgissent. (J. des Vallières)
8. Mais si ma mère a des antennes, j'en ai aussi. (H. Bazin)

973
CFC§272

Même exercice :

1. Je puis te louer un poisson pour l'après-midi. Il sera à toi, jusqu'au lever de la lune. Où qu'il aille, et même s'il glisse entre les coraux et les éponges, s'il contemple la perle dans l'huître entrouverte et s'il donne un coup de queue à un crabe, il sera à toi. (T. Derème)
2. Ainsi se termine cette entrevue, qui, tout insignifiante qu'elle paraisse, n'en a pas moins été pour nous un piquant épisode. (R. Töpffer)
3. Les dieux de l'Olympe, encore qu'ils ne pussent fumer sous l'onde, ne s'entourent-ils pas ainsi d'un nuage ? (T. Derème)
4. — Lors même que Monseigneur le marquis mourrait, la Vendée de Dieu et du roi ne mourra pas. (V. Hugo)
5. Tandis que d'autres publient ou travaillent, j'ai passé trois années de voyage à oublier au contraire tout ce que j'avais appris par la tête. (A. Gide)
6. Qui que ce soit des deux, j'en ferai ton époux. (Corneille)
7. Une sorte d'horreur religieuse l'envahissait, quoique le lieu n'eût rien de sinistre. (Th. Gautier)

974
CFC§272

La phrase suivante est-elle grammaticalement correcte ? Justifiez votre réponse :

Si les légumineuses, les farines d'arachides et de poisson donneront vite assez de protéines à bon marché, celles du lait et surtout de la viande seront plus appréciées. (R. Dumont)

975
CFC§§154, 272

Remplacez les points de suspension par *quelque, quel que* (accordés s'il y a lieu), *quoique* ou *quoi que* :

1. ... soit la destinée qui m'attend, je serai heureuse dans les bornes d'une amitié de sœur si je puis contribuer à vous sauver. (Stendhal)
2. Mais ... vains lauriers que promette la guerre,
   On peut être héros sans ravager la terre.
   (Boileau)
3. ... jours avant sa mort, les femmes de Londres avaient déjà hué Pym, jadis si populaire. (A. Maurois)
4. ... on fasse, on est toujours seul au monde. (A. France)
5. **L'écrivain désordonné** : ... brillantes que soient les couleurs qu'il emploie, ... beautés qu'il sème dans les détails, l'ouvrage ne sera point construit. (Buffon)
6. ... elle ne comprît rien à l'art ni à ses moyens, le silence profond de l'atelier lui convenait. (H. de Balzac)
7. ... enivrées que fussent les sentinelles, il ne pouvait pas descendre exactement sur leurs têtes. (Stendhal)

976
CFC§§230, 272, PAE§59

Remplacez la conjonction et son verbe au subjonctif par *sans* suivi d'un infinitif ; modifiez le reste de la phrase, s'il en est besoin, afin d'obtenir un texte clair et correct :

1. Bien qu'il ne fût pas insolent, il déplaisait par sa trop grande confiance en lui.
2. Quoiqu'il n'ait reçu aucune aide de l'extérieur, il est parvenu à s'évader.
3. Il a remporté sept prix cette année quoiqu'il ne se soit pas fatigué.
4. Quoique je ne lui posasse pas de questions, il me raconta toute sa mésaventure.
5. Quoiqu'il continuât à marcher, il donnait des signes évidents de fatigue.
6. Quoique ce malheureux ait eu un sort différent du vôtre, vous avez connu bien des tourments.
7. Bien qu'on ne lui eût pas dit le nom des autres invités, il en savait assez pour se tenir sur ses gardes.
8. Quoique l'espoir d'une meilleure situation survécût en lui, il continua d'exercer sans joie son triste métier.

977
CFC§§226, 272, PAE§§59, 61

Remplacez les mots en italique par une préposition *(contre, malgré* ou *en dépit de)* et un nom ; faites les modifications nécessaires sans bouleverser l'ordre de la phrase :

1. *Bien que* ce vieux pêcheur *l'ait averti*, Paul se baigne sur cette plage dangereuse.
2. L'ogre, *tout cruel qu'il était,* ne dévora pas tout de suite le petit Poucet et ses frères.
3. Il se fit explorateur, *bien que* son père *ne le voulût pas.*
4. Je suis contraint d'obéir, *encore que je ne le veuille pas.*
5. *Bien que tous s'attendissent à un échec,* il réussit.
6. *Quoiqu'il fût tombé* aux mille mètres, il se classa premier à la course de fond.
7. *Bien qu'on le frappât,* l'esclave ne cédait pas.
8. Je manque de résistance, *quoique je me porte bien.*

978 CFC §§26, 226, 234, 273, PAE §§34, 63

Définissez avec précision les différents procédés (subordination, coordination, corrélation, complément circonstanciel, apposition, etc.) par lesquels est exprimée la relation de comparaison :

1. Chez les Monastier, *plus* on discutait d'un projet, *moins* on était pressé de le voir aboutir. (H. Troyat)
2. L'apothicaire *compara* le sang-froid d'un chirurgien à celui d'un général. (G. Flaubert)
3. — Qu'est-ce que vous avez à rester là *comme une bûche* ? (J. Cocteau)
4. La plupart des brebis dormaient *pareillement*. (La Fontaine)
5. Les différentes proportions de ces matières font les différentes couleurs des cheveux. *Ainsi* les rouges ont beaucoup plus d'huile noirverdâtre que les autres. (H. de Balzac)
6. *Tel* il était maintenant, *tel* il serait trois jours plus tard. (P. Benoît)
7. *Comme* il faisait chaque jour, Herbeleau s'assit à califourchon sur le banc. (J. Husson)
8. Don Calo (...) exploite, en somme, les rouages de l'État. Giuliano n'a qu'une idée : les briser *aussi* sauvagement *qu'*il peut. (D. Fernandez)
9. Chaque découverte amenait des cris de joie *pareils* à ceux que poussait Robinson Crusoé. (A. Dumas)
10. *Autant* de physionomies, *autant* de curiosités, *autant* de pensées différentes. (H. de Balzac)
11. — Il y a des filles à l'école, dit Pauline, qui sont *plus* gâtées *que nous*. (F. Mallet-Joris)
12. ... le réservoir de cristal où la mèche, *large ténia,* baignait dans le pétrole. (F. Mauriac)

979 CFC §273

Relevez les subordonnées conjonctives de comparaison ; pour celles qui sont elliptiques, mettez entre parenthèses les éléments non exprimés :

1. Dépouillant ma capote comme un serpent sa peau, je me faufile à plat ventre. (J. des Vallières)
2. — Cela vous fera peut-être un bien plus grand que vous ne l'imaginez. (A. Maurois)
3. — Vous êtes telle que Dieu l'a voulu. (H. Troyat)
4. Le sondage à répétition est aussi dangereux que le fusil du même nom. (P. Guth)
5. Les Allemands se sont installés dans ce maudit trou comme des rats dans un fromage. (A. de Musset)
6. Edmond se jeta dans le travail comme il ne l'avait jamais fait jusqu'alors. (A. Maurois)
7. — J'accepterais d'être votre servante, je vous obéirais comme un chien. (M. Pagnol)
8. Mais les êtres ne sont jamais aussi bas qu'on imagine. (F. Mauriac)

980 CFC §§270, 273

Dites si le mot *que* en *italique* est conjonction de conséquence ou de comparaison et quel est le mot corrélatif :

1. — Je trouve cela si beau *que* je me sens vraiment très émue. (G. de Maupassant)
2. Faut-il vous dire, après ces confidences, que nous n'étions point si paresseux *que* vous le voudriez croire ? (T. Derème)

3. Les trois personnages (...) sont restés à peu près tels *que* me les avait décrits l'un des meilleurs amis du principal intéressé. (M. Yourcenar)
4. Un tel zèle me soulevait *que* les plus rebutants exercices devenaient mes préférés. (A. Gide)
5. Il sentait le sang battre ses oreilles avec tant de force *que* les bruits lui parvenaient assourdis. (E. Peisson)
6. Elle n'a pas autant souffert *que* nous le craignions. (Ch. Le Goffic)
7. Tout est plus compliqué *que* tu ne l'imagines. (H. Troyat)
8. Clélia fut tellement surprise *qu'*elle fut obligée de s'appuyer sur le bras d'un fauteuil. (Stendhal)

981
CFC§§270, 272-273

Sur quels mots de la principale ou de la subordonnée porte plus particulièrement l'idée de concession ou l'idée de comparaison, ou l'idée de cause qui entraîne la conséquence ? (ex. : *L'autre, plus froid que n'est un marbre, se couche sur le nez.* La Fontaine. — **L'idée de comparaison porte sur** *froid*) **:**

1. Tout malade que je fusse, moi, j'avais fait front. (F. Mauriac)
2. Le vieux cheval essaya de la réchauffer avec son haleine, mais il était trop tard pour qu'on pût rien faire d'utile. (M. Aymé)
3. La patiente tomba dans un tel abattement qu'on crut qu'elle allait passer. (P. Bourget)
4. **A l'assaut :** On en voit qui tombent tout d'une pièce, la face en avant, d'autres qui échouent, humblement, comme s'ils s'asseyaient par terre. (H. Barbusse)
5. Le mendiant de l'Odyssée était plus insolent, mais n'était pas si pauvre que moi. (Chateaubriand)
6. Dans ce temps malheureux, les crimes étaient si fréquents qu'on ne pouvait guère les juger avec autant de rigueur qu'on le ferait aujourd'hui. (P. Mérimée)
7. Si médiocrement installés que nous fussions, j'ai gardé de Cannes un souvenir enchanté. (A. Gide)
8. Il ne pensa qu'à une chose, à la corde qui allait lui serrer le cou, et d'avance son gosier se contractait tellement qu'il n'aurait pu avaler une goutte d'eau. (E. Sue)
9. Quelque insolent que tu sois, maraud, je ne te ferai pas l'honneur de te battre moi-même. (Th. Gautier)
10. — Jurez de vous sauver, quoi qu'il puisse arriver. (Stendhal)

982
CFC§273R

Expliquez la différence d'accord de *tel* **dans les phrases suivantes :**

1. Seuls les grands blés mûris, **tels** qu'une mer dorée,
Se déroulent au loin. (Leconte de Lisle)
2. Les temps défilaient dans l'ordre, **telle** une garde d'honneur présentant les armes. (E. Estaunié)

983
CFC§§129, 262Rd, 268, 271, 273

Dites, en justifiant votre réponse, si le mot *ne* **en** *italique*, **dans les phrases suivantes, est négatif ou explétif (6 exemples de chaque sorte) :**

1. Il n'y a pas une de mes peines qu'elle *ne* devine. (Lamartine)
2. Il se peut que l'on pleure, à moins que l'on *ne* rie.
(A. de Musset)
3. — Heureusement, soupira le cochon, le temps passe plus vite que je *n'*aurais cru ! (M. Aymé)

4. Voilà longtemps qu'il *n'*a tué quelqu'un. (V. Hugo)
5. — Je crains toujours que tu *ne* sois pas heureux ici. (R. Martin du Gard)
6. Quant à Mademoiselle Fellaire, il ne doutait pas qu'elle *ne* fût très riche. (A. France)
7. Jamais un désir *ne* sera formé par vous, que je *ne* vous aide à le réaliser. (Ch. Baudelaire)
8. — Empêche aussi que la discussion *ne* dévie ou ne s'éternise. (Ch. Vildrac)
9. — Tiens-moi bien, crainte que je *ne* disparaisse un beau jour. (P. Claudel)
10. La Ramée se comporta si honnêtement qu'un autre *n'*aurait pu mieux faire. (H. Pourrat)
11. Adieu, mes petits enfants, dit-il en nous repoussant doucement, allez-vous-en, avant qu'Oriane *ne* redescende. (M. Proust)

984
CFC§273
PAE§63

Remplacez la principale et la subordonnée par deux indépendantes qui commenceront, selon les cas, par *plus... plus, moins... moins, plus... moins, moins... plus, autant... autant ;* **modifiez comme il convient l'ordre respectif des propositions et, éventuellement, l'ordre des mots :**

1. Tu souffriras d'autant moins que tu remueras moins.
2. Il avait d'autant plus soif qu'il était plus ivre.
3. Il déteste autant les chiens qu'il aime les enfants.
4. On est d'autant plus heureux qu'on s'attend moins au bonheur.
5. Il le ménageait d'autant plus qu'il l'estimait moins.
6. On se fatigue d'autant plus qu'on est moins résistant.
7. On comprend d'autant moins qu'on bavarde plus.
8. Je blâme autant sa conduite actuelle que j'admirais son attitude d'hier.
9. On y voit d'autant moins qu'on regarde plus.
10. On veut faire d'autant moins de choses qu'on en fait moins.

985
CFC§§268, 269, 273

Dites si *comme* **est conjonction de temps (4 exemples), de cause (3 exemples) ou de comparaison (3 exemples) :**

1. Nous sommes remontés dans la barque *comme* la lune se levait. (A. Gide)
2. *Comme* je n'avais jamais dessiné un mouton, je refis, pour lui, l'un des deux seuls dessins dont j'étais capable. (A. de Saint-Exupéry)
3. Tout à l'heure, *comme* je revenais de Sainte-Marie de Carignan, j'ai senti la tristesse écrasante de l'Italie... (J. Green)
4. De temps à autre elle revient, l'air guindé, et nous tend, *comme* on tend un cartel, un paquet de viande pour le chien. (F. Mallet-Joris)
5. *Comme* nous traversions le désert, nous avons entendu des cris dans ce tombeau. (A. France)
6. *Comme* c'était le dimanche, beaucoup de gens passaient sur la chaussée. (E. Estaunié)
7. — Je jure d'obéir à la duchesse, et de prendre la fuite le jour qu'elle le voudra et *comme* elle le voudra. (Stendhal)
8. **Le don de guérir :** *Comme* elle n'avait qu'un fils, elle allait pouvoir le lui transmettre, mais ce serait là tout. (H. Vincenot)

9. *Comme* elle arrivait du rez-de-chaussée, sa mère sortit de la cuisine et s'avança vers elle promptement. (H. Troyat)

10. *Comme* tu vois, ce langage n'était pas spécialement fait pour la crème des braves gens. (J. Romains)

986
CFC§274

Indiquez et justifiez le mode et le temps des verbes en *italique* :

1. « Ne dirai-je pas adieu à mon frère ? » demanda Landry. « Il m'en voudra si je le *quitte* sans l'avertir. » (G. Sand)
2. Si vous *parlez* trop fort, les champignons se cachent. (G. Duhamel)
3. — Allez donc voir par-là, Vingtras ; restez-y s'il n'y *a* personne. (J. Vallès)
4. **Le bœuf savant :** Et qu'il *fût* aux champs, ou au vert, ou par les chemins, il ne se lassait pas de réfléchir à ses lectures. (M. Aymé)
5. — Est-ce qu'il mord, votre chien, ma brave femme ? — Il mordrait, s'il *pouvait*. (J. Renard)
6. Pourtant, si l'on *voulait* manger, il fallait travailler. (E. Zola)
7. — Non, tu es trop sotte... à moins que tu ne *fasses* exprès de ne pas comprendre. (F. Mauriac)
8. — Si cependant le duc de Reichstadt *n'était point mort* et qu'il *eût fait* une tentative ?
   — Il eût échoué. (A. Dumas)
9. — Je prends l'armoire à cinquante francs, à condition que vous me *donniez* ce joujou de faïence par-dessus le marché. (Champfleury)
10. — Dis que ça ne t'arrivera plus jamais, jamais, entends-tu ?
    — Oui, oui, à condition que je *ferai* toujours sa volonté, n'est-ce pas ? (G. Sand)
11. Au cas où tu *donnerais* dans ce sport, je te livre gratis une autre observation d'expérience. (E.-M. de Vogüé)

987
CFC§274

Même exercice :

1. Honoré gardait la jouissance de la maison paternelle moyennant qu'il *fournît* son frère en haricots, pommes de terre, primeurs, fruits et cochon salé. (M. Aymé)
2. D'ailleurs tu les soignais avec dévouement s'ils *étaient* malades. (F. Mauriac)
3. Soit que juin *ait verdi* mon seuil ou que novembre
   Fasse autour d'un grand feu vacillant dans la chambre
   Les chaises se toucher,
   Quand l'enfant vient, la joie arrive et nous éclaire.
   (V. Hugo)
4. Il veut bien vous prêter vingt mille francs à condition que vous *prendrez* son parti si l'on *vient* à s'apercevoir de la manœuvre. (Lesage)
5. — Si tu étais une grande artiste, et que tu *fusses* capable de donner à l'humanité un chef-d'œuvre (...), ce serait bien. (O. Mirbeau)
6. — Cent francs, criai-je aux machinistes, si la toile *est levée* avant que les applaudissements aient cessé. (A. Dumas)
7. Si l'homme *s'élève*, je l'abaisse ; s'il *s'abaisse*, je l'élève. (Bossuet)
8. — Au cas où il *aurait appris* que vous êtes là, pas un mot de tout ce que vous venez de me dire. (H. Becque)

9. **Au téléphone** : Si seulement tu *pouvais* venir me rejoindre !... C'est impossible ?... (H. Troyat)

10. — Si Madame Delange, la riche châtelaine, *a peur* des bœufs, et s'il *passait* des bœufs sur la route, au moment où elle est entrée dans votre maison, sa visite n'a plus rien qui doive vous étonner, Madame Philippe, ni vous enorgueillir. (J. Renard)

988
CFC§274

Mettez les verbes entre parenthèses au temps et au mode convenables, en vous conformant, le cas échéant, à l'indication donnée :

1. — Si vous (arriver) trop tard au restaurant, ils n'auront plus rien à nous servir. (H. Troyat)
2. — Je le paye vingt mille francs de plus que le prix convenu, à la condition que vous m'(envoyer ; non au subjonctif) toujours ... toujours des clients. (G. de Maupassant)
3. — Si tu (savoir) ce qu'il voulait faire de toi, tu n'aurais pas gardé le secret sur le vol des trois mille francs. (H. de Balzac)
4. Pourvu qu'il (être) content de lui, c'était assez. (Mme de Sévigné)
5. Le divorce serait inutile, si le jour du mariage, au lieu de mettre l'anneau au doigt de sa femme, on le lui (passer) dans le nez. (J. Renard)
6. **Les clochers de Rouen** : Ils sont innombrables (...), jetant (...) leur chant d'airain que la brise m'apporte, tantôt plus fort et tantôt plus affaibli, suivant qu'elle s'(éveiller) ou s'(assoupir). (G. de Maupassant)
7. Si le roi me (devoir), Madame, et qu'il ne me (payer) pas, je l'assignerais encore plus promptement que tout autre débiteur. (H. de Balzac)
8. A moins que vous ne (être) séduit par les dangers de notre vie bohémienne, il faut nous quitter. (H. de Balzac)
9. Si le feu (prendre ; non à l'indicatif) au palais Crescenzi, il eût exposé sa vie pour sauver un de ces beaux fauteuils de brocart d'or qui depuis tant d'années accrochaient sa culotte. (Stendhal)

989
CFC§§226, 230, 243, 257, 267, 274
PAE§63

Définissez avec précision les différents procédés grammaticaux (subordination, coordination, corrélation, complément circonstanciel, épithète détachée, etc.) par lesquels est exprimée la relation de condition dans les phrases suivantes :

1. **Le fusil-canne** : *Voyait-on un oiseau,* on montait le fusil, et l'on se faisait chasseur. *Voyait-on un garde,* on démontait le fusil et l'on redevenait promeneur. (A. Dumas)
2. — Votre maîtresse, *le cas échéant,* eût-elle été capable de se défendre, de se servir d'une arme ? (G. Bernanos)
3. Je restais tout près des gens, à la surface de la solitude, bien résolu, *en cas d'alerte,* à me réfugier au milieu d'eux. (J.-P. Sartre)
4. **Indispositions diverses** : — *Faites du cheval,* ça vous passera. (H. Troyat)
5. La tarière (des Ichneumonides) est plus ou moins longue ; *courte,* elle pique les bêtes qui circulent à l'air libre, sans défense, comme les chenilles ; *longue,* parfois même démesurément longue, elle s'adresse aux larves dissimulées dans le bois. (M. Roland)
6. Mais *qu'un peu de chagrin vînt, une maladie,* et le bois qui les entourait semblait resserrer sur eux sa poigne hostile. (L. Hémon)
7. *En allant* dans le monde, vous ne feriez que nuire à votre situation. (M. Proust)

8. *On vous donnerait n'importe quoi,* mon cher Julien, *que* vous le mangeriez de la même façon ! (H. Troyat)

9. Un homme *qui voudrait garder vos bois comme il faut* attraperait pour gages une balle dans la tête. (H. de Balzac)

10. — Il me serait pénible de faire une chose que, *la connaissant,* vous jugeriez mauvaise. (J. Romains)

11. *Lui aurait-on dit la vérité,* le Baron de D. aurait pardonné. (E. Charles-Roux)

12. Les cases rondes seraient toutes semblables, *n'étaient* les peintures qui les décorent extérieurement. (A. Gide)

990
CFC §§ 234, 243, 274

Remplacez les mots en italique par un nom en apposition, ou un adjectif ou participe employé comme épithète détachée ; faites subir au reste de la phrase les modifications nécessaires pour obtenir un texte correct et clair (ex. : *Si vous aviez été plus régulier* dans votre effort, vous auriez obtenu de meilleurs résultats. — Plus régulier dans votre effort, vous...) **:**

1. *Si nous sommes soignés* avec dévouement, nous guérirons en quelques jours.
2. *S'il était* ainsi *pris* au piège, il ne pourrait se dégager.
3. *S'il avait récidivé,* il aurait été condamné plus sévèrement.
4. *S'il eût* froidement *calculé*, il eût réussi à conquérir la place, mais se serait aliéné ses amis.
5. *S'il avait suivi* le conseil de son maître, il aurait soigné la présentation de sa copie d'examen.
6. *Si tu es aimé* de tous, tu te feras obéir sans peine.
7. *Si tu jouais plus attentivement,* tes partenaires ne te feraient pas de reproches.
8. *Si* le général *avait eu confiance en* ses forces, l'ennemi n'eût pas été victorieux.

991
CFC § 274
PAE § 63

Supprimez la conjonction *si* **; mettez le verbe qui la suit soit au mode impératif, soit à la forme interrogative :**

1. Si vous voulez réussir, ayez de l'ordre.
2. Si vous frappez, on vous ouvrira.
3. Si Paul désirait quelque nouveau jouet, il n'avait qu'à ouvrir la bouche.
4. Si vous aimez rire, lisez les *Fourberies de Scapin*.
5. Si vous lisez la lettre qu'il m'écrit, vous connaîtrez ses sentiments.
6. S'il lisait tranquillement son journal, sa femme venait immédiatement réclamer son aide à grands cris.
7. Si vous avez la fièvre, appelez prudemment un médecin.
8. Si tu ouvres ta grammaire à la page 98, tu y trouveras un tableau instructif.
9. Si vous m'obéissez bien, je vous récompenserai.
10. Si le chasseur arrivait tout souriant, on savait qu'il n'était pas bredouille.

992
CFC §§ 268, 272, 274

Dites si les conjonctions en caractères gras expriment la concession (2 ex.), le contraste (2 ex.), le temps (3 ex.) ou la condition (1 ex.) :

1. Quel besoin as-tu d'emporter la salière, **quand** tu sais qu'il suffit d'une pincée de sel ! (T. Derème)

2. **Quand** Calyste, surpris, voulut questionner la femme de chambre, elle ferma la porte et se sauva. (H. de Balzac)
3. Puis tout ceci me sortit un peu de l'esprit, **tandis que** je liquidais impatiemment ce qui me retenait encore à Paris. (Vercors)
4. **Tandis que** le tigre et la panthère rampent sur le ventre et sans bruit pour surprendre leur victime, le lion s'avance en marchant sur les chemins tracés par l'homme et rugit à pleins poumons. (J. Gérard)
5. Au début de juin, **alors que** je me trouvais encore à Pau, il m'arriva un jour d'ouvrir ma bible au hasard... (J. Green)
6. Comment Martin Baysse osait-il lui reprocher d'être une « traîtresse », **alors qu'**elle ne l'avait pas dénoncé ? (H. Troyat)
7. **Si** je n'ai pas le talent de ce pauvre Matamore, j'en ai presque la maigreur. (Th. Gautier)
8. **Si** j'étais auteur dramatique, j'écrirais pour les marionnettes. (A. France)

993
CFC§§268
274
PAE§63

Dans les phrases suivantes, il y a subordination inverse. Pour le prouver, transformez la seconde proposition en principale en supprimant la conjonction *que* et faites de la première proposition une subordonnée introduite par l'une des conjonctions suivantes, selon le sens : *alors que, après que, aussitôt que, avant que, si, quand même :*

1. Aurait-elle voulu marcher, d'ailleurs, *qu'*elle ne l'aurait pu. (E. Estaunié)
2. Mademoiselle venait à peine de rentrer chez elle *que* le pas de Marcel Clerabault glissa dans le couloir. (E. Estaunié)
3. La poussière soulevée n'avait pas eu le temps de s'abattre *que* la voiture était déjà hors de vue. (Th. Gautier)
4. Marius trouvait encore Cosette laide *que* déjà Cosette trouvait Marius beau. (V. Hugo)
5. Je n'avais aucune idée des choses *que* tous les sentiments m'étaient déjà connus. (J.-J. Rousseau)
6. — Tu entrerais chez mon père demain, *que* dans quinze jours tu l'insulterais ! (J. Vallès)
7. Je n'eus pas plus tôt franchi le seuil *que* des éclats de voix m'arrivèrent. (P. Bourget)
8. Nous avions déjà quitté Caen depuis longtemps, et la ville avait disparu, *que,* restés seuls à l'horizon à nous regarder fuir, les deux clochers de Saint-Étienne et le clocher de Saint-Pierre agitaient encore en signe d'adieu leurs cimes ensoleillées. (M. Proust)

994
CFC§§268,
274
PAE§63

Composez une phrase sur le modèle de chacune des phrases de l'exercice précédent.

995
CFC§§268,
270, 272–
274

Indiquez les limites des propositions subordonnées circonstancielles ; pour chacune, vous essaierez de définir la « circonstance » ou les « circonstances » exprimées :

1. Il m'apporta, un quart d'heure après, un civet de matou, que je mangeai avec la même avidité que s'il eût été de lièvre ou de lapin. (Lesage)
2. A mesure que le bruit de l'écluse se rapprochait, le danger devenait plus effrayant. (A. de Musset)

3. **Un fakir :** Sans que l'homme bouge ou semble vivre, sans que s'abaissent ses yeux de statue, les dévots touchent son genou. (A. Chevrillon)
4. Quand vous me haïriez, je ne me plaindrais pas. (Racine)
5. Ce second cheval devait servir de remonte en cas qu'il arrivât quelque accident aux chevaux des voyageurs. (Chateaubriand)
6. **Vermout :** Comme l'arrière-garde est très altérée, elle se persuade qu'il s'agit d'un rafraîchissement d'autant plus admirable qu'il est plus inconnu. (R. Töpffer)
7. Elles marchaient en tirant la jambe, mais elles ne pleuraient plus, sauf que Marinette reniflait encore un peu. (M. Aymé)
8. Il savait que, même si le commandant avait été persuadé que le mal venait des conserves, il en aurait mangé. (E. Peisson)

996
CFC§§268, 270, 272-274

Même exercice :

1. **Bottines :** Emma en avait une quantité dans son armoire, et qu'elle gaspillait à mesure, sans que jamais Charles se permît la moindre observation. (G. Flaubert)
2. **Défauts d'un subordonné :** En temps normal, Jaubert en riait d'autant plus qu'Olivieri accomplissait correctement son service. (E. Peisson)
3. Où qu'elle logeât, elle ne sortait jamais que le matin. (Saint-Simon)
4. Outre qu'il était très riche, il descendait en ligne directe de Jean sans Terre. (M. Aymé)
5. A mesure qu'ils avançaient, elles se serraient l'une contre l'autre. (M. Aymé)
6. La pluie, la neige, la gelée, le soleil, devinrent ses ennemis ou ses complices, selon qu'ils nuisaient ou qu'ils aidaient à sa fortune. (F. Mauriac)
7. Je t'en arracherai, quand j'en devrais mourir.
(A. de Musset)
8. Il ressemblait à M. de Beaufort, hormis qu'il parlait mieux français. (Mme de Sévigné)

997
CFC§§268-274

Dites si la conjonction *que* en *italique* exprime le temps, la cause, le but, la conséquence, la condition, la concession :

1. Donne-moi ta main *que* je la serre.
(V. Hugo)
2. *Qu'*un homme austère, en parcourant ce recueil, se rebute aux premières parties (...), je ne me plaindrai point de son injustice. (J.-J. Rousseau)
3. — Êtes-vous encore endormi, *que* vous ne voyez pas l'éclat des bougies ? (G. Sand)
4. — Ne tirez jamais un oiseau de mer *que* vous ne puissiez voir distinctement son œil ; quand vous voyez l'œil, le corps est à la distance du plomb. (A. Dumas)
5. Les pauvres Tarasconnais se desséchaient et maigrissaient *que* c'était pitié. (A. Daudet)
6. Nous n'étions pas plus tôt rentrés à Paris *qu'*une dépêche rappelait ma mère au Havre. (A. Gide)

7. — D'abord ne crie pas comme ça, *que* tout le quartier nous écoute. (M. Pagnol)
8. *Qu'*on vende de la droguerie ou des mines d'or (...), il s'agit toujours de manier les hommes. (G. Bernanos)

998
CFC§§268, 274

Même exercice :

1. — Il lui parle, il lui dit des choses *que* ça vous met les larmes aux yeux. (M. Pagnol)
2. *Que* lady Rovel lui accordât quinze mois, Mlle de Ferray se faisait fort de donner des principes à Meg. (V. Cherbuliez)
3. — Elle n'est donc pas belle, Raulin, votre luzerne, *que* vous voulez qu'on vous l'abîme ? (A. France)
4. — Faites-vous remarquer, *qu'*on vous reconnaisse. (La Varende)
5. Peu à peu, Josse prenait l'habitude de se lever tard, non *qu'*il fût devenu paresseux, mais parce qu'il retardait ainsi le moment de sortir. (M. Aymé)
6. A peine Candide fut-il dans le vaisseau *qu'*il sauta au cou de son ancien valet, de son ami Cacambo. (Voltaire)
7. Quant à nous, comme c'était le lendemain dimanche et *qu'*on ne se lèverait que pour la grand-messe, s'il faisait clair de lune et *que* l'air fût chaud (...), mon père, par amour de la gloire, nous faisait faire par le calvaire une longue promenade. (M. Proust)

999
CFC§§127, 158, 245, 247, 260, 270

Précisez la nature du mot *que* dans les phrases suivantes (adverbe exclamatif, adverbe interrogatif, pronom relatif, pronom interrogatif, conjonction de subordination : deux de chaque sorte) :

1. Quand un homme n'a rien à dire de nouveau, *que* ne se tait-il ? (Montesquieu)
2. Il semble *qu'*il commence à se produire de bizarres troubles de la perception. (J. Gracq)
3. *Que* n'ai-je vu le monde à son premier soleil ? (Lamartine)
4. En disant cela, l'Isabelle jetait au baron un regard si doux, si pénétrant, *que* Sigognac n'y put résister. (Th. Gautier)
5. — *Que* vous êtes gentille d'être venue ! (J. Romains)
6. Je suis né spectateur et conserverai, je crois, cette ingénuité des badauds de la grande ville, *que* tout amuse. (A. France)
7. — Mais *que* lui diras-tu ? (T. Derème)
8. *Que* peu de temps suffit pour changer toutes choses ! (V. Hugo)
9. — *Qu'*auriez-vous à me donner, ma fille ? (G. Bernanos)
10. Les mots *que* le mécanicien employait lui paraissaient dénués de sens. (E. Peisson)

1000
CFC§§127, 158, 245, 247, 260

Même exercice :

1. — C'est drôle : il me semble *que* je vous ai toujours connu ! (H. Vincenot)
2. Il eut bientôt rempli une valise du peu d'effets *que* possédait son maître. (Th. Gautier)
3. Je m'émerveille, et *que* vois-je ? une grosse poignée de fleurs de glais. (F. Mistral)

4. Pour en revenir aux Malavoglia, *que* de malheurs dans une seule maisonnée ! (D. Fernandez)

5. *Que* tardes-tu ?
(Lamartine)

6. — *Que* veux-tu, Élisabeth ? demanda Mlle Quercy. (H. Troyat)

7. *Qu'*il est doux, qu'il est doux d'écouter des histoires !
(A. de Vigny)

8. L'heure étant venue de relever les pièges, Herbeleau s'était aperçu *qu'*il était midi. (J. Husson)

9. — Thémis, instruite par vos débats, préparera des arrêts *que* chacun devra respecter. (M. Druon)

10. Si tu souffrais, *que* n'ouvrais-tu ton âme ?
(A. de Musset)

1001
CFC §§ 257, 262, 268, 270, 272

Faites suivre les verbes en italique d'un I ou d'un S selon qu'ils sont à l'indicatif ou au subjonctif :

1. Quelques soins que je me *donne* (...), je n'ai pu me procurer que des cordes formant à peine ensemble une cinquantaine de pieds. (Stendhal)
2. **Mensonge charitable :** Je t'ai dit que je venais de la Maison d'Or, parce que j'avais peur que cela ne t'*ennuie*. (M. Proust)
3. Vous regardez mon cou d'un air si mélodramatique, en répétant cette vieille histoire, qu'il me *semble* vous voir une hache à la main. (H. de Balzac)
4. La journée ne finira pas sans qu'il vous *arrive* un horrible malheur. (H. de Balzac)
5. — Votre valet m'amena un cheval de votre part et me dit que vous me *priiez* de vous aller trouver. (Scarron)
6. C'est tellement drôle de penser que les gens du monde *croient* se reconnaître dans ces hautes figures... (G. Bernanos)
7. — Mais je voudrais qu'il te *répète* ce qu'il m'a expliqué pour le reste. (H. Troyat)
8. — Au moment même où vous me *prédisiez* le malheur, moi je croyais à notre bonheur. (H. de Balzac)
9. Les affaires auxquelles les hommes en société *consacrent* leur temps sont pour la plupart des pensums... (J. Romains)
10. — N'attendez rien de moi qui *ressemble* à un sentiment. (H. de Balzac)

1002
CFC §§ 268-274

Recopiez les formes verbales entre parenthèses en ajoutant, quand il y a lieu, l'accent circonflexe qui marque la 3e personne du singulier à l'imparfait du subjonctif :

1. Un peu après que minuit et demi (eut) sonné, le signal de la petite lampe (parut) à la fenêtre. (Stendhal)
2. Les faits, présentés par lui, étaient trop laids pour qu'elle (reconnut) en eux son image. (H. Troyat)
3. Si grave que (fut) le débat, beaucoup ne purent retenir leurs rires. (M. Druon)
4. — Le prince votre fils peut vous rendre bien plus malheureuse que ne le (fit) son père. (Stendhal)
5. Deux ans s'écoulèrent avant qu'un évêché (fut) vacant. (A. Billy)

6. Il revint auprès de sa mère, tellement décomposé qu'elle lui (dit) : « Assieds-toi... » (G. de Maupassant)
7. A peine se (fut)-il éloigné, que Léontine (apparut) au sommet des marches. (H. Troyat)
8. Ma mère pendant trois ans ne distingua pas plus le fard qu'une de ses nièces se mettait aux lèvres que s'il (eut) été invisiblement dissous dans un liquide. (M. Proust)
9. — Dieu agit quelquefois par une providence particulière, soumise à ses lois générales, puisqu'il (punit) en Amérique les crimes commis en Europe. (Voltaire)
10. Je demeurais quelquefois une heure dans une compagnie sans qu'on m'(eut) regardé. (Montesquieu)

1003 **Même exercice :**

1. Victurnien ne voulut pas s'en aller sans que cette promesse (fut) scellée. (H. de Balzac)
2. Elle cachetait son enveloppe, quand Émilienne (vint) annoncer que Madame était servie. (H. Troyat)
3. Nous jugeâmes à propos de nous retirer tous, en attendant que la cérémonie se (fit). (Marivaux)
4. Mais, chaque jour, je prétendis avoir rencontré la petite et lui avoir parlé de lui ; si bien qu'il (finit) par me croire. (G. de Maupassant)
5. La vertu catholique n'ordonne pas une dissimulation aussi complète que le (fut) celle de Mme du Bousquier. (H. de Balzac)
6. Et, bien qu'il (connut) ce pauvre diable, il feignit de le voir pour la première fois. (G. Flaubert)
7. On lui (eut) dit : Veux-tu être mieux ? Il (eut) répondu : Non. (V. Hugo)
8. Après qu'il m'(eut) donné tous ces renseignements, je songeai à sécher mes habits à son foyer. (Lamartine)
9. Soit qu'il (eut) joué quelque rôle convenu, soit qu'il (fut) un des révélateurs, Philippe resta sous le poids d'une condamnation à cinq années de surveillance sous la Haute Police. (H. de Balzac)
10. Ceux que la corde attend ne se noieront point. Ragotin n'eut pas le premier sort, puisqu'il ne (put) s'étrangler ; mais il eut le second. (Scarron)

1004 **Recopiez les formes verbales entre parenthèses en en modifiant l'orthographe quand il le faut :**

1. — Je tremblerai jusqu'à ce que je (vois) notre fortune solidement assise. (H. de Balzac)
2. Et elle fut si accablée, si triste, qu'elle (s'appuya) contre un mur pour ne pas tomber. (G. Flaubert)
3. Des mois entiers s'écoulèrent sans qu'aucune créature humaine (frappa) à la porte de notre forteresse. (Chateaubriand)
4. Mais à peine furent-ils au lit, que M. Panard (s'écria) : « Hein, l'odeur, la sens-tu, cette fois ? » (G. de Maupassant)
5. Voulez-vous que j'abrège le reste de mon histoire ? Non que je n'(ai) le temps de la finir cette fois-ci ; mais j'ai quelque confusion de vous parler si longtemps de moi. (Marivaux)
6. Aujourd'hui, il l'avait oubliée sans doute, à moins qu'il ne (raconta), après boire, cette farce audacieuse, comique et tendre. (G. de Maupassant)

7. A mesure qu'il (s'éloigna) de ce triste séjour des ténèbres, de l'horreur et du désespoir, son courage commença peu à peu à renaître. (Fénelon)
8. Dieu était dans l'île avant que n'y (débarqua) le prêtre, mais comme le feu dans les rameaux avant que le sauvage ne les frotte. (H. Queffélec)
9. — Je vous remets ce testament afin que vous (voyez) vous-même que je lui laissais tout mon bien. (Marivaux)
10. La tête tourna sans que le corps (remua). (V. Hugo)

1005
CFC §§225-226, 232-243, 252-259, 268-274
PAE§63

Dites quel rapport de circonstance existe entre les propositions coordonnées, puis modifiez chaque phrase en exprimant le même rapport par la subordination :

1. On rejoignit la route ; alors Sigognac passa de l'avant-garde à l'arrière-garde. (D'après Th. Gautier)
2. Je ne vois plus le curé : tous les juges sont autour de lui à le regarder et leurs grandes robes m'empêchent de voir. (D'après Vigny)
3. Joseph laissa les deux amis riant de son aventure et de son désappointement : deux écoliers riraient ainsi d'avoir vu tomber les lunettes de leur pédagogue. (D'après A. de Vigny)
4. Charles Bovary prit la défense de sa femme ; aussi Madame Bovary mère voulut s'en aller. (D'après G. Flaubert)
5. La question est fort ardue : en effet un aussi grand savant que vous hésite à la résoudre. (D'après P. Mérimée)
6. Ils étaient séparés pour toujours ; cependant elle n'était pas complètement affranchie de sa dépendance. (D'après G. Flaubert)
7. Qu'elle ne se trompe pas, que l'express ne soit pas passé, et elle est sauvée. (D'après S. Groussard)
8. Elle habitait à trente kilomètres de Paris ; on ne pouvait pourtant imaginer un pays aussi perdu. (D'après F. Mauriac)

1006
CFC §§225-226, 232-243, 252-259, 268-274
PAE§63

Même exercice :

1. Tu ne serais pas là, ce soir, je serais seul, comme hier. (D'après G. Duhamel)
2. Le théâtre se bâtit ; pendant ce temps occupons-nous des habitants du château. (D'après Th. Gautier)
3. Le facteur Boniface se sentit une faiblesse dans les jambes, tellement il demeura ému à la pensée de cet assassinat. (D'après G. de Maupassant)
4. Ma demeure est bien modeste, mais vous y serez toujours mieux qu'en plein air. (D'après Th. Gautier)
5. Ces vaisseaux étaient bien mal gardés ; c'est pourquoi il s'en saisit sans résistance. (D'après Fénelon)
6. Il dit ces paroles entremêlées de soupirs ; immédiatement toute l'armée poussa un cri. (D'après Fénelon)
7. Accordez-lui ce qu'il vous demande : il ne vous remerciera pas. (D'après J.-J. Rousseau)
8. Et voilà l'histoire de saint Julien l'Hospitalier ; on la trouve telle à peu près sur un vitrail d'église, dans mon pays. (D'après G. Flaubert)

CFC §§211-274
PAE §63

L'énoncé commun aux quatre exercices suivants est :
Faites de chacun des textes suivants une seule phrase complexe enchaînée en remplaçant les propositions indépendantes dont le verbe est en *italique* par divers compléments de nom et compléments circonstanciels (mots ou propositions).

1007

Dans ces deux phrases, vous aurez à employer les conjonctions *quand* ou *lorsque* en « subordination inverse » comme il est dit au paragraphe 268 (voir aussi l'exercice 957) :

1. Mon père était au haut d'une échelle ; celle-ci lui *servait* à peindre ; des hallebardiers *ouvrirent* la porte ; ils *avaient* leur pique à la main. (D'après A. de Musset)
2. La nuit était fort avancée ; la ronde *passait* ; elle *aperçut* un homme ; il *était* étendu, sans mouvement, à la porte d'une église. (D'après P. Mérimée)

1008

Même exercice :

1. **Collision :** J'étais, sur les six heures, à la descente de Ménilmontant ; des personnes *marchaient* devant moi ; elles s'*écartèrent* tout à coup brusquement ; je *vis* fondre sur moi un gros chien danois ; il *s'élançait* à toutes jambes devant un carrosse ; il n'*eut* pas même le temps de retenir sa course. (D'après J.-J. Rousseau)
2. **Un fils de famille :** Ce fils avait à peu près dix-huit ans ; le père *proposa* à la marquise de parler à Monsieur le duc de... pour sa fille ; le père *était* extrêmement riche et *souhaitait* le voir marié avant de mourir ; il ne *faisait* rien sans l'avis de la marquise. (D'après Marivaux)

1009

Dans ces trois phrases, vous aurez, entre autres modifications, à remplacer la conjonction *aussi* par la conjonction de conséquence *que* annoncée par le corrélatif *si* :

1. **Sigognac se mesure à Lampourde :** Un éclair fouetté dans un sifflement lui arriva très vite au corps ; aussi *n'eut-il* que le temps de le couper par un demi-cercle ; celui-ci *cassa* net la lame de Lampourde. (D'après Th. Gautier)
2. C'était une chose très rare qu'une fête pour la pauvre Anne d'Autriche ; aussi à cette annonce la dernière trace de ressentiment *disparut*, sinon dans son cœur, du moins sur son visage ; ainsi l'*avait pensé* le cardinal. (D'après A. Dumas)
3. **Des cavaliers pressés :** L'on galopa encore pendant deux heures ; cependant les chevaux *étaient* très fatigués ; aussi *refuseraient*-ils bientôt le service, c'*était* à craindre. (D'après A. Dumas)

1010

Dans ces trois phrases, vous aurez, entre autres modifications, à remplacer une indépendante négative par une subordonnée avec *sans que* :

1. **Madame de Marsan :** Malgré ses folies, elle *avait* de l'esprit ; il s'*était formé* au bout de quelque temps un cercle de gens d'esprit autour d'elle ; cela se trouva ; et elle n'y *pensait* pas. (D'après A. de Musset)
2. **Un épisode sans importance :** Je sais : cela n'*est* rien, cela ne *tient* que trois pages, et on *peut* les retrancher du livre ; il n'y *paraît* pas. (D'après J. Lemaître)
3. **L'ami Sauttern :** L'année suivante, à mon passage à Paris, je le revis ; il *était* à peu près dans le même état, mais grand ami de M. Laliaud ; d'où lui *venait* cette connaissance et *était-elle* ancienne ? Je n'*ai pu* le savoir. (D'après J.-J. Rousseau)

ORGANISATION DE LA PHRASE

1011
PAE§68

Relevez dans les phrases suivantes les mots ou groupes de mots sans fonction ; quel sentiment fort est exprimé par cette absence de construction : joie, douleur, regret, étonnement, surprise joyeuse ou douloureuse, admiration, blâme, indignation, pitié, etc. ?

1. Oh ! ce quai Richebourg, si long, si vide, si triste ! (J. Vallès)
2. Ce fut un coup terrible. Il me sembla que le ciel croulait. La fabrique vendue !... Eh bien !... et mon île, mes grottes, mes cabanes ?... (A. Daudet)
3. — Quel record ! s'écria-t-il. Douze heures de sommeil ! (L. Dumur)
4. **Cléante :** Depuis que je ne t'ai vu, j'ai découvert que mon père est mon rival.
La Flèche : Votre père amoureux ?
Cléante : Oui, et j'ai eu toutes les peines du monde à lui cacher le trouble où cette nouvelle m'a mis.
La Flèche : Lui se mêler d'aimer ! De quoi diable s'avise-t-il ? (Molière)
5. — Pauvre chou ! dit-elle. Et moi qui la bousculais ! (F. des Ligneris)
6. « Sire, Chimène vient vous demander justice.
— La fâcheuse nouvelle, et l'importun devoir ! » (Corneille)
7. O délire ! ô faiblesse humaine ! le sentiment du bonheur écrase l'homme, il n'est pas assez fort pour le supporter. (J.-J. Rousseau)

1012
PAE§68

Même exercice :

1. **Adieu à Elvire :** Je me doutais qu'il arriverait un accident de ce genre ; j'aurais dû le prévenir. Il est trop tard, je me rends compte. Pauvre petite Elvire ! Perdre ainsi ses illusions ! Ne plus pouvoir aimer son fiancé parce que l'on s'aperçoit un soir — révélation ! — qu'il a la figure trop longue ! (J. de la Ville de Mirmont)
2. « J'ai été hier, dit-elle de son accent roulant et chantant, voir une exposition d'art nègre de la bonne époque. Ah ! la sensibilité, le modelé, la force de ça ! » (A. Maurois)
3. Où suis-je ? O trahison ! ô reine infortunée !
D'armes et d'ennemis je suis environnée. (Racine)
4. Le plus âgé de l'étude avait onze ans. Onze ans ! Je vous le demande ! Et le gros Serrières qui se vantait de les mener à la baguette ! (A. Daudet)
5. Barbentane élu ! Cela avait été officiel vers les sept heures et demie. (Aragon)

6. « Oh ! ce monsieur qui mange toute la barquette ! » (A. Daudet)
7. — Dieu du ciel ! encore un meurtre ! vous, meurtrier de votre bienfaiteur ! (E. Sue)
8. **Civilisation** *(Panturle s'est procuré un soc, il va pouvoir cultiver la terre, il le montre à sa femme) :* — Et puis ça, regarde ça. (J. Giono)

1013
PAE §§ 62, 68

Relevez les mots sans fonction et les ellipses dans ce texte ; expliquez les ellipses en rétablissant les mots sous-entendus. Quelle est la valeur de style de ces mots sans fonction et de ces ellipses ?

Toclo *(Quatre explorateurs à la recherche d'un aviateur disparu viennent de se présenter à un chef indien, Toclo, et échangeant leurs impressions).*
— Excellente impression, fit Thomas.
— Alors ? dit Johnny, on lui donne ses cadeaux et on lui parle ?
— D'abord, reprit Thomas en sautant sur le bidon de tafia, d'abord lui payer une vraie ration plein bord (...).
— Doucement ! fit Bill (...) Alors, Bartin, qu'est-ce que vous en dites ?
— Bah !... plutôt mieux que je ne pensais.
— Dans quel genre ?
— Dans le genre chef, pardi. (J. Perret)

1014
PAE § 68

Quels sont dans ce texte les traits de langue inorganique ? Montrez comment ce style exprime ici l'état mental du personnage :

Sur l'autoroute *(Claude Wahl suit en voiture la tournée d'un chanteur en compagnie de deux jeunes admiratrices de celui-ci. Inconsolable du départ de sa femme, il songe au suicide.)*
Se jeter sur un arbre. Si simple.
Les petites. Il ne peut pas se jeter sur un arbre avec deux jeunes idiotes heureuses de vivre, de rouler en voiture, de grignoter des saloperies et d'écouter, tous les soirs, un chanteur guimauve. Alors, les laisser là, dans une station ? Si autoroute, sortir à la prochaine bretelle ? Le temps d'y arriver, l'élan est perdu. Si nationale, chercher une ville, la gare, ou des cars, insister pour qu'elles acceptent l'argent du billet, protestations polies, adieux... Trop fatigant. L'envie de se jeter sur un arbre n'est pas assez forte.
Non. Essence. Le plein. (F. Mallet-Joris, *Dickie Roi*)

1015
PAE § 68

1° La plupart des phrases sont sans verbe ; pourquoi ? Copiez tous les noms (il y en a 10) qui sont le centre de phrases sans verbe.
2° Relevez dans le cours du texte deux phrases avec verbe sans sujet exprimé ; justifiez cette ellipse.
3° Pourquoi y a-t-il, au milieu des phrases sans verbe, une phrase organisée complète (copiez-la) ?
4° Expliquez l'inversion et l'ellipse de la dernière phrase.

Mardi 10 juillet *(Page du journal du siège du Pé-T'ang, résidence des missionnaires français à Pékin, où plus de 3 000 Français et Européens réfugiés subissaient en 1900 l'attaque des Boxers).*
A dix heures quarante, commencement du bombardement par le nord. A deux heures quarante, coups de canon du sud, puis de l'ouest et de l'est. Installation au sud. Forte fusillade. Vers trois heures et demie, David est tué d'une balle à la tête. Porte à demi démolie. Énormes boulets. Envoyons quelques salves. Mis un petit poste dans la partie de droite, les autres en réserve en arrière. Fin de soirée tranquille. Trois blessés. Coups de canon tirés, 114. Cartouches, 124. Restent 7 233. (Enseigne de vaisseau Paul Henry)

1016
PAE§68

Le style inorganique de ce texte s'apparente à la fois aux notations abrégées d'un journal personnel et à la syntaxe relâchée qui s'est répandue dans la poésie au XIXe siècle.
1° Vous relèverez dans l'ordre où ils se succèdent les mots bases de phrase (noms ou verbes) en disant — dans la mesure du possible — s'ils sont exclamatifs et chargés de sentiment, ou simplement descriptifs.
2° Vous rédigerez dans le même style un paragraphe sur certains réveils à votre choix (en chemin de fer, en plein air...).

Réveil à cinq heures.
Réveils en sueur ; cœur battant ; frissons ; tête légère... Soleil bas ; pelouses jaunes ; yeux éclos dans la fin du jour. O liqueur de la pensée vespérale ! Déroulement des fleurs du soir. Se laver le front d'eau tiède ; sortir... Espaliers ; jardins enclos de murs au soleil. Route ; animaux revenant des pâtis ; coucher de soleil inutile à voir — admiration déjà suffisante.
Rentrer. Reprendre le travail près de la lampe. (A. Gide)

1017
CFC§242
PAE§68

Les phrases suivantes contiennent des compléments, des sujets ou des attributs anticipés ou repris ; vous les relèverez en disant à quel pronom régulièrement construit ils se rapportent :

1. Papa, mon frère et moi, quand nous sommes arrivés à Deauville ce jour-là, Maman nous attendait sur les Planches. (P. Jardin)
2. Je l'enviais... Il ne risquait pas d'être grondé pour une tache à sa blouse, lui ! (J. Vallès)
3. Elle y est encore, cette moucharde. (J. Vallès)
4. — Maintenant mes enfants pour qu'ils aillent jouer il faut que je fasse le tour ! (Phrase entendue par P. Daninos)
5. Empereur, moi, demain, empereur, je vais l'être.
(E. Rostand)
6. Mais il ne fallait pas lui en conter, à lui qui avait passé partout. (E. Pérochon)
7. Ah ! voici le poignard qui du sang de son maître
S'est souillé lâchement. Il en rougit, le traître !
(Th. de Viau)

1018
PAE§68

Relevez dans ce texte les traits de langue « inorganique » en les expliquant par l'habitude familière de marquer nettement la répartition en thème et propos :

L'arôme de « café ».

Prends n'importe quel mot. Tiens, prends « café ». Sans réfléchir sans analyser, quelle impression tu as ? Je veux dire, si tu vois un visage pour la première fois, tu ressens une impression, comme ça, au premier choc. Là, pareil. Un mot, ça a une gueule. « Café », moi, ça me fait comme je vais dire. Arrogant. Maigre. Grand seigneur. Don Quichotte ? Il y a de ça. Non. Pas assez escogriffe. Sec, précis, mais ample. Sobre munificence. Un très beau mot. (Cavanna)

1019
PAE§68

Cette interview semble reproduire fidèlement les paroles du dompteur ; vous montrerez phrase par phrase que ce style se caractérise par une tendance à la coordination (style coupé) et à la dislocation (compléments anticipés).

Entre lions.
Il se laisse aller à la chaleur des souvenirs :
— J'avais un tigre, quand je partais en auto, il prenait sa place près de moi. J'avais un lion — d'Artagnan — il couchait sur mon lit, à mes pieds. On l'a vendu chez Bidel : il a tué trois dompteurs. Nous, les

bêtes, on les connaît au berceau. On grandit ensemble. Ma petite fille a quatre ans ; eh bien, j'ai cinq ou six lions dans l'appartement. Des jeunes. Elle joue avec.
« Ce qu'ils ont, c'est des coups de folie. Un ver qui leur tourne dans la tête. Quand ça vient, l'animal devient fou, et alors, il vous saute dessus.
« Mais les accidents, le plus souvent, c'est la faute du dompteur. Une panthère, vous pouvez lui fiche quelque trempe, elle devient douce. Un lion, si vous le battez, un jour il se revanche. Ce jour-là, vous n'en sortez pas. Moi, je vais vous dire... »
Il rit à un souvenir cocasse :
— Un jour, moi, j'ai tué un lion...

(Interview d'un des frères Bouglione par D. Arban)

1020 PAE§68

L'émotion du personnage semble se traduire par une expression inorganique. Vous montrerez qu'en réalité la plupart des mots apparemment sans fonction peuvent être ici considérés comme des compléments anticipés (citez-les) ou repris (citez-les) dans une phrase à laquelle se rattachent les termes apparemment elliptiques (citez-les). Quels mots sont rigoureusement sans fonction ? Quelle pensée expriment-ils ?

Un grand homme.
Tout seul, debout, appuyé à un vieil arbre, dans le crépuscule, Doutreval, pour la première fois, revoyait sa vie et se jugeait.
— Un génie ! Un grand homme ! Un savant ! Une gloire ! C'est ça ! Ça peut être ça ! Vide, présomption, mensonges, bassesses, vols, crimes ! Et sans même qu'on s'en aperçoive ! A notre insu ! L'orgueil ! Ah, l'orgueil ! (M. van der Meersch)

1021 PAE§68

Dans les phrases suivantes, empruntées à des copies d'élèves, relevez les anacoluthes en expliquant quelles constructions sont mêlées :

1. Dans cette atmosphère de calme et de bonheur semble rendre toute cette famille heureuse (1 anacoluthe).
2. Si je ne suis pas studieux, j'aime beaucoup le jeu, mais aussi j'aime et je resterais bien tranquille tout un après-midi avec le nez plongé dans un livre (1).
3. Les enfants sont étendus à plat ventre sur le tapis, ils lisent des illustrés ; parfois on voit leurs jambes se dresser, se balancer, et vont heurter ceux de son voisin (3).
4. Il faudra que vous ne laissiez aucun grain de poussière, tout en, cependant, ne pas trop frotter , cela enlèverait l'encaustique (1).
5. Un jour, par curiosité, je lui demande comment était sa vie à l'usine. Tout en racontant ce qu'il fait, je me mis à sa place et j'imaginais que c'est moi qui travaille (2 anacoluthes, en comptant pour une l'incohérence des temps).

1022 PAE§68

Même exercice :

1. Je comprends que le grand silence qui enveloppe ceux qui vivent loin de tout contact humain souffrent (1 anacoluthe).
2. C'est encore avec peine que traversant un petit village riche d'une abbaye classée monument historique de voir apposée sur tout le mur d'une maison voisine la réclame d'un pneumatique... N'est-ce pas une injure à cette construction ancienne, témoin de notre civilisation, de voir le dessin de ces pneus, qui paraissent lancés dans l'espace, rouler vers un avenir inconnu ? (3)
3. Quant à ma petite sœur, assise au milieu de ses jouets, se lève de temps en temps pour aller importuner quelqu'un, ou bien, venant me prendre mon livre au moment le plus pathétique du récit ; c'est rageant ! (2).

4. L'an dernier, étant allée en vacances chez une camarade en Bretagne, je me souviendrai toujours des veillées que nous avons passées ensemble (1).

5. Et ne croyez-vous pas lorsque de ses doigts agiles la fleuriste réussit un merveilleux petit chef-d'œuvre, qui fait naître un sourire de contentement sur les lèvres de sa cliente, ne ressent-elle pas un peu d'orgueil en se disant que c'est à elle que s'adresse ce compliment ? (1)

1023
PAE§69

Cette leçon de solidarité n'est pas donnée par un théoricien moderne du socialisme, mais par un moraliste sujet de Louis XIV, La Bruyère *(Caractères,* chap. II. *Du mérite personnel, Egésippe).* **Bien qu'il se soit distingué par un emploi du style coupé nouveau à son époque, l'auteur écrit ici une excellente période. Vous en ferez le plan, en montrant qu'elle se compose de deux grandes parties à l'intérieur desquelles l'ordre chronologique et logique des idées est parfaitement suivi.**

La personne et la République.
Ainsi la plupart des hommes, occupés d'eux seuls dans leur jeunesse, corrompus par la paresse ou par le plaisir, croient faussement dans un âge plus avancé, qu'il leur suffit d'être inutiles ou dans l'indigence, afin que la République (1) soit engagée à les placer ou à les secourir ; et ils profitent rarement de cette leçon si importante : que les hommes devraient employer les premières années de leur vie à devenir tels par leurs études et par leur travail que la République elle-même eût besoin de leur industrie et de leurs lumières, qu'ils fussent comme une pièce nécessaire à tout son édifice, et qu'elle se trouvât portée par ses propres avantages à faire leur fortune ou à l'embellir.

(1) L'État (sens latin).

1024
PAE§§68-69

Le style de Saint-Simon, d'une richesse de vocabulaire exceptionnelle, est d'une syntaxe fièrement négligée, tumultueuse comme sa pensée. Le texte ci-dessus donne deux exemples de sa phrase longue, confuse, souvent inorganisée, ne méritant à aucun titre le nom de période. Vous en expliquerez la construction en disant la fonction des huits mots en caractères gras. Où peut-on affirmer qu'il y a anacoluthe ?

Jubilation d'un grand seigneur *(Dans cette description du « lit de justice » présidé par Louis XV le 26 août 1718, Saint-Simon, duc et pair, fait éclater sa joie d'avoir vu la « vile bourgeoisie » du Parlement humiliée devant la haute noblesse).*
Ce fut **là** où je savourai, avec tous les délices (1) qu'on ne peut exprimer, le spectacle de ces fiers légistes, qui osent nous refuser le salut, prosternés à genoux, et **rendre** à nos pieds un hommage au trône, tandis qu'**assis** et couverts, sur les hauts sièges, aux côtés du même trône.
(...) Mes yeux fichés, collés sur ces bourgeois superbes (2), parcouraient tout ce grand banc à genoux ou debout, et les amples replis de ces fourrures ondoyantes à chaque **génuflexion** longue et redoublée, **qui** ne finissait que par le commandement du Roi par la **bouche** du garde des sceaux, vil **petit-gris** qui voudrait contrefaire l'hermine en peinture, et **ces têtes** découvertes et humiliées à la hauteur de nos pieds. (Saint-Simon, *Mémoires*)

(1) Mot déjà donné comme féminin au pluriel dans l'édition de 1718 du *Dictionnaire* de l'Académie.
(2) Orgueilleux (sens latin).

1025
PAE§69

1° Établissez avec précision, en délimitant les différents membres de cette période et en indiquant leur fonction, la logique de l'ordre des idées et l'équilibre des parties.
2° Quelle valeur a la répétition du son *s* dans le second membre de phrase *(lorsque... champs)* ? A-t-elle une valeur particulière dans le dernier membre *traversent... mélancolique)* ?
3° Relevez, avec chiffres à l'appui, tous les cas de « cadence majeure ».

Migrations.
Par un temps grisâtre d'automne, lorsque la bise souffle sur les champs, que les bois perdent leurs dernières feuilles, une troupe de canards sauvages, tous rangés à la file, traversent en silence un ciel mélancolique. (Chateaubriand)

1026
PAE§69

1° Cette période est-elle claire ? Indiquez la fonction des mots en caractères gras.
2° Faites un plan de cette période tenant compte à la fois de la construction grammaticale et de la suite des idées.
3° Y a-t-il équilibre ou disproportion des parties ? Quel est l'effet produit par le dernier vers ?

La ville engloutie
L'eau creusait sans rumeur comme sans violence,
Et la ville faisait son bruit sur ce silence,
Si bien qu'**un soir**, à l'heure où tout semble frémir,
A l'heure où, se levant comme un sinistre émir,
Sirius apparaît, et sur l'horizon sombre
Donne un signal de marche aux étoiles sans nombre,
Les nuages qu'un vent l'un à l'autre rejoint
Et pousse, seuls oiseaux qui ne dormissent point,
La lune, le front blanc des monts, les pâles astres,
Virent soudain maisons, dômes, arceaux, pilastres,
Toute **la ville**, ainsi qu'un rêve, en un instant,
Peuple, armée, et le roi qui buvait en chantant
Et qui n'eut pas le temps de se lever de table,
Crouler dans on ne sait quelle ombre épouvantable. (V. Hugo)

1027
PAE§69

La composition « ternaire » est familière à Victor Hugo. Vous en relèverez, en les groupant par des accolades, tous les exemples que contient le texte ci-dessous :

Le poète Gringoire à la cour des miracles.
Il se mit à courir. L'aveugle courut. Le boiteux courut. Le cul-de-jatte courut.
Et puis, à mesure qu'il s'enfonçait dans la rue, culs-de-jatte, aveugles, boiteux pullulaient autour de lui, et des manchots, et des borgnes, et des lépreux avec leurs plaies, qui sortant des maisons, qui des petites rues adjacentes, qui des soupiraux des caves, hurlant, beuglant, glapissant, tous clopin-clopant, cahin-caha, se ruant vers la lumière, et vautrés dans la fange comme des limaces après la pluie.
(V. Hugo)

1028
PAE§69

Montrez par un tableau comment la symétrie de la construction grammaticale s'harmonise avec la symétrie des idées dans la composition de ce portrait en « diptyque » :

Une paire d'amis.
Bouvard fumait la pipe, aimait le fromage, prenait régulièrement sa demi-tasse ; Pécuchet prisait, ne mangeait au dessert que des confitures et trempait un morceau de sucre dans le café. L'un était confiant, étourdi, généreux ; l'autre discret, méditatif, économe. (G. Flaubert)

1029
PAE§69

Le nom de « période » convient-il à la première de ces phrases ? Convient-il à la seconde ? Répondez en appréciant la clarté de l'organisation, la logique de l'ordre des idées, l'équilibre et la symétrie des parties.

En buvant une tasse de thé.
Et comme dans ce jeu où les Japonais s'amusent à tremper dans un bol de porcelaine rempli d'eau de petits morceaux de papier jusque-là indistincts qui, à peine y sont-ils plongés, s'étirent, se contournent, se colorent, se différencient, deviennent des fleurs, des maisons, des personnages consistants et reconnaissables, de même maintenant toutes les fleurs de notre jardin et celles du parc de M. Swann, et les nymphéas de la Vivonne, et les bonnes gens du village et leurs petits logis et l'église et tout Combray et ses environs, tout cela, qui prend forme et solidité, est sorti, ville et jardins, de ma tasse de thé. (M. Proust)

Marine.
Hélas, le vent de mer, une heure plus tard, dans la grande salle à manger, tandis que nous déjeunions et que, de la gourde de cuir d'un citron, nous répandions quelques gouttes d'or sur deux soles qui bientôt laissèrent dans nos assiettes le panache de leurs arêtes, frisé comme une plume et sonore comme une cithare, il parut cruel à ma grand-mère de n'en pas sentir le souffle vivifiant à cause du châssis transparent mais clos qui, comme une vitrine, nous séparait de la plage tout en nous la laissant entièrement voir et dans lequel le ciel entrait si complètement que son azur avait l'air d'être la couleur des fenêtres et ses nuages blancs un défaut du verre. (M. Proust)

1030
PAE§69

Faites le plan grammatical de cette période, en étudiant l'importance respective des différents membres ; comment est obtenue l'impression d'unité ? Faites ensuite le plan logique des idées.

Au théâtre.
Dans une salle qui, avec ses loges, son parterre bourgeois, son poulailler, ses avant-scènes et la terrible cinquième chaise des baignoires, semble le symbole architectural des inégalités de caste et de richesse, où chaque spectatrice, sous ses bijoux et sa toilette, indique volontairement et nettement son échelon de bonheur et de luxe ; dans cette foule réunie par les moyens les plus divers, les plus pauvres par l'achat d'un ticket à la caisse, les plus riches par l'obtention du billet gratuit ; sur tout ce monde réduit des inégalités et des injustices, l'apparat et la lumière jettent soudain l'égalité superficielle (cette égalité que doit avoir, vue de loin, la terre au lever du soleil), puis la pièce, dès le rideau levé, l'égalité profonde. (J. Giraudoux)

1031
PAE§69

Ce texte, extrait de souvenirs écrits, est bien l'œuvre d'un orateur. Vous montrerez que ces phrases forment des périodes, dont vous donnerez le plan, en appréciant la clarté de la composition, la logique de l'ordre des idées, l'équilibre des parties et le rythme de certains membres de phrase.

Prestige de Pasteur en 1892.
Mais ce qui nous séduisait bien plus que tout système philosophique, c'était l'unité, la cohésion de cette carrière où les découvertes s'enchaînaient les unes aux autres, où la démonstration la plus féconde s'appuyait sur un raisonnement d'apparence élémentaire, où les expériences du laboratoire se traduisaient par des conséquences économiques indéfinies, sauvant des industries entières, celle de la bière, celle de la soie, celle du vin (...) Jamais la France, même dans son plus glorieux passé, ne nous avait offert pareille occasion d'étudier l'action du génie ; jamais cette action n'avait produit des résultats aussi prodigieux, puisque, partant de la découverte des virus et des effets de leur atténuation, Pasteur osait, après avoir guéri les animaux, faire à sa conviction une confiance suffisante pour s'attaquer à l'homme et risquer la vie d'un enfant. (E. Herriot)

Sixième section

Rhétorique

(PAE §§ 70-89)

Tout recueil de « morceaux choisis » littéraires constitue par définition un recueil d'exercices de rhétorique. On s'est contenté, dans cette VIe SECTION, d'appliquer directement à quelques textes de type bien tranché les notions générales enseignées principalement dans la IIIe PARTIE des ***Procédés annexes d'expression.***

ANALYSE DE TEXTE

Voici d'abord deux textes non littéraires, relevant d'une analyse purement fonctionnelle.

1032
PAE § 74
PAE § § 6, 63, 68
PAE § § 50, 41
CFC § § 55-67

1° Caractérisez ce texte selon les facteurs distingués au § 74 des PAE, p. 140.
2° Caractérisez la phrase (modalités, organisation).
3° Caractérisez le vocabulaire (pourcentage de noms, technicité, type de formation des mots).
4° Étudiez les signes suprasegmentaux (système de numérotation ou de référence, choix des caractères, soulignements, ponctuation, alinéas...).
5° Concluez sur l'adaptation du texte à son objet, et sur son caractère non littéraire.

UNIVERSITE de PARIS X - NANTERRE

AGENCE COMPTABLE

Nanterre, le : 26 octobre 1981

N° 357 /HB/EM
Réf.

Monsieur le Président de l'Université
Monsieur le Secrétaire Général de l'Université
Mesdames et Messieurs les Directeurs d'U.E.R.
Monsieur le Directeur de l'I.U.T. Ville d'Avray
Madame le Directeur de la BD.I.C.
Monsieur le Directeur du S.U.A.PS.P.A.
Monsieur le Directeur de la Bibliothèque Universitaire
Mesdames et Messieurs les Directeurs de Laboratoires et Centres de Recherche
Mesdames et Messieurs les responsables des Conventions et contrats de recherche
Monsieur le Directeur de l'Institut d'Education Permanente
Monsieur le Directeur du Centre de Formation Continue
Mesdames et Messieurs les Chefs de service
Mesdames et Messieurs les Enseignants

Objet : Déplacement. Frais de transport en commun

Le décret n° 81 383 du 21 avril 1981 publié au Journal Officiel du 23 avril 1981 fait obligation de produire le titre de transport utilisé afin de pouvoir bénéficier du remboursement des frais de transport en commun.

En conséquence, à compter du 1er novembre, il sera obligatoire de produire les titres de transport en cas d'utilisation des services de la S.N.C.F., R.E.R. etc.... Les titres de transport serviront à justifier le coût du billet et également le paiement des frais de mission puisqu'ils comporteront les jours de départ et de retour.

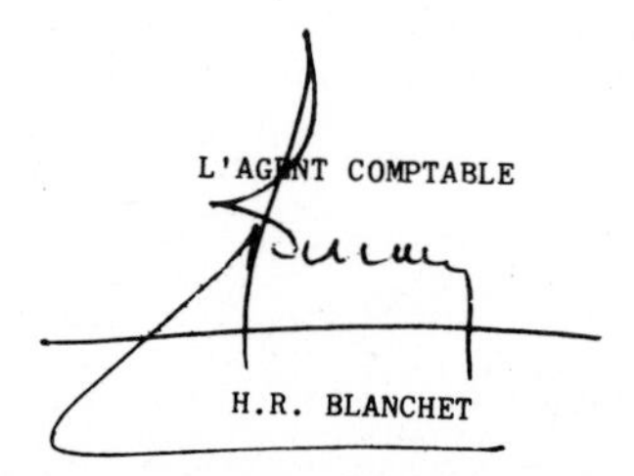

L'AGENT COMPTABLE

H.R. BLANCHET

1033 **Même exercice :**

Plaque dentaire.

1.3 — PATHOGÉNIE

De nombreuses études faites sur la pathogénie de la plaque bactérienne ont permis de montrer le rôle des toxines, des enzymes et des antigènes de la plaque (voir cliché n° 1, p. 14).

1.3.1 — Les toxines microbiennes

1.3.1.1 Les exotoxines

Elles proviennent des bactéries Gram +. Il y en a trois principalement :

— hémolysines extracellulaires : elles tuent les hématies et peuvent être protéolytiques ;

— fibrinolysines : elles lysent la fibrine du caillot ;

— nécrotoxines : elles provoquent la mort des cellules.

1.3.1.2 Les endotoxines

L'action des endotoxines sur le parodonte a été montrée par HERGENHAGEN.

Ce sont des lipopolysaccharides venant de la membrane cellulaire de la majorité des bactéries Gram −.

Si on extrait des micro-organismes buccaux du type Veillonella et que l'on fasse alors une injection intramuqueuse d'endotoxine, on voit apparaître des lésions inflammatoires.

Ces endotoxines peuvent provoquer :

— une augmentation de la température de l'hôte ;

— une chute du taux de glucose sanguin ;

— des hémorragies ;

— une leucopénie suivie d'une hyperleucytose ;

— une diminution de la résistance à l'infection microbienne.

(Dr Bernard COHEN, *Thèse pour le Doctorat en chirurgie dentaire ; contribution à l'étude du contrôle bactérien postopératoire en chirurgie parodontale,* 1978)

GENRES MINEURS

1034
PAE§75

Pour chacun de ces énoncés (donnés ici uniformément sans nom d'auteur), dites s'il est à classer dans les « maximes » ou dans les « proverbes », en appuyant votre réponse sur les traits énumérés au § 75, et sur d'autres si vous les jugez pertinents :

Sagesse

1. Ce n'est pas l'esprit qui fait les opinions, c'est le cœur.
2. Loin des yeux, loin du cœur.
3. Petite pluie abat grand vent.
4. La libéralité de l'indigent est nommée prodigalité.
5. On ne peut contrefaire le génie.
6. Fais ce que dois, advienne que pourra.
7. L'orgueil divise les hommes, l'humilité les unit.
8. Qui terre a, guerre a.

9. Si les hommes sont nés avec deux yeux, deux oreilles et une seule langue, c'est qu'ils doivent écouter et regarder deux fois plus qu'ils ne doivent parler.
10. Trop gratter cuit, trop parler nuit.
11. Un clou chasse l'autre.
12. On n'est pas toujours si injuste envers ses ennemis qu'envers ses proches.

1035
PAE§75

Appréciez d'un point de vue fonctionnel (but visé, efficacité) ces slogans publicitaires que vous grouperez selon leurs traits communs :

Pub

1. J'ai faim de Findus (un nouvel appétit)
2. Aujourd'hui, les dingoprix ! *(Centre Interachats)*
3. Le rasoir orange des barbes bleues *(Nouveau Bic orange)*
4. Roulez au futur *(Automobiles Rover)*
5. Lion, une barre pour rugir de plaisir *(Chocolat Lion)*
6. Les petites Visseaux font les grandes lumières *(Ampoules Visseaux)*
7. Ligne Rosay, profondément confortable *(Canapés)*
8. Tout est près, tout est prêt *(Logements S.G.M.I.)*
9. Mettez-vous au parfum *(Thé Éléphant au citron, à la pomme, à la menthe,* etc.)
10. Antigrippine, comme son nom l'indique
11. Un meuble signé Lévitan est garanti pour longtemps
12. On ne bluffe pas sur le buffle *(Cuir Center)*

1036
PAE§75

Le titre des œuvres littéraires peut être tenu pour un genre mineur subordonné, défini par des traits permanents plus ou moins liés au contenu du récit. Les titres donnés ci-dessus sont ceux de romans policiers à faire frémir (angl. *to thrill*) **signés Josette Bruce (continuant la série de son mari Jean Bruce). Quels traits sont communs à plusieurs d'entre eux ?**

Titres pour « thrillers »

1. Andaamoka
2. Bagarre au Gabon pour OSS117
3. Cavalcade à Rio
4. OSS117 aux commandes en Thaïlande
5. OSS117 combat dans l'ombre
6. OSS117 franc et fort à Francfort
7. Déluge à Delhi
8. Coup de barre à Bahrein pour OSS117
9. Coup de masse aux Bahamas
10. Dernier round au Cameroun
11. OSS117 compte les coups
12. OSS117 en conflit à Bali
13. Plein chaos chez Mao pour OSS117
14. OTAN pour OSS117

15. Plaies et bosses à Mykonos pour OSS117
16. Safari pour OSS117
17. OSS117 pêche en Islande
18. OSS117 gagne la belle
19. OSS117 entre en lice à l'île Maurice
20. Croisière atomique pour OSS117

DISCOURS NARRATIF

1037

PAE§69 — **1° Étudiez la composition de ce passage en montrant qu'il comprend surtout deux périodes, dont vous indiquerez le sens général. Relevez tous les cas de groupement ternaire (par trois) : phrases, propositions, mots coordonnés.**

PAE§§ 63, 64 — **2° Le style est-il coupé ou enchaîné ? Quel effet produit l'accumulation des compléments détachés dans la dernière phrase ? Valeur de style de la conjonction *et* au début de deux phrases (lesquelles ?)**

PAE§65 — **3° Quelles phrases sont au « discours indirect libre » ? A quoi le reconnaissez-vous ? Justifiez l'emploi de ce mode d'expression.**

PAE§28 — **4° Étude des mots : richesse du vocabulaire (comment l'auteur évite-t-il la locution *il y a*) ; relevez les métaphores.**

PAE§§66, 61 — **5° Montrez en quoi le style est « impressionniste » :**
— inversions en proposition relative ;
— style « substantif » dans les groupes en italique.

PAE§77 — **6° Quelle est dans ce texte la part de la « narration » à proprement parler ?**

Tristesse languissante de l'automne.

Elle se leva et vint coller son front aux vitres froides. Puis, après avoir regardé quelque temps le ciel où roulaient des nuages sombres, elle se décida à sortir.

Étaient-ce la même campagne, la même herbe, les mêmes arbres qu'au mois de mai ? Qu'étaient donc devenues *la gaieté ensoleillée des feuilles*, et *la poésie verte du gazon* où flambaient les pissenlits, où saignaient les coquelicots, où rayonnaient les marguerites, où frétillaient, comme au bout de fils invisibles, les fantasques papillons jaunes ? Et *cette griserie de l'air* chargé de vie, d'arômes, d'atomes fécondants n'existait plus.

Les avenues détrempées par les continuelles averses d'automne s'allongeaient, couvertes d'un épais tapis de feuilles mortes, sous *la maigreur grelottante des peupliers* presque nus. Les branches grêles tremblaient au vent, agitaient encore quelque feuillage prêt à s'égrener dans l'espace. Et sans cesse, tout le long du jour, comme une pluie incessante et triste à faire pleurer, ces dernières feuilles, toutes jaunes maintenant, pareilles à de larges sous d'or, se détachaient, tournoyaient, voltigeaient et tombaient.

(Maupassant, *Une vie.* Albin Michel)

1038 PAE§§68-69 1° L'alinéa est-il justifié ? (voir CFC§67)

2° La phrase est-elle périodique ? Est-elle organisée ? Imprime-t-elle son mouvement à la narration ou au contraire épouse-t-elle pas à pas la démarche du récit ?

PAE§§56, 65 3° Quelles remarques générales appelle l'emploi des temps ? Relevez les passages au discours direct, au discours indirect et au discours indirect libre, en justifiant le choix de l'un ou de l'autre.

PAE§§28-37, 45 4° Étudiez :
- le vocabulaire concret ;
- les mots à connotation affective.

Relevez-vous des figures, une recherche lexicale ?

PAE§77 5° Dans quelle mesure pourrait-on appeler discours filmique la langue de ce récit ? Quelle sorte de fantaisie en émane d'un bout à l'autre ?

Rêves accomplis.

Un jour, mon père décida qu'il était déplacé de continuer à nous promener dans la campagne à pied. Nous allâmes dans les fermes à la recherche d'une carriole. Mon père avait des idées précises sur cette carriole. La caisse devait être noire avec des filets jaunes et les roues jaunes avec des filets noirs. Nous la trouvâmes la semaine suivante. Je ne pus jamais savoir si, pour produire un effet, mon père faisait semblant de l'avoir trouvée par hasard ou si c'était réellement la première fois qu'il la voyait.

Naturellement nous devions acquérir un petit cheval qui habitait le bourg voisin, chez une veuve courte et trapue. Elle n'avait pas voulu se séparer de lui tout de suite, son mari était fraîchement mort. Elle élevait le petit cheval dans un grand poulailler, le nourrissant exclusivement de légumes. « Il n'y a pas besoin de lui faire du sang », nous disait-elle. Bibi, car c'était son nom, possédait un énorme sur-os sur le paturon antérieur droit. Mais il ne boitait pas. Il paraissait mou et têtu, s'arrêtant tous les dix mètres pour brouter. Je tirais le licol. Mon père s'était taillé une branche pour se faire respecter. Il la tenait sur son épaule, dans l'attitude d'un maquignon. Nous nous arrêtâmes chez le ferrailleur, une énorme brute rageuse, dangereuse, ivre, les poings sur les hanches, qui vociférait comme un bateleur dans un film américain sur le Moyen Age. Nous achetâmes chez lui des harnais dépareillés, des chaînes, des traits et une étrille. Je débarrassai Bibi de sa poussière. Il tremblait de plaisir devant l'avoine. Nous passâmes la soirée à graisser les cuirs, à astiquer les cuivres et à réparer les grelots du frontal. Nous ne dormîmes pas de la nuit, réveillés par les coups de pied de Bibi dans la porte de son logement — le mot « box » était banni du vocabulaire paternel.

(F. Sonkin, *Un amour de père.* Gallimard)

DISCOURS DRAMATIQUE

1039 PAE§§ 78, 55 1° Étudiez les traits par lesquels ce texte se range sous le chef du discours dramatique : alternance des locuteurs (rôle des silences), désignation des partenaires (pronoms ou noms, connotation).

2° Quelle curiosité suscitent ces répliques chez le spectateur ? Quelle sorte de progression observe-t-on (dans l'action, dans la connaissance des âmes) ?

PAE§§62-68 3° La langue des personnages est-elle spontanée ou recherchée (interjections, ellipses, répétitions, organisation de la phrase) ?

PAE§§37, 31-34

4° Appréciez le vocabulaire (familier ? recherché ? fort ? cru ?). Relève-t-on des rapprochements de mots inattendus, des antithèses, des tropes ? des comparaisons (sont-elles naturelles ?) ?
5° Ce texte n'illustre-t-il pas la difficulté (propre à l'art dramatique) de faire deviner l'âme des personnages par les paroles qu'ils prononcent ?

Une âme d'encre.
(Ferrante, roi de Portugal, voudrait savoir pourquoi son premier ministre, Egas Coelho, s'acharne à demander la mort d'Inès de Castro, la femme qu'a épousée en secret son fils, le prince don Pedro)

Ferrante

Il y a en vous quelque chose qui m'échappe, et cela m'irrite. J'aime qu'un homme soit désarmé devant moi comme le serait un mort. Il y a en vous une raison ignoble, et je veux la percer. C'est entendu, il me plaît qu'il y ait un peu de boue chez les êtres. Elle cimente. En Afrique, des villes entières ne sont bâties que de boue : elle les fait tenir. Je ne pourrais pas être d'accord longtemps avec quelqu'un qui serait tout à fait limpide. Et d'ailleurs, tout vice que le Roi approuve est une vertu. Mais, lorsqu'il y a une raison ignoble, si je ne la blâme pas, je veux la savoir. Elle m'appartient. Je veux savoir la vôtre.

Egas Coelho

J'étais né pour punir.

Ferrante

Il y a autre chose.

Egas Coelho

Ce que Votre Majesté croira, je le croirai moi aussi, puisqu'Elle ne peut se tromper.

Ferrante

Debout ! homme, debout ! On est tout le temps à vous relever. Vous êtes tout le temps à genoux, comme les chameaux des Africains, qui s'agenouillent à la porte de chaque ville. Ah ! quand je vois ce peuple d'adorants hébétés, il m'arrive de me dire que le respect est un sentiment horrible. Allons, parlez. Pourquoi voulez-vous tuer Inès de Castro ?

Egas Coelho

Si Votre Majesté me bouscule ainsi, je dirai n'importe quoi : est-ce cela qu'Elle veut ? Je répète que j'ai parlé.

Ferrante

C'est tout ? *(Silence)* Eh bien ? *(Silence)* Un jour vous serez vieux vous aussi. Vous vous relâcherez. Vos secrets sortiront malgré vous. Ils sortiront par votre bouche tantôt molle et tantôt trop crispée, par vos yeux trop mouvants, toujours volant à droite et à gauche en vue de ce qu'ils cherchent ou en vue de ce qu'ils cachent.
(Silence) Vous me léchez et vous me trompez ensemble : les deux, c'est trop. *(Silence)* Je sais qu'en tout vous avez vos raisons, et ne regardez qu'elles, plutôt que mon service, et que ce sont des raisons ignobles, mais je vous fais confiance quand même. Cela est étrange, mais il n'y a que des choses étranges par le monde. Et tant mieux car j'aime les choses étranges...

(H. de Montherlant, *La Reine morte,* II, 2. Gallimard)

1040

PAE§62

1° Peut-on dire que les répliques sont motivées dans une première partie par le besoin d'occuper la scène jusqu'au retour de Joseph, et dans la seconde par le soin d'accumuler les circonstances les plus inattendues ?
2° Relevez les ellipses et les phrases inachevées en disant ce qu'elles suggèrent et quelle mimique doit les accompagner.
3° Relevez les traits de langue parlée familière.
4° Quelle réplique rompt la banalité du discours échangé, et comment se fait-il ?

PAE § 78

5° L'effet comique du passage serait-il diminué si la pièce était traduite dans une autre langue ? Si le dialogue était porté tel quel au cinéma, l'effet comique en serait-il renforcé ou diminué ? Cette scène serait-elle jouable au cinéma muet ? Caractérisez à partir de là (en quelques lignes) la comédie de situation.

Un conte de Noël.

(La scène se passe dans un petit bazar colonial, à Cayenne, en Guyane, vers 1890, le 24 décembre à 19 heures. Félix et Amélie Ducotel tiennent le bazar, qui périclite. Leur fille Isabelle, à la suite d'une déception amoureuse, vient de quitter la maison décidée à se tuer. Trois bagnards, Alfred, Jules et Joseph, détachés selon le règlement du pénitentiaire, travaillaient à refaire le toit du bazar. L'un d'eux, apitoyé, a suivi la jeune fille et a réussi, en l'assommant, à la ramener dans sa chambre. Ils sont maintenant tous les trois dans l'arrière-boutique avec Amélie, prêts à prendre congé, quand on sonne au magasin.)

Amélie

Mon Dieu, un client. C'est bien le moment.

Joseph

C'est toujours le moment. Vous permettez ?

(Et, avant qu'elle ait pu répondre, il est sorti.)

Amélie

Il ne va pas... ?

Jules

Vendre quelque chose. Sûrement si. Il adore ça.

Amélie

Peut-être, mais vraiment...

Jules

Vous nous trouvez encombrants ?

Amélie

C'est-à-dire...

Jules

Ou, alors, peut-être inquiétants ?

Amélie

Vous devez comprendre, n'est-ce pas...

Jules

Vous n'avez jamais eu de condamnés comme domestiques ?

Amélie

Jamais.

Jules

Je ne vous dirai pas, remarquez, que nous sommes dans ce costume parce que nous nous rongions les ongles...

Amélie

Vous n'allez pas me dire que vous avez été victimes d'erreurs judiciaires ?

Alfred

Vous le croiriez ?

Amélie

Non.

Jules

Alors, je ne vous le dirai pas. Je vous dirai seulement que les gens ne ressemblent pas à leurs gestes.

Alfred

Et réciproquement.

Amélie

C'est très juste. C'est vous qui avez trouvé ça ?

Jules

C'est mon avocat.

Amélie

Ça a porté ?

Jules

Vous voyez ! Jusqu'ici.

(Joseph reparaît, un billet à la main)

Joseph

Avez-vous la monnaie, madame ? Dix-sept francs à prendre.

Amélie

Qu'avez-vous vendu ?

Joseph

Une crèche.

Amélie

La crèche ?

Joseph

C'est vrai, il n'y en avait qu'une.

Amélie

Elle est là depuis dix ans. Qui l'a achetée ?

Joseph

Je crois que c'est le receveur des postes.

Amélie

Sûrement pas. Il est franc-maçon.

Joseph

C'est bien possible. Il était venu pour une panoplie.

Amélie

Et vous l'avez persuadé d'acheter une crèche. C'est un miracle.

Joseph

Non, madame. Seulement, il n'y avait pas de panoplie.

(Albert Husson, *La cuisine des Anges.* Editions du Dôme)

DISCOURS DIDACTIQUE

1041

PAE§§50, 61, 79

1° A quel type de lecteurs s'adresse l'auteur, membre de l'Institut ? Relevez les tours destinés à piquer la curiosité, et les mots à connotation affective en expliquant leur emploi.
2° Relevez dans ce texte les traits de la langue scientifique (pourcentage de noms, style substantif, vocabulaire technique, vocabulaire abstrait, organisation de la phrase).
3° En comparant ce texte à celui de l'exercice 1033, distinguez ce discours didactique du discours scientifique.

Des souris et des hommes.
A quoi nous servira donc la petite souris quand nous l'aurons mise en captivité ?
Suivons par exemple les modalités de sa croissance. Elle vient au monde nue et frileuse comme le nourrisson humain ; l'un et l'autre sont des homéothermes imparfaits à ce stade de leur vie ; leur cha-

leur corporelle doit être conservée dans la douillette enveloppe du nid ou du berceau. On a établi pour la souris des courbes de poids particulièrement précises ; on a exploré les facteurs, externes et internes, qui modifient son développement, avec l'espoir d'en tirer des conclusions pour favoriser la croissance des jeunes enfants. Dans ce domaine, on a suivi avec attention une race de souris naines qui pèsent six grammes seulement lorsqu'elles sont arrivées à leur complet développement. L'observation de tels animaux a montré un développement insuffisant des glandes thyroïdes et surrénales ; l'examen de l'hypophyse a décelé des lésions importantes (pas de cellules éosinophiles) et l'absence des hormones de croissance qu'on trouve normalement dans la glande. N'est-il donc pas possible d'appliquer un traitement ? En injectant à ces souris naines un extrait de lobe antérieur d'hypophyse, on rend la croissance régulière et le système glandulaire normal. Belle invitation au médecin dans les cas de retards de développement !

(Léon Binet, *Cent pas autour de ma maison.* Mercure de France)

DISCOURS CRITIQUE

1042
PAE§§68, 63
PAE§45
PAE§80

1° Appréciez la phrase du point de vue de la modalité, de l'organisation, de l'articulation.
2° Relevez les mots à dénotation ou connotation critique.
3° Mettez en évidence le caractère rhétorique propre à la « rosserie » de Philippe Bouvard, consistant, lorsqu'il fait un compliment, à le doubler d'une critique ou à l'achever au détriment de la personne concernée (ici, lui-même).

Autosatire.

Autant l'avouer tout de suite. Je suis un récidiviste. J'aurai passé toute ma vie à faire inlassablement les mêmes gestes, à écrire les mêmes phrases, à interviewer les mêmes gens, et à proférer les mêmes boutades.

Je ne suis pas responsable. La faute en incombe à une société conservatrice, peureuse et sans imagination. Conservatrice, car elle ne souhaite jamais vraiment la nouveauté et l'innovation. Peureuse, car elle préfère les faux audacieux (j'en suis un) aux véritables hardiesses. Sans imagination, car ceux qui la dirigent sont tout juste capables, dans leurs rêves les plus fous, de reconduire les gens en place et de proroger l'ordre établi.

Or, comme cette société est légère dans ses diagnostics et solide dans ses opinions, elle vous accroche en quelques jours aux basques une étiquette que vous devrez conserver jusqu'à la fin de la vie.

Ainsi, sur mon étiquette personnelle, les prix ont-ils seuls quelque peu varié au gré des dévaluations et de la générosité de mes employeurs. Mais la « qualification professionnelle », la « spécialité », elles, n'ont pas changé d'un iota : fantaisie et impertinence. Avec, comme atouts sérieux mais moins visibles, une certaine conscience professionnelle et une rapidité qui me permettent à la fois de dominer

provisoirement des gens beaucoup plus intelligents que moi et de mettre un terme à l'entretien dès que je sens qu'ils pourraient reprendre leur place normale.
Sans doute me sera-t-il pardonné lorsque j'aurai avoué complètement la déloyauté du procédé qui, depuis vingt-cinq ans déjà, me fait vivre.
(Philippe Bouvard, *Du vinaigre sur les huiles,* 1976. Stock)

1043

1° Le découpage en alinéas marque-t-il fidèlement le plan de ce texte ? Justifiez votre réponse.

PAE§§68-69 **2° Appréciez l'organisation des phrases (recherche d'ampleur et de variété).**

PAE§§28-37, 44-46, CFC§§232, 123 **3° Quels traits stylistiques caractérisent le vocabulaire ? Relevez-vous des figures de mots ? Étudiez la place des épithètes, l'expression du haut degré.**

4° Quelle impression d'ensemble émane de ce compte rendu du « show » Yves Montand ? Quel sentiment exprime-t-il, et quelle intention chez son auteur ?

Vive Montand !
Il va bientôt quitter l'Olympia pour donner son récital de l'autre côté de l'Atlantique. Montand : sa présence, sa personne, le timbre si particulier de sa voix, la façon dont elle sonne, dont elle vibre, cet accent doublement chantant, puisqu'il est, en quelque sorte, un croisement d'accent méridional et d'accent anglo-saxon, la sûreté absolue de sa note, sa maîtrise, son emprise, une articulation magnifique, sa mimique si simple et si complexe, car elle est silhouette, ombre chinoise, contour, densité et mouvement, un mouvement toujours précis, linéaire, arrêté dans l'espace à la hauteur qu'il faut, pour que ce soit beau, mesuré, harmonieux et, cela vient de l'intérieur, imposé par la sensation, exigé par le sentiment. Cet homme, Montand, ressent, ce cœur bat, cet être exprime la gaieté, la joie, le bonheur, la tendresse, l'amitié, la douceur, la mélancolie, la tristesse, la souffrance, l'indignation, la révolte.
Et l'acteur est là tout prêt à relayer l'être humain qui a eu mal, celui qui a éprouvé colère ou effroi. Un artiste complet, un danseur en un éclair d'une légèreté stupéfiante, un homme de théâtre qui d'un poème fait une comédie, et d'un autre un psychodrame ; un chanteur d'un art consommé qui, soudain, transforme sa voix en un instrument de jazz. Avec *Sir Godfrey*, on voit s'organiser un film tourné en Angleterre où, la nuit venue, le crime rôde, jeu de terreur d'une correction terriblement britannique avec l'humour pour partenaire, et l'ombre d'un frisson passe sous beaucoup d'esprit.
Avec un vieil air qui parlait des roses et de la Picardie, c'est l'éternelle romance et l'éternel roman. Avec l'aventure du garçon dont « la mère dans les bars imitait Jean Harlow », c'est une histoire pleine de couleur exotique, de pittoresque et de misère peut-être hollywoodienne. Mais, tout près de là, Montand s'élance vers les écluses en plein cœur du *Quartier de bohémiens* où la jeune musique de Ferré rejoint la juvénilité du plus enchanteur Aragon. Le burlesque et charmant *Chef d'orchestre amoureux* précède l'irrésistible *Télégramme* qu'on regarde et qu'on écoute depuis des années, dans des rires qui n'en finissent pas de rejaillir. Quelle folle variété entre la gravure du pauvre *Gilet rayé* dont le rêve ne dépasse guère les Barreaux, et ce délicieux *A bicyclette* où le narrateur dessine dans l'air, avec rien, les chemins sinueux, les vacances, la bicyclette, ses arabesques, les copains... et Paulette ! Et, partout, la science parfaite, mais qui vient toujours après le cœur. Tantôt, il y a une très jolie mise en scène photographique d'immense paysage, et tantôt une mise en scène, plus jolie encore, qui peint de l'âme avec de la lumière. Enfin, Yves Montand raconte *Les Feuilles mortes* et, tout à coup, nous vivons avec lui le plus déchirant des souvenirs de désunion. Cela juste avant qu'il bondisse sur la Seine, à Paris, à Paris...
(J.-J. Gautier, *Le Figaro,* 23-12-1981)

DISCOURS POLÉMIQUE

1044
PAE§§74, 81
CFC§12
PAE§§63-68
PAE§§45, 86

1° Tirez du titre et du texte même l'indication des partenaires de cette énonciation, et des participants du référent ; soulignez l'importance de ces précisions en fonction de la nature du texte.
2° Appréciez l'organisation du paragraphe et des phrases (emploi de la subordination et de la coordination, ponctuation) ; essayez de tracer le plan ou de montrer la progression de la pensée.
3° Montrez que le discours polémique est ici caractérisé par un ton posé (modalité des phrases, détachement des compléments circonstanciels en tête), mais ferme et sarcastique (vocabulaire, ironie).

Lettre aux lecteurs.
(L'éditeur Robert Laffont, ayant vu une fois de plus ses publications dédaignées par les jurys des prix littéraires, dit avec humeur son opinion sur l'attribution de ces prix, dans son bulletin « Vient de paraître » de janvier 1982.)
Depuis trente ans, je ne cesse de dénoncer, avec une patience tenace, le chancre que constitue pour la vie littéraire française le scandale de l'attribution des prix de fin d'année. J'ai cru longtemps que, devant un système aussi bien établi, mon combat était vain et le demeurerait. Puis, tout récemment, l'ouverture s'est faite : dans la presse d'abord, timidement, et dans l'émission spéciale des « Dossiers de l'écran » d'Armand Jammot, puis par un livre, celui de Hervé Hamon et Patrick Rotman, « les Intellocrates », enfin grâce à l'article fracassant de mon confrère Francis Esménard dans « le Quotidien de Paris ». Si bien que plus personne ne conteste maintenant la mainmise sur les prix de trois maisons d'édition qui, ayant accaparé les jurys, se distribuent allégrement entre elles les récompenses. En un combat d'arrière-garde, M. Hervé Bazin prétend pourtant démontrer qu'Albin Michel a eu aussi souvent accès au Goncourt que le groupe des trois : oui, mais avant la dernière guerre, à une époque où cette maison comptait quatre ou cinq de ses auteurs parmi les jurés de ce prix. Depuis, c'est la disette (deux, depuis 1945). Merci, Hervé Bazin, pour cette éclatante confirmation de l'axiome que j'ai si souvent répété : les prix sont distribués en proportion exacte du nombre de jurés-maison à l'intérieur de chaque jury. Cette année, nous attendions un Grasset et un Seuil au Goncourt et au Renaudot, un Gallimard au Fémina, un Grasset à l'Interallié. Tout s'est déroulé avec une exactitude de métronome. Merci, messieurs les jurés : en cette période de lourds changements, il y a au moins grâce à vous quelque chose qui ne change pas !

DISCOURS ORATOIRE

1045
PAE§§63-64
PAE§27

1° Quels traits conservent à ce monologue une allure de dialogue (emploi des formes personnelles de la 1re et de la 2e personnes, modalités, morphologie et syntaxe de la langue parlée) ?
2° Quoique aucun alinéa ne divise ce passage (texte oral enregistré), distinguez-y plusieurs parties en montrant comment sont marquées formellement :
— l'unité des parties (répétitions),
— l'articulation entre les parties.

3° Relevez-vous dans ce texte les artifices ordinaires de la rhétorique oratoire (ampleur des périodes, tropes, comparaisons, recherche de vocabulaire...) ? Relevez-vous, d'autre part, des marques d'improvisation (dislocation, rallonges, insertions) ?

PAE§82

4° Conclusion : Ce texte mérite-t-il d'être classé dans le genre oratoire ?

Programme de politique étrangère.
(Campagne électorale pour la Présidence, interview du Général de Gaulle par Michel Droit le 14-12-1965)

Nous avons un monde qui est en train de changer énormément. D'année en année, il n'est plus le même. Il apparaît des forces nouvelles : je parle, par exemple, de la Chine ; il y en a d'autres comme la Russie Soviétique, qui évolue à l'intérieur d'elle-même et face au-dehors ; il y en a d'autres comme les États-Unis, qui évoluent aussi et qui, de puissance essentiellement isolationniste qu'ils étaient autrefois, deviennent puissance interventionniste, c'est le moins qu'on puisse dire. Tout ça, c'est un changement capital. Il y a l'Allemagne qui se transforme et dont nous ne savons pas, absolument pas, où iront ses ambitions. Naturellement, nous espérons qu'elles iront dans le bon sens et nous avons des raisons de l'espérer. Mais on ne peut pas dire qu'on en soit certain. Par conséquent, nous sommes obligés de prendre le monde comme il est, et d'agir, et de vivre avec ce monde-là. Alors, qu'est-ce que ça signifie ? Ça signifie que la France n'a à s'interdire à elle-même aucune possibilité. La France est pour la paix, il lui faut la paix. La France, pour renaître vraiment, pour se refaire et pour s'étendre, au sens le plus noble du terme, il lui faut la paix. Par conséquent, la France cherche la paix, cultive la paix, aide la paix, partout. Comment ? En étant en rapports avec tout le monde. Il n'y a aucune espèce de raison pour que nous excluions d'avoir de bons rapports avec ceux-ci ou avec ceux-là. Nous sommes les amis des Américains et leurs alliés, tant qu'il semble subsister quelque menace venant de l'Est sur l'Europe occidentale. Nous sommes également en termes de plus en plus étroits avec l'Europe de l'Est parce qu'elle existe et parce qu'il n'y a aucune espèce de raison pour que nous ne prenions pas tous ces contacts pacifiques avec elle. Nous avons pris des contacts, également pacifiques et étroits, déjà assez, avec la Chine. Nous en avons avec d'autres réalités du monde comme l'Amérique latine, comme l'Afrique bien entendu, comme l'Inde, comme le Japon et pourquoi pas ? Ce que nous appelons l'équilibre qui va avec la paix, c'est un commencement de coopération internationale et c'est cela que la France cherche à aider et c'est pourquoi la France n'exclut aucun rapport avec qui que ce soit. Elle cherche à être en contact pratique, direct, fécond, avec tout le monde et elle l'est, figurez-vous. Je dirai même qu'actuellement dans le monde, si vous y faites attention, elle est la seule.

(André Passeron, *De Gaulle parle,* 1962-1966. Fayard)

DISCOURS LYRIQUE

1046 **Cette pièce est un exemple du « lyrisme confidentiel » propre à Verlaine. Montrez-le par une étude des deux parties (dont vous donnerez les limites) :**

PAE§§27, 66, 111, 45

1re partie : Personnification de la déchéance passée.
Quelles anaphores (PAE§27) font l'unité formelle de ce portrait animé ? Appréciez l'interversion des mots dans les vers 3 et 7 (rôle de *disons* ?)

du point de vue de la facture poétique. Rôle du mot *avenir* au vers 11 ? Quels mots font expressément référence à Verlaine dans cette partie ? Analysez la connotation affective de tous les mots remarquables (en terminant par le titre).

CFC§112
PAE§35

2e partie : Dialogue.
Qui sont les partenaires du dialogue ? Quelle forme grammaticale exprime ici l'appréciation que chacun des deux porte sur l'autre ? Comment la syntaxe oppose-t-elle à l'impatience du moraliste le calme cynique du jouisseur ? Appréciez l'euphémisme du dernier vers.

PAE§83

Conclusion : Dans le *Prologue* du recueil, Verlaine présente cette série de poèmes comme des « rêves de malade » *(aegri somnia).* Faut-il voir dans cette pièce le récit d'un cauchemar relevant du psychiatre, ou une lucide allégorie de moraliste ?

Un pouacre.

Avec les yeux d'une tête de mort
Que la lune encore décharne,
Tout mon passé, disons tout mon remord,
Ricane à travers ma lucarne.

Avec la voix d'un vieillard très cassé,
Comme l'on n'en voit qu'au théâtre,
Tout mon remords, disons tout mon passé,
Fredonne un tralala folâtre.

Avec les doigts d'un pendu déjà vert
Le drôle agace une guitare
Et danse sur l'avenir grand ouvert,
D'un air d'élasticité rare.

« Vieux turlupin, je n'aime pas cela ;
Tais ces chants et cesse ces danses. »
Il me répond avec la voix qu'il a :
« C'est moins farce que tu ne penses,

Et quant au soin frivole, ô doux morveux,
De te plaire ou de te déplaire,
Je m'en soucie au point que, si tu veux,
Tu peux t'aller faire lanlaire ! »

(Verlaine, *Jadis et Naguère*)

TON PATHÉTIQUE

1047
PAE§§27, 89

1° En l'absence d'alinéa, quelles marques formelles de la composition relevez-vous ici ? Quel phénomène mental traduit cette composition ?
2° Commentez l'emploi des temps.

PAE§68

3° L'organisation de la phrase ne se relâche-t-elle pas en plusieurs endroits ? Pourquoi ?

PAE§§28-46, 85

4° Le vocabulaire est-il concret, abstrait, sentimental, technique, littéraire, familier ? Commentez les adverbes de manière. Relevez-vous des figures de mots ? Ces traits contribuent-ils à l'effet pathétique ?

« Les souvenirs, cette terrible vie. »
Tandis qu'un chien hurle dans la nuit, un pauvre chien, mon frère, qui se lamente et dit mon mal, je me souviens insatiablement. C'est moi, bébé, et elle me poudre avec du talc, puis elle me fourre, pour rire, dans une hutte faite de trois oreillers et la jeune mère et son bébé rient beaucoup. Elle est morte. Maintenant, c'est moi à dix ans, je suis malade, et elle me veille toute la nuit, à la lumière de la veilleuse surmontée d'une petite théière où l'infusion reste au chaud, lumière de la veilleuse, lumière de Maman qui somnole auprès de moi, les pieds sur la chaufferette, et moi je gémis pour qu'elle m'embrasse. Maintenant, c'est quelques jours plus tard, je suis convalescent et elle m'a apporté un fouet de réglisse que je lui ai demandé d'aller m'acheter et comme elle a vite couru, docile, toujours prête. Elle est auprès de mon lit, et elle coud tout en respirant sagement, sentencieusement. Moi, je suis parfaitement heureux. Je fais claquer le fouet de réglisse et puis je mange à minuscules coups de dents un Petit-Beurre en commençant par les dentelures qui sont plus brunes et c'est meilleur, et puis je joue avec son alliance qu'elle m'a prêtée et que je fais tourner sur une assiette. Bons sourires de Maman rassurante, indulgences de Maman. Elle est morte. Maintenant, je suis guéri et elle me fait, avec des restants de pâte à gâteau, des petits bonshommes qu'elle fera frire pour moi. Elle est morte. Maintenant, c'est la foire. Elle me donne deux sous, je les mets dans le ventre de l'ours en carton et, chic, un chou à la crème sort du ventre ! « Maman, regarde-moi le manger, c'est meilleur quand tu me regardes. » Elle est morte.

(Albert Cohen, *Le livre de ma mère.* Folio. Gallimard)

1048
PAE§111
PAE§§28-46
PAE§51
PAE§§34, 85

1° Montrez comment la forme poétique, et les régularités phoniques facultatives qui s'y ajoutent, marquent l'unité de cette pièce.
2° Dénotation et connotation de l'adverbe *ainsi.*
3° Connotations du vocabulaire ; les figures.
4° Connotation de l'absence d'article devant *feuilles.*
5° Quel rôle jouent les comparaisons dans ce poème ? Permet-il de rattacher Verhaeren à l'école symboliste ?

Les pauvres.

Il est ainsi de pauvres cœurs
avec, en eux, des lacs de pleurs,
qui sont pâles comme les pierres
d'un cimetière.

Il est ainsi de pauvres dos
plus lourds de peine et de fardeaux
que les toits des cassines brunes,
parmi les dunes.

Il est ainsi de pauvres mains,
comme feuilles sur les chemins,
comme feuilles jaunes et mortes
devant la porte.

Il est ainsi de pauvres yeux
humbles et bons et soucieux
et plus tristes que ceux des bêtes,
sous la tempête.

Il est ainsi de pauvres gens,
aux gestes las et indulgents
sur qui s'acharne la misère
au long des plaines de la terre.

(E. Verhaeren, *Les douze mois, février*)

TON COMIQUE

1049
PAE§§29, 44-45

1° Relevez dans la 1re phrase les mots par lesquels l'auteur fait sa propre satire (précisez leur connotation).
2° Commentez le jeu sur le sens des mots *désintéressé, se désintéressait, intérêt, à loisir, leurs loisirs, nouveautés, novateurs, innovations.* **Quelle connotation vous paraissent avoir les mots** *brocarder, zèle, s'appliquer, frétillant, barbu,* **et les groupes** *innovations en matière d'hypoténuse, vétéran de la laïque, démarquage en tuyau de poêle* **?**

CFC§232

3° Relevez dans ce texte les adjectifs épithètes placés avant le nom, en expliquant la valeur de ces antépositions.

PAE§86

4° Quels sont les traits d'ironie dans les paroles du dernier directeur ?

Le Progrès mis en question.
(L'auteur raconte comment, dans les années 20-25, il travailla comme démarcheur d'une grande librairie scolaire auprès des directeurs d'écoles primaires de la rive gauche de Paris)
Non seulement poussif dans la conversation mais sujet encore au bégaiement, j'expédiais mon baratin aussi bref que laborieux et d'un ton si désintéressé que le client lui-même s'en désintéressait au point de renoncer à me faire l'habituelle charité d'un semblant d'intérêt pour des nouveautés dont sans doute il n'avait pas besoin. Beaucoup d'entre eux, cependant, acceptaient l'envoi d'un spécimen qu'ils étudieraient à loisir et me raccompagnaient avec gentillesse en précisant que leurs loisirs ne suffisaient pas à l'abondance des nouveautés. Mais quelques-uns, allant jusqu'à brocarder le zèle des novateurs, me promettaient de s'appliquer à découvrir en quoi consistaient leurs innovations en matière d'hypoténuse :
— Tout ça, me disait un vétéran de la laïque, tout ça, mon ami, grammaires et mathématiques, c'est démarquage en tuyau de poêle et plagiat depuis Denys de Thrace et Pythagore.
Et le lendemain, rue de l'Arbalète, un frétillant barbu :
— Soyez le bienvenu, mon jeune ami. Vous arrivez comme l'émissaire de la connaissance, l'estafette de nos lendemains toujours plus savants. Vous êtes bien qualifié, mieux que quiconque, pour savoir que si le moteur du progrès c'est l'instruction publique, son véhicule c'est la librairie. Allez-y, montrez-moi vos primeurs, la nouveauté c'est l'avenir, au pilon le passé ! Déballez vos lumières, j'aime voir la jeunesse colporter le neuf, et le neuf, voyez-vous, c'est l'explication des mystères, le soleil qui se lève, et coetera, vous voyez...
Cinq minutes après, la timide et bredouillante estafette du progrès descendait l'escalier en roulant une cigarette.

(Jacques Perret, *Un marché aux puces.* Julliard)

1050
PAE§86

1° N'y a-t-il pas un effet de contraste entre les mots et expressions évoquant l'enfance et ceux qui conviennent aux adultes ?
2° Relevez et appréciez les mots et locutions exprimant l'amour romanesque, la défaite, la souffrance de l'épreuve.
3° Appréciez par opposition les phrases rapportant l'attitude et les propos de Valentine.
4° Conclusion : Essayez de caractériser le type d'humour pratiqué dans ce texte par Romain Gary.

Le galant héroïque.

(L'auteur raconte comment, à 9 ans, il s'est épris de Valentine, qui en avait 8)

C'était une brune aux yeux clairs, admirablement faite, vêtue d'une robe blanche et elle tenait une balle à la main. Je l'ai vue apparaître devant moi dans le dépôt de bois, à l'endroit où commençaient les orties, qui couvraient le sol jusqu'au mur du verger voisin. Je ne puis décrire l'émoi qui s'empara de moi : tout ce que je sais, c'est que mes jambes devinrent molles et que mon cœur se mit à sauter avec une telle violence que ma vue se troubla. Absolument résolu à la séduire immédiatement et pour toujours, de façon qu'il n'y eût plus jamais de place pour un autre homme dans sa vie, je fis comme ma mère me l'avait dit et, m'appuyant négligemment contre les bûches, je levai les yeux vers la lumière pour la subjuguer . Mais Valentine n'était pas femme à se laisser impressionner. Je restai là, les yeux levés vers le soleil, jusqu'à ce que mon visage ruisselât de larmes, mais la cruelle, pendant tout ce temps-là, continua à jouer avec sa balle, sans paraître le moins du monde intéressée. Les yeux me sortaient de la tête, tout devenait feu et flamme autour de moi, mais Valentine ne m'accordait même pas un regard. Complètement décontenancé par cette indifférence, alors que tant de belles dames, dans le salon de ma mère, s'étaient dûment extasiées devant mes yeux bleus, à demi aveugle et ayant ainsi, du premier coup, épuisé, pour ainsi dire, mes munitions, j'essuyai mes larmes et, capitulant sans conditions, je lui tendis les trois pommes vertes que je venais de voler dans le verger. Elle les accepta et m'annonça, comme en passant :

— Janek a mangé pour moi toute sa collection de timbres-poste.

C'est ainsi que mon martyre commença. Au cours des jours qui suivirent, je mangeai pour Valentine plusieurs poignées de vers de terre, un grand nombre de papillons, un kilo de cerises avec les noyaux, une souris, et, pour finir, je peux dire qu'à neuf ans, c'est-à-dire bien plus jeune que Casanova, je pris place parmi les plus grands amants de tous les temps, en accomplissant une prouesse amoureuse que personne, à ma connaissance, n'est jamais venu égaler. Je mangeai pour ma bien-aimée un soulier en caoutchouc.

(Romain Gary, *La promesse de l'aube.* Gallimard)

Septième section

Poétique

(PAE §§ 90-131)

LE VERS RÉGULIER

1051
PAE§91

Faites le tableau des trois rythmes pour la strophe 5 du poème de Maurice Magre, sur le modèle du tableau donné au § 91 :

A mes oreilles, je veux,
M'as-tu dit, des onyx bleus :
Fais le tour du monde,
Comme le marin Simbad ;
Fais-moi reine de Bagdad
Ou de Trébizonde...

1052
PAE§91

Même exercice avec cette strophe de Georges Druilhet :

Sur le féerique bateau
Que Watteau
Appareille pour Cythère,
Veux-tu fuir aux fabuleux
Pays bleus,
Loin, très loin de notre terre ?

1053
PAE§91

Même exercice avec cette strophe de Francis Jammes :

Il va neiger dans quelques jours. Je me souviens
de l'an dernier. Je me souviens de mes tristesses
au coin du feu. Si l'on m'avait demandé : « Qu'est-ce ? »
J'aurais dit : « Laissez-moi tranquille. Ce n'est rien. »

1054
PAE§92

Faites le tableau des accents toniques comme il est fait au § 92 des PAE, et recopiez les mots suivis de la césure :

Le jardin n'a plus que des chrysanthèmes !
Mais l'année a mis ses grâces suprêmes
Dans ces pâles fleurs ;
Leur seule rosée est la fine pluie ;
Parfois un rayon presque froid essuie
Leur visage en pleurs.

(A. Angellier)

1055
PAE§92

Même exercice :

Un vieux pêcheur me dit sur ce port, l'autre année,
Que mon nom de famille était celui d'un vent
Qui souffle quelquefois en Méditerranée. (L. Larguier)

1056
PAE§92

Même exercice :

En robe grise et verte avec des ruches,
Un jour de juin que j'étais soucieux,
Elle apparut souriante à mes yeux,
Qui l'admiraient sans redouter d'embûches. (P. Verlaine)

1057
PAE§92

Relevez parmi les vers suivants ceux qui n'ont pas une césure régulière ; quelle faute est commise ? Essayez de refaire correctement ces vers en modifiant l'ordre des mots, mais sans changer la rime ni le nombre des syllabes :

1. Quand on m'aura jeté, vieux flacon désolé,
Sale, abject, poudreux, décrépit, visqueux, fêlé.
(d'après Ch. Baudelaire)

2. Enfants pacifiques de la terre sacrée,
Ils épuisent sans peur la coupe du soleil.
(d'après Leconte de Lisle)

3. Connaissez-vous, ange plein de bonté, la haine,
Les poings crispés dans l'ombre et les larmes de fiel ?
(d'après Ch. Baudelaire)

4. Là, rêveur, je m'assieds, et dans l'espace
Je suis des yeux les nuages flottants. (d'après H. Moreau)

5. Mais la France, quel espoir ! jeune et fière,
S'indigne aussi de vieillir en repos. (d'après H. Moreau)

6. Leurs yeux sont morts et leurs lèvres sont molles,
Et à peine l'on entend leurs paroles. (d'après P. Verlaine)

1058
PAE§93

Ces textes sont composés de strophes dont on a supprimé les alinéas et les majuscules (initiales de vers) sans changer l'ordre des mots. Copiez-les en les rétablissant dans leur forme primitive et en indiquant le mètre en face de chaque vers :

Barques perdues.
Tous ces patrons, tous ces mousses qu'appelaient tant de voix douces et tant de vœux, ils sont mêlés à l'espace et le poisson d'argent passe dans leurs cheveux.
C'était l'enfant, c'était l'homme ! On les appelle, on les nomme dans les maisons, le soir, quand brille le phare et quand la flamme s'effare sur les tisons. (V. Hugo)

Violette et papillon.
Fleurs de Pâques, pâquerettes, empesez vos collerettes ! Et vous, les jolis boutons d'or, tendez vos tout petits bols d'or !
Car demoiselle Violette dans un rayon fait sa toilette, pour épouser le papillon.
Sa feuille verte est son ombrelle. Très gentiment, bleu diamant, une goutte d'eau la fait belle. (L. Delarue-Mardrus)

1059
PAE§93

Même exercice :

Le servant (1).
Et la nuit, quand personne ne veille encor, sur les créneaux c'est moi qui sonne du cor. C'est moi, sous la bannière du vieux manoir, qui chante une chanson guerrière, le soir ! Lorsque l'orage approche du haut beffroi, pour capuchon qui prend la cloche ? C'est moi ! (J. Olivier)

Grandeur du poète.
J'ai cherché le malheur comme un chasseur le tigre. Mon fruit nourrit un ver. Je suis une hirondelle étrange, car j'émigre du côté de l'hiver. Je ne serai jamais qu'un vaincu ; j'ai pour règle d'être avec les blessés ; quand ils sont trop vainqueurs, je dis au peuple, à l'aigle, à Dieu lui-même : Assez ! (V. Hugo)

(1) *Servant :* génie du folklore suisse-romand.

1060
PAE§93

Indiquez le mètre de chacun des vers suivants :

1. Beau chevalier qui partez pour la guerre,
Qu'allez vous faire
Si loin d'ici ? (A. de Musset)

2. Si l'enfant sommeille,
Il verra l'abeille,
Quand elle aura fait son miel,
Danser entre terre et ciel. (Mme Desbordes-Valmore)

3. Fort
Belle,
Elle
Dort.

Sort
Frêle.
Quelle
Mort !

Rose
Close,
La

Brise
L'a
Prise.
(J. de Rességuier)

4. C'est à voix basse qu'on enchante
Sous la cendre d'hiver
Ce cœur, pareil au feu couvert,
Qui se consume et chante. (P.-J. Toulet)

5. Je rayonnerais, sous ma tresse brune,
Comme un clair de lune
En capuchon noir. (A. de Musset)

6. Dans la plaine
Naît un bruit. (V. Hugo)

1061
PAE§93

Même exercice :

1. Roulant en son cœur ces vengeances,
Il choisit une nuit libérale en pavots. (La Fontaine)

2. L'agneau cherche l'amère bruyère,
C'est le sel et non le sucre qu'il préfère,
Son pas fait le bruit d'une averse sur la poussière.
(P. Verlaine)

3. Un mot encore, car je vous dois
Quelque lueur en définitive
Concernant la chose qui m'arrive :
Je compte parmi les maladroits. (P. Verlaine)

4. La Déroute, géante à la face effarée. (V. Hugo)

5. Mais un cœur d'homme, un cœur vivant, un cœur palpable.
(P. Verlaine)

6. Non vraiment c'est trop un martyre sans espérance.
(P. Verlaine)

1062
PAE§93

Expliquez quels effets sont obtenus dans les vers suivants par le changement de mètre :

1. C'est promettre beaucoup ; mais qu'en sort-il souvent ?
Du vent. (La Fontaine)

2. Un soldat, m'ombrageant d'un belliqueux faisceau,
De quelque vieux lambeau d'une bannière usée
Fit les langes de mon berceau. (V. Hugo)

3. O mon enfant, tu vois, je me soumets,
Fais comme moi ; vis du monde éloignée ;
Heureuse ? non ; triomphante ? jamais.
—Résignée !—
(V. Hugo)

4. Oui, sans doute, tout meurt ; ce monde est un grand rêve,
Et le peu de bonheur qui nous vient en chemin,
Nous n'avons pas plus tôt ce roseau dans la main,
Que le vent nous l'enlève.

(A. de Musset)

1063
PAE§93

Même exercice :

1. L'homme au trésor arrive, et trouve son argent
Absent.

(La Fontaine)

2. Ainsi, toujours poussés vers de nouveaux rivages,
Dans la nuit éternelle emportés sans retour,
Ne pourrons-nous jamais sur l'océan des âges
Jeter l'ancre un seul jour ?

(Lamartine)

3. Tout en vous partageant l'empire d'Alexandre,
Vous avez peur d'une ombre et peur d'un peu de cendre,
Oh ! vous êtes petits !

(V. Hugo)

4. Que j'aime à voir, dans la vallée
Désolée,
Se lever comme un mausolée
Les quatre ailes d'un noir moutier !

(A. de Musset)

1064
PAE§94

Copiez les mots dont l'*e* muet final, par élision ou en fin de vers, n'est pas compté dans le mètre :

1. O ma mère ! — Hé bien ! quoi ? — Le temple est profané.
(Racine)

2. La vieille femme assise au seuil de sa maison. (Lamartine)

3. Ma sève refroidie avec lenteur circule. (Lamartine)

4. Oui, depuis que le monde est monde entre les mondes...
(E. Rostand)

5. La terre jeune encore et vierge de désastres... (S. Mallarmé)

6. Je m'arrête. Va donc chercher une autre épée. (V. Hugo)

1065
PAE§94

Même exercice ; deux vers appellent une remarque particulière : laquelle ?

1. Si tu n'aimes un père, au moins redoute un juge.
(Brébeuf)

2. Qu'un autre ouvre aux grands noms les fastes de la gloire.
(J. Delille)

3. Coupe-le en quatre et mets les morceaux dans la nappe.
(A. de Musset)

4. Tombe en une muette et molle rêverie. (A. Chénier)

5. Se plaindre de mourir, c'est se plaindre d'être homme.
(J. de Rotrou)

6. Ah ! c'est un coup de foudre !... — Oui, mon règne est passé.
(V. Hugo)

7. Ils se traînent à peine en leur vieille jeunesse. (N. Gilbert)

8. Plaignez-le, il vous offense, il a trahi son roi. (Voltaire)

1066 PAE§§94-95

Copiez les mots dont l'*e* muet, sans être élidé ni placé en fin de vers, n'est pas compté dans le mètre :

1. L'ombre et le jour luttaient dans les champs azurés. (La Fontaine)
2. On entendra siffler les balles ;
Nous jouerons aux dés sur les dalles. (V. Hugo)
3. Que les vers ne soient pas votre éternel emploi. (Boileau)
4. Sans que mille accidents ni votre indifférence
Aient pu me détourner de ma persévérance. (Molière)
5. Si madame y consent, j'y remédierai bien. (La Fontaine)
6. Les aboiements du chien qui voit sortir son maître. (Lamartine)

1067 PAE§95

Quelles remarques appellent les vers suivants, à propos de l'*e* muet précédé de voyelle ?

1. Le timon était d'or et les roues dorées. (Ronsard, XVIe siècle)
2. Avançaient, combattaient, frappaient, mouraient ensemble. (Voltaire)
3. France ! hors le devoir, hélas, j'oublîrai tout. (V. Hugo)
4. Vêtue d'un manteau tout damassé de fleurs. (Du Bartas, XVIe siècle)
5. Vos hôtes agréeront les soins qui leur sont dus. (La Fontaine)
6. Mon âme alors de grand joie troublée. (Baïf, XVIe siècle)
7. Et vous-même avoûrez qu'il ne serait pas juste
Qu'on disposât sans lui de la nièce d'Auguste. (Racine)
8. Quelque élevés qu'ils soient, ils sont ce que nous sommes. (J.-B. Rousseau)

1068 PAE§96

Dites, en indiquant le mètre de chaque vers, si les mots en italique sont à lire ici avec diérèse ou avec synérèse, et si cette prononciation est conforme à l'usage actuel de la langue parlée :

1. Ton *vieux* père, âme loyale,
Dit : — Quelque *bohémien*
A, dans la crèche royale,
Mis son fils au *lieu* du *mien*. (V. Hugo)
2. Et je laisse les *dieux bruire* et bougonner. (V. Hugo)
3. La *pierre* qui jadis fut *Niobé* médite. (V. Hugo)
4. Quand je tiens un bon *duel*, je ne le lâche pas. (V. Hugo)
5. Que vous ne *voudriez* pas pour l'empire du monde. (Malherbe)
6. *Ouvrier* estimé dans un art nécessaire. (Boileau)
7. Et le temple déjà sortait de ses *ruines*. (Racine)

1069 PAE§96

Même exercice :

1. Où pourrai-je éviter ce *sanglier* redoutable ? (Molière)
2. *Hier* j'étais *puissant* ; *hier* trois officiers,
Immobiles et *fiers* sur leur selle tigrée,
Portaient, devant le seuil de ma tente dorée,
Trois panaches ravis aux croupes des *coursiers*.
Hier j'avais cent tambours tonnant à mon passage. (V. Hugo, alexandrins)

3. Oh ! les lugubres *nuits* ! Combat dans la *bruine* !
La nuée attaquant, farouche, la *ruine* ! (V. Hugo)

4. Mais quoiqu'ils n'aient pas mis mon cœur dans tes *liens*...
(Th. Corneille)

5. Exhale comme un son triste et *mélodieux*. (Lamartine)

6. O buffet du vieux temps, tu sais bien des histoires !
Et tu voudrais conter tes contes, et tu *bruis*
Quand s'ouvrent lentement tes grandes portes noires.
(A. Rimbaud)

7. Sotte *discrétion* ! je voulus faire accroire
Qu'un *poète* n'est bizarre et fâcheux qu'après boire.
(M. Régnier)

1070
PAE§96

Les mots en italique sont prononcés avec diérèse dans la diction artificielle qu'impose le mètre ; pour chacun vous direz si la diérèse produit un effet agréable ou pénible :

1. Quand la belle *Sérieuse*
Pour l'Égypte appareilla,
Sa figure *gracieuse*
Avant le jour s'éveilla.
(A. de Vigny)

2. Et c'était là sans doute un *inconvénient*. (V. Hugo)

3. — Si vous brisiez notre chaîne sacrée,
Immédiatement vous seriez massacrée !
(E. Rostand)

4. Ceux qui *pieusement* sont morts pour la patrie... (V. Hugo)

5. L'*harmonieux* Ether, dans ses vagues d'azur,
Enveloppe les monts d'un *fluide* plus pur.
(Lamartine)

6. Je ne sais plus quand, je ne sais plus où,
Maître Yvon soufflait dans son *biniou.*
(V. Hugo)

7. Nos conversations *monoquotidiennes*
Ne se pouvaient qu'au prix de ruses *indiennes.*
(E. Rostand)

1071
PAE§97

Recopiez les groupes de mots ci-dessous en les faisant suivre des lettres RM, RF ou AS selon qu'ils constituent des rimes masculines, des rimes féminines ou seulement des assonances :

carpette chaussette	déplaire légère	gemme indemne	automne Lisbonne	vestige dis-je
accordéon iguanodon	cornac contact	bord sort	algue vague	Polonais complets

1072
PAE§97

Même exercice :

sang puissant	être connaître	tic-tac talc	secoue roue	corps dors
Geneviève genièvre	respects paix	France immense	convexe titanesque	femme lame

1073
PAE§97

Les mots groupés ci-dessous ne constituent pas des rimes correctes. Dites pourquoi :

trouvé rêvée	bleue émue	grimpe nymphe	faim parfum	express s'empresse
Tarbes marbres	Achab Arabe	trône colonne	madame macadam	lâche moustache

1074 PAE§97

Même exercice :

dur	vive	boue	fatal	âme
ordure	livre	bout	détale	rame
brin	amer	épaule	fantasque	rhum
embrun	aimer	parole	attaque	Rome

1075 PAE§97 Rem.b

Dans la plupart des vers suivants, la 6e syllabe fait une rime ou une assonance avec une autre syllabe (la 6e ou la 12e) du même vers ou d'un vers voisin. Recopiez les mots qui font ainsi rime ou assonance :

1.

Rodrigue
D'une indigne pitié ton audace est suivie :
Qui m'ose ôter l'honneur craint de m'ôter la vie ?

Le Comte
Retire-toi d'ici.

Rodrigue
Marchons sans discourir.

Le Comte
Es-tu si las de vivre ?

Rodrigue
As-tu peur de mourir? (Corneille)

2. Le cavalier de bronze était debout dans l'ombre.
Autour de lui dormait la ville aux toits sans nombre ;
Les hauts clochers semblaient, sur les bruns horizons,
De grands pasteurs gardant des troupeaux de maisons.
(V. Hugo)

3. J'aime surtout les vers, — cette langue immortelle.
C'est peut-être un blasphème, et je le dis tout bas,
Mais je l'aime à la rage. Elle a cela pour elle
Que les sots d'aucun temps n'en ont pu faire cas,
Qu'elle nous vient de Dieu, — qu'elle est limpide et belle,
Que le monde l'entend, et ne la parle pas. (A. de Musset)

4. Les ors divers des blonds soleils et des miels roux
Qui ruissellent de cire aux ruches des collines
Nuancent de leur double éclat tes cheveux doux.
(H. de Régnier)

1076 PAE§97 Rem.b

Même exercice :

1. Soleil, je te viens voir pour la dernière fois. (Racine)

2. Appliqué sans relâche au soin de me punir,
Au comble des douleurs tu m'as fait parvenir.
Ta haine a pris plaisir à former ma misère ;
J'étais né pour servir d'exemple à ta colère. (Racine)

3. J'aime le son du cor, le soir, au fond des bois,
Soit qu'il chante les pleurs de la biche aux abois,
Ou l'adieu du chasseur que l'écho faible accueille
Et que le vent du nord porte de feuille en feuille. (A. de Vigny)

4.

Chimène
Je cours sans balancer (1) où mon honneur m'oblige.
Rodrigue m'est bien cher, son intérêt m'afflige ;
Mon cœur prend son parti ; mais malgré son effort,
Je sais ce que je suis, et que mon père est mort.

Elvire
Pensez-vous le poursuivre ?

(1) Prononcer ce mot comme il est dit au § 122 Rem.

Chimène

Ah ! cruelle pensée !
Et cruelle poursuite où je me vois forcée !
Je demande sa tête, et crains de l'obtenir ;
Ma mort suivra la sienne, et je le veux punir !
(Corneille)

1077 2/4
PAE§98

Recopiez les mots groupés ci-dessous deux par deux en les faisant suivre des lettres P, S ou R selon qu'ils constituent des rimes pauvres, suffisantes ou riches selon la conception « moderne » :

drapeau chapeau	verre serre	subtile rutile	mie scie	défunt parfum
leçon raison	proviseur censeur	empoche reproche	estoc stock	Yvetot au trot

1078 2/4
PAE§98

Même exercice :

merci Poissy	ravit nid	bien mien	méritait chérissait	somptueux monstrueux
neveux je veux	égalé Aglaé	parti converti	étagée attachée	service visse

1079 2/4
PAE§98

On appelle « olorimes » des vers rimant ensemble de la 1re à la dernière syllabe, comme ceux-ci, de Marc Monnier :

Gal, amant de la Reine, alla, tour magnanime,
Galamment de l'arène à la tour Magne, à Nîmes.

Nous vous donnons ci-dessous des distiques olorimes, dont un vers a été laissé en pointillé (l'avant-dernier est d'auteur incertain) ; vous essaierez de les compléter :

1. . . . .
Offre à Gilles zèbre, œufs ; à l'Érèbe, hécatombe ! (V. Hugo)

2. . . . .
Danse, aime, bleu laquais, ris d'oser des mots roses. (Ch. Cros)

3. Et ma blême araignée, ogre illogique et las,
. . . .

4. Par les bois du Djinn où s'entasse de l'effroi,
. . . .
(Alphonse Allais)

1080
PAE§§97-101

Faites les remarques qu'appellent les vers suivants du point de vue de la rime (richesse, nouveauté, rimes banales, rimes défectueuses) :

1. Quand au dining-car dîne Alice,
Qu'elle penche son front têtu
Sur ce petit livre vêtu
Tout de rouge cardinalice... (J. Pellerin)

2. Détournez d'elle, ô Dieu ! cette mort qui me suit.
Non, peuple, ce n'est pas un Dieu qui me poursuit. (Voltaire)

3. Tous la pique baissée à cause du roi, tous
Vêtus d'or sous des peaux de zèbres ou de loups. (V. Hugo)

4. C'est une grand déesse, et qui mérite bien
Mes vers, puisqu'elle fait aux hommes tant de bien. (Ronsard)

5. Et tout tremble, Irun, Coïmbre,
Santander, Almodovar,
Sitôt qu'on entend le timbre
Des cymbales de Bivar. (V. Hugo)

6. Depuis que sur ces bords les dieux ont envoyé
La fille de Minos et de Pasiphaé. (Racine)

7. Ces clochetons à dents, ces larges escaliers,
Que dans l'ombre une main gigantesque a liés. (T. de Banville)

8. Ces peuples ont chez eux un oracle de Mars ;
Comment énumérer les Sospires camards,
Les Lygiens... (V. Hugo)

1081
PAE§§97-101

Même exercice :

1. Les deux sortes de fils du vieil Éthiopus,
Ceux-ci les cheveux plats, ceux-là les fronts crépus. (V. Hugo)

2. Au fauteuil de Delille aspire Campenon.
A-t-il assez d'esprit pour qu'il s'y campe ?... Non !
(J. Michaud)

3. Par sa mère, autrefois, la Présidente de... ;
Mais sous cette rigueur faisant aimer son Dieu.
(Sainte-Beuve)

4. Sa voix disait encore : Eurydice ! Eurydice !
Et tout le fleuve au loin répétait : Eurydice. (Lebrun)

5. Ces dieux impitoyables
Que des prêtres menteurs, encor plus inhumains,
Se vantaient d'apaiser par le sang des humains. (Voltaire)

6. Il appert du cachet que cette cire accuse,
Que ce vin, compagnons, vient bien de Syracuse. (É. Bergerat)

7. N'en parlons plus. Au reste, on a vu dix vaisseaux
De nos vieux ennemis arborer les drapeaux. (Corneille)

8. Tristan, votre cœur est de bronze,
Je compte plus de jours que de biens je n'acquis
Depuis le jour que je naquis,
Trente octobre soixante et onze ! (P. Valéry)

9. Hélas ! si j'ose encor former quelques souhaits,
Seigneur, permettez-moi de ne le voir jamais. (Racine)

10. Prends garde à ce verre de grog
Qu'on prend, pape, à Caserte, et czar à Taganrog. (V. Hugo)

1082
PAE§102

Cherchez dans vos Morceaux choisis ou dans les livres de votre bibliothèque personnelle des exemples de rimes plates, croisées, embrassées, redoublées, mêlées ; vous recopierez un exemple de chaque sorte (5 en tout) en donnant la référence précise.

1083
PAE§§97-103

Complétez les vers de ce poème, sachant que les rimes sont disposées dans l'ordre M-F-M-F, et que le nombre d'x indique le nombre de lettres des mots à trouver :

Dans la rue.
Les deux petites sont en xxxxx ;
Et la plus grande — c'est la mère —
A conduit l'autre jusqu'au xxxxx
Qui mène à l'école xxxxxxxx.

Elle inspecte, dans le xxxxxx,
Les tartines de xxxxxxxxx
Et jette un coup d'œil au dernier
Devoir du cahier d'xxxxxxxx.

Puis comme c'est un matin xxxxx
Où l'eau gèle dans la xxxxxx,
Et comme il faut que l'enfant xxxx
En état d'entrer à l'xxxxx,

Écartant le vieux châle xxxx
Dont la petite s'xxxxxxxxxx,
L'aînée alors tire un xxxxxxxx,
Lui prend le nez et lui dit : « xxxxxxx. »

(F. Coppée)

1084 24
PAE§§97-103

Rétablissez les vers de ce poème en modifiant seulement l'ordre des mots (les vers ont 8 syllabes, et l'ordre des rimes est : F-M-M-F, M-F-F-M, F-M-M-F) :

Départ pour le marché.
Voici la Jeanne qui, à califourchon sur son âne, part au petit jour avec sa mère-grand pour la foire de Saint-Laurent.
Les coqs ont sonné la diane : c'est l'heure du réveil, déjà. Il n'est pas de ferme bressane qui, au premier soleil, ne s'ouvre.
Les lourds chariots vont, roulant, en longue file, sur la grand-route.
Gens et bêtes, chacun, caracolant, s'empresse vers la ville.

(D'après G. Vicaire)

1085
PAE§§97-103

Même exercice (ordre des rimes : M-F-F-M, F-M-M-F, M-F-F-M) :

Ici un grand bouc maigre, à barbe rousse, ses vieilles cornes en arrêt, apparaît, grave et lent, près d'un agneau qui se trémousse ;
C'est une chèvre folle qui grappille, plus loin, à tous les buissons, un jeune veau qui cabriole, une truie et ses nourrissons ;
Puis, barrant le chemin, leur bâton noueux à la main, viennent laboureurs, valets de charrue, à face bourrue et rougeaude.

(Suite du précédent poème de G. Vicaire)

1086
PAE§§97-103

Même exercice (vers de sept syllabes ; ordre des rimes : M-F-F-M, F-M-M-F, M-F-F-M, F-M-M-F) :

Victime du réveillon.
Le bon gros cochon, hélas ! qui agitait comme une flamme, dans la paix de son âme, sa queue en tire-bouchon ;
Lui qui, de l'air le plus avenant, exhibait son cher petit groin (2 syllabes) rose, sans la moindre pose, à tout venant.
Sans pitié, on l'a tué ; il n'ira plus distribuer ses grognements d'amitié à la ronde, par le monde.
Le voici pendu par les pieds à quelque poutre, comme un scélérat, pauvre verrat, déjà vidé d'outre en outre.

(D'après G. Vicaire)

1087
PAE§§97-103

Même exercice :

Ses énormes tripes fument dans la seille de bois blanc. Les canards vont défilant devant ses restes informes.
A vrai dire, triste spectacle ! Mais quand Réveillon, au premier carillon de Noël, lèvera sa poêle à frire ;
Quelle odeur de goinfrerie, à l'heure où l'on danse en rond, emplira la métairie où s'attableront les gars,
Et que de joie, braves gens, lorsque le bon habillé de soie soudain ressuscitera en forme de boudin ! (suite du précédent poème de G. Vicaire)

1088
PAE§§92, 104

Recopiez les vers suivants en en soulignant de deux traits les syllabes frappées d'un accent obligatoire (en fin de vers ou à la césure) et d'un trait les syllabes frappées d'un accent facultatif ; signalez deux coupes enjambantes et deux coupes lyriques :

1. Le temps s'en va, le temps s'en va, madame.
   Las ! Le temps, non ! mais nous nous en allons. (Ronsard)
2. Rien n'était si beau que vos envolées
   Dans le grand soleil de l'après-midi. (G. Vicaire)
3. Le sang de vos rois crie et n'est point écouté. (Racine)
4. Tournez, tournez, bons chevaux de bois,
   Tournez cent tours, tournez mille tours. (P. Verlaine)
5. Tes bassins endormis à l'ombre des grands arbres
   Verdissent en silence au milieu de l'oubli. (H. de Régnier)
6. Ils trottent, tout pareils à des marionnettes ;
   Se traînent, comme font les animaux blessés. (Ch. Baudelaire)

1089
PAE§§92, 104

Même exercice (mais signalez 5 coupes enjambantes et deux coupes lyriques) :

1. Quand Marco pleurait, ses terribles larmes
   Défiaient l'éclat des plus belles armes. (P. Verlaine)
2. Un air bien vieux, bien faible et bien charmant,
   Rôde discret, épeuré quasiment. (P. Verlaine)
3. Bon chevalier masqué qui chevauche en silence,
   Le Malheur a percé mon vieux cœur de sa lance. (P. Verlaine)
4. C'est de beaux yeux derrière des voiles,
   C'est le grand jour tremblant de midi,
   C'est, par un ciel d'automne attiédi,
   Le bleu fouillis des claires étoiles ! (P. Verlaine)
5. Elle prend sa lanterne et sa cape. — C'est l'heure
   D'aller voir s'il revient, si la mer est meilleure,
   S'il fait jour, si la flamme est au mât du signal. (V. Hugo)
6. Je parle. Tu souris d'un sérieux sourire. (F. Jammes)

1090
PAE§105

Pour chaque vers, indiquez par des nombres le rythme des coupes (Modèle : 1 : *4 + 2 + 4 + 2*) :

1. Cette grandeur sans borne et cet illustre rang. (Corneille)
2. Sylla m'a précédé dans ce pouvoir suprême. (Corneille)
3. Traitez-moi comme ami, non comme souverain. (Corneille)
4. Je passais jusqu'aux lieux où l'on garde mon fils. (Racine)
5. Le jour n'est pas plus pur que le fond de mon cœur. (Racine)
6. Oui, c'est ce même orgueil, lâche ! qui te condamne. (Racine)

1091
PAE§105

Même exercice :

1. Que de maux et de pleurs nous coûteront nos pères ! (Corneille)
2. Les Maures et la mer montent jusques au port. (Corneille)
3. Sa main sur ses chevaux laissait flotter les rênes. (Racine)
4. Ah ! qu'est-ce que j'entends ? Un traître, un téméraire
   Préparait cet outrage à l'honneur de son père ? (Racine)
5. Herbe, use notre seuil ! Ronce, cache nos pas ! (V. Hugo)

1092 **PAE§105**

Par quels nombres peut-on définir le rythme des vers suivants ? Quel effet produit ce rythme dans chacun de ces vers ?

1. Nos chevaux galopaient à travers la clairière. (V. Hugo)
2. Il marcha trente jours, il marcha trente nuits. (V. Hugo)
3. Le lin blanc de la tente est bercé mollement. (A. de Vigny)
4. **Les loups :**
   Et je vois au-delà quatre formes légères
   Qui dansaient sous la lune au milieu des bruyères.
   (A. de Vigny)
5. **Le huchier :**
   Maniant tour à tour le rabot, le bédane
   Et la râpe grinçante et le dur polissoir. (J.-M. de Heredia)
6. Le murmure des pins et le bruit des abeilles. (H. de Régnier)

1093 **PAE§105**

Recopiez tous les vers où le nombre des accents vous paraît élevé, en soulignant les syllabes accentuées et en disant quel effet produit leur accumulation :

1. Ma jeunesse revit en cette ardeur si prompte.
   Viens, mon fils, viens, mon sang, viens réparer ma honte.
   (Corneille)
2. Fuyards, blessés, mourants, caissons, brancards, civières,
   On s'écrasait aux ponts pour passer les rivières. (V. Hugo)
3. « Tiens, roi ! pars au galop, hâte-toi, cours, regagne
   Ta ville, et saute au fleuve et passe la montagne,
   Va ! » (V. Hugo)
4. Mylène, sa petite Alidé par la main,
   Dans la foule se fraie avec peine un chemin,
   S'attarde à chaque étal, va, vient, revient, s'arrête.
   (A. Samain)
5. Blancs, bleus, gris, noirs, prompts, gais, fous, lestes,
   Et titubants et fanfarons,
   Les papillons, ces fleurs célestes,
   Battent l'air de leurs ailerons. (J. Rameau)

1094 **PAE§105**

Indiquez par des nombres (ex. : 3 + 4 + 5) le rythme des accents dans les vers alexandrins suivants :

1. Les prêtres ne pouvaient suffire aux sacrifices. (Racine)
2. Et moi je lui tendais les mains pour l'embrasser. (Racine)
3. Devant le juge au front duquel le soleil luit. (V. Hugo)
4. Près des meules qu'on eût prises pour des décombres.
   (V. Hugo)
5. En arrivant il m'a fait mettre la livrée. (V. Hugo)
6. Quand l'étude de la prière était suivie. (P. Verlaine)
7. Le paysage dans le cadre des portières. (P. Verlaine)
8. Cessant d'être dans les chambres comme un témoin.
   (G. Rodenbach)

1095
PAE§105

Dans certains des alexandrins ci-dessous, l'accent obligatoire de la 6e syllabe est étouffé par les accents facultatifs ; vous recopierez ces vers en soulignant les syllabes frappées par ces accents facultatifs et en essayant de dire quel effet est produit par ce changement de rythme :

1. Le son de la trompette est si délicieux
   Dans ces soirs solennels de célestes vendanges
   Qu'il s'infiltre comme une extase dans tous ceux
   Dont elle chante les louanges ! (Ch. Baudelaire)

2. Et, là-bas, sans qu'il fût besoin de l'éperon,
   Le cheval galopait toujours à perdre haleine. (V. Hugo)

3. Le monstre, si petit qu'il semblait un point noir,
   Grossit alors et fut soudain énorme à voir. (V. Hugo)

4. **La tête du comte :**
   Ruy dit, et tend le chef livide et hérissé
   Qu'il tient empoigné par l'horrible chevelure.
   (J.-M. de Heredia)

5. Le jet d'eau fait toujours son murmure argentin
   Et le vieux tremble sa plainte sempiternelle. (P. Verlaine)

6. Puis je pris en dégoût le carton du décor,
   Et, maintenant, j'entends en moi l'âme du Nord
   Qui chante... (A. Samain)

1096
PAE§105

Relevez dans les vers suivants les exemples de « rythme ternaire » en les chiffrant et en essayant d'expliquer dans chaque cas l'effet produit :

1. Les roses comme avant palpitent ; comme avant,
   Les grands lys orgueilleux se balancent au vent.
   Chaque alouette qui va et vient m'est connue. (P. Verlaine)

2. Elle avait pris ce pli dans son âge enfantin
   De venir dans ma chambre un peu chaque matin.
   Elle arrivait ainsi qu'un rayon qu'on espère ;
   Elle entrait et disait : Bonjour, mon petit père !
   Prenait ma plume, ouvrait mes livres, s'asseyait
   Sur mon lit, dérangeait mes papiers, et riait,
   Puis soudain s'en allait comme un oiseau qui passe. (V. Hugo)

3. Mes pieds ont oublié la terre et ses chemins ;
   Les vagues souples m'ont appris d'autres cadences
   Plus belles que le rythme las des chants humains.
   A vivre parmi vous, hélas ! avais-je une âme ?
   Mes frères, j'ai souffert sur tous vos continents.
   Je ne veux que la mer, je ne veux que le vent
   Pour me bercer, comme un enfant, au creux des lames.
   (J. de la Ville de Mirmont)

1097
PAE§106

Copiez les mots qui font enjambement en signalant par les lettres R et CR les cas de rejet (3 exemples) ou de contre-rejet (3 exemples) :

1. Tout mot
   Était un duc et pair, ou n'était qu'un grimaud. (V. Hugo)

2. ...Et l'on vit se dresser sur le monde
   L'homme prédestiné.
   (...) Car ses deux bras levés présentaient à la terre
   Un enfant nouveau-né. (V. Hugo)

3. J'ai connu l'an dernier un jeune homme nommé
   Mardoche. (A. de Musset)

4. Pourquoi ce choix ? pourquoi cet attendrissement
   Immense du profond et divin firmament ? (V. Hugo)

5. Les derniers traits de l'ombre empêchent qu'il ne voie
Le filet. (La Fontaine)

6. Cette troupe s'enflait en avançant, de sorte
Qu'on eût dit qu'elle avait l'Afrique pour escorte. (V. Hugo)

7. Et certes ce n'est pas nous qui
Nous piquons d'être psychologues. (Th. de Banville)

8. **La Mort :**
Et les triomphateurs sous les arcs triomphaux
Tombaient ; elle changeait en désert Babylone. (V. Hugo)

9. **Lazare :**
Alors le mort sortit du sépulcre ; ses pieds
Des bandes du linceul étaient encor liés. (V. Hugo)

1098
PAE§§107-108

Relevez les cas d'enjambement dans les vers suivants en expliquant chaque fois l'effet produit par la suspension habituelle du débit à la fin du vers :

1. Un rat des plus petits voyait un éléphant
Des plus gros et raillait le marcher un peu lent
De la bête de haut parage. (La Fontaine)

2. Nul n'échappe. Arrêtez ! il faut payer, de gré
Ou de force, en passant dans le noir bois sacré. (V. Hugo)

3. Pour que le cèdre altier soit dans son droit, il faut
Le consentement du brin d'herbe. (V. Hugo)

4. Ce n'est pas une taille avantageuse, c'est
Mon âme que je cambre ainsi qu'en un corset. (E. Rostand)

5. Dieu, pour qui les méchants mêmes sont transparents,
Tendit sa grande main de lumière baignée
Vers l'ombre, et le démon lui donna l'araignée. (V. Hugo)

6. Croit-on que je prendrai la peine de tourner
La tête dans les bois et sur les hautes cimes ? (V. Hugo)

1099
PAE§§107-108

Relevez les enjambements et expliquez l'effet produit :

1. **Daniel dans la fosse aux lions :**
Soudain, dans l'angle obscur de la lugubre étable,
La grille s'entrouvrit ; sur le seuil redoutable,
Un homme que poussaient d'horribles bras tremblants
Apparut ; il était vêtu de linceuls blancs. (V. Hugo)

2. **En voiture :**
Et les monts enivrés chancelaient : la rivière
Comme un serpent boa, sur la vallée entière
Étendu, s'élançait pour les entortiller... (G. de Nerval)

3. **Straforel**
Vous me prenez pour un maçon ? Exquis !
C'est exquis ! — Sachez donc que je suis le marquis
D'Astafiorquercita, fol esprit, cœur malade. (E. Rostand)

4. **Les Rois mages :**
Ils perdirent l'étoile, un soir. Pourquoi perd-on
L'Étoile ?... D'un œil pur l'avaient-ils regardée ? (E. Rostand)

5. **Sylvette**
Mais au fait... cette voix !... le marquis d'As-ta-fior...
Straforel
Quercita ? C'était moi, chère mademoiselle. (E. Rostand)

6. **Les papillons :**

Ils déjeunent de primevères,
Font la dînette sur des lis,
Et vont boire des petits verres
D'azur dans les volubilis. (J. Rameau)

1100
PAE§108

Dans ce texte, écrit par l'auteur en vers alexandrins, nous avons modifié les alinéas (sans modifier l'ordre des mots) pour le découper selon la ponctuation et le sens. Vous le rétablirez dans sa forme première, vous soulignerez les mots qui font enjambement, et vous direz quel effet ces enjambements vous paraissent destinés à produire :

L'évasion d'un titan.

Pas un rayon de jour ; nul souffle aérien ;
des fentes dans la nuit ; il rampe.
Après des caves où gronde un gonflement de soufres et de laves,
il traverse des eaux hideuses ;
mais que font l'onde et la flamme et l'ombre
à qui cherche le fond, le dénouement, la fin, la liberté, l'issue ?
(V. Hugo)

1101
PAE§108

Même exercice :

Combat des centaures Hélops et Eurynome contre Crantor et Thésée.

Le quadrupède Hélops fuit.
L'agile Crantor, le bras levé, l'atteint.
Eurynome l'arrête :
d'un érable noueux il va fendre sa tête,
lorsque le fils d'Égée invincible, sanglant, l'aperçoit,
à l'autel prend un chêne brûlant,
sur sa croupe indomptée, avec un cri terrible, s'élance,
va saisir sa chevelure horrible, l'entraîne,
et quand sa bouche, ouverte avec effort, crie,
il y plonge ensemble et la flamme et la mort. (A. Chénier)

1102
PAE§§108-109

Recopiez les vers suivants en soulignant les mots qui font enjambement à la césure et en fin de vers :

1. Nous avons eu la guerre hier, et nous l'aurons
Demain. (Th. de Banville)

2. Jadis la terre était heureuse ; elle était libre. (V. Hugo)

3. Il m'a parlé. J'étais monté sur la hauteur. (V. Hugo)

4. **Les lions :**
Ils étaient quatre, et tous affreux. Une litière
D'ossements tapissait le vaste bestiaire. (V. Hugo)

5. Il a précisément dix comtés, et nous sommes
Dix princes. (V. Hugo)

6. Je suis un pâle enfant du vieux Paris, et j'ai
Le regret des rêveurs qui n'ont pas voyagé. (F. Coppée)

7. **Le pape et l'empereur :**
Ils font et défont. L'un délie et l'autre coupe.
L'un est la vérité, l'autre est la force. Ils ont
Leur raison en eux-mêmes et sont parce qu'ils sont. (V. Hugo)

1103 PAE§§105, 109

Relevez dans les vers suivants des cas d'enjambement à la césure, en disant si l'auteur a obtenu un effet par la suspension du débit à la césure ou par le changement du rythme :

1. Tout semblait, presque hors de la mesure, éclore. (V. Hugo)
2. Que vous vous mariez pour vous, non pas pour lui. (Molière)
3. La pierre ôtée, on vit le dedans de la tombe. (V. Hugo)
4. Lecteur, nous allons voir si tu comprends ceci.
   Anchise est mon poème ; et ma femme Créuse
   Qui va toujours traînant en chemin, c'est ma muse.
   (A. de Musset)

1104 PAE§§105, 109

Même exercice :

1. « J'ai vu, dit-il, un chou plus grand qu'une maison.
   — Et moi, dit l'autre, un pot aussi haut qu'une église. »
   (La Fontaine)
2. Voilà mon cœur. C'est là que ta main doit frapper. (Racine)
3. Une reine n'est pas reine sans la beauté. (V. Hugo)
4. Un milan, qui dans l'air planait, faisait la ronde. (La Fontaine)
5. L'hexamètre (1), pourvu qu'en rompant la césure
   Il montre la pensée et garde la mesure,
   Vole et marche ; il se tord, il rampe, il est debout ;
   Le vers coupé contient tous les tons, il dit tout. (V. Hugo)

(1) *Hexamètre :* terme de la prosodie ancienne, désignant ici l'alexandrin.

1105 PAE§§91, 108-109

Faites le tableau des rythmes des textes suivants (cf. § 91). Justifiez si possible les enjambements (en fin de vers ou à la césure) par des effets de pause ; sinon, quel peut être l'effet recherché par l'auteur ?

1. La mélodie encor quelques instants se traîne
   Sous les arbres bleuis par la lune sereine,
   Puis tremble, puis expire, et la voix qui chantait
   S'éteint comme un oiseau se pose ; tout se tait. (V. Hugo)
2. **Le gibet :**
   Lugubre vision ! au-dessus d'un mur blanc
   Quelque chose d'informe et qui paraît tremblant
   Se dresse : chaos morne et ténébreux ; broussaille
   De silence, d'horreur et de nuit qui tressaille. (V. Hugo)

1106 PAE§§91, 108-109

Même exercice :

Lettre de Rome.

Je respire une odeur de marbre et de laurier,
Et ma plume à mes doigts tremble sur le papier
En y traçant ce nom sonore et grave : Rome.
L'hôtel est convenable et l'hôtelier brave homme ;
Il a l'air d'être Suisse et porte un nom romain.
Ma chambre est vaste et l'on doit m'éveiller demain
A six heures. Je suis arrivé à la gare,
Qu'il faisait déjà noir. J'ai dîné. Mon cigare
Sera presque fumé sitôt ce mot écrit.
Puisse Rome être douce à ma première nuit ! (H. de Régnier)

1107
PAE § 109

Recopiez les vers suivants en soulignant les mots qui sont mis en valeur à la fois par les pauses et par l'accent :

1.

Majorien

Me redoutez-vous ?

L'homme

Non.

Majorien

Me connaissez-vous ?

L'homme

Guère.

Majorien

Que suis-je pour vous ?

L'homme

Rien. Un homme. Le Romain. (V. Hugo)

2. Tous deux exilés, lui de Sparte, moi d'Athènes. (V. Hugo)
3. Qui des vents ou des cœurs est le plus sûr ? Les vents. (V. Hugo)
4. Gloire à la terre ! Gloire à l'aube où Dieu paraît ! (V. Hugo)

1108
PAE § 109

Même exercice :

1. La voix qui dit : Malheur ! la bouche qui dit : Non ! (V. Hugo)
2. La terre aux dauphins, l'onde aux taureaux est fermée. (Chénier)
3. Étaient-ils méchants ? Non. Ils étaient rois. Un roi,
   C'est un homme trop grand que trouble un vague effroi. (V. Hugo)
4. Là, c'est un soldat, là c'est un juge, un tribun. (V. Hugo)
5. Marthe lui cria : — Viens, le maître te réclame. (V. Hugo)
6. Même, j'ai retrouvé debout la Velléda (...)
   — Grêle, parmi l'odeur fade du réséda. (Verlaine)

1109
PAE § 110

Les vers suivants contiennent chacun un ou plusieurs hiatus pour l'oreille, autorisés toutefois dans les vers réguliers ; recopiez les mots qui font hiatus en disant pourquoi cet hiatus est permis :

1. La trompette sacrée annonçait le retour... (Racine)
2. Dont chaque jour d'un clou haineux te crucifie. (Ch. Guérin)
3. D'où vient qu'à l'horizon on entend ce grand bruit ? (V. Hugo)
4. Peux-tu me demander le désaveu honteux ?... (Racine)
5. Et la joue a rougi d'un factice incarnat. (H. de Régnier)
6. La chanson de ma mie et du bon roi Henri. (Musset)
7. L'Océan était vide et la plage déserte. (Musset)

1110
PAE § 110

Les vers suivants contiennent chacun un ou plusieurs hiatus pour l'oreille (12 en tout) ; pour chacun :
a) vous recopierez les mots qui font hiatus ;
b) vous direz si l'hiatus est irrégulier ou autorisé (et pour quelle raison) ;
c) vous direz si l'hiatus est désagréable ou non à votre oreille (et pour quelle raison) :

1. C'est que tu es aimé et je ne le suis point. (Ronsard)
2. Pourquoi d'un an entier l'avons-nous différée ? (Racine)
3. Ne pense pas, si tu as prétendu
   En trop haut lieu une haute déesse... (Ronsard)
4. Elle s'en attribue uniquement la gloire. (La Fontaine)

5. Qui ose a peu souvent la fortune contraire. (Mathurin Régnier)
6. Ah ! l'Inspiration, on l'invoque à seize ans ! (Verlaine)
7. Toute la main s'appuie oisive sur la table. (H. de Régnier)
8. Parle. ô Inconsolable, à ces oreilles sourdes. (H. de Régnier)

1111
PAE§110

Les vers suivants contiennent chacun un hiatus et sont par conséquent irréguliers ; vous les rendrez réguliers en modifiant un ou plusieurs mots ou en modifiant l'ordre des mots sans changer le mètre ni la rime, et en observant la césure :

1. Ce pianiste prodige est né en Amérique.
2. Un pic aigu à l'est domine la montagne.
3. Si un jour tu venais me demander sa main...
4. J'ai trouvé à tes vers un charme singulier.
5. Venez, toi et les tiens, entourer ma vieillesse.
6. Voilà un cavalier qui passe la rivière.
7. Reine au front orgueilleux, ta beauté est fanée.
8. Égale un jour celui qui a été ton maître.

1112
PAE§111

En modifiant seulement l'ordre des mots, et en allant à la ligne à l'endroit voulu, reconstituez un distique de deux alexandrins à rime masculine :

La plainte est pour le sot, le bruit est pour le fat ; trompé, l'honnête homme ne dit mot et s'éloigne. (D'après Collé, 1709-1783)

1113
PAE§111

De la même façon, reconstituez un quatrain en vers de 7 syllabes à rimes croisées (F-M-F-M) :

La terre pleure en hiver ; le soleil vient tard, froid, doux et pâle, et part de bonne heure, ennuyé du rendez-vous. (D'après V. Hugo)

1114
PAE§111

Même exercice (octosyllabes, M-F-M-F) :

Paul, qui toujours contait merveilles, dort pour toujours sous ce tombeau : repos au mort, louange à Dieu et, en terre, paix à nos oreilles ! (D'après La Fontaine)

1115
PAE§111

De la même façon, reconstituez un quintil en octosyllabes (rimes : F-M-F-M-F) :

La trompette sonne et resonne des feux sonne l'extinction je te le donne mon pauvre cœur pour un mouvement de ta personne un regard de tes beaux yeux. (D'après G. Apollinaire)

1116
PAE§111

De la même façon, reconstituez un sizain en alexandrins (rimes : F-F-M-F-F-M) :

Oh ! que dans cette époque antique tout était grand ! Nous en retrouverions bien des lambeaux encor si le temps n'avait pas dévasté ce portique ! Mais, grand semeur du lierre et de la ronce, le temps, d'une main familière, touche les monuments et, aux endroits les plus beaux, déchire le livre. (D'après V. Hugo)

1117
PAE§§111-112

De la même façon, reconstituez un dizain en décasyllabes (coupés 4 + 6. Rimes : a, b, a, b, b, c, c, d, c, d ; première rime féminine) :

Épigramme contre Voltaire.
A l'Encyclopédie est son enseigne. Que vous plaît-il ? du toscan, de l'anglais ? Vers, prose, opéra, comédie, algèbre ? ode, poème épique, histoire ou roman ? Parlez ! C'est fait. Vous lui donnez un an ?

Vous l'insultez !... Sujets remplis par le fier Crébillon, sujets manqués par l'aîné des Corneilles, il refond tout en dix ou douze veilles. Peste ! voici merveilles ! Et la besogne est-elle bonne ?... Oh ! non. (D'après Piron, 1689-1773)

1118
PAE§112

En observant les règles définies par Voiture dans le poème cité au § 112, vous reconstituerez le rondeau ci-dessous (en octosyllabes) :

A Madame Cne T.

Mollement arrondi dans son assiette, un pâté chaud, d'un délectable aspect, m'attirait doucement d'un peu trop loin. J'allais à lui. Votre charitable instinct vous fit lever pour me l'offrir gaîment.

Jupin, qu'au firmament grisait Hébé, voyant ainsi Vénus servir à table, laissa, d'étonnement, son verre en choir dans son assiette.

Pouvais-je vous faire alors un compliment ? La grâce échappe, elle est inexprimable ; pour ce qu'on trouve aimable sont faits les mots ; pour ce qu'on voit charmant, les regards seuls, et en ce moment je n'eus pas l'esprit dans son assiette. (D'après Musset)

1119
PAE§112

Reconstituez le sonnet ci-dessous, en vous conformant au modèle donné dans le livre (§ 112, sonnet de Du Bellay) ; la 1re rime est féminine :

Les bergers.

Le sentier s'enfonce aux gorges du Cyllène. Viens. Voici l'antre et la source, et c'est là que sur un lit d'herbe et de serpolet il se plaît à dormir à l'ombre du grand pin où son haleine chante.

Attache la brebis pleine à ce vieux tronc moussu. Sais-tu qu'avec son agnelet elle lui donnera avant un mois du lait, des fromages ? De sa laine les Nymphes fileront un manteau.

Je t'invoque, ô Chèvre-pied, gardien (2 syllabes) des troupeaux que le mont Arcadien (4 syllabes) nourrit, Pan, sois-nous propice !... Il entend ! J'ai vu l'arbre tressaillir.

Le soleil plonge au couchant radieux (3 syllabes). Partons. Ami, le don du pauvre, si l'offrande est faite aux Dieux (une syllabe) d'un cœur simple et pur, vaut un autel de marbre. (D'après J.-M. de Heredia)

1120
PAE§112

La ballade en octosyllabes se compose de trois huitains et d'un quatrain appelé « envoi » ; les huitains sont construits sur les mêmes rimes, au nombre de trois, l'envoi répète seulement les rimes de la seconde moitié des huitains ; les quatre strophes se terminent par le même vers, qui en fait le refrain. D'après cette définition vous reconstituerez la ballade ci-dessous, dont les rimes sont :
Huitains : A-B-A-B-B-C-B-C (1re rime féminine). Envoi : B-C-B-C.

L'escholier *(Richepin, dans cette ballade, campe la silhouette d'un « écolier » du moyen âge, maigre, joyeux, larron avéré, assassin à l'occasion : tel fut, dit-on, Villon, auteur de ballades célèbres).*

Je n'ai ni deniers, ni soucis, léger de pochette et d'esprit. Mais je sais comme on décachette les flacons qu'au caveau les taverniers tiennent prisonniers. Quand je m'y désaltère gratis, mon cœur, comme les oiseaux printaniers, plane entre terre et ciel.

De ce qu'on achète, je n'ai rien, pas même, dans les greniers, un lit. Mais je sais trouver ma couchette dans les charniers, dans les vieux fours, où les lanterniers la trouvent. Parfois je me fais locataire d'un arbre où mon cœur, loin des centeniers (1), plane entre terre et ciel.

Souvent aussi, en cachette, j'entre chez les seigneurs mal aumôniers, et là, sans fourchette, je dîne aux dépens de leurs cuisiniers. Quand, chicaniers, ils surgissent, je les fais taire en les tuant. Mon cœur, pour fuir les remords rancuniers, plane entre terre et ciel.

Envoi : Prince, mes derniers jours risquent à ce jeu une fin gibétaire. Adieu paniers, si l'on me pend ! Mon cœur plane entre terre et ciel !

(D'après Jean Richepin)

(1) *Centeniers :* chefs des gardes bourgeoises.

LE VERS LIBRE

1121
PAE§§115, 117

Ami de La Fontaine, Molière imite et dépasse même dans cette pièce la liberté de sa versification ; audace sans précédent et sans lendemain, car il se montrera plus modéré dans ses essais ultérieurs *(Amphitryon, Psyché).* **En quoi ces vers peuvent-ils être considérés comme « libres » ?**

Remerciement au roi *(Ayant reçu une pension de mille livres, Molière envoie sa Muse remercier le Roi).*

Votre paresse enfin me scandalise,
Ma Muse obéissez-moi.
Il faut ce matin, sans remise,
Aller au lever du Roi.
Vous savez bien pourquoi,
Et ce vous est une honte,
De n'avoir pas été plus prompte,
A le remercier de ses fameux bienfaits ;
Mais il vaut mieux tard que jamais.
Faites donc votre compte
D'aller au Louvre accomplir mes souhaits... (1663)

1122
PAE§§115-116

Comment les vers ci-dessous se distinguent-ils des vers réguliers du point de vue du compte des syllabes et du mètre ?

1. Les asphodèles sont les cierges du soleil.
Les pervenches sont des étoiles qui ont poussé.
L'iris est un oiseau penché sur la rivière.
Les chèvrefeuilles sont les lèvres de la haie,
Et l'églantier tremblant les joues des fiancées. (F. Jammes)

2. Il faut, voyez-vous, nous pardonner les choses.
De cette façon, nous serons bien heureuses,
Et si notre vie a des instants moroses,
Du moins, nous serons, n'est-ce pas ? deux pleureuses.
(Verlaine)

3. Et mon âme et mon cœur en délires
Ne sont plus qu'une espèce d'œil double
Où tremblote, à travers un jour trouble,
L'ariette, hélas ! de toutes lyres ! (Verlaine)

4. **Tête de pipe.**
C'est une face avec un casque en cône tronqué,
Sur le front de laquelle une main, mal définie,
Au bout d'un bras de rêve a sa poigne en harmonie,
Comme contre la pensée un geste un peu manqué. (Verlaine)

5. Mais Madame écoutez-moi donc
Vous perdez quelque chose
— C'est mon cœur pas grand-chose
Ramassez-le donc. (G. Apollinaire)

1123
PAE§§115-116

Même exercice :

1. De beaux enfants, plus légers que la lumière,
Couraient sur l'herbe, à l'appel des fins oiseaux,
D'autres dormaient dans la paresse plénière,
D'autres soufflaient, si joufflus ! dans les roseaux.
(Vincent Muselli)

2. L'agneau cherche l'amère bruyère,
C'est le sel et non le sucre qu'il préfère,
Son pas fait le bruit d'une averse sur la poussière. (Verlaine)

3. Quoi ! vais-je après cette heure survivre à mon bonheur, ô petit air de cloche, qui rajeunit mon cœur ? (Paul Fort)

4. Des avenues gazonnées divisent les quartiers neufs.
Le marronnier de quinze ans suit les tilleuls centenaires.
Un carrefour lance au loin des trottoirs jeunes et nus.
Et sous la grappe de fruits qui pend au beau lampadaire,
De ses mains gantées de blanc, le casque blanc sur la tête,
Un policier cambré conduit la rue comme un orchestre.
(J. Romains)

5. Comment encore reconnaître
ce que fut la douce vie ?
En contemplant peut-être
dans ma paume l'imagerie
de ces lignes et de ces rides
que l'on entretient
en fermant sur le vide
cette main de rien. (Rainer Maria Rilke)

6. **Verlaine :**
Mais ce qu'il écrit, c'est des choses qu'on ne peut lire sans indignation,
Car elles ont treize pieds quelquefois et aucune signification.
Le prix Archon-Despérousses n'est pas pour lui, ni le regard de M. de Montyon qui est au ciel.
Il est l'amateur dérisoire au milieu des professionnels. (Paul Claudel)

1124
PAE§§117-120

Comment les vers ci-dessous se distinguent-ils des vers réguliers, du point de vue de la rime, des accents, des pauses et de l'hiatus ?

1. Sifflet. L'espace fuit ; l'heure lève le camp. F-
Ugit tempus. Une autre gare brille.
Gare de l'Est, Lancry, République, Oberkampf,
Richard-Lenoir, Bréguet-Sabin, Bastille. (Tristan Derème)

2. J'ai peur. Autour de moi, dans l'ombre où elle dort,
Rome est là, comme un fantôme de bronze et d'or. (H. de Régnier)

3. Prince et princesse, allez, élus,
En triomphe, par la route où je
Trime d'ornières en talus.
Mais moi, je vois la vie en rouge. (Verlaine)

4. Et j'aurais abordé à votre clair rivage. (Comtesse de Noailles)

5. Pour tant de vaches qui regardèrent
Passer des chemins de fer,
Il convient aussi qu'on le sache,
Il y a des locomotives qui regardent les vaches. (Franc-Nohain)

6. Tenez, à la première du Cid, j'étais là. (E. Rostand)

7. **L'oiseleur.**

Je porte sous ma veste
mon unique richesse :
la cage thoracique
avec son oiseau rouge,
avec ses barreaux courbes,
avec ses chants rythmiques... (Robert Mallet)

1125
PAE§§117-120

Même exercice :

1. **Routes.**

L'une s'éloigne à droite et puis sinue à gauche
Vers un fermier qui bine ou vers un gars qui fauche ;
L'autre descend très humblement et trace un rond
Autour de la cabane où vit un bûcheron. (E. Verhaeren)

2. Que suis-je ? un oiseau sur la branche ?
Pas même : il a, l'oiseau, ses ailes
Et sa branche est à lui, à lui ;
Tandis, moi, je n'ai plus de nid,
Fauché ce qui me fut des ailes,
Et je me penche, penche, penche. (Fagus)

3. Les piverts au vol courbe se dressèrent,
cognant du bec et griffant de leurs serres
l'écorce où ils criaient rouges et verts. (F. Jammes)

4. Une à une, vous les comptiez en souriant,
Et vous disiez : Il est habile ;
Et vous passiez en souriant. (H. de Régnier)

5. Que tous ceux qui veulent mourir lèvent le doigt. (E. Rostand)

6. Tu ne vien-
dras pas, puisque
tu es loin :
pas de risque. (F. Jammes)

7. Tu écartes la mort, les ombres, le silence.
(Comtesse de Noailles)

8. Ne parlez plus d'amour. J'écoute mon cœur **battre.**
Il couvre les refrains sans fil qui l'ont grisé.
Ne parlez plus d'amour. Que fait-elle là-**bas**
Trop proche et trop lointaine, ô temps martyrisé. (Aragon)

9. L'éditeur qui venait de ne
Vendre... qu'une édition toute,
Bref, répondit : « Mon vieux, vous me
Volez comme sur la grand-route. » (Verlaine)

1126
PAE§§114-120

En quoi les vers ci-dessous diffèrent-ils des vers réguliers ?

1. Loin des oiseaux, des troupeaux, des villageoises,
Que buvais-je, à genoux dans cette bruyère
Entourée de tendres bois de noisetiers,
Dans un brouillard d'après-midi tiède et vert ? (A. Rimbaud)

2. O fanfares dans les soirs !
Ce sera barbare,
Ce sera sans espoir.
Et nous aurons beau la piétiner à l'envi,
Nous ne serons jamais plus cruels que la vie... (J. Laforgue)

3. Il est un port
Avec des eaux d'huiles, de moires et d'or
Et des quais de marbres le long des bassins calmes,
Si calmes
Qu'on voit sur le fond qui s'ensable
Passer des poissons d'ombre et d'or
Parmi les algues... (H. de Régnier)

1127
PAE§§114-120

Même exercice :

1. **Fardeaux.**

cravates au bord du ravin
balayant les coupes sombres
où s'entassent encore des hommes
du passé dressez vos bras
agités de cormorans (Tristan Tzara)

2. **Coqs de bruyère.**

....

Au Tyrol, quand les bois se foncent, de tout
l'être abdiquant un
destin
digne, au plus, de chromos savoureux,
mon
remords : sa rudesse, des maux,
je dégage les capucines de sa lettre. (André Breton)

3. **La Vipère à crête rouge.**

A l'aide de la seringue Pravaz il pratique plusieurs injections de sérum du docteur Yersin
Puis il agrandit la blessure du bras en pratiquant au scalpel une incision cruciale
Il fait saigner la plaie
Puis la cautérise avec quelques gouttes d'hypochlorite de chaux.
(Blaise Cendrars)

LA LANGUE POÉTIQUE

1128
PAE§122

Montrez qu'au rythme des rimes, des accents et des pauses s'ajoute dans les textes suivants un rythme créé par la répétition de certains sons, de certains mots et de certaines constructions :

1. Je suis un être de sang-froid
Obéissant aux convenances,
Pas plus méchant que l'on ne croit
Et pas meilleur que l'on ne pense.
(J. de la Ville de Mirmont)

2. De blancs sanglots glissant sur l'azur des corolles. (Mallarmé)

3. Je le vis, je pâlis, je rougis à sa vue. (Racine)

4. L'oiseau n'est sur la fleur balancé par le vent
Et la fleur ne parfume et l'oiseau ne soupire
Que pour mieux enchanter l'air que ton sein respire. (Vigny)

5. Je tresserai mes vers de verre et de verveine
Je tisserai ma rime au métier de la fée
Et trouvère du vent je verserai la vaine
Avoine de mes veines
Pour récolter la strophe et t'offrir ce trophée.
(Aragon)

1129
PAE§122

Même exercice :

1. Tout est sommeil ; la nuit avance.
Au peuplier je me balance,
Je me balance au peuplier. (Juste Olivier)

2. Elle meurt dans mes bras d'un mal qu'elle me cache. (Racine)

3. L'école était au bord du monde,
L'école était au bord du temps.
Au-dedans, c'était plein de rondes ;
Au-dehors, plein de pigeons blancs. (M. Carême)

4. Et la source sans nom qui goutte à goutte tombe. (Heredia)

5. Est-ce un espoir vain que mon cœur caresse,
Un vain espoir, faux et doux compagnon ?
Oh ! non ! n'est-ce pas ? n'est-ce pas que non ? (Verlaine)

6. Et go to go and go
Et sucre !
Sarcospèle sur Saricot
Bourbourane à talico
On te bourdourra le bodogo
Bodogi. (Henri Michaux)

1130
PAE§122

Relevez dans chacun des textes suivants un cas de maintien d'une prononciation ancienne, ou une anomalie d'orthographe commandée par les règles du vers :

1. Le temple est en ruine au haut du promontoire. (Heredia)

2. Rendez-le à mon amour, à mon vain désespoir. (Voltaire)

3. Ils donnaient Chypre et Paphos ;
Et leurs cheveux étaient faux. (V. Hugo)

4. Où tu vas, j'y serai toujours
Jusques au dernier de tes jours. (Musset)

5. Tous nos ports ont leur gloire ou leur luxe à nommer :
Mais Toulon a lancé la *Sérieuse* en mer. (Vigny)

6. Ce vieillard possédait des champs de blés et d'orge. (V. Hugo)

7. Le long d'un clair ruisseau buvait une colombe,
Quand sur l'eau se penchant une fourmis y tombe.
(La Fontaine)

8. Je serai ce soir ivre-mort ;
Alors, sans peur et sans remords,
Je me coucherai sur la terre. (Baudelaire)

1131
PAE§122

Même exercice :

1. Ma lyre abandonnée exhale encor des vers. (Lamartine)

2. ... en offrant le breuvage
De son sein nud et brun à son enfant sauvage. (Vigny)

3. Rome était la truie énorme qui se vautre. (V. Hugo)

4. Et tu fis la blancheur sanglotante des lys (...)
A travers l'encens bleu des horizons pâlis. (St. Mallarmé)

5. Est-ce qu'à votre service
Le Cid s'est estropié
Au point d'avoir quelque vice
Dans le poignet ou le pié ? (V. Hugo)

6. C'est lui qui, triste ou fou, de face ou de profil,
Comme un polichinel me traîne au bout d'un fil. (Musset)

7. **Au trictrac :**
Battu, chassé, repris, de sa prison sonore
Le dez avec fracas part, rentre, part encore. (Delille)

8. « Toi, que veux-tu, dit Charle, et qu'est-ce qui t'émeut ? » (V. Hugo)

1132
PAE§123

Voici une boutade de Victor Hugo que vous reconstituerez en remplaçant les points par les termes convenables (soit, selon l'ordre alphabétique : *l'amour, la beauté, le chapeau à trois cornes, un cheval, la cocarde blanche ou tricolore, les fleurs, les fruits, la mer*) :

« L'académicien classique qui appelle ... Flore, ... Pomone, ... Neptune, ... les feux, ... les appas, ... un coursier, ... la rose de Bellone, ... le triangle de Mars, l'académicien classique parle argot. »

1133
PAE§123

Relevez avec précision quelques traits sémantiques de la poésie classique dans les textes ci-dessous (vocabulaire noble, métaphores, hyperboles, périphrases, allusions mythologiques, épithètes oiseuses, épithètes morales...) :

1. Quelquefois, à l'appât d'un hameçon perfide,
J'amorce, en badinant, le poisson trop avide ;
Ou d'un plomb qui suit l'œil, et part avec l'éclair,
Je vais faire la guerre aux habitants de l'air. (Boileau)

2. **Tempête :**
... Le vaste sein des mers
Nous entrouvrit cent fois la route des enfers...
D'un déluge de feux l'onde comme allumée
Semblait rouler sous nous une mer enflammée ;
Et Neptune en courroux, à tant de malheureux,
N'offrait pour tout salut que des rochers affreux. (Crébillon)

3. **L'automne :**
L'Aurore est sans pleurs,
Zéphyr sans haleine,
Flore sans couleurs. (M. Bernard, 1764)

4. **Paris sous Philippe-Auguste :**
On entendait au loin mugir de longs troupeaux
Au lieu même où, paré de nobles chapiteaux,
Le Louvre se déploie en portiques superbes ;
La Seine visitait des bords tapissés d'herbes,
Et les quais orgueilleux qu'elle bat en grondant
N'avaient point asservi son cours indépendant ;
Mille arbres cultivés en des enclos modestes,
Près des toits citadins levaient leurs fronts agrestes.
(Parseval de Grandmaison)

1134
PAE§123

Même exercice :

1. Plongé dans le sein de Téthys,
Le soleil a cédé l'empire
A la pâle reine des nuits. (Lamartine)

2. Des bords sacrés où naît l'Aurore,
Aux bords enflammés du couchant... (J.-B. Rousseau)

3. Quel bruit s'est élevé ? la trompette sonnante
A retenti de tous côtés,
Et sur son char de feu la foudre dévorante
Parcourt les airs épouvantés. (Gilbert)

4. **Les Sœurs de charité :**
Là, des femmes portant le nom chéri de Sœurs,
D'un zèle affectueux prodiguent les douceurs...
O courage touchant ! ces tendres bienfaitrices
Dans un séjour infect, où sont tous les supplices,
De mille êtres souffrants prévenant les besoins,
Surmontent les dégoûts des plus pénibles soins,
Du chanvre salutaire entourent leurs blessures,
Et réparent ce lit témoin de leurs tortures. (E. Legouvé)

5. Comme une onde qui bout dans une urne trop pleine,
Dans ton cirque de bois, de coteaux, de vallons,
La pâle mort mêlait les sombres bataillons. (V. Hugo)

6. Quiberon vit jadis, sur son bord solitaire.
Des Français assaillis s'apprêter à mourir,
Puis, devant les deux chefs, l'airain fumant se taire. (V. Hugo)

1135 PAE§123

Appréciez la cohérence sémantique dans les textes suivants :

1. Les tramways feux verts sur l'échine
Musiquent le long des portées
De rails leur folie de machines. (G. Apollinaire)

2. Les mots, chaussés de plomb sournois, l'ongle buté,
jumelés d'isthme entre leurs cous pleins de carottes,
avec des scions à la pointure des marottes
je les chéris cessant de nous déconcerter.
(J. Audiberti)

3. Assise la fileuse au bleu de la croisée
Où le jardin mélodieux se dodeline.
Le rouet ancien qui ronfle l'a grisée.

Lasse, ayant bu l'azur, de filer la câline
Chevelure, à ses doigts si faibles évasive,
Elle songe, et sa tête petite s'incline... (P. Valéry)

4. **Le poète parvenu :**
Son cœur a pris du ventre et dit bonjour en prose.
Il est coté fort cher... ce Dieu, c'est quelque chose ;
Il ne va plus les mains dans les poches tout nu...

Dans sa gloire qu'il porte en paletot funèbre,
Vous le reconnaîtrez : fini, banal, célèbre...
Vous le reconnaîtrez alors, cet inconnu. (T. Corbière)

5. Les guêpes fleurissent vert
L'aube se passe autour du cou
Un collier de fenêtres. (P. Eluard)

1136 PAE§124

Copiez dans un livre de Morceaux choisis ou dans un recueil quelconque de vers un texte poétique du XIXe siècle constituant une longue phrase comme le premier texte de Hugo cité au paragraphe 124.

1137 PAE§124

Trouvez dans vos Morceaux choisis ou dans un recueil de vers quelconque un exemple de « motif » comme celui de Victor Hugo donné au paragraphe 124 ; vous indiquerez la référence précise en ne copiant que le motif proprement dit.

1138
PAE§124

Relevez les archaïsmes par lesquels se singularise la langue poétique dans les textes suivants :

1. Chanterez-vous quand serez vaporeuse ? (P. Valéry)

2. Vous chantâtes sur mon sommeil bien doucement. (J. Moréas)

3. Et nos amours
Faut-il qu'il m'en souvienne (G. Apollinaire)

4. S'unisse notre nid, requis par mon exil,
au fond du sourcil
d'une seule absence. (J. Audiberti)

5. Et l'on ne voudrait pas que je m'accommodasse
De ce sort vraiment dégoûtant !... (J. Laforgue)

6. Ah ! lointain est cet âge. (René Char)

7. Si j'étais noble Faucon,
Tournoîrais sur ton balcon... (T. Corbière)

8. Des émigrants j'écoute les chansons. (Max Jacob)

1139
PAE§124

Dans les textes du XIXe et du XXe siècle ci-dessous, relevez les traits de syntaxe étrangers à la langue écrite normale, par lesquels se renouvelle et se singularise la langue poétique :

1. **Langueur :**
Là-bas on dit qu'il est de longs combats sanglants.
O n'y pouvoir, étant si faible aux vœux si lents,
O n'y vouloir fleurir un peu cette existence ! (Verlaine)

2. Quand reviendra l'automne,
Cette saison si triste,
Je vais m' la passer bonne,
Au point de vue artiste. (J. Laforgue)

3. Toute la main s'appuie oisive sur la table
Dont le marbre miroite en apparence d'eau
Où semble la Nuit même et son ciel véritable. (H. de Régnier)

4. Un chien perdu grelotte en abois à la Lune...
Oh ! pourquoi ce sanglot quand nul ne l'a battu ?
Et nuits ! que partout la même Ame ! En est-il une
Qui n'aboie à l'exil ainsi qu'un chien perdu ? (J. Laforgue)

5. Le sceptre des rivages roses
Stagnants sur les soirs d'or, ce l'est,
Ce blanc vol fermé que tu poses
Contre le feu d'un bracelet. (St. Mallarmé)

6. Je vous dis que ce n'est pas ce que l'on pensa. (Verlaine)

7. Cette étoile glacée au matin, ce jour mort
Et lucide, ô Pensée, ô Cœur ! silence... accord...
Et vous, cruellement, lumières aiguisées,
Vous, souriant et mince azur, et vous, pâleurs
Éclatantes, et toi, prince de nos croisées,
Beau givre emprisonnant le fantôme des fleurs. (V. Muselli)

8. L'élite abonde en abrutis.
Quel sort ! C'en serait à se pendre
Si ne me tenait arrêté
L'incompréhensibilité
D'à mon tour pouvoir me comprendre. (Verlaine)

1140
PAE§124

Même exercice :

1. Et lorsque je ramais dans ma barque marine,
Entre elles, vers leur voix, venue à moi divine,
J'ai vu, que je pensais être à jamais sereines,
Après avoir chanté se mordre les sirènes ! (H. de Régnier)

2. Qu'est-ce que c'est que ce berceau soudain
Qui lentement dorlote mon pauvre être ? (Verlaine)

3. Il patinait merveilleusement
S'élançant, qu'impétueusement !
R'arrivant si joliment vraiment ! (Verlaine)

4. O ma raison le loir en a plus de dormir
Que moi d'en découvrir de valables à la vie
A moins d'aimer. (P. Eluard)

5. **« Petit air guerrier » :**
Ce me va hormis l'y taire
Que je sente du foyer
Un pantalon militaire
A ma jambe rougeoyer. (St. Mallarmé)

6. **« Pour la fée Printemps » :**
Les fleurs seront deux fois les fleurs, si tu les touches !
De silence et de paix le parc s'enorgueillit,
Où le vert rejeton, crevant la vieille souche,
Ton clair avènement solennise à l'envi. (P. Drouot)

7. Voyons, qu'est-ce que je veux ?
Rien, je suis-t-il malhûreux ! (J. Laforgue)

8. courbe plain-pied du verre causse de verre tarot litres décousus grenat grenaille bruns pont en poudre paon transparent verre qui s'y couche qui prend ce lit qui trébuche se mêle sous ces draps quand la pluie qui se couche fait face à l'opaque trop long chemin émietté de la lumière qui verre. (J. Roubaud)

1141
PAE§126

Appréciez la valeur iconique de ces deux poèmes :

1. Sur chaque ardoise
qui glissait du toit
on
avait écrit
un poème
La gouttière est bordée de diamants
les oiseaux les boivent

(Pierre Reverdy, 1918)

2.

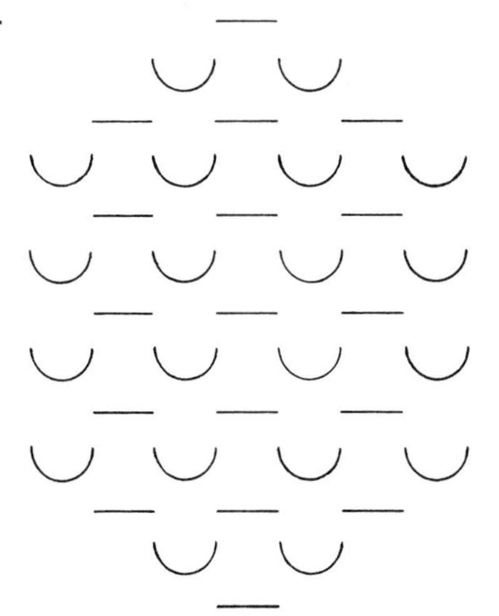

(Christian Morgenstern,
« Fisches Nachtgesang »
[Chant nocturne du poisson])

LA CHANSON

1142
PAE§§91, 127

1° Faites le tableau des rythmes de cette première strophe du poème de Verlaine, et montrez comment le rythme des mesures musicales (dont le premier temps est fort) est adapté à celui des vers, où la syllabe forte est la dernière.
2° Appréciez la manière dont Trenet a traduit en musique la fin des vers et particulièrement de ceux qui se terminent par un *e* muet.
3° Remarquez-vous une différence de rythme entre la musique du 3e vers et celle du 6e ? Comment l'interpréteriez-vous ?
4° Montrez que Trenet a réduit la mélodie à peu de chose. Pourquoi ? Quel sentiment vous paraît exprimer ce qu'il en reste ?

Verlaine (poème de Verlaine, musique de Ch. Trenet, éd. Raoul Breton).

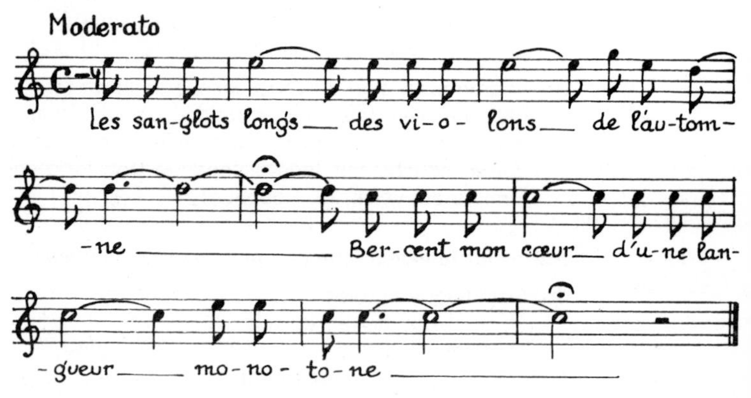

1143
PAE§§93, 127
CFC§39

1° Quelle correspondance existe entre le mètre des vers de cette chanson et la mesure de la musique ?
2° Y a-t-il coïncidence du temps fort (le premier de chaque mesure) avec l'accent tonique dans le texte ? Copiez les mots où cette coïncidence n'est pas réalisée.
3° Copiez les mots où l'*e* muet est prononcé artificiellement (pour le mètre et pour la musique).
4° Quel caractère présente ici le rythme musical ? Peut-on l'interpréter en fonction du sens ?

Un monsieur attendait (paroles de Georges Ulmer et Géo Koger, musique de Georges Ulmer, éd. Robert Salvet).

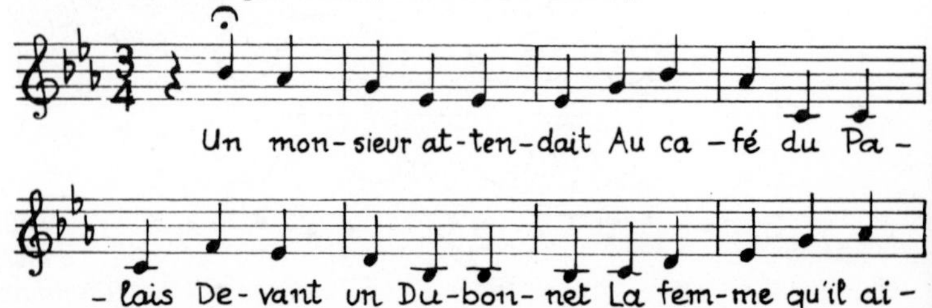

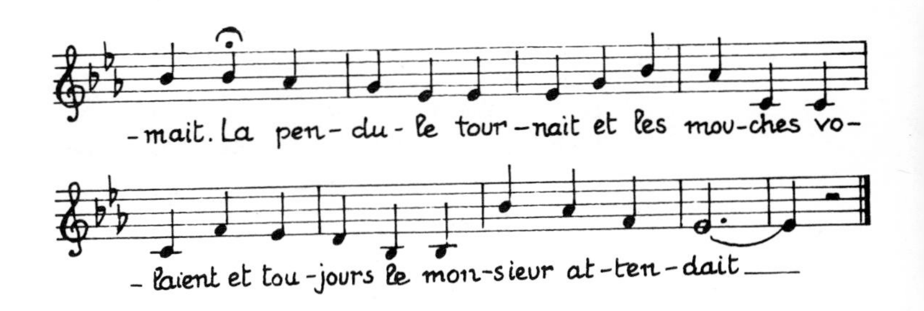

1144
PAE§127

1° Dites toutes les différences que vous observez entre la mesure des vers et la mesure musicale dans cette chanson. Quel sort est fait à l'*e* muet ?
2° Sachant que le temps fort est le premier dans la mesure à trois temps, qu'une noire vaut un temps, une blanche deux, et une blanche pointée trois, dites dans quels mots la musique est en désaccord avec la parole pour l'intensité, pour la durée, ou pour les deux à la fois.
3° Si le rythme musical s'écarte ici notablement du rythme de la parole, ne peut-on le juger cependant en accord avec le sens du poème ? De quelle façon ?

L'eau vive (paroles et musique de Guy Béart, éd. Tutti).

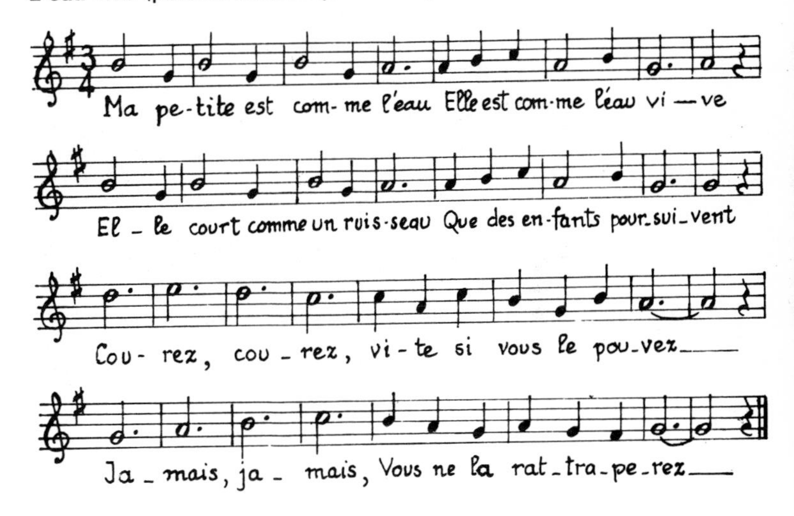

1145
PAE§127

1° Quel sort la musique fait-elle ici à l'*e* muet ?
2° De quelle façon originale l'auteur a-t-il adapté la mélodie au sens dans ce refrain ?
3° Montrez comment la mélodie fait attendre l'envolée de *do* à *si*, tout en en préparant l'effet (montée d'attente, cf. CFC§41).
4° Qu'exprime selon vous la chute finale de la courbe mélodique ?

Sur deux notes (paroles et musique de Paul Misraki, édit. Tutti).

1146
PAE§§127, 97

1° Dans la mesure à quatre temps, le 3e temps peut être fort comme le premier. C'est ici le cas : quelles syllabes sont soulignées par l'accent musical (sachant qu'une noire vaut deux croches, une croche deux doubles croches, une croche pointée trois doubles croches) ?
2° Quel compte Brassens tient-il ici de l'*e* muet ?
3° Les mots *ange* et *pardi* ne riment pas ; dans ce refrain de chanson, quels effets sont liés à leurs traits phoniques (cf. PAE§97) ? Ces effets sont-ils rendus musicalement ?
4° Quelles répétitions de la mélodie observez-vous, et conviennent-elles à l'idée ?

Le parapluie (paroles et musiques de Georges Brassens, éd. Intersong).

1147
PAE§127

1° Montrez comment le rythme musical convient ici au vers de 5 syllabes, et la régularité du rythme au sentiment exprimé.
2° Montrez que la mélodie prend ici plus d'importance que les paroles. Comment peut-on interpréter, en fonction du sens et de l'état mental du locuteur :
— la courbe mélodique de chaque mesure (à comparer avec l'intonation de la phrase étudiée au § 41 du CFC) ?
— l'abaissement progressif des notes du début à la fin ?

Ne me quitte pas (paroles et musique de Jacques Brel, éd. Tutti).

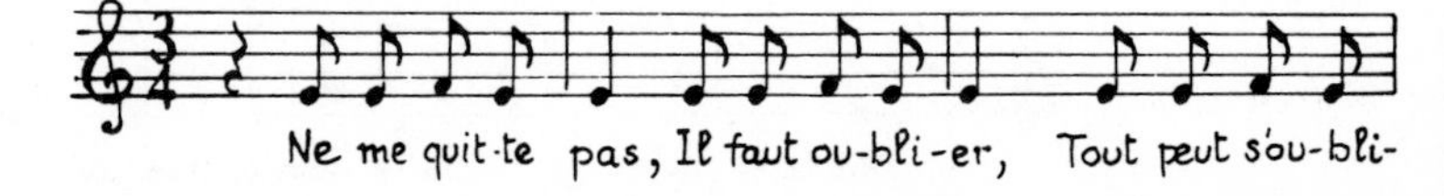

1148
PAE§127

Montrez que le rythme et la courbe mélodique font du refrain de cette valse une définition en forme de devinette.

Pigalle (paroles de Georges Ulmer et Géo Koger, musique de G. Ulmer, éd. Robert Salvet).

1149
PAE§127

Le rythme des notes est-il motivé ici par le rythme de la parole ? Quelle interprétation pourriez-vous en donner en fonction du sens général ?

La chanson du scaphandrier (paroles de René Baër, musique de Léo Ferré, Nouvelles Éditions Méridian).

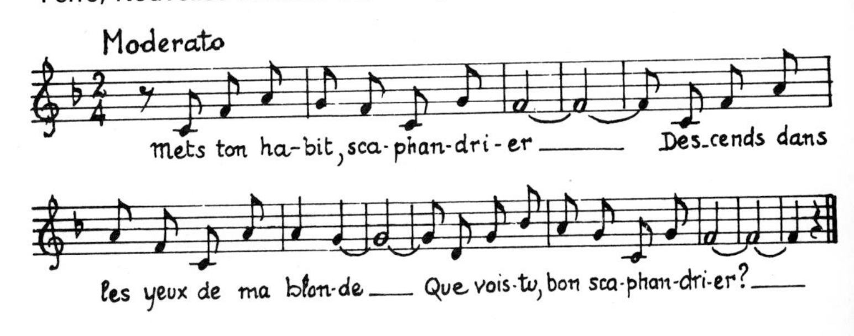

1150
PAE§127

1° Quel est le mètre des vers de ce refrain ? Y retrouve-t-on un mètre de la poésie régulière ?
2° L'accent musical du 1er temps et celui du 3e temps (cf. ex. 1146) portent-ils toujours sur des syllabes toniques de la prononciation ?
3° La durée des notes correspond-elle ici à celle des syllabes dans la prononciation (PAE§104, CFC§91) ? Dans quels mots s'en inspire-t-elle ? Dans lesquels s'en écarte-t-elle ? En comparant le rythme qui en résulte à celui de la chanson citée à l'exercice 1143, dites quel effet produit le mouvement de ce refrain, avec ses variations.

Le soleil et la lune (paroles et musique de Charles Trenet, éd. Raoul Breton).

1151
PAE§127

1° Une note domine largement en durée et en force dans cette chanson : laquelle ? Quel sens donnez-vous à ce retour perpétuel ?
2° Quel contraste observe-t-on dans les deux premiers couplets entre les deux parties de la mélodie, et quel contraste lui correspond dans le sens des paroles ?
3° Quelle différence présente le 3e couplet par rapport aux deux autres (pour le texte comme pour la musique) ? Comment l'interprétez-vous ?

Actualités (paroles d'Albert Vidalie, musique de Stéphane Golmann, Nouvelles Éditions Méridian).

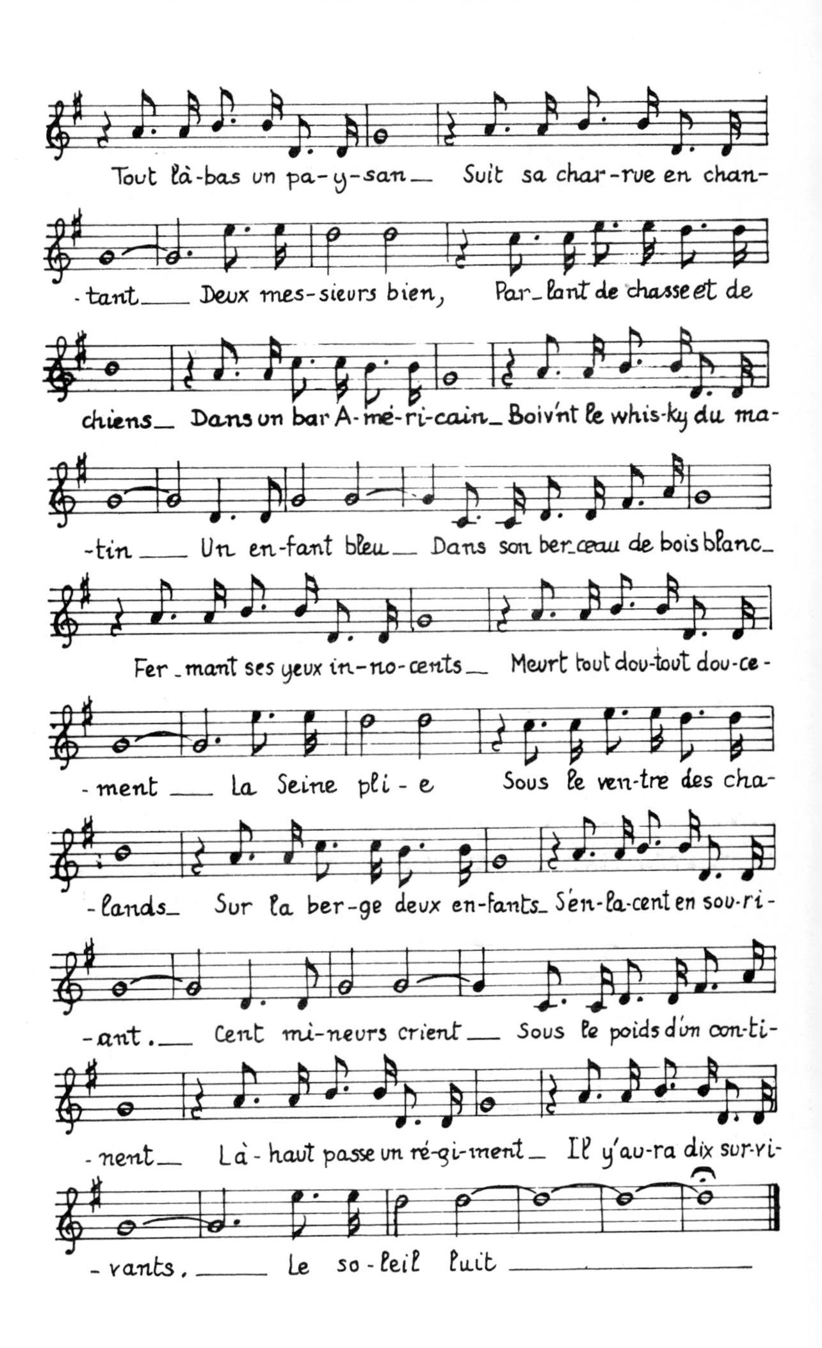

1152
PAE§§124, 127

1° Le texte de cette chanson a-t-il les caractères d'un poème régulier ?
2° Montrez, pour chaque couplet et le refrain, que le rythme des temps forts recouvre assez bien celui de la prononciation. Où y a-t-il coïncidence ? Où frappe-t-il à côté ?
3° Quelle observation peut-on faire sur la durée des notes ? Quel effet en résulte ?
4° Montrez que le texte de cette chanson répond au « patron dynamique » appelé *motif* par Paul Claudel (PAE§124). Les mêmes répétitions se retrouvent-elles dans la musique ? S'en ajoute-t-il d'autres ? Quel effet en résulte ?
5° Du point de vue rhétorique pur, appréciez les images (métaphores et comparaisons) et la progression du pathétique.

Je ne sais pas (paroles et musique de J. Brel, Éditions Tropicales).

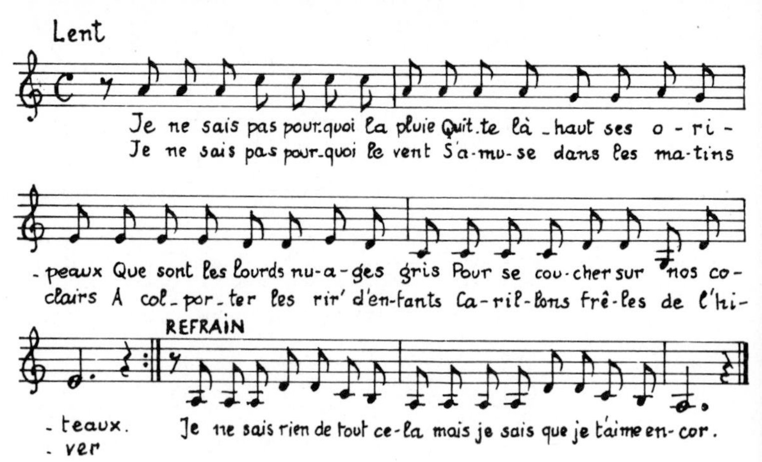

Au 5e couplet, dans le dernier vers repris, la syllabe finale *cor* a la durée de 2 rondes, dont la dernière est surmontée d'un point d'orgue, renforçant son intensité.

II

Je ne sais pas pourquoi la route
Qui me pousse vers la cité
A l'odeur froide des déroutes
De peuplier en peuplier
Je ne sais pas pourquoi le voile
Du brouillard glacé qui m'escorte
Me fait penser aux cathédrales
Où l'on prie pour les amours mortes
Je ne sais rien de tout cela
Mais je sais que je t'aime encor

III

Je ne sais pas pourquoi la ville
M'ouvre ses remparts de faubourgs
Pour me laisser glisser fragile
Sous la pluie parmi ses amours
Je ne sais pas pourquoi ces gens
Pour mieux célébrer ma défaite
Pour mieux suivre l'enterrement
Ont le nez collé aux fenêtres
Je ne sais rien de tout cela
Mais je sais que je t'aime encor

IV

Je ne sais pas pourquoi ces rues
S'ouvrent devant moi une à une
Vierges et froides, froides et nues
Rien que mes pas et pas de lune
Je ne sais pas pourquoi la nuit
Jouant de moi comme guitare
M'a forcé de venir ici
Pour pleurer devant cette gare
Je ne sais rien de tout cela
Mais je sais que je t'aime encor

V

Je ne sais pas à quelle heure part
Ce triste train pour Amsterdam
Qu'un couple doit prendre ce soir
Un couple dont tu es la femme
Et je ne sais pas vers quel port
Part d'Amsterdam ce grand navire
Qui brise mon cœur et mon corps
Notre amour et mon avenir
Je ne sais rien de tout cela
Mais je sais que je t'aime encor (bis)

1153
PAE§127

Toutes les chansons de Jacques Brel ne sont pas désespérées. Vous apprécierez l'optimisme de celle-ci en montrant :
1° Que le texte est construit, comme celui de l'exercice précédent, sur un « motif » ;
2° Que ce motif est exprimé en musique à trois niveaux différents de hauteur, variation dont vous direz, en fonction du sens général, la valeur expressive.

Quand on n'a que l'amour (paroles et musique de J. Brel, Éditions Tropicales).

- bourgs Quand on n'a que l'a - mour Pour u - ni - que rai-
- four Quand on n'a que l'a - mour Pour par - ler aux ca-
- son Pour u - ni - que chan - son Et u - ni - que se-
- nons Et rien qu'u - ne chan - son Pour con - vaincre un tam-
1.
cours Quand on n'a que l'a-
2.
- bour A - lors sans a - voir
rien Que la for - ce d'ai - mer Nous au - rons dans nos
mains Ma mie ___ le monde en - tier ___

Index

INDEX

(Les numéros sont ceux des exercices)

A

B

C

D

E

F

G

H

I

J

L

M

N

O

P

Q

R

S

T

V

Table des matières

TABLE DES MATIÈRES

5e SECTION : LA PHRASE

6e SECTION : RHÉTORIQUE

7e SECTION : POÉTIQUE